PENELOPE DOUGLAS

HIDEAWAY

Traduzido por Marta Fagundes

2ª Edição

2024

Direção Editorial:	**Tradução:**
Anastácia Cabo	Marta Fagundes
Arte de Capa:	**Diagramação e revisão:**
Bianca Santana e glancellotti.art	Carol Dias

Esta é uma obra de ficção. Nomes, personagens, lugares e acontecimentos descritos são produtos da imaginação da autora. Qualquer semelhança com nomes, datas ou acontecimentos reais é mera coincidência.

Este livro segue as regras da Nova Ortografia da Língua Portuguesa.

CIP-BRASIL. CATALOGAÇÃO NA PUBLICAÇÃO
SINDICATO NACIONAL DOS EDITORES DE LIVROS, RJ
GABRIELA FARAY FERREIRA LOPES - BIBLIOTECÁRIA - CRB-7/6643

D768h
2. ed.

Douglas, Penelope
Hideaway / Penelope Douglas ; tradução Marta Fagundes. - 2. ed. - Rio de Janeiro : The Gift Box, 2024.
456 p. (Devil's night ; 2)

Tradução de: Hideaway
ISBN 978-65-85940-01-6

1. Ficção americana. I. Fagundes, Marta. II. Título. III. Série.

24-87858 CDD: 813
CDU: 82-3(73)

Por mais que o romance HIDEAWAY seja independente, o enredo é uma continuação dos eventos que tiveram início em CORRUPT (Devil's Night #1). Realmente recomendo que você leia o primeiro livro antes de ler este.

Boa Leitura!

Para Z. King

"Um homem não pode destruir o selvagem nele, negando seus impulsos. A única maneira de se livrar de uma tentação é ceder a ela".

Robert Louis Stevenson,
O Estranho Caso do Dr. Jekyll e Sr. Hyde

CAPÍTULO 1

KAI

A CHUVA ERA COMO A NOITE. VOCÊ PODE SE TORNAR UMA PESSOA DIFERENTE no escuro e sob as nuvens.

Não tenho certeza da razão. Talvez pela falta de luz do sol e como nossos outros sentidos aumentam, ou porque o manto sutil esconde as coisas de nossa vista, mas nem tudo é aceitável na hora que se bem entende.

Pense em tirar a jaqueta e arregaçar as mangas. Depois, sirva uma bebida e se recline para desfrutá-la. Em seguida, ria com seus amigos e grite por causa do jogo de basquete na TV. Siga uma garota que você tem paquerado há uma hora até o banheiro do pub e peça aos seus amigos que façam um sinal de aprovação quando voltarem.

Agora, tente fazer isso durante o dia com a estagiária no escritório.

Não que eu quisesse a liberdade de me entregar a qualquer coisa a qualquer momento. As coisas eram mais especiais quando eram raras. Mas todas as manhãs, quando o sol nascia, eu podia sentir a ansiedade retorcer meu estômago.

O anoitecer estaria logo de volta.

Deixando a máscara balançar ao lado do meu corpo, fiquei no topo do patamar do segundo andar e observei Rika sentada em seu carro. Ela mantinha a cabeça baixa, o rosto visível pelo brilho do celular, apesar da chuva que atingia o para-brisa enquanto digitava alguma coisa.

Balancei a cabeça, flexionando a mandíbula. *Ela nunca me dava ouvidos.*

Observei quando a noiva do meu melhor amigo terminou de digitar, a luz do telefone desvaneceu, para só então abrir a porta do carro e sair correndo, enfrentando a chuva intensa. Lancei o olhar por todo o seu corpo, fazendo um inventário geral. *Cabeça e olhos baixos. Chaves enroladas em seu punho fechado. Braços protegendo a cabeça da chuva e dificultando sua linha de visão.*

Completamente inconsciente de seu entorno. A vítima perfeita.

Agarrando o equipamento de segurança da parte de trás da máscara prateada, deslizei-a sobre a cabeça, cada curva do meu rosto sendo abraçada em um ajuste apertado. O mundo ao meu redor se encolheu ao tamanho da fresta que me permitia ver apenas o que havia à frente.

O calor se espalhou pelo meu pescoço, infiltrando-se no meu peito, e respirei fundo, sentindo o coração batendo forte, ansioso.

De repente, o barulho da chuva que caía como uma cachoeira, no beco do lado de fora, ressoou pelo *dojo*[1] e a pesada porta de metal no andar de baixo se fechou.

— Olá? — ela gritou.

Senti o frio intenso na barriga e fechei os olhos, saboreando a sensação. O som de sua voz ecoou através do prédio vazio, mas me mantive imóvel no patamar escuro, esperando que ela, por fim, me encontrasse.

— Kai? — Eu a ouvi gritar pelo amplo saguão.

Estendi a mão e puxei o capuz do moletom preto, cobrindo a cabeça. Então me virei para observá-la por cima do corrimão.

— Olá? — ela chamou novamente. — Kai, você está aqui?

A primeira coisa que vi foi seu cabelo loiro. Era o que se destacava de imediato em Rika. Na penumbra de sua cobertura, neste *dojo* escuro, na escuridão do beco do lado de fora, em quartos escuros e nas ruas sombrias... Ela sempre se destacava.

Descansei as mãos no corrimão de aço enferrujado, mantendo os pés plantados sobre as grades, e observei-a entrar lentamente no salão principal abaixo, apertando os interruptores na parede. Mas nada aconteceu. As luzes não se acenderam.

Ela girou a cabeça para a esquerda e para a direita, parecendo repentinamente alerta e, em seguida, pressionou os botões com mais ênfase.

Nada.

Seu ritmo respiratório mudou, acelerando; sua consciência vindo à tona enquanto segurava a alça da bolsa com mais força.

Lutei para conter o sorriso e inclinei a cabeça, observando-a. Eu deveria

1 Dojo é o nome do local para treinamento de artes marciais japonesas.

ficar à vista. Deveria jogar limpo, para que soubesse que eu estava aqui e que ela estava segura.

Mas quanto mais eu esperava, e quanto mais me mantinha quieto e às escondidas, mais nervosa ela ficava. E ao cruzar a sala abaixo, não pude conter a necessidade de sentir este momento. Ela estava confusa. Assustada. Acanhada. Não fazia a menor ideia de que eu estava aqui. Logo acima dela. Não sabia que meus olhos estavam focados nela neste exato instante. Não sabia que eu poderia correr em sua direção, segurá-la do nada e jogá-la no chão antes mesmo de se dar conta do que havia acontecido.

Eu não queria assustá-la, mas fiz do mesmo jeito. Poder e domínio eram viciantes. Não queria gostar disso, porque me deixava doente.

Isso me igualava a Damon.

Comecei a respirar com mais dificuldade e segurei a grade com força, temendo a mim mesmo. Isso não era normal.

— Eu sei que você está aqui — disse ela, olhando em volta com as sobrancelhas franzidas.

Mas a teimosia que brilhava em seu olhar era puro fingimento, e isso fez com que um canto da minha boca se curvasse em um sorriso sutil por trás da máscara.

A camiseta larga e comprida pendia por um ombro, deixando-o exposto. Gotas de chuva cintilaram acima do decote e no pescoço. A chuva golpeava a cidade e, a esta hora da noite, as ruas se encontravam vazias. Ninguém a ouviria. Provavelmente ninguém a viu entrar no prédio.

E pela forma como retrocedeu em seus passos para sair da sala escura, demonstrava que havia percebido exatamente isso.

Dei um passo.

A grade do corrimão rangeu, fazendo com que olhasse à esquerda e em direção ao som.

Seus olhos se fixaram em mim. Retribuindo seu olhar, andei em direção às escadas.

— Kai? — perguntou.

Por que ele não está me respondendo?, provavelmente devia estar se perguntando. *Por que está usando sua máscara? Por que as luzes estão apagadas? Por causa da tempestade? O que está acontecendo?*

No entanto, eu não disse nada enquanto seguia, lentamente, em sua direção. Sua forma pequena e linda se tornou cada vez mais definida à medida que me aproximava. Os fios de cabelo molhado, que não havia reparado antes, agora se grudavam ao colo de seus seios, e os brincos de diamantes que Michael lhe deu no último Natal cintilavam em suas orelhas. Os bicos de seus seios despontavam pela camiseta.

Seus olhos azuis me encararam com cautela.

— Eu sei que é você.

Sorri por trás da máscara, vendo seu corpo tenso traindo suas palavras confiantes. *Sabe mesmo?*

Eu a circulei lentamente, enjaulando-a enquanto permanecia obstinadamente imóvel. *Você tem tanta certeza de que sou eu? Posso não ser Kai, certo? Poderia estar usando a máscara dele. Ou ter comprado uma igual.*

Parando atrás dela, tentei manter meu ritmo respiratório controlado, apesar das batidas ensandecidas do meu coração. Podia sentir a energia pulsante entre meu tórax e suas costas.

Ela deveria ter se virado. Deveria estar se preparando para o perigo, como a havia ensinado. Ela achava que isso era apenas um jogo?

— Pare com isso — disse, irritada, virando a cabeça apenas o suficiente para que pudesse ver o movimento de seus lábios. — Isso não é nem um pouco engraçado.

Não, não era engraçado. Michael estava ausente – fora da cidade durante a noite –, e Will provavelmente estava se embriagando em algum lugar. Éramos apenas nós.

E pela forma como meu maldito estômago estava se revirando agora, não era engraçado, bom ou certo, o quanto eu precisava me esforçar constantemente para me sentir no controle. Não era nem um pouco bom o quanto eu não queria parar.

Agarrei seu corpo, envolvendo meus braços ao seu redor e enterrando meu nariz logo abaixo de sua orelha. Seu perfume fez minhas pálpebras pesarem, e a ouvi ofegar enquanto a apertava com mais força, mantendo-a pressionada a mim.

— Somos apenas nós, Monstrinha — rosnei. — Exatamente como quero que seja, e temos a noite toda.

— Kai! — ela gritou, debatendo-se entre meus braços.

— Quem é Kai?

Ela se contorceu, lutando contra o meu aperto com dificuldade.

— Eu te conheço agora. Sua altura, sua forma, seu cheiro...

— Você conhece? — perguntei. — Você sabe como eu me sinto, hein?

Enterrei meu rosto mascarado em seu pescoço e apertei meus braços em volta dela. Possessivo. Ameaçador. Então exalei em um sussurro:

— Sinto sua falta como uma menininha do ensino médio, Rika. — Gemi, agindo como se amasse a sensação de tê-la se contorcendo contra mim. — Você não dava nenhuma chateação.

Ela parou, cada parte do corpo congelando, exceto a respiração. Seu peito cedeu e depois começou a tremer sob meus braços.

Chamei sua atenção.

Alguém muito próximo de nós disse essas mesmas palavras uma vez, alguém que a assustava, e agora ela estava duvidando se eu poderia ou não ser ele. *Damon havia desaparecido no ano passado, e ele poderia estar em qualquer lugar, certo, Rika?*

— Esperei muito tempo por isso — eu disse, ouvindo o trovão estalar do lado de fora. — Tire essa merda. — Puxei sua camiseta para baixo, expondo a regata que usava, e ela gritou. — Eu quero te ver, porra.

Ela ofegou, afastando-se, e estendeu os braços para mim. Ela imediatamente deu um passo para trás – o primeiro contra-ataque que mostrei quando alguém a agarrava por trás –, mas afastei o meu pé, refazendo a base e sabendo o que ela pretendia fazer.

Vamos, Rika!

E então, de repente, ela caiu, todo o peso de seu corpo deslizando por entre meus braços direto para o chão.

Quase comecei a rir. Ela estava pensando rapidamente. *Ótimo.*

Mas dei prosseguimento ao meu ataque. Ela ficou de joelhos, preparando-se para sair correndo, e eu me joguei, agarrando-a pelo tornozelo.

— Onde você pensa que está indo? — provoquei.

Ela se virou e chutou minha máscara, e eu recuei, rindo.

— Ai, meu Deus, você vai me divertir pra caralho. Mal posso esperar, porra.

Um gemido escapou de seus lábios quando ela se arrastou para trás e se levantou novamente. Ela se virou – o medo estampado em seu rosto – e correu em direção aos vestiários. Provavelmente tentando alcançar a saída dos fundos do prédio.

Corri atrás dela, agarrando sua camiseta, meu corpo inteiro incendiando.

Porra. Senti uma gota de suor deslizar pela nuca.

É apenas um jogo. Eu não vou machucá-la. Era como brincar de pega-pega ou esconde-esconde quando crianças. Sabíamos que nada de ruim aconteceria quando fôssemos apanhados e não faríamos dano algum quando estávamos perseguindo alguém, mas o medo irracional nos excitava de todo jeito. Era disso que eu mais gostava. Isso era tudo. Não era de verdade.

Puxando-a de volta, envolvi um braço ao seu redor, levantando seu joelho com a outra mão para erguer o corpo do chão. Ela levantou o outro, mas girei meus quadris antes que seu golpe acertasse o meio das minhas pernas. Torci meu corpo para que caísse de costas e nos joguei no chão, mas inverti a posição na mesma hora, agora ficando por cima.

— Não! — ela gritou, apavorada. Seu corpo se debateu debaixo de mim, e eu me forcei entre suas pernas, colocando seus pulsos acima da cabeça e prendendo-os ali.

Ela lutou contra o meu aperto, mas a força em seus braços começou a ceder por conta dos tremores intensos.

Parei e olhei para baixo. Damon e eu tínhamos cabelos e olhos escuros, embora os dele fossem quase pretos. Ela não seria capaz de diferenciar um ao outro em meio à penumbra ao nosso redor. Mas ela podia me sentir. Segurando-a, forçando-a, ameaçando-a... exatamente como ele.

Eu lentamente abaixei a cabeça sobre seu peito, pairando centímetros acima de sua pele, e ela parou de se debater. Ela respirava com tanta dificuldade, que mais parecia como se estivesse sofrendo um ataque de asma.

Olhando para ela, com seu corpo totalmente moldado ao meu e suas mãos contidas acima, sem poder fazer nada, vi quando seus olhos marejaram. Ela sabia que era isso. Ninguém para me impedir, ninguém para ouvi-la gritar, um louco com uma máscara que poderia machucá-la, matá-la e levar a noite toda fazendo isso.

De repente, seu rosto se desfez em lágrimas abundantes, chorando angustiada ao perceber que sua luta havia sido engolfada pelo horror do que estava acontecendo.

Droga. Puxei meu capuz e joguei a máscara longe, furioso.

— Você é um bebê chorão, porra! — berrei, batendo a mão no chão ao lado de sua cabeça. — Livre-se de mim! — gritei, diante de seu rosto. — Agora! Vamos!

Ela rosnou, seu rosto ficando vermelho, até que se lançou para frente e passou um braço por trás do meu pescoço. Apertando-me em uma gravata, estendeu a outra mão e enfiou o polegar e indicador em meus olhos.

Não foi muito, mas me fez afrouxar o aperto por tempo suficiente para que conseguisse bater em um lado do meu rosto e, quando recuei, ela se endireitou e pegou a bolsa, acertando a minha cabeça.

— Argh! — grunhi, arrancando-a de suas mãos.

No entanto, rapidamente, ela se levantou e correu para a parede, pegando uma das espadas do Kendô e, assumindo sua posição, ergueu o bambu *shinai* acima da cabeça.

Sentei-me nos calcanhares e afastei a mão do meu rosto, checando se havia sangue. Nada. Soltei um suspiro e levantei o olhar, meu corpo resfriando quando o medo desvaneceu de seus olhos, sendo substituído pela raiva.

A adrenalina ainda corria pelo meu corpo e, mesmo respirando fundo, eu o senti dez vezes mais pesado no instante em que me coloquei de pé.

— Não gosto de ser emboscada desse jeito! — resmungou entredentes. — Este deveria ser um lugar seguro.

Pisquei, repreendendo-a com meu olhar.

— Nenhum lugar é seguro.

Fui em direção à escada, retirando minha camiseta enquanto subia.

— Você não está atenta. — Peguei a garrafa de água que havia deixado na janela mais cedo. — Estava te observando. Seu rosto estava para baixo, focado no celular em sua mão enquanto se mantinha na rua. E mal foi capaz de se livrar do meu agarre. Você perde muito tempo entrando em pânico.

Engoli a água, sedento por algo mais além daquele pequeno esforço. Muito tempo pensando, me preocupando, planejando. Eu precisava disso.

Sentia falta de todas aquelas noites, anos atrás, quando podia me libertar. Quando tinha amigos com quem podia me distrair.

Seus passos soaram nas escadas, e olhei pela janela, as luzes brilhantes da cidade de Meridian, do outro lado do rio, cintilando, um forte contraste com a escuridão deste lado.

— Absorvi tudo o que você me ensinou — disse ela. — Por confiar em você, não estava levando isso a sério. No entanto, se acontecer novamente, lidarei com isso.

— Você deveria ter lidado com isso desta vez. E se não fosse eu? O que teria acontecido com você?

Olhei para ela, vendo seus olhos aflitos contemplando a janela; senti o remorso remoer minhas entranhas. Odiava ver aquele olhar. Rika já havia passado por muita coisa, e eu a deixei mais abalada ainda.

— Acho que você gostou — ela respondeu, calmamente, ainda olhando pela janela. — Acho que desfrutou de tudo isso.

Meu coração saltou uma batida, e me afastei dela, seguindo a direção de seu olhar.

— Se tivesse desfrutado, não teria parado.

Ela olhou para mim e ouvi um carro passando lá embaixo, os pneus chapinhando na chuva.

— Sabe, também observo você — informou. — Anda muito quieto, ninguém sabe onde tem dormido ou comido...

Girei a tampa da garrafa de água, o recipiente plástico estalando no meu punho. Eu sabia do que ela estava falando. Sabia que estava distante. Mas precisava manter tudo para mim, ou arriscar que as coisas erradas escapassem. Era melhor assim.

E estava pior ultimamente. Tudo estava muito fodido. Ela e Michael estavam tão consumidos um com o outro, e Will só ficava sóbrio algumas horas por dia. Eu estava mais sozinho do que nunca.

— Você é como um robô. — Ela respirou fundo. — Não é como Damon. Você é ilegível. — Fez uma pausa. — Exceto agora, quando está usando sua máscara. Você gostou, não é? São os únicos momentos onde o vejo sentir alguma coisa.

Virei a cabeça, suavizando meu olhar.

— Você não está comigo o tempo todo — brinquei.

Mantive o olhar focado ao dela por um tempo, ambos sabendo exatamente sobre o que eu estava falando. Ela não me via com mulheres, e um leve rubor dominou suas bochechas. Deu-me um meio-sorriso, desistindo das perguntas em sua mente.

Pigarreei, seguindo em frente:

— Você precisa trabalhar em seus contra-ataques — atestei. — E na sua velocidade. Se parar, dá ao atacante a chance de se apossar de você.

— Eu sabia que estava segura com você.

— Você não está — respondi severamente. — Sempre presuma o perigo. Se alguém que não seja Michael te agarrar, acabará conseguindo o que acha que merecem.

Cruzou os braços e era nítida a sua irritação. Além de compreensível. Ela não queria viver sua vida sempre em guarda. No entanto, não estava se precavendo no mais básico no quesito segurança, e acabaria se lamentando pelo resto da vida se continuasse se arriscando daquela forma.

Michael nem sempre estava por perto. Mas quando estava, pelo menos sempre se mantinha ao lado dela. Há mais de semanas que realmente não conversávamos.

— Como ele está? — perguntei.

Ela revirou os olhos e percebi que o clima estava mudando para algo mais leve.

— Ele quer voar para o Rio ou para algum outro lugar para se casar.

— Achei que vocês haviam decidido esperar até depois do término da faculdade.

Assentiu, suspirando.

— Sim, eu também achei.

Estreitei o olhar. Então, o que estava acontecendo?

Os pais de Michael e Rika esperavam um casamento em Thunder Bay, e até onde eu sabia, os dois estavam bem com isso. Na verdade, Michael tinha sido muito inflexível em fazer um grande alarde sobre o assunto. Queria vê-la em um vestido, andando até o altar em sua direção. Ele cresceu pensando que ela se casaria com seu irmão, afinal. Então, pretendia mostrar a todos que ela era dele.

E foi aí que me dei conta.

Damon.

— Ele tem medo de que um casamento cheio de pompa acabe atraindo Damon de volta — deduzi.

Rika assentiu novamente, séria, ainda olhando pela janela.

— Ele acha que, se nos casarmos, nada de ruim vai acontecer comigo. Quanto antes melhor.

— Ele está certo — eu disse a ela. — Um casamento com centenas de convidados, Will e eu ao lado dele... Isso pode ser um baque ao ego de Damon. Ele não aguentaria ficar à distância.

— Ninguém viu ou ouviu falar dele em um ano.

Flexionei a mandíbula, sentindo a ansiedade remoer minhas entranhas.

— Sim, é isso que me assusta.

Um ano atrás, Damon queria que Rika sofresse de maneira inimaginável. Na verdade, esse era um desejo de todos nós, mas ele foi um pouco mais longe e, quando não nos mantivemos ao seu lado, acabamos nos tornando seus inimigos. Ele nos atacou, a machucou e ajudou o irmão de Michael, Trevor, a tentar matá-la. Michael estava sendo esperto ao supor que sua raiva provavelmente não havia se dissipado. Se soubéssemos seu paradeiro, já seria alguma coisa, mas os detetives que contratamos para encontrá-lo e mantê-lo sob vigilância não foram capazes de localizá-lo.

O que explicava por que Michael queria tomar providências para manter Rika fora dos holofotes. E evitar um casamento grandioso em nossa abastada cidade natal à beira-mar seria o ideal.

— Você não se importa com uma festa de casamento — recordei este fato a ela. — Você só quer Michael. Por que não sair e fazer como ele quer?

Ela ficou em silêncio por um momento e depois, olhando ao longe, disse, baixinho:

— Não. — Ela balançou a cabeça. — Bem atrás de St. Killian's, onde a floresta termina e os penhascos dão lugar ao mar. Sob o céu da meia-noite... — Assentiu, um sorriso bonito e melancólico tocando seus lábios. — É onde vou me casar com Michael.

Observei sua expressão, pensando sobre aquele olhar distante e sonhador em seus olhos. Era como se ela sempre soubesse que se casaria com Michael Crist e estivera vendo isso em sua cabeça a vida toda.

— O que é aquele prédio? — Rika perguntou, gesticulando com a cabeça e apontando para o lugar com o queixo.

Segui seu olhar, mas nem ao menos precisava disso para saber a que prédio ela se referia. Escolhi esse local para o nosso *dojo* por um motivo.

Olhando pela janela, contemplei o edifício do outro lado da rua, cerca de trinta andares mais alto que o nosso; os tijolos acinzentados escurecidos pela chuva e as luzes quebradas dos postes da rua.

— *The Pope* — respondi. — Era um hotel e tanto na época. Ainda é, na verdade.

The Pope havia sido abandonado por vários anos e foi construído quando se falou de um estádio de futebol surgindo aqui como uma maneira de trazer mais turismo a Meridian. E uma forma de revitalizar Whitehall, o distrito urbano e degradado em que estávamos agora.

Infelizmente, a construção do estádio nunca foi para frente, e o hotel faliu depois de muitas dificuldades para continuar funcionando.

Examinei as janelas escuras, as sombras das cortinas pouco visíveis no interior dos cem quartos agora silenciosos e vazios. Era difícil pensar em um lugar tão grande que não tivesse mais um grama de vida nele. Impossível, de fato. Meus olhos desconfiados observavam cada vazio escuro, minha visão alcançando apenas um pouco por dentro antes que a escuridão consumisse o restante.

— Parece que alguém está nos observando.

— Eu sei — concordei, examinando cada janela, uma após a outra.

Eu a vi tremer pelo canto do meu olho, peguei meu moletom e entreguei a ela.

Ela o pegou, dando-me um sorriso enquanto se virava para descer as escadas.

— Está esfriando cada vez mais. Não dá nem para acreditar que já estamos em outubro. A Noite do Diabo chegará em breve — gracejou, parecendo animada.

Eu assenti, seguindo-a.

Mas quando lancei mais um olhar por cima do ombro, meu corpo foi tomado por calafrios ao pensar nos cem quartos vazios no hotel assombrado do outro lado da rua.

E pensei em uma Noite do Diabo, há muito tempo, quando um garoto que costumava ser eu caçava uma garota que poderia ser como Rika em um lugar que, por acaso, era exatamente o mesmo hotel escuro do lado de fora da janela agora.

Mas, ao contrário desta noite, ele não parou.

Ele fez algo que não deveria ter feito.

Desci as escadas, centímetros atrás de Rika, combinando seus passos em sincronia enquanto encarava seu cabelo.

Ela não fazia ideia de quão próximo o perigo a cercava.

CAPÍTULO 2

KAI

Noite do Diabo - Seis anos atrás...

ERA AGORA...

Nossa última Noite do Diabo.

Nós quatro acabaríamos o ensino médio logo mais, em maio, e, quando partíssemos para a faculdade, não estaríamos em casa, a menos que fosse no inverno ou no verão. E então, seríamos velhos demais para isso. Não teríamos a desculpa da juventude para explicar por que escolhemos celebrar a noite anterior ao Dia das Bruxas com brincadeiras e outras travessuras infantis, por nenhuma outra razão senão infernizar um pouco. Seríamos homens. Esse tempo nunca mais voltaria, não é?

Então, hoje seria a noite. A última.

Bati a porta do carro e atravessei o estacionamento, passando pela BMW de Damon, e segui para a entrada dos fundos da catedral. Abrindo a porta, entrei na sala de estar, composta por algumas mesas, uma cozinha, alguns sofás e uma mesa de café cheia de panfletos sobre como rezar o rosário e *jejuar de maneira saudável.*

Inspirei profundamente, o sempre presente odor de incenso tomando conta dos corredores silenciosos. Eu era católico de nascimento, assim como meu amigo Damon, mas, na prática, éramos católicos da mesma maneira que Taco Bell era um restaurante mexicano. Fingia todo o tempo pela minha mãe, enquanto Damon fazia isso apenas por diversão.

Segui pelo corredor até o local onde realmente funcionava a igreja, mas um baque surdo atravessou o silêncio, fazendo com que eu parasse;

olhei ao redor tentando detectar a origem do ruído. Parecia como se um livro tivesse caído em cima de uma mesa.

Era uma manhã de sexta-feira. Poucas pessoas estariam aqui, embora houvesse, provavelmente, alguns fiéis ajoelhados nos bancos cumprindo sua penitência, já que a confissão acabara de terminar.

— O que discutimos ontem? — Ouvi a voz grossa do padre Beir de algum lugar à minha esquerda.

— Eu não me lembro, padre.

Sorri para mim mesmo. *Damon.*

Virando à esquerda, caminhei silenciosamente por outro corredor de mármore, arrastando as pontas dos dedos sobre o forro brilhante de madeira nas paredes e tentando segurar o riso.

Parando um pouco antes da porta aberta para o escritório do padre, recuei e ouvi. O tom suave e calmo de Damon respondeu a Beir como se estivesse seguindo um roteiro.

— Você não está arrependido e é irresponsável.

— Sim, padre.

Meu peito tremia. As palavras de Damon estavam sempre em completa contradição com a forma como saltavam de sua boca. *Sim, padre*, como se estivesse totalmente de acordo com a afirmação de que se comportava muito mal, enquanto ao mesmo tempo, parecia significar: *sim, padre, você não está orgulhoso de mim?*

A maioria de nós usava os confessionários da nave da igreja, mas Damon – depois de anos e anos de "redirecionamentos" fracassados, tanto por parte de seu pai quanto do padre – foi forçado a ser educado cara a cara para sessões semanais de aconselhamento.

Ele gostou disso pra cacete, já que sentia prazer em infernizar a vida de alguém.

Girando a cabeça, espiei para dentro da sala, vendo o padre andando em volta da mesa enquanto Damon mantinha-se ajoelhado em um único banco, diante da imensa Bíblia do sacerdote.

— Você quer ser julgado? — o padre perguntou.

— Todos nós seremos julgados.

— Não foi isso que eu te ensinei.

A cabeça de Damon estava inclinada o suficiente para que o cabelo escuro cobrisse seus olhos, mas pude ver a sombra de um sorriso que o padre Beir provavelmente não podia. Ele estava vestindo nosso uniforme escolar, calça cáqui amarrotada do jeito que sempre usava, sapatos Oxfords brancos, abotoaduras das mangas soltas e o nó da gravata azul e verde desfeito no pescoço. Nós ainda estávamos indo para a escola, mas parecia que ele havia passado a noite inteira naquele uniforme.

De repente, virou a cabeça na minha direção e observei enquanto projetava a língua, movendo-a de um lado para o outro sugestivamente e sorrindo como um idiota.

Comecei a rir, mesmo que silenciosamente, retribuindo o sorriso e balançando a cabeça.

Babaca.

Afastando-me, voltei pelo corredor, em direção à igreja, e deixei Damon para terminar sua "lição". Havia muitas coisas que eu adorava naquele lugar, mas receber um sermão como aquele não era uma delas. As missas me entediavam, a escola dominical era monótona, muitos dos padres eram distantes e frios; além da presença de inúmeros paroquianos que difamavam uns aos outros de segunda a sábado, mas que, de repente, mudavam o tom aos domingos, entre as dez e onze da manhã. Era tudo uma mentira.

Mas eu gostava da igreja. Era um local silencioso. E você poderia ficar quieto aqui sem a expectativa de interações forçadas.

Seguindo pelo corredor, na parte de trás, examinei os quatro confessionários, certificando-me de que não havia luzes acesas que sinalizassem um padre lá dentro. Como estavam todos vazios, desci para a extrema direita, escolhendo o último cubículo, parcialmente escondido atrás de uma coluna e bem próximo aos vitrais.

Afastei a cortina e entrei, fechando-me na escuridão súbita. O cheiro de madeira velha me cercou, mas havia algo mais que notei fracamente. Um leve toque do que havia do lado de fora. Brisa marítima.

Sentado na banqueta de madeira, olhei para a tela de vime escura à minha frente, sabendo que o outro lado estava vazio. Todos os padres já haviam voltado para seus outros deveres diários. Exatamente como eu gostava. Eu sempre fazia aquilo sozinho.

Inclinei-me, cotovelos nos joelhos, e apertei as mãos. Os músculos dos meus braços tensionaram.

— Perdoe-me, padre, porque pequei — eu disse em voz baixa. — Faz um mês desde a minha última confissão.

Engoli em seco, sempre mais consciente de que quando um padre *não estava me* ouvindo, *eu* estava. E, acredite ou não, isso às vezes era mais difícil. Ninguém para me oferecer perdão, a não ser eu mesmo.

— Eu sei que você não está aí — disse ao lugar vazio do outro lado. — Sei que estou fazendo isso há muito tempo para continuar dando desculpas, mas... — Fiz uma pausa, procurando por palavras. — Mas, às vezes, só consigo falar quando ninguém está ouvindo.

Respirei fundo, deixando cair meus escudos.

— Acho que só preciso dizer as coisas em voz alta. — Mesmo que não recebesse a penitência barata que sequer era capaz de absolver a culpa.

Inspirei profundamente o cheiro de brisa do mar, sem saber de onde vinha, mas isso me fez sentir como se estivesse em uma caverna. A salvo dos olhos e ouvidos.

— Eu não preciso de você. Só preciso deste lugar — admiti. — O que há de errado comigo, por gostar de me esconder? Por gostar dos meus segredos?

Damon, pelo que eu poderia imaginar, não devia ter nenhum segredo. Ele não se gabava de suas más ações, mas também nunca as escondia. Will, o outro membro de nossa matilha, não fazia nada sem companhia, então alguém sempre estava ciente do que andava fazendo.

E Michael – o capitão do nosso time de basquete e de quem eu era mais chegado – escondia apenas daqueles que o cercavam o que ele escondia de si mesmo.

Mas eu... eu sabia quem era. E fazia um esforço real para não permitir que alguém conseguisse realmente ver.

— Eu gosto de mentir para meus pais — quase sussurrei. — Gosto do fato de que eles não sabem o que fiz ontem à noite ou na semana passada ou o que farei hoje à noite. Gosto de saber que todos desconhecem o quanto adoro ficar sozinho. Como gosto de brigar, e de como gosto das salas privativas nos clubes... — Parei, perdido em pensamentos, lembrando-me do mês passado desde a minha última confissão e de todas as noites em que perdi o controle. — Gosto que meus amigos sejam péssimas influências para mim — disse, continuando. — E gosto de observar.

Coloquei um punho dentro do outro, obrigando-me a dizer as palavras:

— Gosto de observar as pessoas. Algo novo que acabei de descobrir sobre mim. — Passei a mão pelo cabelo, sentindo as pontas ásperas com o gel. — Querer participar, sentir o que estão sentindo, é quase mais atraente do que realmente fazer parte. — Encarei a tela escura, vendo apenas um pedaço dela aberta. — E gosto de esconder. Não quero que meus amigos me conheçam tão bem quanto acreditam conhecer. Não sei por quê. — Balancei a cabeça, pensando. — Há algumas coisas que são muito mais emocionantes quando são segredos.

Baixando os olhos, suspirei.

— Mas, apesar de não ser visto, também é solitário. Não há conexão.

O que não era inteiramente verdade se você olhasse por outro lado. Michael, Will, Damon... todos nós éramos farinhas do mesmo saco de certa forma. Todos nós amamos aventuras e ansiamos pela sensação do barato que só surgia depois que fazíamos algo proibido.

Mas eu? Eu gostava da minha privacidade. Mais do que eles gostavam.

E gostava de coisas sórdidas. Tanto quanto eles.

Deixei a vergonha de lado, voltando a falar:

— Então, de qualquer maneira, eu minto. O tempo todo. Tantas vezes que se torna impossível contar nos dedos das mãos. — *Para todo mundo.* — Também me ressinto do meu pai na maior parte do tempo. Usei o nome do Senhor em vão cerca de quinhentas vezes no mês passado e fiz sexo antes do casamento para acabar com a monotonia por ser consumido por pensamentos impuros o tempo todo. — Balancei a cabeça, rindo de mim mesmo. — A penitência não me faz parar, e não tenho intenção de mudar, então...

É por isso que confessar a um padre não é nem um pouco agradável. Mais uma vez, eu gostava de fazer tudo o que fazia de errado.

Mas era bom admitir. Pelo menos eu confessei, certo? Pelo menos sabia que estava fazendo coisas que não deveria, e isso já era alguma coisa.

Fechando os olhos, recostei-me à parede e respirei no silêncio.

Foda-se, eu mal podia esperar por esta noite. Pensar nas catacumbas ou no cemitério, ou onde quer que acabássemos, me encheu de necessidade. Minha máscara, o medo, a perseguição... Engoli o nó na garganta, sentindo o calor do meu corpo subir.

A calmaria da fonte na parte de trás da igreja ressoou ao longe, e ouvi o eco de uma tosse à distância. Eu não sabia o que faríamos primeiro, se vandalizaria alguma coisa, transaria com alguém ou lutaria, mas queria o que quer que fosse agora quando ainda nem havia escurecido. Esta noite era a minha preferida do ano.

— Existe uma história... — uma voz disse, de repente, me assustando.

Abri os olhos e meu coração quase saiu pela boca. *Mas que porr...?*

— Que diabos? — explodi, me sentando ereto. — Quem está aí?

A voz – de uma mulher – veio de algum lugar próximo.

Como do outro lado da porra do confessionário.

Dei um pulo na banqueta e o ruído da madeira soou contra o piso de mármore.

— Não, por favor, não — ela implorou, provavelmente sabendo que eu estava prestes a abrir a porta da câmara do outro lado. — Eu não ouvi de propósito, mas já estava aqui e você começou a falar. Não vou dizer nada.

Ela parecia jovem, talvez da minha idade, e estava nervosa. Encarei a tela, sua voz a centímetros de distância.

— Você esteve aí o tempo todo? — rosnei, minha cabeça revirando a enxurrada de merda que eu tinha acabado de dizer. — Que diabos? Quem é você?

Abri a cortina, mas então ouvi quando ela abriu as persianas de onde estava sentada, e suplicou:

— Por favor — ela sussurrou. — Quero falar com você e não vou conseguir se estiver me olhando. Apenas me dê um minuto. Só um minuto.

Eu parei, travando a mandíbula. Que porra ela estava fazendo ali? Ela sabia quem eu era?

— Você poderá me ver — disse ela. — Apenas me dê um minuto.

Algo na voz dela era frágil. Como se fosse um vaso balançando na beirada de uma mesa de café. Fiquei paralisado por um minuto, debatendo se deixava minha curiosidade arrastá-la para fora daquela sala ou ceder à sua vontade.

Okay. Só um minuto então.

— Existe uma história — ela começou novamente quando não me afastei — sobre o hotel *The Pope*, em Meridian. Você conhece o lugar?

Encarei a tela, mal enxergando sua silhueta na penumbra.

The Pope? Aquele desperdício de vários milhões de dólares no outro lado do rio?

Fechei a cortina, sentando-me novamente.

— Quem é você?

— Há um boato sobre o décimo segundo andar — continuou, ignorando minha pergunta. — O andar existe, mas ninguém consegue chegar nele. Você já ouviu essa história?

Recostei-me um pouco, meu corpo ainda rígido e em guarda.

— Não.

— O rumor diz que a família que é dona do *The Pope* construiu um décimo segundo andar em todos os seus hotéis. Para uso pessoal mesmo — ela me disse. — O andar inteiro é a residência deles quando estão em uma cidade específica com uma de suas propriedades. No entanto, é inacessível para os hóspedes. O elevador não para naquele andar e, quando foi investigado, não havia nem a possibilidade de o elevador parar por lá. O andar havia sido obstruído. — Sua voz se igualou e notei um toque de excitação em suas palavras. — O mesmo acontece na escadaria de acesso.

— Então, como a família chega ao seu andar secreto quando eles querem entrar?

— Bem, essa é a questão, não é? — perguntou. — Esse é o segredo. Durante muito tempo, as pessoas imaginaram que era apenas um mistério promovido pelos proprietários e funcionários para aumentar o fascínio pelo hotel. — Ela fez uma pausa e a ouvi respirar. — Mas então os convidados começaram a perceber a presença dela.

— Dela?

— Uma mulher dançando — ela respondeu.

— Dançando — repeti, de repente, um pouco mais interessado.

Um andar secreto? Uma entrada secreta? Uma garota fantasma?

Eu senti que ela acenou, mas não tinha certeza.

— Depois da meia-noite, quando quase todos os hóspedes estão escondidos em seus quartos e o hotel está calmo e escuro, eles dizem que você pode vê-la... — ela quase sussurrou, e pude detectar o sorriso em sua voz. — Dançando sozinha, como uma bailarina, no salão escuro e iluminado pela lua. Dançando ao som de uma canção de ninar assombrada.

Observei seus lábios se movendo, escondidos na penumbra, mas pude ver o contorno.

— Outra história conta sobre uma bailarina dançando na varanda do décimo segundo andar também — continuou ela. — Eles podiam vê-la das janelas mais acima. A chuva leve, refletindo as luzes da cidade, dançando em parceria enquanto ela dava piruetas no ar. Mais histórias foram contadas ao longo dos anos, suposições e questionamentos... Uma garota que nunca se registrou para entrar ou sair, se escondendo de dia e dançando à noite. — Então sua voz caiu para um sussurro, fazendo os pelos dos meus braços se arrepiarem. — Sempre sozinha, sempre escondida.

Não podia ser verdade, mas eu meio que queria acreditar que sim. Era como uma caça ao tesouro, certo? Uma garota oculta, escondida. Bem debaixo do nariz de todo mundo.

— Por que você está me contando essa história?

— Porque ela ainda está lá — respondeu. — Encoberta pelo andar secreto. Sozinha. Pelo menos é nisso que eu gosto de acreditar. Segredos e mistérios tornam a vida divertida, não é?

Eu sorri para mim mesmo, inclinando-me para frente e apoiando os cotovelos nos joelhos novamente.

— Sim.

Os dedos dela subiram para a tela e finalmente vislumbrei um pedaço de seu corpo. A mão esbelta, as pontas dos dedos e as unhas curtas.

— Eu gosto dos seus segredos. — Ela parecia sem fôlego. — E a quem você está realmente magoando por mantê-los? Não é?

O cheiro da brisa do mar me cercou, e percebi que era dali que vinha o perfume que senti assim que entrei no confessionário. Ela já estava aqui.

— Você ouve as confissões de outras pessoas com frequência? — perguntei, um pouco divertido.

— Às vezes.

Sua resposta foi tão rápida que não pude deixar de admirá-la. Gostei de vê-la tão à vontade para ser honesta, e meio que esperava que fosse por minha causa.

— Eu também minto — ela revelou.

— Para quem?

— Para minha família — disse ela. — Eu minto para eles o tempo todo.

— Do que se tratam as suas mentiras?

— A respeito de qualquer coisa que os deixem felizes. Eu digo a eles que estou bem quando não estou. Vejo minha mãe, quando não deveria. Minto sobre minha dificuldade em ser leal.

— É tão importante assim esconder a verdade deles?

— Tão necessário quanto o desejo deles de saber de cada um dos meus passos, sim. — Seus dedos se arrastaram pela tela, as unhas arranhando-a. — Eles ainda me veem como criança. Incapaz.

— Você parece ser — caçoei. — Jovem, quero dizer.

Um sorriso de escárnio escapou de seus lábios, desafiando-me.

— Eu já era uma alma velha aos seis anos. Você consegue compreender o que é isso?

Estreitei o olhar, tentando entendê-la. Sua voz, tudo o que ela disse, quem era... *Alma velha aos seis anos.* Ela teve que amadurecer muito cedo. Isso é o que ela quis dizer.

Recostando-me novamente, vi sua sombra mover-se do outro lado da tela. Eu queria vê-la, mas não queria interromper nossa conversa. Ainda não.

Ela disse que não poderia falar comigo se eu a visse. Será então que eu a conhecia?

— Temos que ser bons sempre; do contrário, há consequências — eu disse a ela. — Se não houvesse, todo mundo mostraria seu verdadeiro eu. É como tirar uma máscara.

— Ou colocar uma — respondeu ela. — Afinal, há liberdade em se esconder, não é?

Sim, eu acho...

— Você gosta da sensação de uma máscara? — provocou, mudando de assunto.

Foi meio que do nada, e meu coração pulou uma batida.

— Por que você está me perguntando isso?

Ela sabia quem eu era, não é mesmo? Ela sabia que era Noite do Diabo.

— Eu gosto da sensação de uma — disse ela. — Como esta tela e a escuridão. São como máscaras, não são?

Mais ou menos.

— Eu poderia ser qualquer pessoa. — Sua voz frágil suavizou, assumindo um tom brincalhão. — Eu poderia ser uma garota com quem você cresceu. Uma colega de classe. Irmãzinha de alguém. A garota de quem você tomava conta quando tinha dezesseis anos...

O canto dos meus lábios se curvou em um sorriso enquanto contemplava a ideia. Embora não reconhecesse a voz dela, isso não significava que não soubesse quem era. Ela poderia ser uma garota em quem eu esbarrava todos os dias nos corredores. Alguém a quem nunca dei uma segunda olhada. Ou poderia ser a namorada de um amigo ou uma das filhas do jardineiro. Quem poderia saber?

— E você também pode ser qualquer um — ela ponderou. — O namorado de uma amiga, um professor por quem tenho uma paixonite, ou um dos amigos do meu pai. Você poderia dizer qualquer coisa para mim. Eu poderia dizer qualquer coisa para você. Sem nenhuma vergonha, porque nunca precisaremos nos encarar. Não se não quisermos.

Inclinei-me mais perto novamente, tentando aspirar mais do seu perfume.

Queria vê-la. Definitivamente tinha que vê-la.

— Vou guardar seus segredos — eu disse a ela. — Não importa quem você seja.

— Você é um dos meus segredos — ela retrucou. — Estou tentando roubar você, mas gostaria de não querer.

— O que isso significa? — *Me roubar?*

— Então, o que você gosta de observar? — perguntou.

— Hã?

Ela mudou de assunto novamente. Estava se movendo rápido demais e eu estava tendo dificuldade para acompanhar.

— Na sua confissão, você disse que gosta de observar. Observar o quê?

Mordisquei o canto da boca, hesitante.

— Acho que você sabe — respondi, debochando. — Adivinhe, mocinha.

Ela riu pela primeira vez. E era um som perfeito e inocente, que fez com que minhas mãos formigassem com o desejo súbito de tocá-la.

— E se eu gostar de observar também? — ela brincou. — Mostre-me com suas palavras.

— Eu não posso. — Olhei para baixo, envergonhado, apesar da minha eterna autoconfiança.

— Por favor — ela pediu novamente, sua voz transformando-se em um sussurro, e eu jurava que pude sentir o calor de seu hálito no meu rosto. — Fale comigo. Diga-me o que você não conta para mais ninguém.

Balancei a cabeça, pensando. O jeito que ela falou... Às vezes ela parecia ser como uma mulher, sentada no meu colo e com os lábios a centímetros dos meus.

Mas agora, parecia uma garotinha, desesperada por uma travessura.

— Quando foi sua última confissão, pequena? — provoquei, sendo um pouco mais invasivo.

— Nunca me confessei.

— Você não é católica?

— Não.

Então por que ela estava aqui?

Mas, novamente, por que também estava nos confessionários?

— Você é um pouco misteriosa, não é? — perguntei, sem esperar uma resposta.

— Vamos. O que você gosta de observar? — insistiu.

Abri a boca, mas acabei deixando escapar um suspiro.

Jesus. *O que eu gosto de observar?* Não posso contar isso a ela. *Foda-se.*

Fechei os olhos. Eu precisava ir embora. E se ela me conhecesse? E se eu estudasse com ela? E se ela fosse alguém por quem já me interessei? Ela não gostaria de saber dessa merda.

Mas como se tivesse pressentido meu medo, ela disse:

— Não tenha medo. Já estou pensando o pior, mas ainda estou aqui, não é?

Balancei a cabeça, sentindo-me idiota, mas ri de qualquer maneira.

— Eu gosto... — Esfreguei a mão no meu rosto. — Um dos meus amigos estava com uma garota na sala de TV neste verão — eu disse, começando de novo. — Era tarde, estávamos realmente excitados e o clima estava esquentando. Ele começou a beijá-la e apalpá-la, nada que eu não tenha visto antes, mas ela olhava para mim, provavelmente esperando que eu me juntasse a eles, mas...

Respirei fundo. Eu não sentia mais tanta segurança agora. Não achava que estava me escondendo nesse confessionário escuro com uma tela entre mim e essa garota que eu podia ou não conhecer. Eu deveria calar a boca.

Mas parte de mim não queria. Cada palavra me levou mais próximo ainda da beira do precipício. Mais perto de cair. E eu queria cair.

Então continuei:

— Algo me manteve enraizado no meu lugar naquele momento. Não consegui desviar o olhar, mas também não consegui me mexer.

A garota do outro lado permaneceu quieta, mas eu sabia que ela ainda estava lá.

— Eu não queria me mover — confessei. — E ela também não conseguia tirar os olhos de mim. Ela estava montada sobre ele, transando com ele, mas seus olhos estavam em mim o tempo todo.

Fechei os meus por um momento, lembrando-me da cena dela moendo contra ele. Mas foi tudo para mim. Tudo o que ela fez, foi para me manter observando-a. Eu a possuí naquele instante.

— Eu podia ver os seios dela se movendo mais rápido com a respiração, o suor no pescoço, os olhos inquietos... Ela não sabia o que eu ia fazer. Não sabia se estava gostando do que via ou se me juntaria a eles a qualquer momento. Ela estava assustada. E excitada.

Ela não fazia a menor ideia do que eu estava pensando. De como gostei do que fazia por mim sem nem ao menos encostar a mão. Eu não estava me comunicando com minhas mãos ou minha boca, apenas com os meus olhos por todo o seu corpo, e a incerteza a deixou louca. Deus, ela adorou.

— Ele a fodeu — eu disse —, mas fui eu quem a fez gozar.

Percebi que minha calça estava mais apertada, e me ajustei ali embaixo, grunhindo baixinho com a dor latejante.

— Sórdido, não é? — eu disse. — Nojento, desprezível, vil...

— Sim. — Mas percebi que havia um sorriso em sua voz. — Então, o que você fez sobre isso?

— O que você quer dizer?

As pontas dos dedos pressionaram contra a tela novamente.

— Você deve ter ficado com tesão depois disso. O que você fez?

Contive uma risada nervosa. Ela não deixava escapar uma, não é?

— Você está me esfolando vivo agora, garota.

Uma risada ofegante escapou dela, e quase consegui distinguir seus lábios perto da tela.

— Quantos anos você tem? — perguntei.

— Velha o suficiente para ter visto e ouvido coisas piores — respondeu. — Não se preocupe. Agora, o que você fez depois disso?

— Não posso... — Eu respirei. — Eu não... Eu não fiz nada.

Mas ela esperou. Ela sabia que eu estava mentindo.

Umedeci meus lábios secos, baixando tanto minha voz que não sabia se ela podia me ouvir.

— Não esperei que meus amigos saíssem dali atrás de alguma coisa para comer — eu disse a ela. — E não esperei que a garota seguisse pelo corredor até o banheiro ou que entrasse no chuveiro. Não a segui e nem apaguei as luzes, assustando-a...

A lembrança de seu suspiro ecoou nos meus ouvidos, e entramos em uma nova dimensão. O banheiro escuro, a cortina do chuveiro, o vapor que eu já podia aspirar...

— Está tudo bem — disse a Garota Misteriosa quando fiquei quieto.

— Eu não gostei de assustá-la ou fazê-la gritar. — Entrecerrei os dentes, repousando a cabeça em minhas mãos. — Ou de entrar naquele chuveiro e a agarrar, sentindo-a desfazer-se em minhas mãos...

Meus dedos deslizaram pelo meu cabelo, vergonha queimando meu rosto, mas também um peso saindo dos meus ombros. Se essa garota não saiu correndo daqui, então eu não era assim tão ruim, não é?

Certo?

— E não amei cada segundo dentro de seu corpo firme...

— Não, para — ela implorou, impedindo-me de continuar. — Não diga mais nada. Por favor.

Levantei a cabeça, sentindo-me estremecer.

— Estou assustando você.

— Não.

— Mentirosa.

— Sim — ela finalmente disse. — Sim, você me assusta. Mas eu gosto. Eu estou só com…

— Com o quê?

— Estou apenas... — Ela fez uma pausa, respirando irregularmente. — Apenas com ciúmes.

— Por quê?

— Porque você a perseguiu. — Sua testa pálida se inclinou contra a tela, e vislumbrei alguns fios do abundante cabelo escuro. — Talvez eu não devesse deixá-lo me ver ainda. Talvez devesse deixá-lo me perseguir também. Parece que você é bom nisso.

Recostei-me, um sorriso curvando meus lábios. Eu não estava mais envergonhado. Mantendo o olhar focado nela, puxei as chaves do bolso e enfiei a do meu carro em um dos orifícios da tela de vime. Antes que ela tivesse tempo de recuar, rasguei um pedaço da tela e enfiei minha mão, agarrando sua blusa quando ela tentou escapar. Puxei-a para frente e me inclinei, sentindo o cheiro do ar livre em sua pele e como ela era pequena e leve. Eu mal flexionei um músculo, segurando-a.

— O que faz você pensar que eu não estive fazendo isso o tempo inteiro? — provoquei. — Você acha que essa historinha é uma das mais safadas que tenho para contar? Devo falar sobre o verão passado quando encontrei minha ex-babá certa noite, num fim de semana em que estava de folga da faculdade de Medicina? Ela gostou bastante de como estou crescido agora.

Ela respirou fundo, rapidamente, e suas mãos se seguraram às minhas.

— Sim.

Entrecerrei meus olhos, soltando sua blusa de moletom e, em vez disso, coloquei minha mão em seu rosto. Ao meu toque, ela estremeceu, mas não se afastou.

Sua pele macia parecia tão suave enquanto eu deslizava as pontas dos dedos sobre sua mandíbula afiada e bochecha. Passei por seu delicado lóbulo da orelha e pelo cabelo, decifrando a suavidade e o comprimento que ela escondia. Um tecido roçou nas costas da minha mão e percebi que ela estava usando um capuz.

Seu cabelo estava escondido para trás, e tudo estava gelado. O rosto, as mãos, o cabelo... até a orelha parecia um gelo.

— Você está com tanto frio — eu disse.

Mas ela virou o rosto na minha mão, seu hálito quente aquecendo a minha palma.

— Eu não sinto frio.

Seus lábios mal tocaram minha mão, e eu queria avançar um pouco mais – chegar mais perto e tocá-los, mas não o fiz. Eu não a deixaria se afastar de mim porque queria prolongar o momento. Agarrei sua nuca e deslizei meu polegar em sua garganta, sentindo-a engolir.

Ela estava muito quieta, como se estivesse realmente com medo. Um som ressoou em algum lugar da igreja, e registrei rapidamente uma bola de basquete quicando. Depois de anos na quadra, eu conhecia aquele som como se fosse a voz da minha mãe.

— É Noite do Diabo, e a noite ainda é uma criança — ela finalmente falou. — Talvez você encontre outra pessoa para assustar hoje.

Apertei sua garganta com mais força.

— E se eu quiser te assustar?

Senti seu corpo tremer com uma risada.

— Então talvez eu esteja por perto — disse ela, brincando e se afastando. — Boa caçada.

Ouvi um barulho e vi a luz se derramar no cubículo antes que a porta se fechasse outra vez, tornando-o escuro novamente.

— Ei. — Puxei minha mão de volta. — Ei!

Levantei-me e abri a cortina, saindo e olhando em volta antes de abrir a porta. O confessionário estava vazio. Eu me virei e olhei para a nave da igreja, notando apenas algumas pessoas nos bancos, sendo que nenhuma delas se parecia a uma adolescente. Andando até a fileira de colunas perto das janelas, olhei ao redor, não vendo ninguém por ali também.

— Que diabos? — *Onde ela foi?*

O som da bola quicando chegou aos meus ouvidos outra vez e, quando ergui a cabeça, avistei Damon contornando a última fileira de bancos e caminhando em minha direção. Ele deveria ter acabado a sessão com Beir.

— O que está acontecendo? — perguntou com um cigarro apagado preso entre os lábios.

Eu me endireitei e fechei a boca, tentando acalmar o ritmo respiratório.

— Nada.

Eu não tinha ideia de como começar a explicar o que aconteceu. Além disso, não era sensato atrair a atenção dele para alguma garota, se você planejasse mantê-la para si. Pelo menos a princípio.

Segurando a bola ao seu lado, ele se inclinou e acendeu o cigarro usando uma das velas de oração.

— Vamos lá, pare com isso — eu repreendi, ainda tentando não procurar a garota. Eu ainda a sentia por ali.

Damon se aprumou, a ponta de seu cigarro incandescente quando uma nuvem de fumaça flutuou no ar.

— Como se a gente se importasse com essa porra. — Ele tirou o cigarro da boca e soprou uma baforada.

— Mas é um insulto às pessoas que se importam. Não é à toa que você tem que se confessar toda maldita semana. — Dei a volta por ele, ficando impaciente e sem saber o porquê.

Damon fazia tudo o que podia para ser um idiota, mas ele era assim. Sempre foi desse jeito.

E, de repente, eu não queria a mesma merda hoje à noite por algum motivo. Eu não queria que ele fosse ele ou eu fosse eu. Não queria esconder nada hoje.

É Noite do Diabo, ela disse. Ela sabia o que fazíamos. Ela me conhecia. Se ela não me encontrasse, eu a encontraria.

CAPÍTULO 3

KAI

Dias atuais...

Peguei algumas garrafas de água do balde de gelo ao lado das toalhas e caminhei em direção à sauna, o calor úmido serpenteando pelas minhas narinas quando abri a porta de vidro fosco e entrei.

O Clube de Cavalheiros Hunter-Bailey estava quieto a essa hora do dia. E não importava quão ocupados meus amigos e eu estivéssemos – ou de ressaca –, geralmente nos encontrávamos aqui quase toda manhã.

Levantei a cabeça, vendo instantaneamente Michael sentado dois degraus acima nos assentos de mármore espalhados ao redor da sala, enquanto Will estava sentado curvado à minha direita, um degrau abaixo. Ele ergueu a cabeça e pude ver as indiscrições da noite anterior escritas em seu rosto pálido e cansado. Seus olhos estavam tomados por olheiras; ele abaixou a cabeça novamente, resmungando:

— Filho da puta.

Balancei a cabeça, segurando uma garrafa de água.

— Você precisa de um novo vício.

O imbecil estava bêbado todos os dias. E, para acrescentar mais um insulto à injúria, gastava cada centavo que seus pais estúpidos e indulgentes lhe davam, pagando por cada uma das quatro coisas às quais dedicou sua vida: bebida, mulheres e, como eu estava começando a suspeitar, pílulas e pó.

Ele arrancou a água da minha mão e segurou a garrafa gelada contra a testa, o ritmo respiratório desregulado.

Pegando minha garrafa, subi a escada e me sentei ao lado de Michael. Ele estava recostado contra a parede e seus olhos se encontravam fechados enquanto o vapor circulava pelo ar à nossa volta. A iluminação fraca lançava um brilho suave e azulado pela sala, e senti uma gota de suor escorrendo pelo meu peito em direção à minha toalha.

— Como estão as reformas no St. Killian's? — perguntei.

Mas ele acenou em negativa com a cabeça.

— Não. Não me pergunte sobre malditas reformas do caralho agora.

Estreitei o olhar, vendo-o cerrar a mandíbula e encarar à frente. Ele estava bravo? Comigo?

E então suspeitei do motivo. A noite de anteontem e o que aconteceu no *dojo* com Rika.

Ótimo. Não que eu tivesse algum direito, de qualquer maneira, mas confiei nela para não contar tudo ao Michael.

Soltei um suspiro.

— Cara, me desculpe. Eu não a machucaria. Eu...

— Você sabe em quem eu tenho pensado ultimamente? — ele me interrompeu com uma pergunta, mas sem esperar realmente por uma resposta. — Sua mãe, Vittoria.

Mantive o olhar focado nele.

— Ela era uma obra de arte naquela época, hein? — meditou, um leve sorriso no rosto. — Ainda é, se quer saber. Bela bunda. Pernas longas.

Parei, cerrando a mandíbula. Eu sabia o que ele estava fazendo, mas a raiva surgiu de qualquer maneira.

Ele continuou:

— Acho que nunca te contei o quanto ela sempre me excitou, contei? Na época do ensino médio, indo até sua casa e vendo-a com suas roupas de ginástica apertadinhas. Essa mulher ainda não parece ter mais de trinta anos. — Ele sorriu, saboreando os insultos de merda que esfregava na minha cara. — Você sabe o que acho que vou fazer? — provocou. — Acho que vou à casa dos seus pais hoje à noite. Esperar até que seu pai esteja dormindo e ver se ela quer partir para cima de mim. Sim. — Assentiu. — Ela vai adorar sentir o meu corpo contra o dela e, se não gostar, quem se importa? Quem se importa se ela se debater e chorar? Vou amedrontá-la, para que toda vez que estiver perto, ela saiba que posso tomar o que quiser dela, independente de qualquer coisa.

Cerrei os punhos ao lado e olhei para frente, a fúria queimando por dentro do meu intestino. *Ele foi longe demais.*

Levantei-me e desci os degraus, virando-me para Michael, que ainda estava sentado relaxado contra a parede. Mas seus olhos estavam fixos nos meus, prontos para esse confronto.

— Eu nunca a machucaria — repeti.

— Machucar quem...

Michael interrompeu a pergunta de Will e olhou para mim, inclinando-se para frente.

— Quando acordo no meio da noite, espero encontrar Rika lá — ele disse. — Não chorando enquanto esmurra a porra de um saco de pancadas no andar inferior, às três horas da manhã, porque você a fez sentir vergonha de si mesma.

Ele me seguiu escada abaixo, parando muito perto de mim e tentando me intimidar.

— E quando pergunto a ela o que há de errado — ele continuou —, não estou contando com ela mentindo para mim para protegê-lo. Que diabos há com você? Por que ir tão longe?

— Ela precisa ser capaz de se proteger — eu disse a ele. — Precisa estar pronta. Ela não é sua boneca.

— Não me diga o que ela é!

— Você disse que ela era uma de nós! — retruquei. — Ela não é diferente, certo? Você não mima Will ou a mim. "Ela é igual". Foi o que você disse. Também somos amigos dela, e temos interesse em vê-la ser capaz de se proteger. Não vou segurar a mão dela como se tivesse cinco anos, porra.

Michael avançou, o rosto colado ao meu.

— Você não toma decisões sobre a minha mulher.

— E você tem tomado? — atirei de volta.

O vinco entre suas sobrancelhas se aprofundou. Ele ainda estava chateado.

Mas eu estava certo.

Michael moldou Rika por anos. Desde que eram crianças, ele brincava com ela e a manipulava. Nunca a tratava com gentileza e sempre esperava que ela lidasse com seus próprios assuntos.

Mas agora que estavam juntos, ele havia mudado. Todos nós travávamos nossas próprias batalhas, incluindo as de Rika. Que porra ele estava pensando? Ele não estava fazendo nenhum bem a ela.

Ouvi alguns ossos estalando quando seu corpo inteiro se retesou. Se eu fosse qualquer outra pessoa, ele já teria me batido.

Se eu fosse outra pessoa, ele não teria medo de me bater.

— Apenas tente — eu o provoquei. — Eu te desafio.

Ele deu um passo mais perto, e eu também, pescoço a pescoço e olho no olho, enquanto nós dois mantínhamos nossa posição. Nunca me meti nos assuntos de Michael, e nem ele nos meus. Ele sabia que não seria capaz de me vencer, então, para proteger seu orgulho, eu sempre era o primeiro a desistir. Em pouquíssimas ocasiões ficamos com raiva um do outro, de qualquer maneira.

Mas não estava disposto a ceder dessa vez. Não era minha intenção fazer Rika se sentir mal, mas ela também não deveria se acomodar. Não com Damon solto por aí. Eu tinha razão.

O suor escorreu pelas minhas costas e nos encaramos, nenhum de nós piscando.

— Vocês vão se pegar agora? — Will perguntou.

Entrecerrei meus olhos. *Pelo amor de Deus.*

Deixe que Will faça uma piada nesse exato momento.

Soltando um suspiro, passei por Michael e olhei para os dois.

— Nós temos inimigos. E a lista cresce todos os dias. Rika deve estar tão alerta quanto nós.

Nós quatro formamos uma empresa – Graymor Cristane, uma combinação de nossos sobrenomes – e Rika insistia em ser uma parceira igual nos negócios. E no grupo. Ela precisava saber como lidar com qualquer ameaça.

Mas Michael virou-se para mim, balançando a cabeça.

— Damon se foi.

— Não, Damon está se escondendo — eu o corrigi. — Você parou para se perguntar por quê? — Olhei para Will antes de me voltar para Michael. — Por que não há fotos dele online? Por que os detetives não conseguem encontrá-lo para acompanhá-lo como pedimos? Eles não estão detectando nenhuma movimentação em seus cartões de crédito e o passaporte dele não mostrou nenhuma atividade no ano passado.

Quero dizer, supondo que ele não esteja morto, por que não foi visto por ninguém ainda?

— Damon nunca foi de se esconder — eu disse a eles. — Por que está fazendo isso agora? Ele sabe que não vamos atrás dele. Por que não está frequentando clubes em Moscou, comprando besteiras em Tóquio ou sendo visto no Havaí, Fiji ou Los Angeles? — Meu tom se tornou mais alto, mais exigente. — Por que ele está invisível?

Michael e Will ficaram em silêncio por um momento, suas expressões pensativas antes de Will finalmente responder:

— Porque não quer que as pessoas saibam onde ele está?

— Exatamente. — Então meu olhar se focou no de Michael outra vez. — E por que ele não quer que as pessoas saibam onde está?

Michael desviou o olhar e sua resposta foi quase inaudível:

— Porque está em algum lugar onde não deveria estar.

Eu assenti. O ego de Damon tinha cem vezes o tamanho de um navio. Ele não se esconderia de nós. A menos que tivesse um bom motivo para não ser encontrado.

— E se o passaporte que rastreamos para a Rússia no ano passado foi um disfarce? — perguntei a eles, sem esperar uma resposta. — E se ele estiver mais perto do que pensamos? — E então me aproximei de Michael, baixando minha voz para um sussurro: — E se ele nunca deixou a cidade?

Os olhos castanhos de Michael se estreitaram novamente, e sua mandíbula flexionou quando as rodas em sua cabeça começaram a girar. Depois de todo esse tempo e de todos os esforços fracassados para localizar Damon, finalmente percebi. Ele estava deliberadamente se escondendo? E não por culpa ou vergonha pelo que fez. Ele estava escondido, porque estava bem debaixo dos nossos narizes. Eu apostaria minha vida nisso.

— Uou, uou, uou — Will entrou na conversa, e pelo canto do meu olho, o vi se levantar. — De jeito nenhum, porra! Ele não poderia ter estado aqui o ano inteiro e não termos ficado sabendo disso. E se ele estiver, por que raios está esperando?

Virei a cabeça em direção a ele.

— Noite do Diabo. — Olhei de volta para Michael. — Nós precisamos ir. Agora.

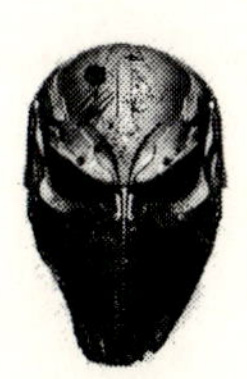

Levou menos de uma hora para chegar a Thunder Bay, nossa cidade costeira onde todos tínhamos crescido. Rika ainda estava na aula, sendo caloura da Universidade Trinity, em Meridian, então Michael lhe enviou uma mensagem de texto, informando que voltaríamos em algumas horas. Eu tinha certeza de que ela teria gostado de ir para casa ver sua mãe, mas Michael nem deu a opção. Provavelmente porque não tinha a menor intenção de levá-la a qualquer lugar perto da casa de Damon ou de seu pai.

E por mais que tenhamos tido aquele papo esclarecedor mais cedo na sauna, não posso dizer que o culpo. Gabriel Torrance era um filho da puta.

Sentamo-nos em um estacionamento ao lado da entrada da casa dos Torrance, parados no novo SUV de Michael.

— Deixe-me ir — eu disse, sentado no banco do passageiro, olhando para a mansão toda feita de pedras. — Quero falar com ele a sós.

— Todos nós vamos — Will falou, do banco de trás.

— Não. — Virei a cabeça para ele, estreitando o olhar. — Você fica aqui.

Virei-me novamente, encontrando brevemente os olhos de Michael. Will estava se comportando mal como se tivesse sido culpa dele o sumiço de Damon, e eu não sabia se havia sido uma boa ideia trazê-lo aqui, muito menos sujeitá-lo a esta casa. Até onde eu sabia, Damon poderia estar escondido em algum lugar lá dentro.

Pigarreando, abri a porta e desci do carro, olhando para trás pelas janelas abertas quando a fechei.

— Diga à minha mãe que tive uma morte tranquila — eu disse sarcasticamente para os dois e depois dei uma olhada para Will. — Não, na verdade, é melhor você dizer a ela. Michael está proibido de ficar perto da minha mãe de novo.

Eu me afastei, ouvindo a risada de Michael atrás de mim. Tomara que nenhum deles realmente precise fazer isso.

Dirigindo-me para a porta de entrada, olhei de relance para a torre construída à frente da casa. A propriedade dos Torrance tinha uma estrutura de castelo de pedras claras, com três torres de vigia que lhe davam essa aparência. Uma delas ficava ao lado do quarto de Damon, onde uma escada em espiral em frente à sua cama levava a uma pequena alcova no topo, com uma única e estreita janela. Eu só havia estado em seu quarto uma vez, e ele não me deixou ficar por muito tempo. Aquele era o único lugar onde ele desejava sua privacidade.

Quando estava prestes a estender a mão para tocar a campainha, a porta se abriu de repente.

— Senhor Mori — Hanson, um homem loiro e vestido em um terno preto, me cumprimentou. — Por favor, entre.

Hesitei apenas um momento antes de avançar. Como tivemos que nos anunciar no portão, eles sabiam da minha chegada, mas senti meu estômago retorcer, de qualquer forma, com a resposta rápida. Alguns minutos a mais antes de ter que enfrentar Gabriel teria sido bacana.

Ele fechou a porta e, sem dizer uma palavra, eu o segui pela casa. O pai de Damon quase sempre podia ser encontrado ali. Era onde estava mais seguro.

Embora tenha investido na mídia, bem como em emissoras de notícias e entretenimento, eu sabia que era apenas uma gota no oceano de como ele realmente ganhava seu dinheiro. Homens honestos não mudavam seus sobrenomes russos para ingleses com o intuito de esconder seu passado. E apenas homens suspeitos empregavam uma equipe de brutamontes para protegê-los o tempo todo.

O empregado me levou pela imensa mansão e saiu para o terraço, onde toda a área era pavimentada em um mosaico de pedra cinza com algumas fileiras esporádicas de ciprestes italianos. Várias pessoas perambulavam por ali, muitas jovens vestidas com elegância e segurando taças de champanhe. Elas não pareciam se importar que mal era meio-dia.

Uma mesa de *buffet* se encontrava à minha direita, enquanto outra estava repleta de homens bem-vestidos que conversavam e riam nas proximidades. Gabriel, vestido com calça e camisa preta, estava de pé perto de um rottweiler, contendo-o pela coleira.

Parei, observando-o. Ele girou o punho na parte de trás da cabeça do cachorro, o anel de ouro no dedo médio com a figura da cabeça de um leão se afundando no crânio do animal. O cachorro gemia, tentando se afastar, mas ainda assim o obedecendo. Contudo, a agressão prosseguia.

Travei a mandíbula e lancei um olhar severo para Gabriel. *Filho da puta*. Um sorriso doentio curvava seus lábios finos à medida que empurrava mais para baixo e torcia a corrente em volta do pescoço do cachorro, sufocando-o.

Dei um passo, mas parei, vendo os dois huskies, o beagle com cortes sangrentos na lateral e o pit bull cujas costelas eram visíveis.

Considerando todo o meu ressentimento por Damon Torrance – a forma como tentou me matar no ano passado, como traiu Will e Michael e como tentou ferir Rika – nunca me esqueci de como um *verdadeiro* monstro deveria ser.

O cachorro finalmente cedeu e caiu de bruços, tremendo ao se deitar.

Gabriel pegou um pequeno pedaço de carne do prato na mesa do jardim e jogou em direção ao animal. Ele então se levantou e pegou um pouco mais de carne, jogando os pedaços maiores para o pastor e os huskies treinados atrás dele, enquanto os outros cães olhavam avidamente.

— Então, eles me enviaram o japa, hein? — debochou, sem olhar para mim, enquanto acariciava o pelo do husky. — Michael não é mais o macho alfa da matilha?

Levantei o queixo, mantendo o tom neutro, apesar de seu insulto.

— Regras de Moscou, Sr. Torrance — eu o lembrei. — Número oito. "Nunca irrite a oposição".

— Número nove — respondeu, piscando os olhos escuros sob as sobrancelhas grisalhas. — Escolha a hora e o local para agir.

Ele estendeu as mãos, gesticulando para seus homens e suas armas – que nunca estavam longe – e sua casa, o que significava que eu estava em seu território. Ele tinha a vantagem.

— Então, do que isso se trata? — Limpou as mãos em um guardanapo de linho, cavando entre os dedos e debaixo do anel. — Estamos chegando a um acordo? Você vai deixar meu filho em paz se ele voltar para casa?

— Depende. Você está aberto a negócios?

De repente, o pastor alemão disparou, ele e o pit bull latindo um para o outro, enquanto este tentava arrebatar a carne. Gabriel deu um passo, gritando:

— Não. No chão! — Chicoteou o pano, batendo no rosto do pit bull.

Um de seus homens correu para agarrar o cachorro enquanto Gabriel fazia uma careta para a briga dos animais.

— Esse maldito cão está me irritando — ele disse ao homem e depois berrou com o cachorro novamente. — No chão!

O pobre animal foi arrastado para longe e Gabriel voltou para a mesa, largando o guardanapo. Ele olhou para mim, retornando à nossa conversa.

— Não brinque comigo, garoto — resmungou. — Você ainda está vivo porque Damon vai querer fazer as honras ele mesmo.

— Não — respondi, meu tom completamente calmo. — Seu filho já fez uma bagunça suficiente, e você não precisa de outra agora. Se pudermos fazer isso de forma amigável, sei que ambos preferimos, então não tente me intimidar.

Ele riu baixinho, tomando um gole do copo cheio de cubos de gelo. Michael, Will e Rika concordaram que seguiriam em frente com suas vidas e *deixariam* Damon seguir em frente com a dele se este ficasse fora da cidade e longe de nós.

Mas eu não. Eu precisava encontrá-lo, e não podia dizer aos meus amigos o motivo. E precisava encontrá-lo agora, antes que ele voltasse para casa e para debaixo da proteção de sua família.

— Seu hotel na cidade — continuei. — *The Pope*. Está do meu lado do rio e estou interessado nele. *Quid pro quo*. Você me dá algo. Eu te dou outra coisa em troca. Está à venda?

— Tudo está à venda. — Largou o copo e sentou-se, gesticulando para eu fazer o mesmo. — Mas vou querer meu filho de volta.

Claro que você quer. Sentei-me na cadeira preta de ferro forjado, tentando parecer relaxado, apesar da dor no estômago. Eu odiava este homem e esta casa.

— E mesmo que isso esteja em pauta — continuou —, ainda não será o suficiente para fazer um acordo. Eu não gosto de você.

— Eu gosto. — Uma jovem loira se aproximou, atraindo minha atenção. Ela usava uma robe de seda branca comprido o bastante para cobrir sua bunda, enquanto se inclinava para colocar outra bebida na frente de Gabriel. — E estou à venda — brincou.

Lancei o olhar de volta para Gabriel, tentando ignorar a interrupção. Não era incomum ver mulheres vestidas assim naquela casa, nem o flerte descarado. O entretenimento estava sempre ao nosso alcance neste lugar. Mesmo quando a mãe de Damon morava aqui.

Baixei o olhar, sentindo a adrenalina inundar minhas veias ante a lembrança dela. Eu não gostava daquela mulher tanto quanto do marido.

A jovem tentou se afastar, mas Gabriel a puxou de volta para seu colo.

— Você sabe qual é o seu problema? — ele me perguntou, enquanto a enlaçava e acariciava seu seio por cima do roupão. — Por que, dentre os três, era você que eu mais odiava que ficasse perto do meu filho na escola?

Fiquei calado.

— Sua lealdade tem um limite — disse Gabriel, respondendo sua própria pergunta. — Sempre pude ver isso. Grayson e Crist, eles te protegeriam mesmo que encontrassem uma prostituta morta na sua cama e sangue em suas mãos. Sem perguntas. Sem hesitação. Assim como Damon. — Assentiu para mim. — Mas acho que você não faria o mesmo por eles.

Seu olhar arrogante se fixou ao meu quando enfiou a mão por dentro do robe, acariciando a mulher distraidamente.

Cerrei os punhos. Mas então relaxei, não querendo dar a ele aquela satisfação. O homem nunca saberia o quanto fiz pelo filho dele.

— Mesmo o seu amor por seus amigos — continuou ele —, nunca poderia ofuscar seu senso de certo e errado, não é verdade?

— Fui preso por agredir um policial. Por um amigo — eu lembrei.

— Não. Por agredir um homem que você acreditava merecer por abusar da irmã — argumentou. — Mesmo como criminoso, você é nobre.

Então voltou os olhos para a garota.

— Veja, querida — disse, retirando a mão de dentro da veste e colocando uma mecha de seu cabelo atrás da orelha. — Kai Mori é um filho da puta hipócrita, e quero que você vá até ele e lhe faça um boquete de revirar os olhos agora.

A raiva instantaneamente aqueceu meu corpo. A garota fixou os olhos em mim, inclinando a cabeça, achando graça, e então deu a volta na mesa em minha direção.

Aquele filho da puta. Ele sabia como manipular as pessoas, não é? Se eu fosse embora agora, a conversa terminaria. Sem acordo. O que era provavelmente sua intenção. Ele podia até querer Damon de volta, mas não queria lidar comigo. Esperava que eu fugisse correndo.

Agora, se eu deixasse a garota me chupar, isso o surpreenderia, não é?

Ela parou na minha frente, e mantive o olhar conectado ao dela enquanto se ajoelhava, as unhas cor de vinho subindo lentamente pelas minhas coxas. Ela agarrou meu cinto e segurei suas mãos, empurrando-a para longe.

Não.

Gabriel não me levaria para a sarjeta com ele.

Levantei-me, ajeitando o cinto e alisando meu terno.

— Sempre previsível. — Gabriel riu.

A garota olhou para ele, provavelmente temendo ter feito algo errado, e ele apenas gesticulou com o queixo, falando em russo. Ela imediatamente se levantou e voltou para a casa.

— Você deveria experimentá-la, no entanto — disse, pegando sua bebida. — Uma garganta bem profunda essa ali tem.

— Está tudo bem aqui?

Balancei a cabeça, vendo Michael e Will em pé na entrada do jardim, nos observando. Soltei um suspiro, sem perceber que estava retendo o fôlego. Não tinha certeza se viram o que acabara de acontecer, mas eu não estava nem aí.

— Hanson — Gabriel chamou um de seus homens, colocando a bebida de volta na mesa e enlaçando a cintura de uma morena que havia acabado de aparecer —, leve esses cavalheiros para a sala de jantar. — Olhou para nós três. — Meu assistente o encontrará lá para discutir o acordo e o *The Pope*. Entrarei em contato.

Então saiu, levando a jovem em sua companhia para dentro de casa. A expressão impassível em meu rosto vacilou e encarei suas costas enquanto ele se afastava.

O pai de Damon era quase idêntico ao de Michael em personalidade. Eu odiava os dois. Entendia completamente por que meu pai raramente falava com eles em festas ou eventos esportivos quando eu era criança. Era uma das únicas coisas em que Katsu Mori e eu concordávamos.

— Cavalheiros. — Hanson deu um passo à frente, estendendo o braço e gesticulando para que o seguíssemos.

Michael franziu o cenho, questionando-me com os olhos, mas balancei a cabeça, seguindo o empregado.

Os cachorros. A garota. A multidão de pessoas que ele não se importava que vissem seu negócio sujo. Ele queria que eu soubesse que era mais forte.

Mas eu seria mais esperto.

Hanson nos levou de volta pela casa, com suas mãos às costas até chegarmos a um conjunto de portas duplas; ele as abriu, convidando-nos a entrar em uma sala de jantar.

— Por favor, sentem-se onde quiserem — instruiu. — As bebidas serão servidas em breve.

Ele saiu da sala, fechando as portas e, assim que ouvi as maçanetas de ouro se fecharem, soltei um suspiro e fechei os olhos.

— O que aconteceu? — Michael perguntou, parecendo preocupado.

Apenas acenei com a cabeça, virando-me e contemplando o terraço de onde havíamos acabado de sair, através das janelas.

— Eu quase esqueci — murmurei para mim mesmo — que havia uma razão para Damon ser tão fodido das ideias.

Chutei a perna de uma cadeira, fervendo de raiva. *Maldito seja.* Ele me chamou de criminoso. *Mesmo como criminoso, você é nobre*, dissera Gabriel. Ele poderia ir à merda. Sua crueldade, sua natureza diabólica, seu prazer pelo sofrimento dos outros... cada centímetro daquele cara era imundo. Eu não era o criminoso. Não era nada como ele.

Michael se aproximou.

— O que está acontecendo?

Apoiei as mãos no encosto de uma cadeira, vendo Will em pé do outro lado da mesa.

— Ainda não sei — respondi, entredentes.

— Por que ele mencionou o *The Pope*?

— Porqu... — Mas parei quando Hanson abriu a porta novamente.

Uma jovem, vestida dos pés à cabeça e com o cabelo enfiado em um gorro, entrou com um carrinho servido de copos de água e uma bandeja de algum tipo de torta.

Puxei uma cadeira e Michael e Will fizeram o mesmo, enquanto ela começava a preparar as bebidas. Hanson disse algo em russo para ela e saiu da sala, fechando as portas novamente.

— É do outro lado do *dojo* — eu disse a Michael. — Pensei em dar uma olhada para a Graymor Cristane.

— Nós não conversamos sobre isso — queixou-se. — De onde veio essa ideia? Pensei que tínhamos vindo aqui para checar se Gabriel sabia onde Damon estava.

Lancei um olhar imparcial sobre a mesa, tentando comunicar silenciosamente que este não era o melhor lugar para conversarmos. Michael já me conhecia o suficiente para saber que nunca fui de tomar decisões impulsivas. Eu tinha um plano.

— Não acredito que ele saiba onde o filho está — comentei, enquanto me recostava na cadeira. — Por que não esquecer o passado e fazer um acordo? O hotel ainda está em ótimas condições. Nós poderíamos fazer algo com isso.

— O quê? — Michael olhou para mim como se eu tivesse três cabeças.

Eu quase ri.

Olhei de relance à direita, onde a garota ainda estava ajeitando algo no carrinho, e depois declarei:

— Você sabia que o *The Pope* é uma propriedade de Torrance? — Arregalei os olhos para Michael, esperando que o cabeçudo entendesse a dica. — Está completamente abandonado por *todo* este tempo. Mas deve ser bem interessante por dentro, porque todas as entradas são reforçadas com um sistema de alarme, câmeras que cobrem todas as portas e cantos ao redor do hotel, e há até um segurança que transita pela área a cada hora, checando perímetro por perímetro de quatro em quatro horas. Notei isso do *dojo*.

Michael me observou com atenção, as rodas em sua cabeça girando, enquanto Will ainda parecia confuso.

Vamos lá, Michael. Entenda logo.

E, finalmente, vi a luz acender em seus olhos, quando se deu conta do que eu estava implicando.

— Oh, sim. — Ele assentiu. — É mesmo.

Sorri para mim mesmo, satisfeito por ele ter finalmente entendido.

Por que toda a segurança em um local que não está sendo usado? Por que não simplesmente trancar e isolar as portas? Ou derrubá-lo e vendê-lo? Por que foi selado e guardado como uma prisão?

Damon estava lá.

Eu não tinha intenção de comprar o hotel, mas queria entrar lá dentro. E se o rumor sobre um misterioso décimo segundo andar fosse verdadeiro, eu precisava de acesso *total* ao local e privacidade para explorar.

Damon tentou nos matar. Ele não poderia nunca mais voltar para casa. Mas havia uma razão pela qual eu precisava encontrá-lo. Nós tínhamos uma ponta solta para resolver.

Um guardanapo de pano e copos de água foram colocados à nossa frente, e ouvi o tilintar dos pratos logo atrás. Onde estava esse assistente que deveríamos encontrar?

— Apenas confie em mim — murmurei para Michael, ainda falando em código. — Será um ótimo hotel. E se não estiver limpo, daremos um jeito nisso rapidamente.

Ele riu baixinho e depois abriu a boca para falar, mas a empregada se aproximou e colocou um prato diante dele.

— Eu não estou com fome — disse ele, gesticulando com as mãos para a garota. — *Ny-et.*

Ela silenciosamente pegou o prato de volta e colocou o que ainda estava em sua outra mão à frente de Will, antes de circular a mesa para vir até mim.

— Eu conheço você? — Will perguntou, olhando em nossa direção, para a jovem que agora me servia um copo de água.

Mas antes que a garota tivesse chance de responder, Michael se virou para ele:

— Qual é, seu idiota... — ele resmungou. — Você não precisa transar toda vez que paramos o carro. Que merda.

O olhar de Will demonstrou sua irritação, todos os músculos do seu corpo agora tensionados. *Jesus.* Ele empurrou a cadeira para trás e se levantou, saindo por uma das portas de vidro que dava para o pátio.

Aprumei a postura e soltei um suspiro. Sabia que Michael quis fazer uma piada com um fundo de verdade. E Will também. Ele tinha consciência de que suas atividades extracurriculares estavam se tornando um problema, mas não queria que seus amigos o julgassem.

Michael olhou para a mesa, com os olhos castanhos entrecerrados e um pouco arrependido. Observei Will através das portas enquanto ele acendia um cigarro, um hábito que adquiriu no ano passado.

— Então, de qualquer forma — continuou Michael —, entramos no hotel, fazemos uma 'avaliação' e vemos se tudo está... em ordem antes de tentar comprá-lo, certo?

Assenti, tomando um gole da minha água.

— E se não estiver?

Ou seja, "E se Damon estiver lá?".

Então nós lidaremos com isso. Mas antes que eu tivesse chance de responder, vi Michael recuar quando água e cubos de gelo se derramaram sobre a manga de seu terno.

— Jesus Cristo...

A garota levantou a jarra rapidamente, inclinando a cabeça em um pedido de desculpas.

— *Iz-vee-nee-tye*[2] — ela se engasgou com a voz débil, assustada.

Eu a encarei, incapaz de vislumbrar seu rosto escondido sob o gorro. Ela colocou a jarra e pegou um guardanapo, tentando limpar a manga dele.

— Apenas... — Michael puxou o tecido de sua mão. — Pode deixar. E leve isso embora. — Entregou-lhe o copo e o guardanapo úmido, imediatamente se afastando e a dispensando.

Ela inclinou a cabeça novamente, apressando-se para se esconder em algum lugar atrás de mim, onde estavam a mesa e o carrinho.

Levantei-me, caminhando em direção às portas do pátio e olhando para fora.

— Se tudo não estiver como deveria estar — eu disse —, então cuidarei do assunto.

— Só você? — Michael ficou de pé e veio até mim.

— Você cuida de Rika — eu disse a ele —, e de Will.

Os negócios que tive com Damon eram privados.

Michael se inclinou, falando baixo:

— Todos nós precisamos enfrentá-lo, especialmente Will. Ele está definhando sem Damon.

---

2 Desculpe, em russo, porém, a autora usou a forma de pronúncia da palavra, e não como verdadeiramente se escreve no alfabeto cirílico.

— Damon tentou matá-lo — disparei. — Ele amarrou um bloco de concreto no tornozelo dele e o jogou na porra do oceano.

— Sim. — Michael assentiu, encontrando meu olhar. — O *melhor amigo* dele tentou matá-lo.

— Nós somos os melhores amigos dele.

— Damon e Will sempre foram mais próximos — disse ele. — Assim como nós dois somos um do outro. Will precisa de Damon. Você sabe que ele está em uma espiral de autodestruição. Ele precisa enfrentá-lo. Então, vamos todos encontrar o filho da puta e dar-lhe um aviso do qual nunca se esquecerá.

— Você o quer no mesmo ambiente em que Rika estiver também?

Michael passou a mão pelo cabelo e exalou. Isso foi um não.

— Você cuida de todos os outros, e eu cuidarei do *The Pope* — instruí. — Ele não é uma ameaça mínima para Rika do que foi Trevor.

E nós dois sabíamos como Michael havia lidado com seu irmão. A ideia de fazer o mesmo com Damon – alguém que era amigo – fez meu estômago revirar, mas eu faria o que fosse preciso para manter meus amigos em segurança.

E para manter a maldita boca de Damon fechada.

Eu me virei e voltei para a mesa, permanecendo de pé. Vi Will do lado de fora das portas, caminhando em nossa direção novamente, esperançosamente tendo se acalmado.

— Chega dessa espera, porra — eu disse a Michael, pegando meu copo e tomando outro gole. — Vamos cuidar das pontas soltas.

— Sim, por falar em esperar — Will se intrometeu na conversa, entrando pela porta. — Onde está esse cara? Esse assistente que devemos conhecer?

Vi quando ele abriu as portas do corredor e chamou alguém:

— Ei? — Retrocedeu um passo, deixando o tal Hanson entrar na sala.

— Sim, senhor. — Ele olhou para Will em questão.

— Onde está esse assistente que deveríamos encontrar? — Will perguntou. — Não temos o dia todo.

Will provavelmente só queria acabar com isso para que pudesse se afastar de Michael.

O homem olhou para ele, hesitante, e de repente senti que uma bomba estava prestes a estourar. Estreitei meu olhar em sua direção. *O que estava acontecendo?*

Hanson então virou a cabeça, falando com a jovem:

— Banks? — ele perguntou. — Você precisava de mais alguma coisa dos cavalheiros?

Banks? O quê? Meu coração bateu forte no peito.

Lentamente desviei o olhar para a empregada com quem ele estava falando, aquela que havia ficado tão recatada ao lado da parede, quieta o tempo todo.

Vi quando ela levantou a cabeça e o comportamento tímido e submisso desapareceu. Seu olhar encontrou o meu, sobrancelhas escuras emoldurando olhos verdes com uma borda azulada ao redor da íris. O queixo dela se levantou, em um gesto sutil de desafio.

Ah, meu Deus. *Ela?*

— Não, acho que tenho tudo o que preciso — respondeu.

Então desamarrou o avental branco em volta da cintura e jogou-o no carrinho de comida.

Engoli em seco. *Porra.*

Aquele cabelo escuro escondido sob o gorro, os ombros esbeltos e a mandíbula estreita, as roupas masculinas que ainda usava... Só que, em vez dos jeans sujos, tênis desgastados e moletom enorme, lembrei-me, agora ela usava calça e camisa pretas e uma gravata listrada.

Baixei o olhar. As unhas ainda continuavam sujas, visíveis nas luvas sem dedos de couro.

Ela deu a volta e saiu da sala, pegando uma jaqueta da cadeira no corredor e vestindo-a quando desapareceu de vista. Eu a segui com o olhar, respirando com dificuldade.

— Senhores — disse Hanson. — A assistente do Sr. Torrance o atualizará e um deles entrará em contato. Se vocês já tiverem terminado, vou levá-los até a porta.

— Calma aí — Michael rosnou. — *Essa* era a assistente dele?

Soltei um suspiro, e o encarei.

— Essa era a Banks.

Franziu o cenho, confuso, mas então se recordou e ele olhou de volta para o corredor por onde ela havia desaparecido. Quando olhou para mim outra vez, estava boquiaberto.

— Qual parte da conversa será reportada a ele? — Will falou, parecendo preocupado. — Dissemos alguma coisa incriminatória?

Ri sozinho, meu sangue subitamente esquentando quando as lembranças daquela noite vieram à tona.

— Você acha que ela se lembra de nós? — Michael perguntou.

Todos nós seguimos Hanson para fora da sala de jantar e em direção à porta da frente, quando murmurei baixinho:

— Será que ela percebeu que ele não está por perto para me atrapalhar desta vez?

CAPÍTULO 4

KAI

Noite do Diabo – Seis anos atrás...

Eu estava no meu limite desde a confissão de mais cedo. Olhando por cima do ombro, dando uma segunda olhada para todos enquanto caminhava pelos corredores e me sentava nas salas de aula.

A garota no confessionário, possivelmente eu a conhecia, não é? Ela certamente sabia quem eu era.

E me *roubar*? O que diabos isso significa? Olhei de relance para as meninas sentadas e conversando nas arquibancadas, prontas e à espera para demonstrar aos rapazes na quadra alguma atenção após o treino. Qualquer uma delas poderia ser aquela garota. Qualquer menina nesta escola poderia ser ela. Por mais que eu gostasse de um pouco de mistério, preferia estar no comando. Gostava de ser aquele que se divertia com alguém, não o contrário.

Arremessando a bola de basquete para Will, corri até o final da quadra com todo o time, vinte pares de tênis derrapando no chão enquanto a bola mudava de mãos mais duas vezes até voltar para mim. Eu a peguei, ofegando e sentindo o suor escorrer pelas costas enquanto armava a jogada, driblava, girava e arremessava em seguida. A bola voou e bateu no aro. Fiquei puto quando não caiu pela cesta e o rebote foi parar nas mãos de Damon.

Ele sorriu, correndo de volta para o outro lado, satisfeito com o meu fracasso.

Eu estava irritado, mas fiquei quieto. Não deveria ter errado esse arremesso. Estava pensando na garota, e continuaria desse jeito até descobrir sua identidade. Deveria ter invadido o cubículo onde se encontrava e a confrontado quando tive a chance.

Damon jogou a bola para Michael, e ele a pegou, a camiseta pendurada no cós da bermuda enquanto corria pela quadra. Percebi um movimento à esquerda e virei a cabeça a tempo de ver os galhos e as folhas do plátano de dez metros do lado de fora do ginásio soprando contra as janelas acima das arquibancadas.

— Essa ventania está ficando louca — Will disse, correndo ao meu lado. Ele se moveu com agilidade, mantendo a atenção na bola enquanto me relanceava um olhar, sorrindo. — Vai ser uma noite selvagem.

Sim, selvagem. Comparada com o quê?

Meus amigos não precisavam da Noite do Diabo como desculpa para enlouquecer. Mas eu, sim. Era a única noite em que me permitia fazer péssimas escolhas. Tomar decisões baseadas em desejo, egoísmo e a necessidade de não pensar metodicamente sobre todos os detalhes de cada um dos meus movimentos. Não fui criado para ser perfeito, mas, sim, para fazer tudo buscando a perfeição. Com calma, cuidado e foco... Com a mesma dedicação em servir uma xícara de café e executar um teste de matemática. Ou trabalhar no meu carro.

Ou transar com uma garota.

E eu estava mais do que pronto para deixar tudo isso de lado. Perder totalmente o controle. Mas agora, em vez de fantasiar sobre todas as maneiras de fazer merda hoje à noite, estava obcecado por ela e com o fato de se a veria ou não. Como eu a reconheceria?

A melhor parte de nossa conversa de hoje de manhã era pela certeza que eu tinha de que ela não teve a intenção de agir misteriosamente ou me fascinar do jeito que fez. Ela não estava tentando atrair minha atenção como outras garotas faziam. Suas palavras não ditas foram tão interessantes quanto as proferidas. Seus ofegos, os sussurros, o flerte que se esgueirou em suas palavras cuidadosas, como se ela desejasse alguma coisa, mas não tivesse ideia de como ser ousada para pedir. Gostei da inocência que exalava dela, mas pude sentir sua ânsia em se livrar disso. Tão perfeita.

— E aí, cara. — Michael cutucou meu braço. Olhei para ele, tentando disfarçar que não estava viajando, quando inclinou o queixo e gesticulou para a minha direita. — Seu pai.

Virei a cabeça, ainda carrancudo, mas endireitando a postura, no entanto. Meu pai estava na beira da quadra, olhando para mim com os braços cruzados, seu terno preto e bem-ajustado contrastando com as paredes de cor creme e a madeira clara do piso da quadra. O que ele estava fazendo aqui? Ele sabia que eu ia dar uma saída depois da escola.

Seu cabelo preto, da mesma cor que o meu, parecia tão perfeito quanto naquela manhã, e sua expressão facial revelava que ele tanto poderia estar satisfeito com o clima, ou com seu desempenho ao treinar na noite anterior ou totalmente irritado com a realidade dos negócios na Ucrânia. Ele era ilegível.

Sem pedir permissão para sair do treino, caminhei em direção a ele, puxando minha camiseta do cós da bermuda e vestindo-a novamente.

— Pai — cumprimentei, pegando a toalha da arquibancada inferior para limpar meu rosto.

Ele não disse nada, esperando ter toda a minha atenção antes de falar. E era aqui que eu tinha sorte e azar ao mesmo tempo. Enquanto os pais dos meus amigos já tinham mais de cinquenta anos, meu pai estava apenas com quarenta e três. E ele se cuidava. Não tinha problemas para acompanhar meu ritmo, além de ter a paciência de um santo.

Enfiando a toalha na mochila, peguei uma garrafa d'água.

— Não estarei em casa para jantar. Mamãe te avisou, não é?

— Sim — disse ele, a expressão estoica novamente. — Mas eu gostaria muito que você mudasse de ideia. Você pode passar mais tempo com seus amigos outra noite.

— Outra noite não será a Noite do Diabo. — Abri a tampa da garrafa, incapaz de encará-lo. — É uma vez por ano só, e é a última antes de eu ir para a faculdade. Não vou me meter em problemas.

Ele permaneceu imóvel, sem discutir ou se mexer enquanto eu bebia a água e continuava a arrumar o resto do meu equipamento. O riso e o burburinho aumentaram quando todos pegaram suas mochilas, e ouvi a porta do vestiário se abrir e fechar diversas vezes.

Nenhuma dessas coisas me livrou do peso de seu olhar.

— Você está decepcionado comigo — afirmei. — Eu sei.

Fechei a mochila e a pendurei no ombro. Meu pai nunca me proibiu de fazer nada, mas ele não era estúpido. Sabia exatamente o que fazíamos na Noite do Diabo.

— Eu gostaria que você fizesse melhores escolhas — esclareceu. — Só isso.

Finalmente olhei para ele.

— Suas escolhas, você quer dizer.

— As escolhas certas. — Os olhos dele se tornaram severos. — É por isso que respeitar os mais velhos é importante. Temos muito mais experiência em cometer erros, Kai.

Não consegui conter o sorriso.

— Eu nunca cometo erros — respondi. — Ou estou certo ou estou aprendendo. *Jaku niku kyo shoku.*

Recitei um dos muitos provérbios japoneses que ele fez questão de dizer ao longo da minha vida.

Os fracos são a carne que os mais fortes comem. Ou seja, os fortes sobrepujam os fracos.

E por mais que eu soubesse que ele tinha algo mais a acrescentar, meu pai apenas assentiu, com um sorriso sutil, deixando o assunto de lado. Finalmente.

— Não se esqueça do domingo — disse ele.

— Eu nunca esqueço.

Eu me afastei, virando-me em direção ao vestiário. Todo domingo de manhã, eu me juntava a ele no *dojo* em nossa casa para um treino. Era a única coisa que fazíamos juntos, e ele nunca deixou de comparecer. E, claro, eu também não.

— Sem querer ofender — Will correu ao meu lado, suor encharcando sua camiseta e descendo pelo pescoço —, mas seu pai me assusta. Até eu quero a aprovação dele e sei que me odeia.

— Ele não te odeia — assegurei, sorrindo para mim mesmo. — Ele está esperando o melhor de você. Isso é tudo.

Ele simplesmente grunhiu, e eu o segui assim que abriu a porta do vestiário.

Honestamente, eu não dava a mínima se meu pai gostava ou não dos meus amigos. O pai de Damon não gostava de ninguém, e eu ficaria surpreso se o pai de Michael soubesse sequer o meu nome, mesmo depois de todos esses anos. Meus amigos eram simplesmente meus. Desse jeito. Eles ficavam à parte do que acontecia em casa, na aula ou até na minha cabeça, às vezes. Era isso que eu gostava neles. Quando estávamos juntos, era como se tivéssemos nosso próprio mundo.

Depois de me despir e tomar uma ducha, percorri a fileira de armários, e o ambiente, de repente, se tornou tão barulhento que eu mal conseguia pensar. Todo mundo estava pronto, assim como eu. Eu queria vê-la esta noite. Ela tinha que vir ao meu encontro.

Abri meu armário para pegar as roupas secas.

— Tudo bem — Will gritou, arrumando o cabelo diante de um espelho —, as garotas já prepararam tudo e o equipamento de paintball também está nos carros — informou. — Vamos sair, tocar o terror, matar um tempo no cemitério e depois seguir para aterrorizar a cidade.

— Espera. A cidade? — Damon perguntou. — Nós não estamos indo para o Armazém?

Sorri.

— Você foi absolvido, não é? — perguntei a ele, lembrando-o de sua confissão esta manhã. — Você precisa de novos pecados para a próxima semana. Não se preocupe. Você vai gostar.

— É bom mesmo — disse, apertando a toalha em volta da cintura. — Porque, puta merda, eu preciso de um boquete.

As portas dos armários se fecharam imediatamente e olhei para cima, de repente, vendo três de nossos colegas de equipe deixando o vestiário às pressas. Will começou a gargalhar a ponto de se dobrar, seu corpo inteiro tremendo incontrolavelmente.

Damon virou-se e gritou:

— Ei, para onde vocês estão indo? Uma boca quente e molhada é tão boa quanto a outra, até onde eu sei!

Sorrindo, Will balançou a cabeça e fez um *high five* com ele. Damon começou a rir e enfiou um cigarro apagado entre os lábios, mas então um grito ecoou pelo vestiário.

— Torrrance! — o treinador gritou. E meu amigo teve que cuspir o cigarro na mesma hora.

— Droga — ele rosnou em voz baixa.

Como Lerner sempre sabia quando Damon estava prestes a fumar, era um mistério. Sua irritação, no entanto, não impediu Will de começar a cantar a música *Smoking in the boys room*, do Mötley Crüe, provocando-o.

— Tudo bem, vamos começar — Michael gritou, calando-os. — Está na hora.

Vesti meu jeans, olhando para o relógio atrás de mim e vendo que eram quase duas da tarde. Hora de dar início à festa.

Rapidamente terminamos de nos ajeitar, vestimos nossos moletons pretos e pegamos telefones, carteiras e chaves, deixando todo o resto para trás. O sino tocou, informando o início da última aula do dia, e nós quatro saímos para o corredor vazio, ouvindo as tênues vozes dos professores ministrando suas aulas finais nesta sexta-feira à tarde.

Eu gostaria que você fizesse melhores escolhas. Só isso.

Olhei da esquerda para a direita, vislumbrando a luz desvanecendo enquanto mal iluminava os armários azuis e verdes do corredor. Os cantos escuros espreitavam à frente, e todos nos mantivemos em silêncio por um raro momento, apreciando a calmaria antes da tempestade.

— Vamos fazer isso — eu disse, ainda olhando para o corredor, contemplando os galhos com suas folhas vermelhas e alaranjadas agitadas pela ventania do lado de fora.

Ouvi o farfalhar da mochila, e sabia que Will estava tirando nossas máscaras uma por uma. Damon colocou a sua de caveira, os dentes parecendo garras. Will entregou a Michael a vermelha que ele usava, com arranhões escuros e profundos que lhe davam uma aparência tão cruel quanto os lábios roídos. Will me jogou a minha máscara de prata metalizada, com fendas pequenas e escuras no lugar dos olhos, cheia de linhas paralelas na parte inferior. Então, colocou a sua própria, branca com uma listra vermelha de um lado só. Todos nós parecíamos um esquadrão da morte pós-apocalíptico, que se adequava aos egos de um bando de garotos ricos e mimados que nunca enfrentaram realmente o perigo.

Will correu até o vestiário para guardar a mochila, enquanto eu colocava minha máscara acima da cabeça como um capacete. Fechei os olhos, saboreando o momento. Aqui, eu era invisível. Poderia ser quem eu quisesse.

Aqui, eu não estava me escondendo.

Peguei meu telefone e enviei uma mensagem para Kylie Halpern na secretaria, sinalizando que poderia tocar a música. Em dez segundos, *Sister Machine Gun* começou a tocar nos alto-falantes pelos corredores e por toda parte. Respirei fundo enquanto guardava o celular no bolso traseiro.

Michael deu um passo à frente, olhando de um lado para o outro.

— Agora — ele disse.

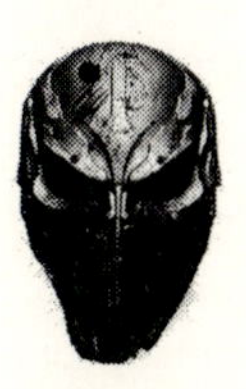

— Vai! Vai! Vai! — Max Cason gritou ao vento, com a cabeça do lado de fora da janela no banco do carona.

Meia hora depois, catorze carros, caminhonetes e motos estavam a caminho, abarrotados com todos os jogadores do nosso time, algumas de suas namoradas e uns poucos buscando apenas diversão. A escola não nos impediu de sair de suas dependências para o que rapidamente se tornou uma tradição. A Noite do Diabo servia para elevar a moral do time e enaltecer o companheirismo em equipe.

Perambular pelos corredores da escola, às duas horas da tarde, para começar tudo, se transformou em uma das minhas partes favoritas do dia. Invadir as salas de aula e retirar nossos colegas jogadores da equipe de basquete – e quem mais quiséssemos – e arrastar todo mundo para fora da escola era como uma anfetamina injetada na veia. Tínhamos a atenção de todos, seu fascínio e, às vezes, seu medo. Era energia pura e, por uma noite no ano, desfrutávamos de um suprimento ilimitado. Os professores não nos detinham, os policiais não interferiam e, por um tempo, eu realmente amava ser apenas eu.

Todo mundo queria ser como nós.

O Ford Raptor preto de Will seguia à minha frente, e todos os caras na carroceria da caminhonete festejavam com cervejas nas mãos. Alguns deles tinham garrafas de água cheias de um licor claro, o que era uma tática interessante para beber durante as aulas. Contanto que se parecesse com água, os professores nunca saberiam a diferença.

Com minha máscara sobre o console ao lado, acelerei em frente, seguindo Will. Damon liderava a carreata, e quando olhei à esquerda, vi Gavin Ellison passar rapidamente em sua moto com a namorada na garupa.

Damon deve tê-lo visto pelo espelho retrovisor, porque assim que Gavin acelerou para ultrapassar seu BMW, Damon desviou para a esquerda, bloqueando a passagem. Eu ri sozinho, até que vi uma criança em uma bicicleta, caindo no acostamento da estrada por conta do movimento brusco do carro.

— Que diabos? — gritei, pisando de leve no freio para diminuir a velocidade.

O garoto caiu no chão, esparramado em uma vala, e sua bicicleta tombou na grama.

E Damon e a porra da moto simplesmente seguiram em frente.

Filho da mãe.

Pisei no freio com mais força, diminuindo a velocidade do jipe e vi que Will fez o mesmo. Coloquei o carro em ponto-morto e desci. Olhei para a estrada à frente, avistando Damon e a moto se distanciando. Será que ele pelo menos chegou a pensar em parar?

— Damon é um idiota. — Will olhou para mim, enquanto descia de sua caminhonete mastigando uma tira de carne seca.

Alguns dos caras também desceram da carroceria, e Will foi até onde o garoto caiu, agachando-se para ajudá-lo a levantar.

— Você está bem?

O garoto apoiou-se nas mãos e nos joelhos, e eu me aproximei, pegando vislumbres através das pernas dos rapazes enquanto ele se movia, recolhendo os livros que haviam se espalhado na beira da estrada. Não o ouvi responder e não pude ver seu rosto.

Will pegou dois livros que caíram e vi uma cestinha na frente da bicicleta.

— Eu disse que estou bem — o garoto disse, ríspido, e parei, vendo um boné de beisebol caído no chão.

De repente, o cabelo longo e escuro se soltou, agitando-se por conta do vento forte, e vi um rosto esbelto e lábios carnudos.

Era uma garota.

No entanto, vestia-se como nós, com jeans e um moletom com capuz azul marinho. Ela estendeu a mão, mantendo a cabeça baixa e os olhos protegidos pelo cabelo enquanto retirava os livros das mãos de Will.

Ela parecia bem. Nós poderíamos ir.

— Eu já te vi por aí antes, não vi? — Will perguntou, curvando-se para pegar sua bicicleta. — Você mora por aqui? Nós podemos te levar para casa. Entra aí.

— Não. — Ela colocou as mãos à frente, impedindo-o de tocar em sua bicicleta. — Eu disse que estou bem. Pode ir. Por favor.

Estreitei o olhar, aproximando-me.

Alguns dos caras pegaram uns de seus livros e os mostraram ao redor, rindo. Ela manteve-se imóvel, encarando o chão. Sua calça jeans estava imunda. Manchas escuras cobriam os joelhos, mas não havia sinal de sangue. Eu achava que ela não estava machucada.

— Devemos apenas trazê-la conosco, cara — alguém brincou.

— Sim, podemos dar um banho nela primeiro?

— Chega — rosnei, cortando sua zoação. — Voltem para a caminhonete. Suas cervejas estão esquentando.

Eles se dispersaram, e Will voltou para o carro, lançando mais um olhar para a garota silenciosa, que rapidamente recolhia seus livros, ignorando-nos.

Ela devia ter mais ou menos a nossa idade, mas certamente não gostava de atenção, a julgar pelas roupas esfarrapadas que vestia e pelo velho tênis Vans caído no chão. Deve ter saído do pé durante a queda. Por que não estava usando meias? Estava frio.

Agachei-me, pegando um pedal quebrado da bicicleta.

— Você não pode andar de bicicleta, garota — eu disse a ela. — O pedal está quebrado.

Estendi o objeto à frente de seu rosto.

— Eu me viro. — Ela se levantou, com os braços firmemente em volta de todos os seus livros, evitando o meu olhar.

Ela era uma coisinha meio grossa, né?

Eu não sabia se estava com medo de nós ou chateada com o que aconteceu, mas definitivamente não queria se envolver.

— Will disse que você mora perto? — perguntei. — Eu posso colocar a bicicleta na traseira do meu jipe e te levar.

— Eu disse que dou um jeito — disse, irritada, ainda cabisbaixa. — Apenas vá embora.

Não consegui evitar meu sorriso. Ela parecia tão desesperada para se livrar de nós, como se tivesse medo de que algo ruim fosse acontecer. O que achava que íamos fazer com ela?

Eu me virei para sair, mas vi um livro fino no chão, quase pisando em cima. Eu me abaixei e o peguei, checando a ruiva em um vestido esmeralda na capa. Seus seios quase pulavam para fora enquanto um homem musculoso com blusa aberta a segurava contra si dramaticamente, mechas de seu cabelo voando contra o vento, exatamente como o longo vestido.

Bufei uma risada quando me virei e entreguei a ela.

— Cale a boca — murmurou, vendo o sorriso no meu rosto e arrebatando o livro de volta.

Agachei-me mais uma vez, pegando o tênis no chão e depois puxei o seu pé.

Sua pele estava gelada, e estremeci, surpreso. Seu jeans tinha buracos por toda parte e ela ainda estava sem meias. Por que não estava vestida adequadamente?

Ela afastou o pé, agarrando o tênis.

— Eu posso fazer isso.

Mas segurei com firmeza, dando-lhe um olhar desafiador.

— Deus, será que não dá para entender? — resmungou, ríspida.

— Você está congelando — comentei, calçando seu tênis. — Talvez você deva...

— Tire as mãos dela — alguém ordenou atrás de mim.

Virei a cabeça e vi que vários homens haviam chegado, suas motos esportivas paradas no meio da estrada. Por conta do ruído do motor da caminhonete de Will, não os ouvi se aproximarem.

Levantei-me quando chegaram perto e vi como se postaram bem à frente da garota.

Que merda era essa?

— Com licença? — Olhei em volta deles, tentando vê-la.

— Ela está bem — disse o cara com a cabeça raspada, usando uma camiseta branca sem mangas. — Vamos assumir daqui.

Dei uma pequena risada, sentindo Will chegar ao meu lado enquanto Michael se aproximava.

— Quem diabos é você? — perguntei.

Mas ele apenas me ignorou, virando a cabeça para ela e sussurrando:

— Recoloque o capuz.

Ela seguiu as instruções, rapidamente se cobrindo e mantendo a cabeça baixa. Dois caras flanqueavam o Cabeça Raspada, da mesma forma que Michael e Will agora faziam comigo, todos nós imóveis.

— Vá embora — o do meio ordenou.

— Claro, de jeito nenhum. — Inclinei a cabeça, tentando fazer contato visual com a garota atrás deles. — Você está bem? Quem são esses caras?

Eles poderiam ser seus irmãos, mas de forma alguma se pareciam com ela.

Ela olhou para mim de relance até que notei o pequeno sorriso curvando o canto de seus lábios. Um olhar divertido cruzou suas feições e a timidez desapareceu repentinamente.

— Eles são muito mais do que vocês, *cavaleiros*.

Seus companheiros começaram a rir, presunçosos.

Ergui meu queixo.

— Vamos embora — disse o Cabeça Raspada.

Todos eles nos olharam enquanto se afastavam, e a jovem os seguiu, roçando meu braço quando passou por mim. Inalei seu leve perfume. A energia do ar ficou subitamente tão espessa que eu seria capaz de segurá-la. Havia algo familiar nela.

Ela entregou os livros para o mais alto, com cabelo loiro e uma corrente de prata em volta do pescoço, enquanto o outro enganchou a bicicleta no ombro dele ao montar em sua moto.

Ela subiu na garupa do Cabeça Raspada e eu estreitei os olhos, vendo--a enlaçá-lo com os braços.

Dei um passo à frente quando todas as motos rugiram.

Ela olhou por cima do ombro mais uma vez, e eu finalmente vi seus olhos. Um lindo verde com toques dourados.

— Pensei que você tivesse algumas pessoas para assustar essa noite — disse ela.

O quê?

Ela se virou, mas não rápido o suficiente para esconder o sorriso no rosto, e então partiram, as três motos esportivas zunindo pela estrada enquanto se afastavam.

O que diabos ela disse? Como é que...?

Cerrei a mandíbula, dando-me conta.

A noite é uma criança. Talvez você encontre outra pessoa para assustar esta noite.

A garota do confessionário de hoje mais cedo. Caralho, era ela.

Observei enquanto ela e os idiotas desapareciam de vista, e tudo o que eu disse a ela de manhã voltou com força total à minha mente. Como ela sabia quem eu era? E por que eu nunca a tinha visto antes?

Ela estava brincando comigo.

Quão confiante e ousada ela se tornou quando eles chegaram. Ela pensou que aqueles caras – seja lá quem fossem – poderiam nos colocar em nosso lugar. Estávamos brincando de ser maus, mas eles o eram de fato. Era isso o que ela achava?

— Você a conhece? — Michael perguntou ao meu lado.

Eu me concentrei na estrada, sem saber como responder a isso.

— Se você a quer, ela é sua — declarou.

Contive meu sorriso. Michael falava sobre mulheres da mesma forma que falava sobre *cheeseburgers*. Era como se tudo fosse fácil assim.

— Querer ela? — Will interrompeu. — O que diabos ele iria querer com uma garota daquela quando temos minas de primeira qualidade em nossos carros agora? Você não viu como ela estava vestida? Sem maquiagem, roupas masculinas... Ela é *feminista*.

Fechei os olhos, rindo de mim mesmo. *Jesus*.

— Achei que você gostasse das difíceis? — debochei, olhando para ele.

Mas ele apenas retorceu os lábios, o objeto secreto de sua obsessão tão ajeitadinha quanto a garota que acabara de sair.

— Sim, bem... você quer que eu ligue para Damon, ou o quê? — ele perguntou. — Alguém disse que ela trabalhava na casa dele.

Ela trabalhava?

— Não — respondi. — Não quero que ele me diga nada sobre ela. Eu mesmo vou descobrir.

Ele já tinha ido embora de todo jeito e, provavelmente, já estava no cemitério agora.

— E aí, vamos buscá-la, então? — Michael sondou.

Mas apenas olhei para frente, pensando.

Ela me desafiou, né? Fez questão de me informar quem era antes de ir embora com aqueles idiotas. Para me avisar que me passou a perna hoje, mas somente quando sabia que poderia se afastar de nós.

Apenas assenti, todos os músculos do meu corpo agora tensionados como uma corda.

— Eu meio que quero assustá-la primeiro.

Ouvi Michael rir baixinho e então ele se virou, gritando para alguém em um dos carros:

— Ei, Dayton! — Em seguida jogou a chave de seu SUV para ele. — Troque de carro comigo. E tire tudo do seu! Preciso do porta-malas.

Will murmurou animadamente e esfregou as mãos, de repente, totalmente a favor desse plano.

Nós nos viramos para entregar as chaves para que outros levassem nossos carros ao cemitério, de forma que pudéssemos continuar juntos. Isso era mais exagerado do que meu gosto habitual em travessuras, mas eu não conseguia me conter.

Não queria mais parar.

Eu queria bloquear todos os pensamentos racionais e simplesmente me deixar levar. Agora, se dependesse de mim, essa noite nunca teria um fim.

Ela me sacaneou hoje.

Agora era a minha vez de dar o troco.

CAPÍTULO 5

KAI

Dias atuais...

ENTREI NO SENSOU, A ALÇA DA BOLSA ATRAVESSADA SOBRE O PEITO ENQUANTO olhava em volta, fazendo um inventário de tudo o que estava acontecendo. O som dos floretes se chocando à minha direita, vindo da sala onde Rika conduzia sua aula de esgrima três noites por semana; os pesos usados na sala de musculação à esquerda também se juntaram à cacofonia; grunhidos enchiam o *dojo* inteiro, ecoando através das vigas, enquanto os alunos treinavam diversas modalidades no salão principal.

Andei às pressas e em total silêncio por ali, ansioso para gastar um pouco de energia. O colarinho da minha camisa roçava contra o pescoço, enquanto uma fina camada de suor resfriava meu torso. Eu precisava me livrar dessas roupas.

Quando voltava a Thunder Bay todos os domingos para treinar com meu pai e tomar café da manhã com minha família, a pedido de minha mãe, não liberava metade da energia que havia dentro de mim. Meu pai estava em ótima forma, mas ainda assim, já estava perto dos cinquenta anos. Eu não podia descontar nele.

Mas, no *dojo*, eu podia extravasar do jeito que queria e, depois de hoje, era o que precisava.

Após a reunião com a "assistente", mais cedo, estava determinado a vir direto para cá, mas, em vez de pegar a saída certa depois da ponte, continuei dirigindo sem rumo por quase duas horas.

Banks.

Jesus Cristo. Seis anos atrás, ela mais do que despertou meu interesse.

Hoje, ela estava distante, estranhamente calma e compassiva. Lembrei-me dela de maneira muito diferente. Ela tentou tanto ser durona naquela noite, mas aqueles olhos sombrios e como podiam ver através de mim, e aqueles lábios... Sim, eu me lembrei. Ela não conseguiu manter a compostura por muito tempo.

E então, alguns anos depois, quando Rika se juntou a nós naquela noite, e Banks havia se tornado nada mais do que uma lembrança, me vi cativado por nossa Monstrinha, exatamente por ela ter me recordado de Banks. A inocência, a perseverança, o jeito que eu queria cuidar dela...

Mas da mesma forma avassaladora com que entrou no meu mundo, ela também fugiu, e tudo isso em poucas horas, uma noite, seis anos atrás.

Quem era ela? De onde surgiu?

Entrei no meu escritório e fechei a porta com força, largando a bolsa e tirando o paletó. Rapidamente vesti uma calça de ginástica e calcei os tênis, em seguida peguei uma toalha e vesti a camiseta enquanto saía do escritório. Na recepção, passei por Caroline, uma das universitárias de meio período que tínhamos contratado, que me deu um sorriso meigo como sempre. Levantei a mão e ela me jogou uma garrafa de água do freezer às suas costas. A mesma rotina. Ela sabia o que fazer.

— Hum, Sr. Mori? — falou, quando continuei a andar.

Diminuí a velocidade e me virei.

— O que foi?

O cabelo loiro estava preso em um rabo de cavalo alto, e sua camisa polo azul marinho com a logo da Graymor Cristane, no lado esquerdo do peito, estava impecável e sem um vinco, como sempre.

Ela olhou para trás e gesticulou para alguma coisa, e quando virei a cabeça, imediatamente fiquei irritado. A garota agia como se eu fosse comê-la viva caso falasse alguma coisa.

No entanto, ao ver os dois visitantes perambulando no saguão, subitamente me esqueci de Caroline.

Banks se encontrava à minha direita, segurando uma das varas de bambu da prateleira na parede. Ela olhou para mim e depois recuou, examinando distraidamente a arma como se estivesse somente olhando sem nenhum outro propósito por estar aqui.

Do outro lado da sala, à sua direita, havia um homem que me parecia vagamente familiar. Com certeza, um dos capangas de Gabriel, a julgar pela cabeça raspada, corrente de prata, jaqueta de couro brega e hematomas ao redor do olho.

Coloquei a garrafa de água e a toalha no chão. A presença deles era um sinal muito bom ou muito ruim. Eu não queria problemas, não aqui.

Caminhando lentamente em direção à garota, fixei o olhar ao dela quando estendi a mão e gentilmente tirei a espada de suas mãos.

— É uma *shanai* — informei. — Uma espada japonesa.

Ela olhou para mim, o rosto inexpressivo, respirando normalmente. Sob controle. Dei um passo para trás segurando o bambu, tentando não transparecer como sua aparência me deixava embevecido. Ou admirado com sua presença ali.

Um simples gorro preto cobria cada fio do cabelo que eu sabia ser de um profundo tom castanho, e ao invés da roupa social que usava mais cedo, ela agora escondia cada centímetro de seu corpo em jeans surrados com imensos rasgos nos joelhos, além de coturnos e uma jaqueta curta preta abotoada até o pescoço. Na mesma hora, enfiou as mãos nos bolsos.

Entretanto, antes que as escondesse, notei que ainda usava as mesmas luvas de couro sem dedos. A única pele que poderia ser visível era a de uma parte do pescoço e do rosto.

Eu gostava daquilo. Ela ainda era um mistério.

Afastei o olhar com relutância, virando a cabeça para o outro homem.

— Você veio com uma mensagem? — perguntei. — Gabriel fechará o negócio?

O homem, que julguei ter cerca de trinta anos por conta das rugas ao redor dos olhos, lançou um rápido olhar para a garota e depois inclinou o queixo para mim.

— Por que, exatamente, você quer o hotel?

— Eu sou um homem de negócios — respondi. — Estou adquirindo bens patrimoniais, como os empresários fazem.

Ele a olhou de relance outra vez, e entrecerrei os meus olhos, acompanhando a interação dos dois. Quando se entreolharam, pude jurar que vi um leve sorriso no rosto de Banks.

Um diálogo silencioso ocorreu entre eles, levando-me a observá-los com mais atenção. O homem finalmente respirou fundo e assentiu.

— O Sr. Torrance está interessado em estabelecer uma conversa com você.

Dei uma risada de deboche.

— Estabelecer uma conversa... — zombei, baixinho. — Sim, eu conheço bem o tipo de conversa de Gabriel. Eu já concordei que o filho dele poderia voltar, mas precisarei de mais garantias.

Ele lançou um rápido olhar para Banks – de novo – e depois me respondeu, resoluto:

— A Srta. Fane estará em segurança.

— Você não pode garantir isso — argumentei, dando um passo à frente. — Nós dois sabemos que Damon não deixa ninguém falar por ele mesmo.

— Damon fará o que seu pai mandar.

Fiquei ali, quieto e pensativo. Se Gabriel estava disposto a me deixar comprar o hotel, isso significava que Damon não devia estar lá, afinal. Ou, possivelmente, Gabriel simplesmente não sabia onde estava o filho. A prisão havia constrangido imensamente nossas famílias e o Sr. Torrance não estava interessado em ver seu filho colocar tudo a perder outra vez.

Se soubesse o paradeiro de seu filho, ele o traria para casa. Minha intenção, no entanto, era encontrá-lo antes do pai.

— Quero entrar no hotel primeiro — declarei. — Preciso fazer uma inspeção e avaliar quanto terei que investir na reforma.

Seus olhos dispararam para ela novamente, mas foi tão rápido que perdi a resposta silenciosa.

— Não tem problema — ele finalmente respondeu.

Por que ele continuava olhando para ela? Que diabos estava acontecendo?

Encarei os dois, perplexo, esquecendo que havia acabado de concordar em comprar um hotel que valia milhões de dólares.

Umedecendo os lábios, girei o bastão em minha mão, fazendo um círculo perfeito.

— Sabe, quando eu tinha catorze anos, Gabriel disse a mim e a Damon algo que nunca esquecerei. "Mulheres", ele disse, "são brinquedos ou instrumentos. Elas são boas para se divertir ou quitar dívidas". — Girei a espada lentamente e os observei com cuidado. — Em todos os anos em que fui amigo de Damon, notei uma diferença marcante entre a minha casa e a dele. Minha mãe nunca foi uma mulher dócil, mas todas as mulheres que encontrei na casa dos Torrance ou estavam ali para transar ou servir. Brinquedos ou instrumentos.

— E daí? — o homem perguntou.

— E daí, que não sei em qual categoria ela se encaixa — eu disse, apontando o bastão para Banks. — Toda vez que faço uma pergunta, você procura uma resposta nela. É estranho para uma mulher ter esse tipo de poder, pelo que conheço de Gabriel Torrance.

Ele olhou para ela novamente, parecendo buscar alguma orientação.

Ela era a encarregada. Não ele.

É isso aí.

Que interessante.

Segurei a espada ao lado e me aproximei dela, olhando para baixo.

— Vamos acabar logo com isso e negociar diretamente, okay? — eu disse, já sem paciência.

Quando entrei em seu espaço pessoal, o homem se aproximou com rapidez, provavelmente em guarda, e, na mesma hora, impedi sua aproximação ao direcionar a espada *shanai* contra seu peito.

— E se não me falha a memória — eu disse, olhando para ele —, ela sabe muito bem como se defender, então, vá esperar no carro.

Ele cerrou a mandíbula, enrijecendo o corpo, já pronto para uma briga. Mas olhou para ela, esperando o comando. Ela hesitou por um momento, finalmente acenando com a cabeça, em uma dispensa silenciosa. Ele me lançou um olhar antes de se virar e sair do *dojo*.

Banks me encarou, inclinando a cabeça.

— Você está com medo de mim agora, garota? — perguntei. — Não é mais capaz de falar por si mesma?

Eu queria deixá-la desconfortável para me vingar da forma como tirou sarro de mim hoje, mas também não queria que perdesse a coragem. No entanto, em vez de responder, ela apenas virou a cabeça, aparentemente entediada.

Ri sozinho, seguindo em direção à parede para posicionar a espada no lugar.

— Então, quais foram as informações que você coletou hoje para transmitir ao pai de Damon? — perguntei. Queria saber o que dissemos naquela sala que lhe deu tanta confiança quando pensávamos que era apenas uma empregada à espreita.

— Seja o que for — respondeu ela —, ele gostou do que ouviu, já que tem uma proposta para você. Estou aqui em seu nome.

Minha mão estava trêmula quando me afastei da parede. Aquela voz. Havia dito apenas algumas palavras hoje cedo, mas agora... A mesma provocação suave da qual me lembrava surgiu, me trazendo de volta. Andei até ela, encarando-a, com meus braços cruzados.

Ela era uns quinze centímetros mais baixa do que eu, mas com o brilho arrogante em seus olhos, poderia muito bem ter dez centímetros a mais.

— Kai, está tudo bem? — Rika perguntou atrás de mim.

— Está tudo bem — respondi, sem olhar para ela.

A julgar por todo o burburinho à distância e pelo som das portas do vestiário se abrindo e fechando no corredor, a aula deve ter terminado.

— Rika? — disse, por cima do ombro, detendo-a antes que se afastasse. — Você poderia chamar Will e Michael e nos encontrar no escritório, por favor?

Não era capaz de ver seu rosto, mas sabia que sua resposta havia soado hesitante:

— Claro.

Ela saiu e eu me virei, gesticulando para que Banks seguisse adiante.

— No final do corredor. Primeiro as damas.

Esperava que algum lampejo de irritação cruzasse seu rosto, mas não havia nada. Seu olhar permaneceu neutro enquanto passava por mim, indo em direção ao corredor; eu a segui de perto, sentindo o coração bater muito mais forte ao encarar suas costas.

O cadarço de uma de suas botas se arrastava pelo chão, e, embora não tivesse a menor dúvida de que ela poderia cuidar de si mesma, era divertido ver o quão pouco se importava com sua aparência. Tão diferente das mulheres com as quais cresci, em casa e na escola.

No entanto, minhas mãos já haviam tocado toda aquela beleza. Elas se lembravam de cada toque.

Ela parou ao lado da porta do escritório e esperou que eu abrisse. Estendi a mão e girei a maçaneta, incitando-a para que entrasse, porém, assim que o fez, dirigiu-se ao canto mais distante da sala e virou-se para mim.

Contive o riso. Ao contrário de Rika, Banks imediatamente entrou no modo de sobrevivência em uma situação adversa. Enquanto estiver em território inimigo, pegue a vantagem ao seu alcance. Ao se posicionar no canto oposto, ela só precisava se conscientizar do que vinha pela frente, sabendo que sua retaguarda estava protegida. Estive tentando fazer com que Rika aprendesse isso instintivamente por meses.

Fechei a porta e andei pela sala, posicionando as cadeiras diante da mesa redonda.

— Imagino que deve ser difícil para uma mulher lidar com alguns dos associados de Torrance — comentei. — É por isso que você se comunica através daquela marionete ambulante lá fora?

Seu olhar se desviou por um instante na minha direção, antes de se concentrar outra vez no desenho a carvão emoldurado na parede; uma obra de arte que Rika admirava e colocara aqui, já que este escritório era usado por todos nós. Ela disse que se parecia comigo. Não sabia como. Era uma figura sem rosto, várias pinceladas saindo das linhas. Meu pai era um amante da arte abstrata; eu, infelizmente, não havia herdado isso dele.

— Esqueceu que foi você quem me contou tudo sobre o *The Pope*? — continuei, mudando de assunto.

— Eu nunca me esqueço de nada.

Parei, inclinando-me sobre o encosto de uma cadeira, analisando-a. Depois de tantos anos, o escudo que a protegia não somente estava ali, como agora se tornara muito mais espesso. Ela havia amadurecido.

— Você ainda acha que há um décimo segundo andar escondido?

— Acho que você está preocupado demais com os segredos que já conhece e sabe que existem e não com aqueles que ainda são desconhecidos.

E então ela voltou sua atenção para as fotos e armas que revestiam as paredes, me dispensando.

O que ela quis dizer com aquilo? Que diabos eu não sabia?

— Ei, o que está acontecendo? — Michael entrou, suado, e jogou a toalha sobre a cadeira. Will e Rika o seguiram e fecharam a porta. Ele estava sem camisa e arfando, provavelmente tendo acabado de levantar peso na sala de musculação.

— A *assistente* de Gabriel — informei — veio com uma proposta.

— Oi. — Rika se aproximou dela com a mão estendida. — Eu sou Erika Fane.

Banks simplesmente olhou para ela. Encarou-a com uma pitada de desdém no rosto antes de se virar novamente, ignorando-a por completo.

Rika me lançou um olhar interrogativo e depois afastou a mão, sentando-se à mesa. Todos seguimos seu exemplo.

Banks pegou algo de dentro do casaco e colocou sobre a mesa. Era uma fotografia. Ela a empurrou lentamente sobre a mesa de madeira em minha direção. Analisei a imagem de uma jovem que não reconheci. Cabelo loiro escuro, olhos azuis, rosto angelical, bonita o suficiente... Definitivamente o tipo de Michael. Os traços perfeitos de seu rosto mostravam um tom rosado e sua boca vermelha se parecia a uma maçã. Jovem e linda.

— Quem é? — perguntei enquanto todos se aproximavam para ver melhor a foto.

— Vanessa Nikova — respondeu Banks. — Sobrinha do Sr. Torrance.

— E daí? — Recostei-me à cadeira, tentando parecer relaxado.

— E daí que isso é muito mais do que apenas trocar um hotel por um filho pródigo, você não acha? — Ela me olhou, com condescendência. — O Sr. Torrance quer uma garantia indubitável de que você e seus amigos não prejudicarão seu filho ou a família dele. Vai exigir mais investimento do que apenas dinheiro.

Ela olhou para a foto novamente.

— Ela é muito bonita.

Estreitei meu olhar para ela. Bonita? O quê?

Eles acharam que eu queria comprar o hotel, mas o que isso tinha a ver com o acordo?

— Aonde você quer chegar? — pressionei.

Ela inclinou a cabeça, um sorriso tímido.

— Em algo um pouco mais concreto — disse ela. — Um futuro. As alianças ainda são feitas dessa maneira.

Alianças? Eu e meus amigos nos entreolhamos, tentando compreender, mas eles pareciam tão perdidos quanto eu. No entanto, quando encarei a foto outra vez, lentamente me dei conta. Meu coração acelerou, e cerrei as mãos em punhos.

Ela não podia estar falando sério.

— Você está falando sobre um casamento? — Rika deixou escapar, olhando para ela.

Mas Banks falou comigo:

— Atualmente, ela mora em Londres — informou. — Fala inglês com fluência, francês, espanhol e russo. Ela é bem-educada...

— Isso só pode ser brincadeira, porra. — Michael riu com amargura.

— E ela é... intocada — Banks concluiu, como se Michael não estivesse prestes a explodir.

Inclinei-me para frente, olhando para ela. *Intocada. Virgem.*

— Você está de sacanagem — disparei. Em que século Gabriel achava que ainda estava? Um casamento? Isso era ridículo.

De jeito nenhum!

Mas ela apenas inclinou a cabeça para mim.

— A única forma de vermos que você não tentará atingir a família Torrance é se estiver ligado a ela — explicou. — Queremos uma aliança coerciva.

Eu mal podia respirar. Quer dizer, não que ela estivesse de todo errada. Casamentos em certas famílias poderiam ter muito mais a ver com manter a riqueza e as alianças do que com qualquer outra coisa, mas de forma alguma eu seria capaz de fazer algo assim.

— Para isso, você terá total autonomia sobre a herança dela — informou —, incluindo os bens patrimoniais que seus pais lhe deixaram quando faleceram há vários anos... — Ela fez uma pausa, prolongando a última parte: — E você terá o *The Pope* sem custo algum. Como presente de casamento.

Will sentou-se com os braços cruzados, observando a cena, divertido, enquanto Rika me encarava, perplexa. Seu corpo inteiro estava tensionado, e pelo canto do meu olho pude ver que ela lançou um olhar austero para Banks.

— Ele não vai se casar com a prima de Damon, entendeu? — Michael levantou-se, já farto daquela conversa. — Isso é uma besteira do caralho. Nós não precisamos do hotel. Nós vamos... encontrar o que precisamos por conta própria.

Ele me deu um olhar perspicaz, referindo-se à nossa busca por Damon.

Will pegou a foto da mesa e brincou:

— Bem, eu me caso com ela.

No entanto, Michael o ignorou, chamando minha atenção.

— Kai? Mande a garota à merda e a coloque para fora daqui.

Mas mantive o olhar fixo ao dela, muito mais sombrio, e observei seus lábios se curvando levemente, incapaz de disfarçar sua satisfação com tudo isso.

— Kai? — Rika insistiu, quando não respondi nada a Michael.

Respirei fundo e recostei-me à cadeira, pigarreando:

— Gente, deixem-nos a sós por um minuto, pode ser?

— Kai? — Michael repetiu.

Olhei para ele, tentando parecer à vontade.

— Alguns minutos, okay?

Meus amigos hesitaram, olhando entre mim e a garota, nitidamente não querendo me deixar sozinho com ela. Eu tinha que dar crédito a ela por eles acharem que Banks me oferecia algum perigo.

Eles saíram da sala e fecharam a porta. Na mesma hora, peguei a fotografia da mesa.

— Você acha que pode me mostrar uma foto e isso deve ser o suficiente para que eu escolha esta mulher como a mãe dos meus filhos?

Ela deu de ombros.

— Ela é jovem, saudável... O que mais você precisa saber? Ela vai agradar você.

Eu ri baixinho. Jesus Cristo.

— É preciso muito mais do que isso para me agradar — provoquei. — Lembra?

Seu sorriso presunçoso desvaneceu, e ela se endireitou na cadeira.

Arremessei a foto em sua direção por sobre a mesa.

— Diga a ele para ir se foder. É a coisa mais absurda que já ouvi falar na vida.

E desta vez, ela sorriu ao pegar a foto e guardar no bolso do casaco.

— Qual é a razão desse seu sorriso?

— Eu disse a ele que você não concordaria.

— Você acha que eu deveria? — rebati. — Acha que essa não é apenas uma maneira horrível de Gabriel me colocar sob seu controle? É ridículo. — Umedeci meus lábios secos. — Estou surpreso que ele queira um mestiço japonês poluindo o sangue da família de qualquer maneira. Não é do feitio dele.

Na verdade, era bem o estilo dele. Esfregar esse tipo de vínculo na minha cara para o resto da vida ao unir nossas famílias.

Ela exalou lentamente, como se estivesse calculando suas próximas palavras enquanto cruzava as mãos sobre a mesa.

— Eu sei o que você realmente quer — declarou. — Você quer saber onde Damon está. Não quer ser surpreendido. E agora, você é um rato em um labirinto. Você não sabe para que lado ir e não verá que seguiu pelo caminho errado até ter ido longe demais.

— O que quer dizer?

— Quero dizer que agora você é a presa — retrucou. — E antes... você era o caçador.

Inclinei-me para frente, descansando meus antebraços sobre a mesa outra vez.

— Você *quer* que eu o encontre?

— Estou pouco me lixando se você destruir esta cidade inteira à procura dele — respondeu. — Estou aqui para dar um recado. Nada mais.

— Mas você devia saber que eu recusaria.

Ela assentiu uma vez.

— Sim.

— Então, por que vir?

Agora era ela que estava hesitando. Ela estendeu a mão e pegou um pedaço de papel e uma caneta do meio da mesa, olhando para baixo enquanto começava a escrever e falar ao mesmo tempo:

— Porque depois que você recusar — ela começou —, eu vou embora. — Ela rabiscou no papel, provocando-me com suas palavras suaves. — Você vai subir e sair para o terraço para treinar ao ar livre. Você está gostando de fazer isso muito mais agora, percebo.

Meus olhos estavam em chamas quando a encarei. O quê?

— O tempo está esfriando, então é mais confortável praticar do lado de fora, não é? — continuou, ainda evitando meu olhar enquanto escrevia. — E, por mais que resista, esta noite, sua mente acabará se desviando para esta conversa. Você pensará no pouco controle que ainda tem sobre as coisas. Você pensará: "O que devo fazer agora?" e como sua vida está em um impasse; como a pequena coceira sob sua pele chamada raiva está ficando mais forte.

Prendi o fôlego, e ela levantou a cabeça, deparando-se com meu olhar; prazer absurdo transbordava de seu semblante.

— E a cada dia, este sentimento só aumenta — disse ela, cortando ainda mais fundo enquanto eu ficava congelado. — Porque sua vida te constrange. Nem chegou perto do que era antes de ser preso.

Ela baixou a cabeça e começou a escrever novamente.

— Todos os seus amigos do ensino médio, bem, quase todos, foram para prestigiosas faculdades, cursando direito, medicina ou outras coisas, trazendo orgulho para suas famílias — prosseguiu —, e à noite, eles vão para clubes e se divertem com garotas colegiais que lhes dão boquetes dentro do carro quando pegam carona para suas coberturas chiques. Eles estão no topo do mundo sem nem fazer esforço.

Os movimentos lentos de sua caneta arranhavam o papel, como se fosse uma lâmina esculpindo a madeira.

— Mas você não — zombou. — Você acha que é motivo de piada para eles. Ao verem a derrocada do garoto de ouro que uma vez foi. Uma desgraça para sua família. A história infame sobre a qual fofocarão no reencontro dos formandos do ensino médio anos depois, que, infelizmente, você não comparecerá, porque no fundo sabe que estão certos.

Ela recolocou a tampa na caneta e a deixou em cima da mesa.

— Depois você entra quando encerra o treino e toma outro banho. Seu terceiro no dia. Isso acaba com o ódio por um tempo, não é? — Dobrou o papel ao meio, alisando o vinco enquanto seus olhos me seguravam como uma âncora. — Então você dirige e vai a um clube e encontra alguém, qualquer pessoa, para poder aliviar toda a raiva, para que possa dormir pelo menos algumas horas à noite.

Cerrei meus punhos, pressionando-os contra a mesa enquanto me levantava da cadeira. Tive que me conter ao máximo para não agarrá-la pela porra do pescoço. Andando até ela, inclinei-me, reclinando sua cadeira para trás. Seus olhos orgulhosos me encararam, me desafiando. Como diabos ela sabia de tudo isso? Ela estava me espionando?

Eu não odiava minha vida. E não estava com raiva. Cumpri minha pena. Minhas atitudes não poderiam ser desfeitas, e nem por isso estava me afundando em autopiedade. Eu sabia como me levantar e seguir em frente.

Ou, pelo menos estava tentando.

— E quando acordar — ela disse, baixinho, quase em um sussurro —, você perceberá o quanto tudo ao seu redor é uma droga e como já está na hora de entrar nessa porra de jogo, Kai Mori, e se arriscar.

Filha da mãe.

Ela levantou o pedaço de papel dobrado entre nós.

— A herança dela — disse, entregando-a para mim. — Isso fará de você um homem muito poderoso. Mais poderoso do que seus amigos jamais serão.

Ela se levantou, forçando-me a dar um passo para trás, e meu corpo se encheu de um súbito desconforto. Ela sabia como me afetar e tinha consciência disso. Mas eu não havia causado o mesmo efeito nela.

— Vou esperar até amanhã para responder ao Sr. Torrance — declarou. — Caso não tenha notícias suas hoje à noite.

Estendi a mão e agarrei seu braço, detendo-a.

— Tomei muitas decisões ruins na minha vida — eu disse, bem próximo a ela. — Não tomarei outras.

Ela olhou para mim e se afastou de meu agarre.

— Espero que não. Você já fez muitas.

Quando se moveu para sair, bloqueei-a com meu corpo. Deslizei o papel que havia me entregado, dentro de seu casaco, recuperando a foto. Passei um bom tempo encarando a imagem que tinha diante de mim.

Eu precisava de Damon.

E precisava entrar naquele hotel.

Mas se ele não estivesse lá...

Encarei seus olhos penetrantes, lembrando-me do cheiro de seu cabelo, de seu sorriso e da sensação de seu medo e excitação. Ela era a única coisa que despertava a possessividade em Damon.

Se ele não estava no hotel, ela bem poderia ser um trunfo para mim.

— Diga a ele que temos um acordo — respondi.

Ela piscou por um momento, e eu sabia que não estava esperando isso. Mas quando segurou a maçaneta para sair, apoiei a mão sobre a porta, mantendo-a fechada.

— Mas vou pagar pelo *The Pope* — esclareci. — Em vez disso, meu presente de casamento... será você.

Ela se virou e finalmente vi alguma emoção em seu semblante quando olhou para mim.

— Não faço parte do acordo sobre a mesa.

Não consegui conter o sorriso, minha mente suja encontrando o duplo sentido em sua afirmação.

— Você trabalha para mim até o casamento. Esse é o acordo. Vá e diga os meus termos. — Afastei-me, subitamente muito confiante. — E você descobrirá que não passa do que eu já havia dito que era. Brinquedo ou instrumento. Nada mais.

Distanciei-me dela e parei atrás da mesa. Apesar de o cargo que exercia ao lado de Gabriel ter me deixado perplexo, eu sabia que o homem venderia sua alma para ganhar dinheiro. De forma alguma aquela menina poderia ter tanto valor a ponto de ele não sacrificá-la só para que eu concordasse com seus termos.

— E, Banks — eu disse, vendo-a abrir a porta, uma pequena brasa incendiando seus olhos como no dia em que a conheci. — Quando ele concordar, pegue as chaves, códigos e plantas do hotel e traga-os para mim. Quero tudo isso amanhã.

Ela não se virou ou demonstrou que atenderia minhas ordens, mas ouvi o breve rosnado antes de sair do escritório, fechando a porta com um baque.

Meu peito tremia quando soltei uma risada baixa. Saindo logo atrás dela, a vi enfiar as mãos nos bolsos do casaco e ignorar meus amigos que se encontravam no saguão. Parei ao lado da recepção, vendo-a desaparecer pelas portas e, momentos depois, um SUV preto disparou para longe dali.

— O que você fez? — Michael se aproximou.

No entanto, mantive o olhar focado por onde ela havia acabado de sair, e resmunguei:

— Ela disse: "destrua a cidade, procurando por ele".

— O quê?

— Ela disse que não se importava se eu destruísse a cidade inteira, procurando por ele — repeti, mais alto. — Eu nunca disse que achava que ele estava na cidade. — Assenti, agora mais certo do que nunca. — Ele está aqui.

Eu me virei para voltar para o escritório.

— Você não vai se casar — Michael gritou atrás de mim.

Eu olhei para trás.

— É claro que não vou me casar, porra.

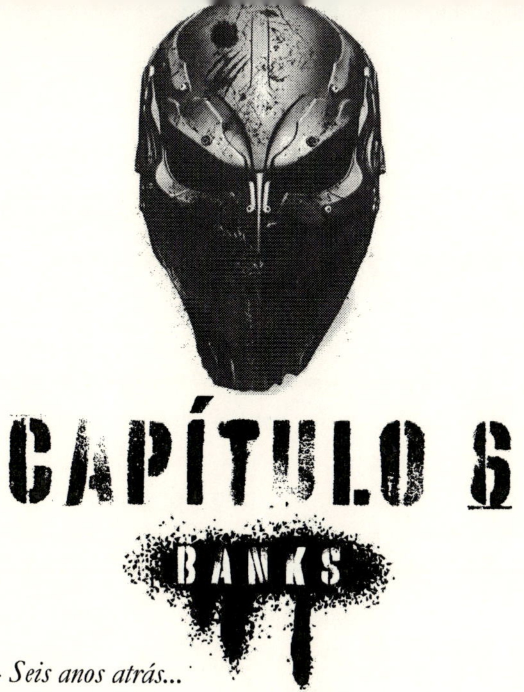

CAPÍTULO 6

BANKS

Noite do Diabo – Seis anos atrás...

TALVEZ EU ESTEJA POR PERTO?

Eu disse isso. Por que disse isso a ele no confessionário? E por que o provoquei mais cedo na estrada? De forma alguma eu poderia estar por perto ou ter permissão para ir a qualquer lugar hoje à noite. Não na Noite do Diabo.

Mas quando, finalmente, tive a chance de interagir com ele, não consegui me controlar. Ele era como um quebra-cabeças, e dava a impressão de que queria dizer muito mais, porém sentia dificuldades para expressar suas palavras. E então... de vez em quando, naquele confessionário, ele transparecia. Mostrava o seu verdadeiro eu. O monstro que meu irmão alegou que todos tinham dentro de si.

Pedalei pela longa entrada da propriedade, testando a bicicleta após os reparos feitos. Estendi os dedos no guidão e avaliei minhas unhas sujas.

Ele não gostaria de mim, não é? Eu não era o tipo dele.

Ele estava acostumado com garotas que pareciam modelos, com cabelos de revista, maquiagens de cem dólares e que usavam saltos durante o dia. Olhei para o Vans desgastado do meu irmão nos meus pés – tênis que usou seis anos atrás –, permanentemente manchado de óleo e com o tecido desfiado ao longo da sola de borracha. Eu não parecia uma garota, muito menos uma mulher.

E aos dezessete anos, estava muito atrasada em relação às outras da minha idade. Kai não podia ser visto comigo, mesmo que quisesse. Eu o envergonharia. E nem me iludiria, tentando me encaixar ao padrão dele e de sua turma.

Inspirei o cheiro das sempre-vivas dos dois lados do asfalto enquanto o vento soprava contra o meu capuz escuro e acariciava meu cabelo.

Em todas as vezes que vi Kai em Thunder Bay, perto da minha casa, em um jogo de basquete... ele era despreocupado e calmo, imperturbável.

Mas não hoje. Eu o deixei nervoso.

Sorri, pedalando mais rápido enquanto clicava no pequeno controle remoto preto perto do guidão. *Smells Like Teen Spirit* zumbia em meus ouvidos, e desviei para a esquerda, zunindo por entre as grades de ferro na mesma hora em que se abriram para mim. Segurei-me firme na descida íngreme que levava até a entrada da casa. Mantive o agarre no guidão, fechando os olhos, subitamente, ao sentir meu coração quase pular na garganta, desfrutando da brisa e do sentimento que me acometia.

Eu o deixei nervoso. Minha pele ainda formigava no exato local onde ele havia segurado minha camiseta. O que ele teria feito sem aquela tela entre nós?

Uma buzina soou e eu abri os olhos, avistando um dos carros de meu pai vindo na minha direção.

Merda. Desviei o caminho, virando à direita, e passei a toda pelo Bentley, evitando contato visual. Alcancei a entrada da garagem, sentindo-me observada enquanto desaparecia nos fundos da casa, fora da vista do carro.

O ar ainda estava fresco por conta da chuva da noite passada, mas o chão se encontrava seco quando desci da bicicleta e passei por entre a grade que separava as duas garagens; uma lotada de carros que nunca foram conduzidos e outra com janelas blindadas e um teclado de segurança que quase ninguém sabia o código.

Escondi a bicicleta e corri até os fundos da casa. Ao entrar na cozinha, imediatamente senti o cheiro da comida e quase gemi deliciada quando fechei os olhos por um instante.

Marina, uma das cozinheiras, estava fazendo pão hoje e, quando fechei a porta, senti o calor do ambiente.

— Onde você esteve? — Ouvi a voz de David e olhei para a longa mesa de madeira ao centro, onde ele estava sentado com outras duas pessoas da equipe de segurança de meu pai, Ilia e Lev.

Desviei o olhar, indo até o fogão.

— Consertando minha bicicleta.

Marina limpou as mãos em uma toalha e piscou para mim, levantando a tampa da panela no fogão. Inclinei-me, respirando e sorrindo para a sopa de cogumelo e castanha.

— Quando seu irmão me liga — David ladrou —, e eu não sei onde você está, tenho a impressão de que ele vai dar um jeito de sair pelo telefone e cortar minha garganta. Você está me metendo em problemas, Nik. E se for até o confessionário, informe-nos e um de nós lhe dará uma carona.

Revirei os olhos disfarçadamente, e peguei a tigela que Marina serviu e me entregou. Sentei-me à mesa, ao lado de David, arrancando um pedaço do pão que já estava à frente.

— Deixe a garota em paz — Marina repreendeu, vindo atrás de mim e puxando meu cabelo para fora do capuz, para deslizar os dedos pelos fios. — Ela precisa de um pouco de liberdade.

Ele lhe endereçou uma careta.

— Tente você explicar isso para ele.

Fiquei em silêncio, sabendo que ele estava certo. Ele tinha o direito de ficar bravo. Ninguém queria lidar com meu irmão. Levantando-me, fui até a pia para pegar uma colher limpa.

Ouvi Ilia falar:

— Sim, eu nem posso dizer a ele que você roubou algumas das minhas cervejas ontem à noite. — Ele me agarrou em um mata-leão. — Ele só vai me culpar por levá-la à tentação.

Contorci meu corpo, tentando me libertar.

— Pare com isso! — gritei, o cheiro de cigarro e suor invadindo minhas narinas quase me levando a vomitar. — Eu não roubei nenhuma de suas cervejas! — rosnei. — Você provavelmente estava bêbado demais para lembrar que bebeu todas elas!

Finalmente bati minha colher na parte de trás de sua cabeça, e ele me soltou, rindo. Fiquei de pé novamente e desabei na cadeira, fazendo uma careta. *Idiota.*

Mergulhei um pouco do pão na sopa, olhando para baixo, e fiz minha refeição tentando manter a boca fechada. O calor se espalhou pela minha garganta, filtrando através do meu corpo enquanto eu tentava ignorar os olhares de todos.

— Então, quanta penitência você recebeu? Hein? — Ilia cutucou meu ombro, insistindo. — Roubar minha cerveja, não fazer o que te mandam como uma boa garota... — Ele listou meus pecados. — Já teve algum pensamento impuro?

— Pergunte à sua namorada — retruquei, de boca cheia. — Ela olha mais para mim do que pra você.

Lev bufou.

— Sua merdinha — Ilia grunhiu, cutucando minha barriga com os dedos.

Eu me afastei, mas ele passou os braços ao redor do meu corpo e me fez cócegas. Eu me contorci, atingindo-o no peito.

— Me deixe em paz!

Mas ele apenas riu, passando as mãos sob os meus braços e depois de volta à minha barriga.

— Deixe-a em paz — ouvi David dizer.

— Humm... — A mão de Ilia, "acidentalmente", parou perto da minha bunda. —Está ficando empinadinha aqui atrás, não é? — Ele beliscou por cima da calça jeans. Afastei-me e dei um tapa em seu pescoço.

— Tudo bem, já chega — Marina ralhou. — Fora da minha cozinha. Vão. Todos vocês. Agora!

Ilia e Lev riram, empurrando as cadeiras quando se levantaram e saíram dali. Ilia me deu um peteleco na cabeça na hora que passou. David levantou-se, tomando o restante do café e deixando a caneca antes de sair sem outra palavra.

Tomei mais algumas colheradas de sopa e me levantei, tirando mais um pedacinho do pão para levar comigo.

Fui em direção à escada dos fundos, que levava até o meu quarto. Mas uma voz às minhas costas me deteve.

— Nik.

Parei, endireitando os ombros para me preparar. Achei que conseguiria escapar, mas era tarde demais. Marina não era minha mãe, mas assumiu o posto. Tínhamos um acordo. Eu ia e vinha como quisesse, e ela se reservou ao direito de me dizer se gostava ou não daquilo.

Minha mãe de verdade mal conseguia se cuidar, que dirá a mim.

Virando-me, dei uma mordida rápida no pão, esperando que isso sinalizasse que eu não estava a fim de falar. No entanto, ela se aproximou de qualquer maneira, os olhos azuis focados em mim enquanto me dava um sorriso simpático.

— Por mais que tente — disse —, seu irmão não pode parar o tempo. Não importa o quanto você se esconda por trás de suas roupas largas, você não pode se esconder para sempre. Seu corpo está mudando.

Senti na mesma hora minhas bochechas se aquecendo, e desejei desviar o olhar, mas não o fiz.

— E daí?

— E daí, que os homens já estão começando a notar isso também — ela apontou, com mais firmeza. — Você é uma garota bonita, e não acho que seja uma boa ideia... — Ela fez uma pausa como se estivesse procurando as palavras certas. — Acho que eles não deveriam mais tratar você dessa forma. Eles começarão a ter ideias.

Ela levantou as mãos e as esfregou em meus braços, acrescentando:

— Se já não o fazem. Você é uma mulher agora e seu corpo é seu.

Dessa vez desviei o olhar, inspirando profundamente.

Uma mulher. Eu não estava amadurecendo. Meu corpo poderia mudar do jeito que quisesse, mas eu nunca seria uma mulher. Nunca seria outra coisa senão o que já era agora.

— Está tudo bem crescer — Marina quase sussurrou como se estivesse lendo minha mente. — Não há problema em vestir e usar maquiagem como as outras mulheres, se é isso que você quer.

Contive uma risada amarga.

— Não vejo por que razão fazer isso. Eu não quero que esses caras me notem... — Levantei a cabeça e apontei na direção para onde os três tinham acabado de sair. — Por que chamar mais atenção para mim?

Por que se vestir e até tentar parecer bonita?

— Porque sim. — Marina sorriu gentilmente, tirando algo do bolso do avental. Observei enquanto ela destampava e torcia a base, fazendo o batom vermelho-cereja subir.

Ela ergueu meu rosto e me afastei por reflexo, mas parei quando ela começou a deslizá-lo pelos meus lábios.

Sorrindo depois de seu feito, ela girou meu corpo para ficar diante do espelho pendurado na parede próxima à despensa. Pisquei, surpresa. Eu evitava me olhar nos espelhos, recusando-me a encarar a mudança em minha aparência, mas não consegui desviar o olhar. Esfregando os lábios, senti algo há muito tempo esquecido. Uma descarga de adrenalina.

O vermelho parecia fazer minha pele morena brilhar de uma maneira que nunca havia notado antes, e meus olhos verdes penetrantes me encaravam de volta pelo espelho. Até meu cabelo parecia ter adquirido um tom mais profundo de castanho.

— Porque, em algum momento — continuou Marina —, aparecerá alguém cuja atenção você desejará.

E uma imagem de Kai me veio à mente. O que ele achou de mim hoje?

Marina se virou, voltando ao trabalho, e observei meu reflexo mais uma vez antes de subir a escada dos fundos.

As coisas estavam mudando. Meu irmão sempre me manteve para si mesmo e, apesar de ele ser o meu mundo, eu estava começando a sentir que poderia conquistar algo mais. Poderia desejar mais da vida.

Eu tinha dezessete anos. Não tinha amigos e nem havia frequentado a escola. O que faria no próximo ano quando meu irmão fosse para a faculdade? Eu podia ignorar como meu corpo estava mudando o tanto que queria, mas o tempo estava passando de qualquer maneira, garantindo que nossas vidas evoluíssem. Eu teria que ser uma mulher adulta, em algum momento.

Quando cheguei ao segundo andar, disparei pelo corredor em direção ao quarto do meu irmão, porém o ruído de algo arranhando chamou minha atenção, e estaquei em meus passos. Olhei em direção à janela no final do corredor, vendo a árvore do lado de fora chicoteando como uma bandeira perante a ventania. Eu me aproximei para observar.

O que Kai estava fazendo agora? Algum trote, festejando ou talvez fazendo uma das coisas que ele havia confessado mais cedo? Será que estava a caminho de um quarto privado em um clube particular ou fazendo algo que só em pensar, já me deixava magoada?

Olhando para baixo, notei um Charger vermelho – relativamente novo – com uma listra preta na lateral. Franzi o cenho. De quem era aquele carro? Eu não o reconheci.

Mas então um estalo soou ao longe, e inclinei a cabeça para trás, olhando para o céu enquanto ouvia o zunido que se seguiu. Isso era... fogo de artifício?

De repente, um segundo, terceiro e quarto estouros dispararam, soando como se viessem da floresta próxima, explodindo no céu; ouvi uma algazarra lá embaixo quando mais fogos começaram a disparar próximo da casa. Portas foram fechadas com força, e espiei por cima do corrimão, vendo os empregados correndo para os fundos da casa, provavelmente para conferir.

Que diabos estava acontecendo?

Eu me virei para averiguar, mas naquele momento algo cobriu minha cabeça, me afogando em escuridão. Comecei a ofegar em desespero.

— O quê? — gritei, assustada, meu coração quase saindo pela garganta.

Mãos agarraram meus braços, o pano sobre minha cabeça se apertou em volta do meu pescoço e meus pés foram erguidos do chão enquanto eu era carregada pelas escadas.

— Solte-me! — Eu me debati e esperneei. Que porra estava acontecendo? Quem eram eles?

Uma mão por cima do pano cobriu minha boca e, por mais que eu me contorcesse, seus passos duros prosseguiram pelas escadas. Quantos havia?

— Socorro! — gritei, abafado. Senti uma baita dor no estômago enquanto resistia com todas as minhas forças.

Ai, meu Deus. O ar frio atingiu minhas costas, onde a camiseta acabou se levantando na luta, e senti seus passos acelerarem.

— Coloque-a para dentro! — um deles ladrou. — Depressa!

Os fogos de artifício ficaram loucos, zunindo ao longe, e continuei a me debater, girando a cabeça para frente e para trás a fim de libertar minha boca.

— Socorro! — Meu grito abafado estourou.

Foi para isso que serviram os fogos de artifício. Uma distração.

Ouvi fracamente algo estalar e a voz de um homem zombou:

— Espero que você não se importe com espaços apertados, pequena.

Outra pessoa riu e, de repente, eu estava caindo, atingindo uma superfície alta demais para ser o chão. E então, qualquer luz que penetrava por trás do pano que cobria minha cabeça desapareceu, e uma porta se fechou acima de mim, isolando todo e qualquer ruído.

Espaços apertados. Tentei esticar os braços e pernas, sentindo-me confinada, como se estivesse em um caixão. O chão embaixo de mim estremeceu, e ouvi as portas do carro se fechando. Quando coloquei as mãos à frente, senti o estofamento acima. Eu estava enclausurada. O motor rugiu e me dei conta. Eu estava no porta-malas. Imediatamente voltei a espernear.

— Não! — berrei, descontrolada. — Por favor! Deixe-me sair!

Arrancando o laço ao redor do pescoço, tirei o pano que cobria minha cabeça, enchendo os pulmões.

E então soquei o teto acima de mim. Gritei o mais alto que pude e fiz o máximo de barulho possível na esperança de que alguém me ouvisse.

— Deixe-me sair! — gritei, a garganta queimando enquanto uivava até a última gota de ar sair dos meus pulmões. — Ilia! Lev! David! Socorro!

Porra! O carro embaixo de mim se mexeu e eu rolei um pouco quando acelerou.

— Socorro! — Bati os punhos mais e mais rápido, enlouquecida. Quanto mais longe me levavam, maior a chance de eu nunca ser encontrada.

A música começou a ecoar do lado de dentro do carro, e meu caixão de metal vibrou abaixo de mim, o barulho abafando meus gritos.

— Ai, meu Deus — gemi, meus olhos cheios de lágrimas. — Por favor.

Comecei a choramingar incontrolavelmente, arfando enquanto deslizava as mãos por todo lugar, tentando encontrar qualquer coisa que pudesse usar como arma. Uma ferramenta, uma chave de roda, qualquer coisa.

Mas o porta-malas estava completamente vazio. Balancei a cabeça, resignada. Meu pai nunca viria atrás de mim.

Foda-se. Bati os punhos, socando a lataria acima de mim uma e outra vez, nem mesmo parando quando começaram a doer. Eu faria o que fosse preciso. Não ia ficar aqui deitada sem fazer nada. Poderia haver uma chance, mesmo que mínima, de que algum carro ou uma criança andando de bicicleta pudessem ouvir os meus gritos.

— Socorro! — berrei. — Socooooorro!

O carro deu um solavanco e eu fui jogada de um lado ao outro. Achava que havíamos virado em algum lugar, e, de repente, a velocidade diminuiu quando entramos em uma estrada de chão.

Mas continuei a me debater, esperneando e gritando. Virei para o lado e comecei a chutar contra o banco traseiro, esperando que houvesse alguma alternativa de fuga, já que sabia que esses bancos eram dobráveis, e permitiam a saída do porta-malas. Mas apesar de não saber em que tipo de carro fui jogada, tentei de qualquer maneira.

O carro foi desacelerando até que finalmente parou. Respirei fundo, tentando ouvir alguma coisa. Meus olhos inquietos vagavam pela escuridão; a música cessou, deixando o carro em silêncio. Ouvi as portas se fechando. Quantos deles estavam lá? Pelo menos dois me carregaram para fora de casa.

O medo percorreu meu corpo e um pequeno soluço escapou. Cobri a boca com a mão trêmula quando uma lágrima deslizou pelo meu rosto.

Três batidas atingiram a tampa do porta-malas e meus olhos se arregalaram.

— Vá em frente e grite — disse a voz prepotente de um homem, a mesma de antes. — Não há ninguém por perto para ouvi-la agora.

Escutei as risadas abafadas, sem saber o que fazer. Eu queria sair daqui, mas ao mesmo tempo, não. O que eles fariam?

Mas outra voz soou, esta mais suave e profunda, a poucos passos de distância.

— Você disse que queria ser caçada, não é mesmo?

Minha respiração ficou presa na garganta.

Kai?

Franzi o cenho quando cheguei à conclusão. O medo se transformou em raiva, e meu olhar tentou abrir um buraco na lataria da tampa do porta-malas.

— Está vendo a pequena alavanca verde brilhando aí dentro no escuro? — ele perguntou. — Puxe.

Alavanca? O quê? Olhei em volta, finalmente avistando algo verde e brilhante no canto à direita. Era pequeno, mas facilmente visível, e eu não fazia ideia de como não tinha notado. Estendi a mão e puxei, e o porta-malas imediatamente se abriu e foi inundado por uma fagulha da luz do dia.

Suspirei, me acalmando.

Abri a tampa e olhei para cima, vendo três deles em pé pairando sobre mim, seus olhos quase invisíveis por trás das máscaras. Uma risada veio do mais baixo à esquerda, da máscara branca e vermelha – Will –, e eu rapidamente enxuguei as lágrimas e saí dali de dentro.

— Idiotas! — rosnei, empurrando o que usava a máscara prateada, que eu sabia ser Kai.

Então avancei em Michael, em sua máscara avermelhada, batendo-lhe no peito. Eles podiam não saber muito sobre mim, mas eu sabia exatamente quem eram e as besteiras que gostavam de fazer simplesmente porque podiam. Não podia acreditar que eles fizeram isso! Garotos ricos brincando de serem maus.

Mas eles eram uma piada. Você não é realmente ruim quando só faz merda sob a segurança de nunca ter que sofrer as consequências.

E onde estava Damon? Olhei ao redor, em busca do quarto Cavaleiro, mas exceto pelos carros no estacionamento, o local estava vazio.

— Isso não foi engraçado — resmunguei.

O do meio simplesmente olhou para mim, enquanto os outros dois riram baixinho, indo embora e nos deixando a sós. Eu os segui com o olhar, vendo-os desaparecer por entre as árvores. Mais de duas dúzias de carros estavam estacionados ao nosso redor no terreno de cascalho, mas não havia prédios, casas, apenas florestas e veículos.

Onde diabos estávamos? Parecia apenas uma clareira na floresta.

Eu me virei, vendo Kai se aproximar de mim, a máscara ainda sobre o rosto. Ele colocou uma mão na tampa do porta-malas e apontou para a alavanca que me orientou a puxar.

— Todo carro fabricado desde 2002 tem uma dessas — ele me disse. — Se isso acontecer com você novamente, já sabe o que fazer.

Fiz uma careta para ele.

— Se isso acontecer novamente, meu pessoal não será tão educado quanto antes.

David podia até implicar muito comigo, mas ele cortaria a língua deles se soubesse o que fizeram.

Então, de repente, Kai pressionou-se contra mim, me fazendo cair sentada outra vez dentro do porta-malas. Minhas pernas ficaram penduradas, enquanto eu o encarava, vendo o corpo longilíneo bloqueando minha fuga.

— Isso deveria ser uma ameaça?

Ele se inclinou, a máscara cruel a alguns centímetros do meu rosto, fazendo meu estômago revirar.

— Fui criado para ser um cavalheiro — disse ele —, mas se você enviar outros homens atrás de mim, chamar minha atenção será o pior erro que você já cometeu.

Dei um sorriso de escárnio forçado, mas um arrepio percorreu minha pele de qualquer maneira.

Ele se endireitou e retirou a máscara, revelando o rosto que eu conhecia. Seus olhos escuros, sob as sobrancelhas mais escuras ainda, me encaravam, desafiadores, e uma sensação de mau-presságio tomou conta do meu interior. No entanto, não desviei o olhar.

Uma leve camada de suor emaranhava as pontas do seu cabelo, deixando-os desgrenhados de um jeito *sexy*. Era muito raro ele ter algo fora do lugar.

Sem dizer uma palavra, ele se afastou em direção à frente do carro.

Ouvi o barulho do cascalho desvanecendo até sumir. Olhei para trás, confusa.

O quê? Pulei para fora do porta-malas e o fechei com força, olhando por cima do capô. Onde ele foi?

Para onde todos eles foram?

Um mar de carros se estendia à minha frente, árvores em todas as direções, e quando olhei para cima, vi as primeiras estrelas espreitando no céu de safira. O sol havia se posto há um tempo e logo escureceria.

Calafrios cobriram meus braços. *Merda.*

Torcendo a cabeça, avistei a estradinha não pavimentada por onde viemos. Aquele deserto sombrio na curva mais distante me deixou apavorada. Eu deveria ir por aquele caminho. Talvez assim chegasse à rodovia.

Mas a música animou meus ouvidos, e acabei seguindo pelo caminho por onde Kai se fora. O grito excitado de uma garota ecoou, e avaliei a escuridão da densa floresta à frente, enquanto o som dos alto-falantes vibrava em meu corpo.

Todos esses carros, todas essas pessoas... eles estavam na floresta em algum lugar. Isso era uma festa.

Olhei para trás novamente. Eu deveria pegar a estrada. Ir para casa, pegar uma carona... qualquer coisa.

Mas ele me trouxe aqui, não é? Talvez eu estivesse um pouco curiosa, afinal, ele estava me desafiando.

Passando pelo carro, fui direto para a floresta. Alguém nesta festa teria um celular e eu poderia ligar para David. Ele me culparia por isso, mas manteria a boca fechada. Nenhum de nós queria sofrer as consequências por eu estar aqui.

Corri, olhando em volta enquanto as folhas douradas e alaranjadas farfalhavam debaixo do meu tênis. O cheiro de madeira queimada se infiltrou em meu nariz, mas, ainda assim, não tinha visto a fogueira ou qualquer pessoa. Onde eles estavam? Eu podia ouvir a música à distância, então continuei direto em meio à escuridão.

Olhei por cima do ombro para o estacionamento, a luz da clareira se tornando cada vez mais fraca.

Talvez aquela não fosse uma boa ideia, afinal de contas.

— Olá? — gritei.

Onde eu estava exatamente? Eu já havia feito caminhadas pela floresta, mas nunca me distanciei tanto. Tinha certeza de que os penhascos à beira do mar estavam a 800 metros à esquerda, a caverna *Loch Lairn* estava atrás das colinas à direita, então o Campanário deveria estar…

Bem ali. Olhei naquela direção, distinguindo a alta torre de pedra de dois andares e os imensos arbustos verdejantes ao redor.

O lugar estava em ruínas, parte de uma antiga vila que desapareceu há mais de cem anos, quando uma forte tempestade levou todo mundo mais para o interior a alguns quilômetros em busca de segurança.

— Olá? — gritei de novo. Talvez alguém estivesse ali. — Oi?

Meu coração disparou. Estava ficando escuro.

— Kai! — berrei.

Meu pé ficou preso em um tronco e eu tropecei adiante, ouvindo um galho se partir à direita. Girei a cabeça de um lado ao outro, procurando a origem do som.

Nada.

Então um farfalhar de folhas soou atrás de mim, e me virei, ofegante.

— Quem está aí?

Vi algo preto e desviei o olhar de relance para a esquerda.

Kai estava lá, observando-me com o ombro recostado ao tronco de uma árvore.

Imediatamente recuei.

— O-o q-que você está fazendo?

Há quanto tempo ele estava lá? Se estava atrás de mim, então eu havia passado por ele no trajeto. Um calafrio percorreu minha espinha.

Ele deu um passo, sua máscara pendurada em uma mão.

Olhei ao redor.

— Onde está todo mundo? Por que me trouxe aqui?

Ele não respondeu, seus olhos fixos nos meus quando se aproximou. Que porra era essa?

Retrocedi um passo para cada um que ele dava à frente.

— Foi estupidez da sua parte me espionar hoje — afirmou, calmamente. — E um erro ainda maior se revelar mais cedo. Talvez eu nunca soubesse quem era você.

Engoli o nó na garganta, ainda me afastando. De repente, a música pareceu uma tábua de salvação, e ele provavelmente deduziu o que se passava na minha cabeça.

— Você *deveria* correr — disse ele, seu aviso frio e silencioso.

Deveria? Mas este era Kai. Eu não o conhecia, mas já o havia observado. Ele era o bonzinho da turma. O mais pacífico.

Ele estava brincando comigo.

— V-você... — gaguejei. — Você não fará nada.

— Como não fiz nada com aquela garota no chuveiro? — debochou. — Você acha que eu teria tido todo esse trabalho para te trazer aqui só para deixá-la ir embora?

Talvez. Sim. Okay, não, mas...

— Veja bem, eu não gosto de ser provocado — continuou ele, uma das sobrancelhas arqueadas. — Respeito e reverência são importantes para mim, e você não demonstrou nenhum dos dois. Você precisa aprender uma lição.

— Isso não é verdade.

Eu o respeitei, sim. Não sabia que ele estaria naquele confessionário hoje. E ouvir sua confissão não foi intencional.

— Eu não tenho medo de você — declarei, mas meus pés traíram minha bravata, ainda recuando.

— Isso porque você acha que sabe o que está acontecendo agora.

E, de repente, colidi contra uma parede.

— Mas você não sabe — concluiu.

Congelei, sentindo algo atrás de mim. Lentamente, me virei para ver Michael parado ali, elevando-se sobre o meu corpo.

O quê? Olhei de volta para Kai, vendo um canto de sua boca curvado em um sorriso irônico.

Eita, merda.

Minha respiração ficou presa na garganta quando a máscara do esqueleto avermelhado de Michael me encarou, e entendi a sensação de paredes se fechando ao meu redor. Olhei para todos os lados. Nós estávamos aqui sozinhos. Eles e eu.

E o Will? Será que também estava aqui em algum lugar?

Segui outro rumo, movendo-me para a esquerda e me afastando dos dois. Eles andaram lentamente em minha direção; Michael tirando a máscara e depois o capuz e a camiseta, jogando tudo no chão.

Minha boca se abriu e o calor aqueceu minhas bochechas. Baixei os olhos quando seu torso tonificado, bronzeado por jogar bola ao sol, ficou bem à minha frente. Eu já tinha visto David e os caras sem camisa várias vezes, mas eles não eram assim.

— Ela é bonita — disse ele a Kai, os dois caminhando lado a lado em minha direção enquanto eu continuava recuando. — E parece que será fácil para nós lidarmos com ela. Juntos.

Ouvi a risada tranquila de Kai e dei outro passo para trás, chocando-me, de repente, contra uma árvore. Cravei as unhas na casca do tronco atrás de mim.

— Não tenha medo — Michael me disse, e olhei para cima apenas o suficiente para ver sua cueca boxer saindo por cima do cós da calça jeans. — Somos bonzinhos. Nós somos muito bons.

Nós somos bons? Eles não estavam falando sério, não é?

Fugi. Sem olhar para trás, corri pela floresta e em direção ao lugar onde podia ouvir a música. Precisava arranjar um telefone, conseguir uma carona e voltar para casa. Pela primeira vez, o esconderijo onde sempre tive que ficar parecia muito bom agora. Meu irmão estava certo. Caras eram idiotas.

Ofeguei, forçando-me a correr cada vez mais rápido em minha fuga alucinada. Kai deixaria isso acontecer? Que eu fosse usada como um brinquedinho? Havia um ar sombrio e perigoso nele, mas ele também era gentil.

De repente, Kai estava na minha frente, impedindo que eu seguisse adiante.

— Espere — disse ele.

Mas não me importei com o que tinha a dizer. Dei-lhe um empurrão e passei por ele, correndo. Acelerei meus passos, sem nem ao menos me dar conta de para onde estava indo.

Braços enlaçaram minha cintura, e fui erguida do chão quando um sussurro rouco soprou em meu ouvido:

— Não é o que você está pensando — ele me disse. — Era uma brincadeira.

Ah, melhor ainda. Algo para eles rirem.

— Por que você me trouxe aqui? — gritei, tentando me libertar.

— Shhh.

Ele tentou me acalmar, mas eu apenas balancei a cabeça. Eu só queria ir para casa. Se não fosse vista aqui, não poderia ser humilhada.

— Saia de cima de mim! — Eu me debati, sentindo-o tropeçar quando nós dois caímos no chão.

Pousei sobre ele e o ouvi gemer, mas quando tentei me sentar e me afastar, ele me puxou de volta e remanejou nossa posição para que ficasse acima de mim. Seu corpo se aninhou entre as minhas pernas, e ele segurou meus pulsos, prendendo-os acima da minha cabeça.

— Deixe-me ir — eu disse com firmeza. — Agora.

Mas ele ergueu um pouco o corpo, olhando para mim. Sua virilha se esfregou à minha, e tentei ignorar a onda de nervosismo.

— Diga — ele sussurrou.

— Diga o quê?

— Que você simplesmente me quer.

— Prefiro lamber uma casquinha de sorvete com lâminas de barbear — respondi, entredentes.

Ele sorriu.

— Você me deixou te tocar no confessionário hoje. Você gostou do meu toque.

Tentei acalmar a respiração, inclusive minha expressão.

— É mesmo? Eu mal consigo me lembrar.

Ele se remexeu entre minhas pernas, em desafio, e não fui capaz de conter um pequeno gemido.

Jesus.

Inclinando-se, roçou meus lábios com os dele.

— Fique aqui — ele pediu, calor enchendo seus olhos. — Eu gostaria que você ficasse.

Deus, ele estava em cima de mim. Nunca havia sentido o peso de alguém acima de mim dessa forma. A menos que eu contasse os momentos em que lutava com os meninos quando estava crescendo, e mesmo assim, não era desse jeito.

— O que está acontecendo? — alguém perguntou. Levantei o olhar para ver uma garota chegar por trás de Michael, que estava próximo de Kai. Há quanto tempo ele estava ali?

Ela provavelmente veio da festa. Então devíamos estar bem perto.

Kai virou a cabeça, conversando com Michael:

— Vá para o cemitério. Já estou com essa aqui.

Seu amigo não respondeu nada, mas vi de relance quando passou ao nosso lado e, em seguida, jogou um preservativo em cima do meu braço.

Perdi o fôlego. O quê?

Michael saiu, levando a garota com ele, e Kai olhou para mim. Ele soltou meus braços, apoiando as mãos no chão.

— Pegue — ele me ordenou. — Ou corra.

Peguei e arremessei para longe de nós, em algum lugar atrás dele.

— *Nós* não precisamos disso — eu disse a ele, sem cair em seu blefe. — Você está apenas tentando me assustar.

Mas então ele moveu seu corpo, cutucando minha virilha com a dele, e senti o comprimento duro como aço dentro de seu jeans.

— Ah — gemi e depois cerrei os lábios. Que diabos?

— Nós *podemos* precisar dele — caçoou, um sorriso arrogante no rosto.

Meu clitóris palpitava, e me remexi embaixo dele, querendo mais.

— Quem é você? — ele perguntou.

Mas não podia lhe dizer. O confessionário havia sido um acidente, e eu não tinha nenhuma intenção de encontrá-lo outra vez. Achei que nunca mais teria que encará-lo.

Fixei-me em seus olhos escuros, querendo falar com ele novamente, como fizemos hoje. Querendo que me conhecesse. Mas eu não tinha permissão.

Em vez disso, pronunciei, baixinho:

— Estou com frio.

Foi tudo em que consegui pensar naquela hora.

Kai se levantou e pegou minhas mãos, puxando-me para cima. Mas ele não me soltou. Em vez disso, me levou na direção oposta de onde tínhamos vindo.

Para dentro do Campanário.

Olhei em volta, ainda ouvindo a música à distância, além de gritos eufóricos e risadas. Estávamos perto da festa. O que ele estava fazendo?

Tropecei pelo caminho, porém, sem resistir. Meu interior se revirava em nós da maneira mais emocionante. Era isso que eu queria, certo? Uma chance de estar perto dele.

A estrutura de pedra cinza tinha cerca da metade da altura de um farol, com uma câmara de sino no topo. Eu não tinha certeza se ainda funcionava, no entanto. Há muito tempo que o relógio estava parado; o imenso arco se abria para nós em seus portões fechados.

Entrei, observando tudo ao redor.

Algumas janelas se alinhavam às paredes, e dois bancos de pedra haviam sido construídos no local. Devia ser um ponto de encontro ou reunião anexado à torre, mas há muito já não existia.

Vasos escuros pendiam das paredes com rosas em decomposição da cor de cinzas. Vai saber há quantos anos estavam ali.

Um pouco de luz entrou, fazendo o vermelho, o azul e o dourado dos vitrais dançarem pelas paredes, e as escadas de madeira em espiral contornavam uma delas, desaparecendo de vista.

Kai soltou minha mão e pegou uma caixinha de fósforos, acendendo o pequeno toco de uma vela no parapeito da janela. A sala minúscula adquiriu um tom cálido e brilhante, e, de repente, fiquei muito consciente do quanto estava silenciosa, a música quase inaudível aqui.

A presença dele – a antecipação – era como um peso no meu peito. Deus, ele era lindo. Sua pele era um pouco mais escura que a minha – quente, bronzeada e luminosa. Mordi o canto do meu lábio, olhando para seu pescoço. Pude contemplar a veia saltada por baixo da pele e me perguntei como seria tocá-la.

Eu já havia visto a mãe dele uma vez. Seus lábios, sorriso e cílios eram iguais aos dela.

Mas Kai definitivamente também havia puxado o pai. A mandíbula angular, corpo esbelto, nariz reto, e apesar de seu cabelo ser grosso como o de sua mãe, era tão escuro quanto o do pai. Ele também herdou o olhar afiado do Sr. Mori... Tão afiado e severo que me intimidava.

Kai se virou, a luz das velas piscando em seus olhos, e ouvi o vento uivar nas árvores através do portão aberto.

— Como você me conhece? — ele perguntou, caminhando em minha direção.

— Todo mundo sabe quem você é.

— Você frequenta a nossa escola?

Neguei com a cabeça.

— Eu sou... educada em casa.

O que era, na minha opinião, a melhor maneira de descrever a situação. Eu só havia estudado até o sexto ano, e perdia mais aulas do que frequentava, até que meu irmão me fez mudar para sua casa e me obrigou a fazer todos os seus deveres de casa, enquanto eu ficava no meu quarto o dia inteiro. E foi assim que aprendi álgebra e espanhol, e entendi como Shakespeare usou a corrupção, a traição e a decepção como temas para retratar culpa, pecado e retribuição. Ele frequentava as aulas, absorvendo apenas o suficiente para passar nos testes, enquanto eu fazia os trabalhos escritos, absorvendo apenas o suficiente para não ser completamente ignorante. Havia lacunas, é claro, mas fiz um bom trabalho de me disciplinar ao fazer suas tarefas e as leituras atribuídas a elas. Sempre fui inferior a todos à minha volta, e isso me fez querer subir na vida. Eu tentaria obter meu diploma, em algum momento.

— Eu sempre te vejo por perto — expliquei. — Meu irm... minha mãe cozinha para os Torrance.

Engoli em seco, a garganta parecendo um deserto. Isso era mentira. Marina não era minha mãe, mas era a explicação que decidimos dar às pessoas, já que meu pai não queria que ninguém fora de casa soubesse quem eu realmente era.

Nem meu irmão.

Finalmente olhei para cima, vendo Kai apenas me observando com, provavelmente, mais mil e uma perguntas em sua mente; perguntas que esperava que ele não fizesse.

— É melhor eu ir embora — disse a ele.

Tentei contorná-lo em direção à porta, mas ele bloqueou minha saída, parando à minha frente.

— Não. — Colocou as mãos na parede atrás de mim, me enjaulando. — O problema é que você ouviu toda a minha merda hoje, e eu gosto da minha privacidade. Como posso ter certeza de que você não vai falar nada?

Como saberei se você não tirou uma selfie no confessionário e postou no Instagram, gabando-se de estar me dando algum tipo de penitência?

Ergui o olhar.

— Eu não... eu... — apressei-me em dizer, gaguejando. — Eu nunca faria algo assim.

— Por que eu deveria acreditar nisso?

Porque nem me ocorreu! Eu não era desonesta. Fiquei feliz quando ele começou a falar naquele confessionário.

— Porque eu... — Parei, vasculhando meu cérebro. — Eu nem tenho Instagram.

Ele inclinou a cabeça, seus olhos me repreendendo por uma resposta tão estúpida.

— Eu nem tenho telefone celular! — soltei. Eu nem ao menos tinha a capacidade de gravar sua confissão, caramba.

— Você não tem celular? — Ele parecia não acreditar em mim. — Todo mundo tem um telefone.

Aparentemente não.

Mas, antes que tivesse a chance de responder, ele colocou as mãos nos meus quadris, agachou-se e arrastou-as pelas minhas coxas.

Respirei fundo, tentando me afastar. Suas mãos deslizaram para a minha bunda, por cima dos meus bolsos traseiros e seus dedos apalpando um pouco mais.

— Você está de brincadeira? — reclamei. Ele estava me revistando?

Mas uma corrente elétrica atravessou meu corpo e senti a sala ao redor começar a girar. Ele estava me tocando.

Mantendo nossos olhares conectados, senti quando sua expressão mudou no instante em que suas mãos percorreram minhas costas, seguindo para minha barriga, em uma busca incessante pelo objeto que afirmei não possuir.

Então ele se levantou, inclinando-se para perto e ainda me encarando, enquanto uma de suas mãos passava lentamente pela parte interna da minha coxa, e uma pulsação atingia meu centro. Respirei fundo.

— Pare com isso — ofeguei, afastando suas mãos.

Um sorriso leve e arrogante cruzou seu rosto.

— Seus joelhos estão tremendo — disse ele. — Se soubesse que você era assim tão inocente, não teria deixado Michael, junto comigo, te provocar antes.

Respirei rapidamente, umedecendo meus lábios ressecados.

— Você já foi beijada?

Mantive a boca fechada, mas sabia que era uma resposta mais do que suficiente para ele.

— Vire-se — instruiu.

Eu o encarei com ceticismo.

Ele riu baixinho e me virou, inclinando-se contra as minhas costas. Eu podia senti-lo por cada centímetro do meu corpo: minha coluna, minhas pernas e meus braços. Ele abaixou a cabeça ao lado da minha, recostando nossas bochechas, roçando os meus dedos com os dele.

— Você sente isso? — ele sussurrou.

— O quê?

Seus longos braços cobriram os meus, minhas mãos descansando por dentro das suas.

— Você se encaixa em mim como uma luva. É um molde perfeito.

Sorri internamente, sentindo um rubor aquecer meu rosto.

— Por enquanto — eu disse. — Eu já parei de crescer, mas você provavelmente ainda não.

Os homens normalmente continuavam crescendo um pouco mais que as mulheres.

Seu hálito soprou no meu ouvido.

— Então temos que aproveitar este tempo, não é mesmo?

Fechei os olhos, arrepios se espalhando pelos meus braços enquanto ele deslizava os lábios pelo lóbulo da minha orelha.

Ai, meu Deus. De repente, senti como se o meu corpo fosse composto por mil palitos de fósforos, que se acenderam para a vida, um após o outro.

Segurando minhas mãos, ele as colocou sobre minhas coxas e as fez subir pelo meu corpo.

— Está tudo bem? — perguntou.

Meu corpo tremia quando assenti. *Sim.*

— Você terá que se confessar novamente amanhã — brinquei.

— Por quê?

— Por ter me sequestrado.

Sua risada soprou em meu pescoço quando ele passou os lábios pela pele.

— Odeio te dizer isso, garota, mas aquele lugar é uma fraude. Não há penitência para mim. A menos que você queira ir comigo — acrescentou. — Para se purificar de alguns de seus próprios pecados, talvez?

— Não sou católica, lembra? Eu nem saberia o que fazer lá.

— Bem... — ele começou, parecendo repentinamente travesso.

Pegando minha mão, me levou até uma parede com um dos bancos recostados. Ele se sentou e me agarrou, puxando-me para si. Gritei de surpresa quando caí em seu colo.

— Primeiro, você entra e senta — instruiu, apertando meus quadris. — Você está sentada?

Virei a cabeça para encará-lo, e ele franziu o cenho, em um semblante sério como um professor.

Revirei os olhos.

— Estou agora, né?

— Então você faz o sinal da cruz. — Ele pegou minha mão direita e tocou as pontas dos meus dedos na minha testa. — E você diz: "Perdoe-me, padre, porque pequei".

Eu o deixei me guiar, meu próprio toque no meu peito enviando arrepios por todo o meu corpo, enquanto ele me ensinava a fazer o sinal da cruz.

Nossos lábios pairavam a centímetros um do outro, e até tentei falar alguma coisa, mas apenas um sussurro saiu:

— Perdoe-me, padre, porque pequei.

— Esta é minha primeira confissão — instruindo-me no que dizer em seguida.

Cheguei um pouco mais perto, nossos lábios quase se encontrando enquanto eu encarava sua boca.

— Essa é minha primeira vez.

Ele respirou fundo. Seus olhos pousaram em minha boca, e então ele colocou nossas mãos entrelaçadas sobre as minhas coxas, passando os dedos longos pelos meus.

— Jesus — ele rosnou baixinho.

Um sorriso curvou meus lábios.

— Então ele dirá: "'E o que você gostaria de confessar?" — pigarreou, a voz severa de um "sacerdote" enviando uma agitação pelo meu estômago: — O que você gostaria de confessar?

Mordisquei meus lábios.

— Não sei se posso. Eu... — Respirei fundo. — Estou nervosa.

— Relaxe, minha filha. Você está nas mãos de Deus agora.

Ri baixinho. Gostei dessas preliminares. Eu sabia que não deveria me importar, mas não queria dizer algo estúpido para estragar a brincadeira. Eu não queria entediá-lo. Meu irmão sempre perdia o interesse pelas garotas, em algum momento. Eu odiava pensar que Kai poderia se cansar de mim e querer ir embora.

— Um garoto me pegou, padre — eu disse, encarando os olhos dele.

— Ele fez isso?

Assenti.

— Dentro do Campanário, perto do cemitério. Sei que não deveria ter deixado, mas ele me agarrou e...

— Ele te afastou de todos os outros? — Kai provocou. — Para te pegar sozinha?

— Sim, padre.

Seus dedos cavaram o topo das minhas coxas e seus olhos se arregalaram, me incendiando.

— O que o deixou fazer com você? — repreendeu. — Humm? O que você permitiu que acontecesse?

— Ele me beijou no pescoço primeiro — confessei.

E Kai enfiou a mão no meu cabelo, entendendo a deixa quando, gentilmente, puxou minha cabeça para trás e afundou os lábios em meu pescoço, mordiscando de leve.

Suspirei e fechei os olhos.

— E gostei muito quando ele fez isso.

— Você conhece esses rapazes... — repreendeu, beijando e me mordendo de cima a baixo. — Eles gostam muito das coisinhas doces. Você tem que ser mais forte e resistir.

— Mas e se eu gostar disso também? — gemi, sentindo a pele formigar.

— Ele foi o primeiro homem a tocar em você? — o *padre* Kai perguntou.

— Sim.

Ele gemeu.

Mordi o lábio inferior, assustada, mas continuei:

— E então ele colocou a mão debaixo da minha camiseta — revelei, suspirando profundamente ante minhas palavras. — Estava com tanto medo, mas sabia que ia acabar gostando do que fizesse. Eu estava tão ansiosa...

Eu queria mais. Queria que ele me tocasse nos lugares proibidos; que talvez acendesse a ira do meu irmão.

Ele ergueu a cabeça e olhou para mim. Seus dentes estavam levemente à mostra, e notei uma protuberância abaixo de mim.

Envolvendo-me, ele lentamente retirou o moletom velho do meu irmão que eu estava usando, largando-o no chão. Em seguida, enfiou a mão por baixo da minha camiseta, mantendo seu olhar conectado ao meu o tempo inteiro.

— Posso apostar que você estava querendo isso — disse, os dedos roçando minha barriga. — Aposto que se esfregou nele para mostrar o quanto estava gostando do que ele fazia.

Gemi, percebendo a umidade entre as pernas.

— Sim.

Recostei a cabeça em seu ombro e rebolei os quadris, pressionando minha bunda contra ele um pouco mais. O comprimento duro por baixo era tão gostoso, que só ampliou o vazio no meu interior.

Estendi a mão e segurei seu rosto, imaginando se iria me beijar. Ele ainda não havia beijado minha boca. Mas, em vez disso, senti a mão dele subir mais alto por baixo da minha camiseta e isso me fez abrir os olhos, assustada, me lembrando do que havia por baixo. Ai, meu Deus, a faixa. A bandagem elástica que usava ao redor dos meus seios para deixá-los achatados.

Merda! Levantei-me às pressas, puxando a camiseta para baixo para me cobrir. Será que ele tinha visto? Meus olhos marejaram quando o constrangimento aqueceu minha pele.

Outras mulheres usavam sutiãs. Ele ficaria confuso e definitivamente perderia o tesão se visse o que eu usava por baixo. Ele pensaria que eu era esquisita.

— Está tudo bem — disse ele, as mãos afastadas. — Está tudo bem. Você não tem que fazer nada que não queira. Este lugar, esses joguinhos, não são para você de qualquer maneira. Eu não deveria tê-la trazido aqui.

Sim, eu sei. Foi apenas diversão para ele e a realização de uma fantasia para mim. O que eu estava pensando? Não poderia fazer isso com ele, de um jeito ou de outro. Seria algo impossível.

Ele segurou meu queixo e virou meu rosto para que o encarasse.

— Eu não quis te pressionar, okay? Eu sou um idiota — disse. — Eu não quero te seduzir aqui. Você é diferente.

— Diferente como?

— Eu consigo conversar com você — respondeu. — E eu gosto de conversar contigo. Isso é uma coisa rara para mim.

Meus ombros relaxaram um pouco e ele acariciou minha orelha novamente, fazendo-me tremer.

— E eu quero que seja especial — continuou. — Quero te levar ao cinema, sair e passear de carro e te sentar no meu colo desse jeito, sempre que eu quiser. E quando estivermos prontos, faremos uma longa viagem até a enseada, onde minha família tem uma casa, e então, vou levar meu tempo com você, bem devagar. — Seu sussurro no meu ouvido enviou calafrios pelo meu corpo. — De forma que ninguém possa nos interromper durante a noite inteira.

Deus, eu queria isso. Queria acreditar que isso seria possível.

Mas, olhei para o tênis velho que herdei do meu irmão e para minhas unhas roídas, e percebi que estava me iludindo. Tentando escapar da minha vida e sonhando que talvez pudesse pertencer à dele.

— Ora, ora, estou chocado — uma voz profunda soou em algum lugar atrás de nós. — O santo Kai, prestes a afogar o ganso bem cedo, hein?

Meus olhos se arregalaram e nós dois paramos.

Não.

Uma risada sombria que eu conhecia muito bem veio a seguir, e, rapidamente, ajeitei a camiseta, afastando-me das mãos de Kai.

Não, não, não...

— Eu sabia que você ia dar as caras — disse Damon, sua voz se aproximando. — Quem é essa aí?

Eu me encolhi, desejando que o chão se abrisse.

— Dá o fora — Kai ordenou por cima do ombro. — Esta aqui não é para o seu bico.

Fechei os olhos, rezando silenciosamente e desejando ser invisível. *Por favor, vá embora. Por favor.*

Kai deve ter sentido os meus tremores, porque seu abraço se intensificou ao meu redor, tentando me transmitir segurança.

Mas então senti a presença *dele.*

Ele estava ali.

Seu olhar ardente incendiou meu rosto, e lentamente abri os olhos, vendo de relance, as botas pretas no chão à minha direita. Ao erguer a cabeça, constatei que Damon estava ao lado de Kai. Então seu olhar se conectou ao meu.

Uma onda de náusea me atingiu.

Ele parecia calmo, mas eu o conhecia. Sua boca ligeiramente aberta se fechou e a mandíbula flexionou. Foi um gesto sutil, mas os sinais, para mim, eram óbvios.

Meu irmão nunca foi calmo. Se ele não acertasse as contas comigo agora, em algum momento ele faria, quando eu menos esperasse.

Um sorriso de escárnio escapou dos seus lábios quando fingiu que não me conhecia.

— Até parece que eu ia me dar ao trabalho — disse a Kai, mordaz. — Ela é uma baranga do caralho. Você só pode estar brincando, né?

Seus olhos aterrissaram em mim, demonstrando indiferença. Ele não estava contando com minha aparência. Ele sabia como eu me vestia todos os dias. Afinal, eram suas roupas antigas.

Ele estava mantendo a mentira. Fora de casa, eu deveria fingir não conhecê-lo. Era um fantasma. Ele não queria que eu tivesse amigos e nem que seus amigos me notassem. Se alguém soubesse que era sua irmã, questionariam por que eu não ia à escola com ele, não me vestia tão bem e nem frequentava festas com ele. E se alguém soubesse que Gabriel Torrance era meu pai, questionariam por que eu não era tratada como uma filha. Muitas explicações para pessoas que não precisavam saber de nada.

— Há um monte de garotas bonitas por aí, cara, e você escolhe uma que se parece com um menino? — Ele pegou um cigarro e segurou entre os dedos. — Quem é ela, afinal?

— Não é da sua conta — retrucou Kai. — E não seja um babaca.

— Relaxa. — Colocou o cigarro na boca, acendendo-o enquanto falava. — Eu não tocaria nesse ratinho sujo nem se você me pagasse. Vá se arrumar um pouco, querida. — Soprou uma baforada de fumaça. — As mulheres são boas só para uma coisa, e até nisso você está deixando a desejar.

Eu me encolhi, querendo desaparecer.

Mas Kai deu um pulo na minha frente, o corpo tensionado quando gritou:

— Já chega!

— Ah, vá se foder. Estou saindo de qualquer maneira.

Ouvi os passos de Damon se afastando pelo chão imundo, mas não conferi, e supus que ele tivesse deixado a torre.

Engoli o nó na garganta. Uma coisa era meu irmão me encontrar em algum lugar onde eu não deveria estar, mas me pegar aqui com Kai? Não haveria dúvidas em sua cabeça do que ele havia interrompido.

Fiquei de pé, passando as mãos pelo cabelo e tentando arrumar minhas roupas.

— Ei, ele que se foda — Kai me disse, tentando aliviar o clima. — Ele é um cuzão.

— Ele é seu amigo.

— E tem um motivo para que seja. — Ele se aproximou de mim. — Ele só tem um lado obscuro dentro dele, e desconta isso nas pessoas. Apenas ignore-o.

Peguei meu agasalho do chão.

— Tenho que ir.

Eu precisava sair daqui. Odiava quando ele ficava com raiva de mim. Pretendia ir para casa e ficar no meu quarto, e quando Damon chegasse mais tarde, ou de manhã, ele me encontraria dormindo exatamente onde eu deveria estar. Esperando por ele.

— Ei... — Kai segurou meu braço.

No entanto, afastei-me dele.

— Não vá embora.

Eu não queria, mas precisava ir. Ignorei o desejo ainda rugindo pelo meu corpo e passei por ele, fugindo dali.

— Ei! — Kai gritou atrás de mim.

Mas eu apenas corri, vestindo o moletom às pressas. As lágrimas caíam enquanto eu disparava pela floresta, mergulhando nas sombras escuras das árvores.

— Eu nem sei o seu nome! — Ouvi o seu grito atrás de mim.

Os músculos das minhas pernas pareciam estar pegando fogo enquanto eu corria em direção ao estacionamento e à estrada por onde chegamos.

Mas então, uma mão agarrou minha camiseta e me puxou de volta, e o cheiro dos cigarros do meu irmão se infiltrou quando meu corpo se chocou ao dele.

Respirei fundo e observei Damon se elevar sobre mim, a tranquilidade cuidadosamente mantida já não existia mais.

— Oh, você não é para o meu bico, tudo bem — rosnou as palavras que Kai usara antes. — Eu deveria arrancar cada peça de roupa do seu corpo agora mesmo. Tudo o que eu te dei. Eu disse que todas as mulheres eram vadias egoístas e mentirosas. Ele não pode ter você, e você não pode tê-lo. — Avançou em minha direção, o cheiro de bebida em seu hálito flutuando até minhas narinas.

— Damon, por favor? — implorei baixinho, colocando a mão em seu peito. — Eu não...

— Não me toque. — Deu um tapa na minha mão. — Eu disse para você não se corromper.

— Não aconteceu nada — assegurei, balançando a cabeça.

Mas ele apenas olhou para mim, fúria em seus olhos e mágoa que tentou abafar em sua voz.

Ele segurou minha mandíbula com força, fazendo-me choramingar quando pressionou minhas costas contra uma árvore.

— Por que você fez isso? — ele resmungou. — Eu disse para nunca deixar um homem tocar em você.

— Eu não queria deixar isso acontecer — ofeguei. — Mas ele não me tocou em lugar algum, eu juro.

— Ah, sim, ele tocou. — Seus olhos se estreitaram. — E você gostou. Todas vocês, vagabundas, gostam disso. Você vai permitir que ele te afaste de mim. Você vai me ferrar, e se você fizer isso, eu vou te matar. Você me ouviu? Eu vou te matar, porra.

Meu estômago revirou, vendo seus olhos escuros me encarando como se eu fosse um lixo. Como se fosse sua mãe.

Eu havia perdido seu respeito. Ele achava que eu não valia nada. Ele me odiava. A última vez que fiz algo do qual não gostou, eu tinha treze anos, e ele não olhou para a minha cara por uma semana. Desde então, passei a ser muito cuidadosa com minhas atitudes.

Até agora.

— Por favor, Damon. — Eu nunca o tinha visto tão bravo. — Eu te amo. Você é tudo que eu tenho. Por favor. Cometi um erro.

Eu desejava tantas outras coisas, mas não se isso significasse perdê-lo. Eu não poderia perdê-lo.

Afastei a mão dele e me enfiei em seus braços, enlaçando sua cintura e enterrando a cabeça em seu peito. Eu o segurei com firmeza, com todos os músculos que pude reunir.

Por favor, me perdoe.

— Eu sempre fui boa — implorei. — Não farei nada errado de novo. Eu prometo. — Eu o apertei com mais força. — Eu sou sua. Eu te amo.

Ele estendeu a mão e agarrou meus braços, como se estivesse pronto para me empurrar, mas então parou. Mantive os olhos fechados, apenas esperando. *Por favor, não deixe de me amar.*

Ninguém mais no mundo me amava, exceto ele, que me protegeu, me afastou da minha mãe, manteve meu pai longe de mim e, se alguém tentasse me machucar, ele os machucaria mais ainda.

Às vezes, eu me sentia insegura, mas pelo menos nunca mais me senti sozinha.

A respiração de Damon se acalmou, seu peito subindo e descendo, cada vez mais devagar. Seus dedos em volta dos meus braços se afrouxaram.

— Você não pode tirá-lo de mim — disse ele em voz baixa. — E ele também não pode tirar *você* de mim. Entendeu?

Balancei a cabeça rapidamente, um pingo de alívio começando a se instalar.

— Eu sei. Vou me comportar.

Erguendo a cabeça, olhei para ele, as lágrimas secando no meu rosto enquanto mantinha meus braços ao redor de sua cintura.

— Eu não o quero. Só estava entediada — menti. — Quando você não está em casa, eu também não quero estar.

Quando ele estava ausente, eu ficava em nosso quarto o máximo possível, para não ter que esbarrar em nosso pai. Mas quanto mais velha me tornava, mais inquieta ficava.

Seu rosto se suavizou e vi um sorriso sutil aparecer.

— Eu sei. — Ele acariciou meu cabelo. — Um dia teremos nossa própria casa e você poderá ser livre. Ela vai ser gigante pra caralho, e você vai poder fazer tudo que quiser lá dentro. Ninguém nunca mais vai te olhar torto ou te tratar mal.

Forcei um pequeno sorriso diante daquele sonho que compartilhávamos. Aquele em que ele iria para a faculdade e voltaria por mim, e então desapareceríamos em alguma casa, bem longe, no meio de uma floresta ou nos confins do mundo. E dessa forma, eu não precisaria mais me esconder de ninguém.

Mas eu sabia que isso não era real. Nunca seria.

— O que houve?

Baixei o olhar.

— Alguém vai tirar *você* de mim, não é? — perguntei. — Uma hora ou outra, de qualquer maneira. Ela não vai me querer na sua casa.

Isso sem contar com o fato de que, quanto mais velha ficava, mais ansiava por coisas que Damon não queria que eu tivesse, mas, em contrapartida, *ele* também estava envelhecendo. Nós não tínhamos treze e doze anos. Tínhamos dezoito e dezessete, e Marina estava certa. Não podíamos parar o tempo. Em algum momento, será que ele não desejaria constituir família? Eu não poderia ficar ao seu lado e atrapalhar seus planos para sempre.

Mas ele apenas riu de mim.

— Você é uma merdinha muito burra. — Ele beliscou meu queixo, obrigando-me a encará-lo. — O que eu te disse? Existem peões, torres, cavalos e bispos, mas apenas uma rainha. — Ele sorriu de brincadeira. — Somos um par, Nik. Todo mundo vem e vai, mas não dá pra fugir do sangue. O sangue é para sempre.

O canto da minha boca se curvou em um sorriso. Suspirei, aliviada, por ele ter me perdoado.

Ele tirou o telefone do bolso do jeans e apertou as teclas. Provavelmente estava ligando para David, Lev ou Ilia virem me buscar.

— Eu posso ir caminhando para casa — expliquei, tentando detê-lo. — Está tudo bem.

Mas ele apenas levou o telefone ao ouvido, olhando para o nada por cima da minha cabeça quando ouvi o toque do outro lado.

Eles atenderam na mesma hora.

— Damon.

Reconheci a voz de David.

— Você nunca vai adivinhar quem eu encontrei a oito quilômetros de casa, no escuro, sem proteção. Você está demitido.

— Damon, eu não posso vigiá-la a cada segundo! — David ladrou. — Você quer que eu a amarre?

— Vá se foder. — A voz fria do meu irmão era como um corte lento e afiado de uma faca. — Você e os caras venham aqui para o Campanário e a peguem agora.

Não pude evitar a postura resignada. Eu sabia que tinha que ir para casa. Só que não queria ainda.

— E a levem para o cemitério — Damon concluiu.

Levantei a cabeça, sentindo o estômago dar cambalhotas. Sério?

Damon me deu um pequeno sorriso enquanto falava:

— Ela pode ir à fogueira, mas mantenha-a calada e afastem todos os caras de perto dela.

— Beleza. Chegaremos aí em quinze minutos.

— Cinco — meu irmão ordenou e desligou.

Mordi o lábio inferior, mas, mesmo assim, ele viu o sorrisinho que não consegui conter.

Ele levantou meu queixo outra vez, dando-me um olhar de advertência.

— Eles vão te cercar como uma parede, entendeu? Não me irrite e não deixe Kai te ver.

Acenei afirmativamente com a cabeça, tentando disfarçar minha empolgação.

— Desse jeito, você vai conseguir ver o que ele não quer que você veja. — O sorriso dele desapareceu. — Quem ele *realmente* é.

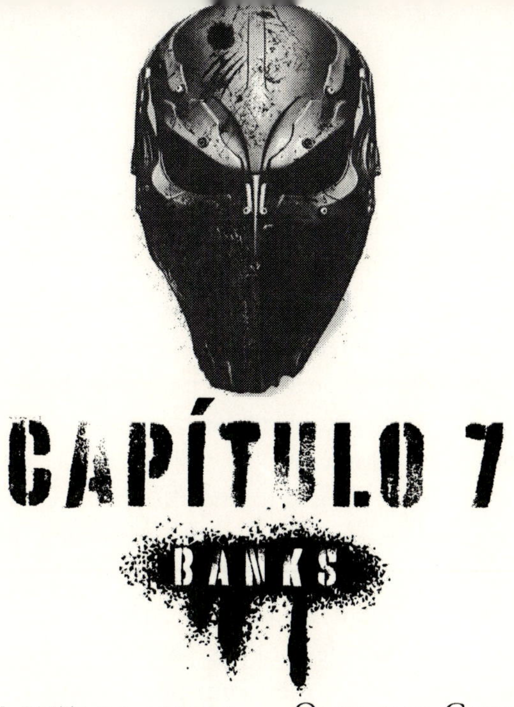

CAPÍTULO 7

BANKS

Dias atuais...

— Eu não faço parte do acordo. — Olhei para Gabriel sentado do outro lado da mesa dele. — Você pode enviar Lev ou David ou qualquer outra pessoa para trabalhar para ele.

— Sim... — Meu pai riu baixinho, deixando escapar algumas baforadas de cigarro antes que soprasse o resto. — Porque é exatamente para isso que ele quer você, não é? Limpar banheiros em seu *dojo* e bancar a cicerone dele por aí.

Levantei o queixo perante seu sarcasmo.

— Ele não me quer por... — Respirei fundo, hesitando. — Para isso. E se for essa a intenção, ele não vai conseguir nada de mim.

Kai podia muito bem querer que eu ficasse de quatro, prostrada, mas meu pai pensava diferente. Na cabeça dele, se Kai estava exigindo a minha presença, em particular, então ele me queria para nada mais do que diversão.

E isso ele não ia ter, porra.

Gabriel não sabia que eu havia conhecido Kai há muito tempo. Não fazia ideia de que já fui uma espécie de joguete na mão dele. Porém, me recusei a ser um objeto em suas mãos. Ou seu brinquedinho.

— Você fará o que for preciso — ele disse.

— Eu não vo...

— Você fará exatamente o que eu mandar!

Cada músculo do meu corpo retesou. Cerrei a mandíbula, obrigando-me a manter a boca fechada. Uma camada fina de suor recobriu minha testa.

Damon.

Tudo isto era por Damon. Ele era a única razão pela qual fiquei nesta casa. Lembre-se do jogo final. *Encontre-o, traga-o para casa e mantenha Kai e o resto daqueles desgraçados longe dele.*

Os olhos inexpressivos do meu pai se apartaram de mim, desviando totalmente a atenção. Kai estava certo a respeito de uma coisa... Eu só era valiosa para Gabriel Torrance se servisse para algo. Soube disso no exato instante em que pisei neste escritório assim que cheguei da reunião com Kai. Sempre soube meu valor aqui.

Uma mulher não era boa para muita coisa nesta casa, então fiz o que estava ao meu alcance para que ele e meu irmão se esquecessem de que eu era uma.

Gabriel levantou-se da cadeira e caminhou lentamente ao redor, o vento noturno uivando do lado de fora das janelas do escritório. Ao ficar à minha frente, ele se recostou à mesa, um pouco mais relaxado enquanto me oferecia um olhar condescendente.

— Você tem sido muito útil — disse ele, soprando uma baforada antes de recolocar o charuto no cinzeiro. — Você é inteligente e demorou muito tempo para ganhar minha confiança, mas conseguiu. Sei que posso contar com você. Seu mundo inteiro é Damon.

Por mais que fosse verdade, não era nem um pouco lisonjeiro ouvir. Meu irmão era meu mundo. Mas da mesma forma que o amava mais do que qualquer outra coisa na minha vida, ainda assim, detestava a maneira como meu pai dizia isso.

Como se eu fosse o bichinho de estimação de Damon.

— Mas agora — Gabriel continuou —, você tem uma oportunidade de se provar inestimável. Ser insubstituível.

Importante.

Apesar do meu ódio pelo meu pai, da minha aversão a Kai Mori, Michael Crist, Will Grayson e Erika Fane, não consegui conter a fagulha de orgulho que se infiltrou.

Eu *era* insubstituível. Se meu pai ainda não havia visto isso, ele o faria. *Mesmo que seja a última coisa que verá na vida.*

Gabriel respirou fundo e se levantou, suavizando um pouco a expressão fechada.

— Isso é realmente perfeito — disse ele enquanto voltava ao lugar à mesa, quase demonstrando alegria. — Você poderá ficar de olho nele.

Preparará a casa dele para o instante em que Vanessa chegar. Poderá passar um tempo no *dojo*, trabalhando para ele, treinando, seja o que for... Estará onde ele está e, dessa forma, poderá me avisar se houver algo com que deva me preocupar. Com ele ou o resto daqueles filhos da puta. — Pegou seu charuto e deu alguns tragos. — E se seu irmão sair do esconderijo e provocá-los novamente, você o protegerá. Não é mesmo?

Desviei o olhar. Claro que sim. Sempre fiz isso. Mas não queria me prestar àquela tarefa. Não podia estar perto de Kai todos os dias.

A raiva começou a fervilhar sob a minha pele.

Eu poderia argumentar. Poderia até abandonar tudo. Eu não amava meu pai e provavelmente tinha muito mais valia do que isso. Mas poderia proteger Damon ao permanecer ali, e se fosse embora, não teria mais nada, droga. Ele precisava de mim. Admitindo ou não, meu pai sabia disso.

Quando Damon foi preso na época da faculdade e enviado para a prisão, eu agi rapidamente, lidando com a situação bem antes de Gabriel. Consegui reunir uma gama de brutamontes lá dentro da cadeia para protegerem meu irmão, garantindo que ninguém o tocasse; e quando ele saiu no ano passado, limpei todas as suas bagunças. E toda vez que nosso pai tentava controlá-lo – e ele não podia ser controlado –, eu fazia o mesmo de sempre. Eu deixava meu irmão mais velho exaurido, e fazia com que ele descarregasse toda a raiva até que já não sobrasse mais nada. Pelo menos por um tempo. Porque ela sempre voltava.

Damon, único filho e herdeiro de Gabriel, só ficava bem quando me fazia cuidar dele. Como uma espécie de guardiã.

Gabriel continuou olhando para mim com um interesse súbito.

— Com quantos homens você já esteve? — ele perguntou.

Permaneci em silêncio e firme, mas minha paciência estava se esgotando. Com quantos homens eu já estive... Jesus.

Meu pai chegou perto de mim outra vez, invadindo meu espaço pessoal e me forçando a olhar para ele. Eu o encarei, sem disfarçar o desgosto que sentia.

— Você sabe trepar? — exigiu saber, sem rodeios. — Sabe como agradar a ele?

Ele.

Kai.

Senti um frio no estômago, e tentei me afastar de seu agarre, desviando o olhar.

Mas ele não cedeu. Ele lentamente tirou meu gorro, deixando-o cair no chão e começou a desabotoar meu casaco. O medo, de repente, se infiltrou, mas não o enfrentei e nem me opus. Eu o observei através dos longos fios escuros que agora pairavam sobre o meu rosto.

Meu pai nunca me tocou, mas eu sabia que o motivo provavelmente não tinha nada a ver com o fato de eu ser sua filha, e, sim, porque Damon não queria que *ninguém* me tocasse.

Respirei fundo quando ele deslizou o casaco pelos meus braços e afastou o cabelo dos meus olhos; o cheiro de óleo diesel nos fios, por trabalhar em uma das caminhonetes mais cedo, penetrou meu nariz.

Seus dedos percorreram minha pele, me avaliando. Ao erguer o meu rosto, ele me encarou como se nunca tivesse me visto quase todos os dias dos últimos onze anos.

Ele rodeou meu corpo, a mão deslizando pela minha cintura, e cerrei os dentes quando levantou a camiseta velha de Damon para olhar para minha barriga. Soltando a camiseta, seus olhos pousaram nos meus seios, assentindo em aprovação.

— Você não é virgem ainda, é? — perguntou, meio desconfiado quando não respondi nada. — Quer dizer, Damon cuidou disso há muito tempo, certo?

Bile subiu pela garganta, e empurrei suas mãos para longe de mim.

— Você é nojento — eu disse, sentindo as lágrimas inundando meus olhos.

Como ele poderia ser tão vil?

Mas ele apenas riu e caminhou de volta à sua mesa.

— Aquele garoto transaria com um tijolo se estivesse molhado o suficiente. Não pense que não sabíamos o que acontecia naquela torre.

Eu podia sentir as lágrimas querendo se derramar, mas apenas rosnei e peguei o casaco do chão, deixando seu escritório.

Meu estômago revirou com a perspectiva do que ele esperava de mim. Eu era capaz de atirar, lutar, convencer todos os homens da cidade a gastarem mil dólares em uma prostituta que não valia mais do que vinte, se quisesse... Mas não seria passada de um homem para outro, como se fosse uma mercadoria de troca. Eu era muito mais do que isso. Eu era inestimável. Esta era a minha casa.

Não queria estar perto de Kai Mori ou de seus amigos.

Virando o corredor, subi correndo as escadas e ouvi a voz de David me chamando do piso inferior.

— Banks, preciso falar com você.

— Mais tarde.

Disparei para o segundo andar, pulando os degraus e avancei em direção ao canto oposto cuja porta de madeira escura ficava à minha direita. Tirei a chave do bolso, abri a trava e entrei.

O brilho suave das arandelas da parede iluminou outro lance de escada quando fechei a porta e tranquei-a. Subi mais um lance de escadas, deparando-me com o quarto em formato circular, o único no terceiro andar.

Perambulei pelo brilhante piso de madeira e abri a janela, empurrando suavemente as duas vidraças. A noite quente e nada usual de outubro estava se tornando um pouco mais fria por conta dos ventos súbitos; fechei os olhos, inalando o cheiro da terra e as folhas secas carregadas pela brisa.

Minha pele começou a formigar quando comecei a me sentir melhor. Este quarto representava outro mundo. O nosso. O de Damon e o meu.

Deixando a janela aberta, atravessei a sala e abri o laptop, clicando em uma *playlist*. Deitei-me na cama, agarrada a um travesseiro, quando *Like a Nightmare* começou a tocar.

Cheirei a fronha, inalando a sutil fragrância de amaciante, fazendo minhas narinas formigarem. Eu sabia que não sentiria o cheiro do meu irmão, mas fiquei decepcionada de todo jeito. Já estava sem ele há muito tempo. E não aguentava mais ficar sozinha.

A roupa de cama era nova – eu a substituí há vários meses e limpei o quarto regularmente, apenas para me assegurar de que estivesse impecável, caso ele aparecesse. E por mais que não tenha dormido aqui há mais de um ano, eu ainda esperava, toda vez que pisava aqui dentro, encontrar alguma evidência de sua presença em casa.

Coloquei o travesseiro de volta no lugar, as cores pretas, brancas e cinzas da fronha nítidas e perfeitas enquanto afofava e alisava as rugas do tecido.

Tudo tinha que estar perfeito.

Olhando ao redor do quarto, observei os pisos imaculados, as paredes escuras e as arandelas de ouro, as fotos em preto e branco que ele pendurou quando estava no colégio... Mulheres, pernas desnudas e pele luminosa, imagens não tão repugnantes, mas que, com certeza, exalavam sexo.

Eu não gostava de olhar para elas.

E então, erguendo a cabeça, avistei o outro pequeno lance de escadas situadas no canto. Envolto em sombras, os degraus levavam à "torre", como a chamamos – uma pequena alcova com um espaço menor ainda no topo. Era cercada por janelas, quase como um farol, onde você podia vislumbrar as árvores do lado de fora até onde a vista alcançava. Esse foi o meu lar. Quando eu morava aqui.

Ainda abrigava meu colchão, um abajur e algumas roupas, para o caso de eu precisar novamente. Não que já tenha usado muito aquele espaço, mesmo quando morava aqui, pois Damon sempre fazia questão de me manter por perto.

Fui em direção à janela e me recostei contra a parede ao lado, deslizando meu corpo até me sentar no chão. Enrolei meu cabelo em um coque no alto da cabeça, e enfiei o gorro para cobri-lo novamente.

Por fim, relaxei a postura e fechei os olhos, segura de que ninguém poderia me ver agora. Não que eu tenha sido vista, de qualquer maneira. No entanto, gostava de observar as outras pessoas. Mais ou menos da mesma forma que Kai fazia.

Muito tempo atrás, eu o observei à distância, uma parte minha o desejando com ardor. Achei que ele era bom.

Fiel. Bonito.

Mas ele poderia ser mais assustador que Damon.

E meu irmão, Damon Torrance, havia sido um pesadelo desde a primeira vez que o conheci. Um pesadelo requintado.

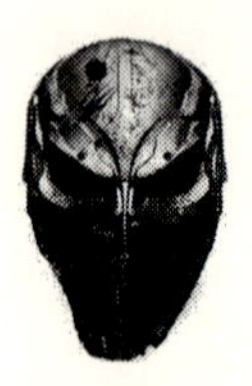

"— Ajeite essa meia para cima — minha mãe ordenou, assim que fechou a porta do lado do passageiro.

Inclinei-me e puxei a meia escura na altura do joelho, nós duas de pé ao lado do carro parado do lado de fora de um grande portão preto. Estava aberto e os carros estavam entrando constantemente. Mamãe disse que havia uma festa hoje. Era uma boa hora para vê-lo.

— Lembre-se do que eu lhe disse. — Ela abotoou meu cardigã e ajeitou a blusa por baixo. Desviei o olhar, impaciente. Tinha doze anos, e ela me vestia como uma criança de cinco.

— Se ele começar a ser grosso — a voz tremendo tanto quanto suas mãos —, você precisa me ajudar, okay? Diga a ele que precisamos de dinheiro. Se não conseguirmos ajuda, Nik, você terá que deixar o apartamento, seu quarto e todas as suas coisas. Você vai acabar tendo que dormir na casa de estranhos. E eles podem tirar você de mim. — Ela agarrou meus ombros, respirando com dificuldade. — Você quer ir para casa hoje à noite, não é?

Acenei.

— Então dê um sorriso bonito! — Jake, o namorado dela, gritou comigo pela janela aberta do carro.

Sim, dê um sorriso bonito. Seja legal com alguém que nunca foi legal com você. Que nunca quis conhecê-la. Meu estômago estava revirando e não conseguia fechar os dedos. Eu me sentia fraca.

— Apresse-se, Luce — disse ele para minha mãe.

Sabia por que ele queria que nos apressássemos e para quê queria dinheiro. Os dois queriam. Claro, se tivéssemos a sorte de conseguir alguma coisa, eu seria alimentada e teria, talvez, algumas roupas e sapatos usados. Minhas meias eram tão velhas que não se encaixavam mais direito, e eu estava lavando meu cabelo com sabonete em barra há um mês.

Mas eles apenas festejavam com o resto do dinheiro. Toda vez que tínhamos algum, ele ia embora antes mesmo que pudéssemos respirar.

Minha mãe pegou minha mão e a segui pelos portões e pela longa entrada. Olhando em volta, meu coração doeu na mesma hora. Era tão bonito ali. Uma imensidão verdejante em ambos os lados do caminho escuro, árvores, arbustos e o cheiro de flores... Deus, como seria a sensação de simplesmente correr por ali? Dar cambalhotas, escalar os carvalhos envelhecidos e fazer piqueniques na chuva?

Olhando à frente, vi a casa, a construção branca e deslumbrante contrastando contra o céu. Carros circulavam pela entrada, e pontos vermelhos salpicados e espalhados ao redor da mansão; achei que deveriam ser roseiras, embora ainda não estivesse perto o suficiente para afirmar.

Mas quanto mais nos aproximávamos, mais nervosa ficou ficava. Queria estacar em meus passos. Queria me virar e dizer:

— Vou roubar comida da lojinha de conveniência no fim da nossa rua, se for preciso. — Eu já fiz isso antes. Precisávamos de leite e cereais, e minha mãe me pediu para consegui-los. Se eu fosse pega furtando lojas, como menor de idade não teria tantos problemas quanto ela.

Seguimos adiante, e ela me deteve um pouco antes de chegarmos à porta. Ela se agachou, o casaco longo era a única coisa que tinha para encobrir suas roupas baratas.

Segurou meus ombros e olhou para mim, com um olhar entristecido.

— Sinto muito — disse ela. — Criança nenhuma deveria passar por isso. Eu sei. — Ela olhou em volta, chorando e parecendo desesperada. — Saiba que sempre quis que você tivesse tudo. Porque você merece, entendeu?

Eu apenas a encarei, começando a sentir os olhos lacrimejando. Minha mãe era muito confusa, e nem sempre me colocava em primeiro lugar. Odiava as situações em que me colocava, às vezes, mas... sabia que me amava. Não que parecesse o bastante, mas sabia que tentava.

— Gostaria de poder levá-la embora e comprar uma casa dessas pra gente — disse, melancolicamente. — E tudo que pudesse te fazer sorrir. — Ela se levantou, alisando as pregas do casaco. — Acaba comigo que o merdinha do filho dele consegue tudo o que quer, mas você não recebe nada.

Damon. Filho do meu pai. O único filho que ele reivindicou.

Ela só o mencionou algumas vezes, não que já o tivesse conhecido. Ele tinha acabado de nascer quando minha mãe engravidou de mim, mas tínhamos ouvido várias coisas ao seu respeito ao longo do tempo. Ele parecia ser do tipo problemático.

Ela segurou minha mão novamente e me levou até a porta, onde um criado estava postado e cumprimentando os convidados quando entravam.

Uma mulher em um vestido brilhante me encarou, estreitando o olhar ao avaliar o estado das minhas roupas. Virei a cabeça para o outro lado.

As pessoas entraram na casa e nós as seguimos, mas o homem na porta colocou a mão no ombro da minha mãe.

— Com licença. Quem é você?

— Eu preciso ver Gabriel.

O homem vestindo um colete branco pôs-se na frente dela, bloqueando seu caminho.

Olhei ao redor dele, vendo todas as pessoas chiques de ternos e vestidos passando por uma porta para os fundos da casa.

— O Sr. Torrance está entretendo convidados agora — informou.

Minha mãe me abraçou, respondendo categoricamente:

— Essa aqui é a filha dele, e se eu não o vir agora, vou percorrer sua pitoresca vila aqui, em Thunder Bay, e fazer um escarcéu.

O homem franziu os lábios e notei que algumas pessoas ao nosso redor se viraram para olhar. Eu me encolhi por dentro. Gabriel se importaria se ela fizesse isso?

O criado acenou para o homem que estava ao lado da parede e ele se aproximou. Meu coração disparou, vendo-o apalpar minha mãe de cima a baixo.

Quando o guarda corpulento terminou de conferir o corpo dela, ele se aproximou de mim, passando as mãos pelos meus braços. Eu me afastei e o empurrei.

— Mantenha as mãos longe dela — exigiu.

Trêmula, tentei me esconder atrás dela o máximo que consegui.

— Siga-me — disse o empregado, que abriu a porta.

Ele nos levou pela casa, e observei tudo em volta, avistando uma biblioteca, um escritório e algum tipo de sala de estar. Tudo estava mergulhado em penumbras e quase tudo era feito de madeira: as escadas, os móveis, algumas das paredes... Passamos pela escadaria e detectei uma figura parada no topo dos degraus. Olhei para cima.

Um garoto estava imóvel, recostado contra a parede, com os braços cruzados. Ele nos encarou, seguindo-nos com o olhar enquanto passava. Seu cabelo era escuro como o meu, mas seus olhos eram quase pretos, entrecerrados e quietos. Mas algo em seu olhar me fez recuar. Era ele?

— Espere aqui — disse o homem.

Minha mãe e eu paramos do lado de fora de uma porta, enquanto o homem mais velho sumiu em um canto da casa.

Ela segurou minha mão com as suas. Fez a mesma coisa alguns anos atrás, quando a Assistência Social chegou em nossa casa, e nas raras ocasiões em que tive uma professora insistente que se esforçou para convencê-la a participar das reuniões de pais e mestres. Estava nervosa.

Ouvi as passadas pesadas no assoalho. Meu coração quase saltou pela garganta e prendi o fôlego por um momento.

Uma sombra surgiu no chão e, quando olho para cima, vi um homem alto e bem-vestido avançando em nossa direção.

Cabelo preto com fios grisalhos, belo terno e camisa também pretos, sapatos brilhantes... Eu o encarei com os olhos arregalados, a respiração presa na garganta quando inalei seu forte perfume – uma mistura de colônia e tabaco.

Ele se postou muito perto da minha mãe, a voz soando com tanta maldade que minhas mãos começaram a tremer.

— Você sabe o que é mais trágico do que uma pobre prostituta viciada? — ele disse, ríspido. — Uma pobre prostituta viciada morta.

E então olhou para mim.

— Sente-se — ordenou. — Agora.

Respirei com dificuldade – o máximo que consegui – e desabei no banco, mexendo as mãos nervosamente. Ele empurrou minha mãe pela porta, e vi uma mesa e alguns livros antes que ele a fechasse.

Ai, meu Deus. Que droga... Ele era tão mau. Por quê? Sabia que minha mãe era problemática, e ela poderia incomodar até mesmo a mim, às vezes, mas eu não fiz nada.

Pisquei para tentar afastar as lágrimas repentinas. Não queria estar aqui. Essas pessoas eram horríveis. Minha mãe disse que meu pai é dono de uma empresa de comunicação social e faz parte do conselho administrativo de outras – seja lá o que isso significa –, mas também havia outras coisas que ele fazia. Ela trabalhou para ele, mas não me contou com o que.

Eu só queria ir embora. Não queria ter nada a ver com ele, e não queria saber de mais nada.

Um movimento atraiu minha atenção e, quando olhei para cima, vi o garoto de olhos escuros descendo o corredor. Ele parecia relaxado e se recostou contra a parede mais próxima, segurando uma garrafa verde pelo gargalo enquanto olhava para mim.

Umedeci meus lábios, sentindo um arrepio súbito eriçar todos os pelos dos meus braços. Desviei o olhar, envergonhada, mas eles continuavam sendo atraídos para ele.

Sua calça preta e sapatos de couro pareciam ter sido escolhidos por alguém, mas a camisa branca estava parcialmente desabotoada e com as mangas arregaçadas. Seu cabelo estava penteado, no entanto. O olhar firme estava concentrado em mim, adornado pelas impressionantes sobrancelhas escuras. As minhas eram arqueadas como as dele, e minha mãe dizia que isso fazia com que o verde dos meus olhos fosse intenso e penetrante, mas esse efeito também acontecia com o tom escuro dos dele.

Ele tomou um gole da garrafa – acho que algum tipo de cerveja, embora não parecesse muito mais velho que eu.

Ouvi uma discussão acalorada e abafada por trás da porta, e levantei meu olhar para ele outra vez. Meu pai parecia saber quem sou. E esse garoto?

— Você é meu irmão? — perguntei.

Seus lábios se curvaram em um sorriso divertido, e ele não pareceu nem um pouco chocado com a minha pergunta.

Andando até mim, parou quando suas pernas colidiram com as minhas, e bebeu o restante do líquido da garrafa de uma só vez. Observei o movimento de sua garganta antes que ele enfiasse o gargalo na terra de um vaso de plantas em cima da mesa.

Ele se inclinou, uma mão plantada na parede acima da minha cabeça e a outra acariciando meu rosto. Eu recuei, mas não tinha para onde ir.

A cerveja em seu hálito se infiltrou em meu nariz quando ele se aproximou, e senti um suor frio irromper no meu pescoço. Ele ia me beijar?

Sua boca pairou a centímetros da minha enquanto seu olhar se manteve conectado ao meu.

— Você gosta de cobras?

Cobras? O quê?

Balancei a cabeça.

Uma faísca ilumina seus olhos, e ele, de repente, se levantou e segurou a minha mão.

— Vamos.

Ele me puxou do banco e eu o segui aos tropeços.

— Não, espere — disse. — Acho que devo esperar pela minha mãe. Não quero que ela fique brava.

Mas ele continuou me arrastando pelas escadas, e eu não discuti. Se o fizesse, ele poderia ficar bravo também. E se eu o deixasse bravo, isso poderia deixar meu pai mais bravo ainda.

Ele me puxou atrás dele, segurando meu pulso, irritando um pouco a pele com seu agarre enquanto nos apressava ao redor do corrimão no topo da escada. Quando chegamos ao final, ele abriu uma porta e me puxou para dentro. De repente, estava na escuridão, com apenas um pequeno brilho acima. Meu coração estava batendo tão forte que senti náuseas. Onde estávamos?

O garoto me puxou e eu o segui, mas meu pé enganchou em alguma coisa e eu tropecei. Segurei a parte de trás de sua camisa para não cair e percebi que estava em uma escada. Ele continuou e eu me agarrei à parede, tentando me equilibrar enquanto subia a ladeira íngreme. Existia um terceiro andar na casa?

Chegamos ao topo, e ele abriu outra porta, empurrando-me. Calafrios se espalhavam pela minha pele, e eu choraminguei baixinho, de repente, assustada. E se minha mãe não pudesse me encontrar? E se meu pai a fizesse sair, mesmo sem mim? Por que estava aqui em cima?

Ele iria me deixar sair?

Cobri as mãos com a manga do casaco, agitada, e olhei em volta rapidamente. O quarto bagunçado tinha uma cama grande e desarrumada, pôsteres nas paredes e alguma música de heavy metal que falava sobre alguém querer "ir para o inferno" tocando em alto-falantes que não conseguia ver.

Inspirei pelo nariz e senti o cheiro sutil de cigarros.

Enquanto ele se dirigia para o computador e abaixava o volume da música, não consegui conter o medo, associado a um pouco de admiração. Damon deveria ter treze anos, e estava bebendo e fumando? Ele podia fazer o que quisesse. Como um adulto.

Ele se virou e curvou o dedo para mim, chamando-me e, apesar de estar preocupada, não ousei recusar.

Segurou minha mão e levou-me até uma cômoda comprida de madeira, com dois aquários em cima. Um deles tinha areia com um grande galho e uma espécie de piscina, e, o outro estava revestido com palha, folhas e mais galhos. Na esquerda, vi uma cobra listrada vermelha, preta e amarela.

Meu coração pulou uma batida. Por isso ele me trouxe aqui.

— Este é o Volos — declara. — E este é Kore. — Apontou a cobra branca no outro aquário, escondida dentro de um tronco escavado. Olhei para as duas, hesitante, vendo as manchas vermelhas em sua pele.

Observei-o pelo canto do olho, preocupada que ele as tirasse dos viveiros.

— Elas... mordem? — perguntei.

Ele olhou para mim.

— Todos os animais mordem quando são provocados.

Eu me inclinei, olhando através do vidro. Esperava que se eu mostrasse interesse, ele não iria querer me assustar tirando-as dali.

Os tanques eram grandes e limpos, com muito espaço para se locomoverem. As cobras permaneceram imóveis.

— Elas não gostariam de ficar juntas?

— Elas não são filhotes — retrucou. — São animais selvagens. Elas não se dão bem e não gostam de companhia. Elas não fazem amigos.

Ele removeu o topo da gaiola à esquerda e eu imediatamente recuei um passo. Não.

— Se uma delas ficar irritada ou estressada — disse ele, estendendo a mão e pegando a vermelha, preta e amarela —, vai comer a outra.

Damon levantou as duas mãos, a cobra enrolada entre os dedos, e ele se virou para mim, com ela a centímetros do meu corpo.

Retrocedi mais um passo e ele avançou em minha direção, rindo.

— Como você pode pensar que eu sou seu irmão? Olha como você está com medo.

Ele enfiou a cobra na minha cara e eu gritei, minhas costas se chocando contra a parede.

— Não, eu não gosto de...

— Cale a boca — ele rosnou, agarrando minhas mãos com a sua livre.

Eu me debati, tentando me afastar dele, mas seu corpo aprisionou o meu e, enquanto ele segurava a cobra com uma das mãos, com a outra ele manteve meus pulsos em um firme agarre. Segurando-os acima da minha cabeça, comecei a chorar, meu peito se enchendo de pavor.

— Não, não, por favor...

— Cale-se.

Girei a cabeça de um lado ao outro, fechando os olhos com força enquanto ele me segurava lá.

— Você sabe quem eu sou? — perguntou.

Minha respiração estremeceu e me recusei a abrir os olhos. Então, algo tocou minha bochecha, e eu tentei me afastar.

— Fique quieta ou ela vai te morder.

Eu ofeguei, instantaneamente, relaxando todos os meus músculos.

— Por favor — sussurrei, implorando.

Mas eu não me mexi. O toque retornou e era suave, como a água. Ai, meu Deus. Por favor.

— Olhe para mim — disse ele.

Meus pulmões estavam sem ar e, ainda assim, hesitei. Mas, lentamente, abri os olhos.

Vi um borrão vermelho, preto e amarelo à minha frente e estremeci com um grito reprimido. Ele a estava segurando na minha cara. Senti a língua pegajosa esvoaçar sobre minha pele e comecei a respirar rápido, meu peito quase explodindo com as batidas do meu coração.

— Shhh... — Damon disse, suavemente.

Eu me obriguei a encará-lo, e, de repente... minha respiração começou a desacelerar. Seu olhar penetrante estava focado em mim – e agora vi que seus olhos eram mais pretos do que castanhos. E estava aprisionada.

— Olhe para eles lá fora — ele instruiu, virando em direção à janela à minha esquerda.

Segui seu olhar, lentamente virando a cabeça para longe da cobra e vendo homens de preto esgueirando-se no gramado, dois manobristas de colete branco e um homem e uma mulher saindo de um carro preto brilhante.

— Quando eu entro em cena, todos eles desviam o olhar — sussurrou, olhando pela janela. — Quando falo com eles, suas vozes fraquejam. Eles nem deixam suas esposas, namoradas ou filhas frequentarem a festa se souberem que estou em casa.

Franzi as sobrancelhas em confusão. De quem ele estava falando? Dos empregados? Ou dos convidados?

— Eu sei de tudo, todo mundo faz o que eu quero e todo mundo me teme — continuou ele, voltando a olhar para mim —, e o dinheiro não compra isso. Dinheiro e poder não andam de mãos dadas. O poder vem de ter a coragem de fazer o que os outros não farão.

Ele arrastou o corpo da cobra sobre a minha boca e eu suspirei, me afastando novamente.

— Você não é nada como eu — rosnou em voz baixa. — Uma maria-ninguém imunda. Um erro.

Ele me liberou e deu um passo para trás, e eu rapidamente enxuguei as lágrimas que deslizaram pelo meu rosto.

Virou-se e sentou-se em uma cadeira imensa e estofada, acariciando sua cobra.

— Não deixe sua mãe voltar aqui de novo, entendeu? — ordenou, encarando-me. — Ou vou trancá-la em um armário com Volos.

Corri para a porta e agarrei a maçaneta, mas minha mão tremia com tanta força que não consegui girá-la.

— Não é minha culpa — deixei escapar, virando a cabeça em direção a ele. — Que minha mãe engravidou de mim. Por que você quer me machucar?

— Você não é especial. — Ele levantou Volos e olhou para ela, agindo como se eu nem estivesse aqui. — Há muitas pessoas que quero machucar. E talvez um dia eu o faça... quando descobrir a melhor maneira de me livrar de um corpo.

Ele deu um meio sorriso, agindo como se estivesse brincando, mas não tinha certeza se estava.

— Eu sou especial — disse. — Meu professor diz que sou a mais inteligente da minha turma.

— Não importa. — Ele deu de ombros. — Em cinco anos, você estará trepando no banco traseiro por vinte dólares, assim como sua mãe.

Meu estômago estava doendo e quase me engasguei com a tosse. O quê? Como ele podia dizer algo assim?

— Damon? — Uma voz soou.

Estava vindo do sistema de alto-falantes na parede, ao lado da porta.

— Damon, sua mãe quer você — disse a voz da mulher, sem esperar que ele respondesse. — Ela está no quarto dela.

Virei a cabeça e o encarei, franzindo o cenho quando notei sangue escorrendo pelo dedo. A cobra, de repente, o atacou de novo, e me vi sem fôlego. Ele a estava apertando com muita força. Por que estava fazendo isso?

Mas ele apenas encarou a parede adiante, com os olhos pesados como se estivesse perdido em pensamentos. Ele ouviu a mulher no interfone?

— Damon? — disse. Essa cobra não é perigosa, né? Ele não manteria um animal venenoso aqui.

O que havia de errado com ele?

Ele finalmente levantou os olhos.

— Saia.

Jesus. Que idiota. Abri a porta e dei um passo. Mas então parei e girei mais uma vez.

— Um cemitério — eu disse. — É assim que eu me livraria de um cadáver.

Ele olhou para mim novamente, seus olhos entrecerrados, e levantei meu queixo, encolhendo os ombros.

— Eu encontraria uma cova recém-coberta. Dessa forma, eles não seriam capazes de dizer que foi escavada novamente. Coloque outro corpo lá dentro e cubra-a outra vez. É o que eu faria.

E fechei a porta, deixando-o ali dentro com seu olhar sombrio.

Exalei, respirando com dificuldade, mas de cabeça erguida.

Deus, ele era louco. E horrível e malvado, e por que perdeu toda essa atitude marrenta quando foi chamado no interfone? Por um momento, ele pareceu tão sozinho.

Ele tinha tudo. Por que estava tão bravo? Era eu quem deveria estar com raiva.

Era a única que estava sozinha. Tinha um pai que não se importava comigo e uma mãe que me machucava e me obrigava a fazer coisas que não queria.

Ele não sabia o que era sofrer. Ter algo para se zangar.

Minutos depois, quando minha mãe e eu fomos encaminhadas à porta de saída – de mãos vazias, é claro –, andei pela calçada e olhei para trás uma última vez. Damon estava parado na janela do quarto, observando-nos ir embora.

A ponta laranja de um cigarro queimou intensamente quando ele deu uma tragada, e travei meu olhar ao dele o máximo que pude, incapaz de desviar.

Não até que uma árvore se interpôs na minha linha de visão, e eu o perdi de vista.

Fui para casa com a última imagem dele naquele terceiro andar, solitário, o garoto moreno naquele quarto escuro, e me senti inquieta.

Ele não estava bem.

Sonhei com ele naquela noite.

E oito dias depois, ele apareceu na porta da minha mãe. Entregou-lhe nove mil quatrocentos e sessenta e dois dólares, um Rolex e alguns brincos de esmeralda.

E me levou para casa com ele."

Descansei os braços sobre os joelhos dobrados, passando os lábios pelos dedos entrelaçados enquanto a memória desvanecia. Eu tinha doze anos na época, e aqui estávamos, onze anos depois, e este foi o lugar onde fiquei desde então. Meu pai permitiu que eu ficasse aqui, porque raramente negava qualquer coisa ao filho, mas minha guardiã perante os olhos da lei era Marina. Só para que meu pai não tivesse a tarefa tediosa de me levar ao médico quando eu estava doente ou de responder à polícia se eu me metesse em encrenca.

Mas eu pertencia a Damon Torrance.

E não sabia por que ele me quis. A princípio, não. E estava com medo de que coisas ruins acontecessem comigo.

E aconteceram.

Mas ele sempre cuidou de mim. Ele vasculhou sua casa a fim de encontrar qualquer coisa que pudesse usar para me comprar de minha mãe, que, em um mundo perfeito, teria desejado não ter feito o que fez, mas o dinheiro e a perspectiva, mesmo que ínfima, de que eu poderia ter uma vida melhor aqui em Thunder Bay a convenceram.

Principalmente, o dinheiro. Que foi gasto com a mesma facilidade com que foi ganho, e em muito pouco tempo. Ela tentou me recuperar várias vezes ao longo dos anos, talvez porque odiasse o que fizera, ou talvez só quisesse barganhar mais dinheiro, no entanto, Damon tinha o que queria, e nem sequer lhe deu ouvidos. Não quando ele tinha quinze, dezessete ou dezenove.

E, para falar a verdade, nem eu queria isso. Podia ser estranho como as coisas aconteciam. Como as pessoas que você menos espera se tornam sua única tábua de salvação, e você se segura a elas com muita força, exatamente por não ter escolha. Não havia nada mais para te impedir de se entregar. Entregando-se à solidão, ao desespero ou ao medo. Ele me deu sua mão e eu a agarrei.

Poucos dias depois de chegar e me mudar para meu cubículo na torre, e passar horas e horas seguindo-o como uma sombra, fiquei cativada por ele. Eu o idolatrava e queria ser como ele.

Nós dois éramos a família um do outro.

Olhei para os terrários vendo Volos e Kore II se aquecendo sob as lâmpadas de calor. Eu me levantei e me aproximei, retirando a tampa para pegar Volos com cuidado, ajudando-o a se enrolar em minha mão. Já era para ele ter morrido. Kore faleceu anos atrás, mas Volos continuava firme e forte. Talvez à espera do seu mestre.

Ele descansou pacificamente, sem se mexer, enquanto eu percorria sua pele escamosa com meus dedos.

Após o primeiro encontro com Damon, pesquisei suas cobras na Internet na biblioteca e descobri que Volos era uma cobra-leite e Kore era uma cobra-do-milho. Ambas as serpentes não eram venenosas, bem como completamente inofensivas.

Embora o que Damon disse também fosse verdade.

Todo animal morde quando é provocado.

CAPÍTULO 8

BANKS

Noite do Diabo – Seis anos atrás...

— VOCÊ FICA COM A GENTE — DAVID ORDENOU, ABRINDO A PORTA DO CARRO. — Se você me irritar, eu te levo arrastada para casa, não importa o que Damon diga.

Sim, eu sei. Você já me disse isso duas vezes.

Todos nós deixamos o SUV, Ilia e eu saindo pelas portas traseiras, enquanto David e Lev desciam pela frente. O alarme do carro travou as portas assim que começamos a descer a colina, seguindo em direção à área mais isolada do cemitério, onde a festa iluminava o céu escuro como breu assim como um vaga-lume brilhava à noite.

Depois que David e os caras chegaram ao Campanário mais cedo, eles me colocaram no carro e nos dirigimos pelo cemitério, pela entrada principal.

Puddle of Mudd eclodiu no ar e, quando observei a festa, desacelerei meus passos, admirada com a visão. Um mar de pequenas labaredas diante de nós, centenas de velas em cima de lápides, cercando sepulturas e revestindo os perímetros de vários túmulos. O belo gramado verde parecia quase preto em meio à escuridão, e era como se estivesse vivo com as sombras das chamas dançando sobre a grama.

E mais longe, bem à distância, ardia a fogueira, tão ousada e brilhante que seus estalidos podiam ser ouvidos daqui.

Alguém segurou minha mão.

Deparei-me com Lev parado ao meu lado, apertando meus dedos nos dele.

Tentei me afastar.

— Eu não sou um bebê — eu disse a ele.

Eu precisava que segurassem minha mão? Sério?

— Bem, você está se metendo em encrencas como um — retrucou. — Agora, se você realmente quiser alguma confusão, eu vou com você.

Não pude deixar de rir. Ele realmente era o meu favorito. Provavelmente por não ser tão mais velho que eu. Apenas alguns anos.

Circulando seu corpo, pulei de cavalinho em suas costas, obrigando-o a me soltar enquanto eu envolvia meus braços e pernas em torno dele.

— Ah, até parece... — disse em seu ouvido. — Se eu quiser confusão, só tenho que te seguir.

Ele grunhiu, reajustando sua posição com o meu peso adicional.

— Saia de cima de mim, pirralha.

— Você não quer me fazer chorar, não é?

Ele bufou uma risada, agarrando-me sob os joelhos e firmando seu agarre.

— De jeito nenhum.

— Vamos tomar algumas bebidas — David chamou, levando-nos para a festa.

Ilia acendeu um cigarro.

— Sim, vamos ver o que esses merdinhas cheios da grana acham que são as "bebidas pesadas".

— Puxe o capuz — Lev me disse.

Segui as instruções, cobrindo-me enquanto descíamos rumo ao tumulto.

A expectativa estava me deixando zonza, mas eu não sabia definir se estava animada por estar em uma festa, ansiosa por ver Kai aqui, ou nervosa por conta das últimas palavras de Damon para mim. O que ele quis dizer? O que poderia me chocar depois de tudo que eu já tinha visto enquanto crescia? Eu não queria que nada arruinasse a imagem de Kai na minha mente.

Sim, definitivamente estava nervosa.

Vários grupinhos nos cercavam, algumas das meninas viraram a cabeça, seguindo os caras com os olhares. Não me surpreendia em nada. Não apenas parecíamos não pertencer a este lugar – com nossas roupas e sapatos sem marca e que custavam menos de cinquenta dólares –, mas os caras tinham realmente a aparência de criminosos.

David tinha um pouco menos de um e oitenta, e era o mais corpulento, mas o que o fazia se destacar mesmo era sua cabeça raspada e os braços fechados com suas tatuagens.

Ilia era o modelo. Ou poderia ter sido, provavelmente. Cabelo loiro, olhar sedutor, nariz afilado, mandíbula estreita – características que o faziam parecer um James Bond russo.

E Lev ainda era uma criança aos 21 anos. Sorriso contagiante, cabelo preto mais longo, raspado nas laterais, mais parecia pertencer a uma banda do que passar despercebido em Thunder Bay, incumbido de tarefas banais que um aluno da terceira série poderia realizar.

No entanto, eles eram bem atraentes. Só não para mim. Cresci ouvindo-os falar sem filtro algum, e fedendo a vômito após noites de libertinagem. Super *sexy*.

Isso mesmo, nojento. Então, não. Eles eram como Damon. Como irmãos.

Os caras pararam perto de uma caminhonete, cuja carroceria servia como uma espécie de bar improvisado. Pulei das costas de Lev enquanto David e Ilia pegavam copos e os enchiam no barril à frente. Lev pegou uma garrafa de *Patrón* e serviu uma dose em um copo vermelho.

Pensei em pedir uma, mas, com certeza ele negaria. Não era como se eu nunca tivesse ingerido bebida alcoólica ou algo assim. Damon gostava de companhia quando seus amigos não estavam por perto, então eu já havia bebido cerveja, sangria, coquetéis... Só não em público. Eles provavelmente sabiam que meu irmão não iria gostar.

Olhando para trás, notei David e Ilia ainda rondando o barril, mas outro cara apareceu do nada e puxou conversa. Eles riam abertamente, parecendo relaxados. Pela primeira vez.

— Vem comigo? — perguntei a Lev.

Ele olhou para mim, hesitando por um instante antes de assentir. Lançando um olhar por cima do ombro para David, disse:

— Vamos dar um giro por aí. Daqui a pouco a gente volta.

As sobrancelhas de David se curvaram em uma advertência.

— Não. Perca. Ela. De. Vista.

Vi quando Lev revirou os olhos e me cutucou, afastando-nos dali.

Demos a volta na caminhonete e seguimos à direita, em direção à fogueira, onde notei uma luta acontecendo nas proximidades. Não parecia ser nada sério, já que as pessoas estavam ao redor assistindo. Relanceei o olhar para a esquerda e direita, procurando pelo meu irmão.

E por Kai.

Mas não os vi em lugar nenhum. Eu sabia que na Noite do Diabo eles faziam seus trotes, então poderiam ainda não ter chegado. Mantive a cabeça baixa, no entanto. A pedido de Damon. Eu deveria apenas observar. Não interagir.

— Você vai fazer dezoito anos no próximo verão — ressaltou Lev. — Vai querer ir embora daqui?

Acenei em negativa, observando um garoto atirar marshmallows com um taco de hóquei, atingindo um grupo de rapazes.

— Eu não saberia para onde ir.

— Mas você sabe que pode, né? — ele me disse. — Você pode fazer o que quiser. Não precisa ficar com ele.

Eu o observei, estreitando o olhar. Ele não era de dizer coisas assim tão audaciosas. Desde quando ele se importava com o que eu fazia?

Não soube como responder.

Não era como se não tivesse pensado nisso. Sabia que as coisas mudariam em breve, mas não achava que seria para sempre. Eu ficaria onde estava até Damon sair da faculdade, e então... como ele disse, estaríamos por nossa conta. A ideia de partir para sempre – de viver sozinha, trabalhar sozinha, fazer amigos, ir e vir sem consequências – parecia exagerada demais para considerar. Mesmo se eu quisesse – o que não queria –, Damon não permitiria.

Desviei o olhar, baixando o tom de voz.

— Ele é tudo que tenho.

— E quem te disse isso? — retrucou. — Ele?

Eu o encarei. *Idiota.*

Então mudei de assunto.

— Vamos ver a luta? — Gesticulei em direção ao grupo de rapazes à distância e ele assentiu.

Passamos por mais lápides, e pude ouvir o burburinho da luta adiante. Eu estava acostumada a ver brigas, os caras lá de casa constantemente se provocavam quando estavam entediados. Até aprendi alguns movimentos.

— Quem é ela? — Ouvi uma mulher perguntar.

Eu e Lev paramos na mesma hora e, quando olhei para cima, deparei-me com uma jovem ruiva, os braços cruzados e olhando para ele como se ela estivesse a dois segundos de cuspir fogo.

Mas sem esperar que ele respondesse, a mulher se virou e começou a se afastar.

— Venha aqui — disse ele, agarrando o braço dela.

Mas ela se soltou de seu agarre.

— Vá se ferrar.

— Até quando? — retrucou, com o rosto colado ao dela. — Até a próxima vez quando seu namorado não puder te aliviar, princesa, e você vier me implorando por isso?

Meus olhos se arregalaram. Ele estava se pegando com uma garota de Thunder Bay? O que ele tinha na cabeça?

Para ela, era como se fosse apenas uma diversão com um bad boy pobretão. Não é possível que ele não soubesse disso.

A garota projetou o queixo para mim, fazendo uma careta.

— Quem é ela?

— Não importa.

Ela se virou e se afastou outra vez, o cabelo ruivo esvoaçando.

Ele olhou para mim.

— Fique aqui. Estou falando sério.

Ele a alcançou e a obrigou a entrar atrás de um túmulo, apenas as silhuetas de seus corpos visíveis.

— Onde ele está? — Lev perguntou, e avistei a coxa da garota se enrolar na cintura dele, ao mesmo tempo em que ouvi o som de tecido rasgando.

Ele? O namorado dela?

Ofegos, os dedos subindo a saia e... sim, isso era tudo o que eu precisava ver. Eu não sabia o que estava acontecendo ali e não estava nem aí. Eu me virei, deixando-os.

Puxando o capuz para baixo e cobrindo os olhos, fui em direção à luta, ouvindo os aplausos quando um corpo atingiu o chão. Espiei por entre as lacunas da multidão, observando um lutador de cabelo escuro montar sobre o adversário, e bastou que erguesse a cabeça o suficiente para que o reconhecesse.

Meu coração quase saiu pela boca. Kai.

Seu cabelo estava encharcado de suor, e notei uma gota de sangue escorrendo do nariz. Eles prosseguiram a briga, rolando, socando e lutando, e me escondi atrás de uma imensa sepultura, espiando pela lateral.

Kai rolou de costas, segurando o pescoço do garoto acima dele, os braços flexionados e cada músculo definido enquanto mantinha o outro cara em um mata-leão. Abdominais trincados e o jeans, agora mais caído em seus quadris por conta da luta, aqueceram minhas bochechas.

O amigo do meu irmão era gostoso. Por que eu tinha que desejar logo ele?

Damon pode eventualmente se resignar ao me ver apaixonada por alguém algum dia, mas ele não toleraria que fosse seu melhor amigo.

Sorri por dentro, vislumbrando o quanto ele parecia estar feliz agora. Não que o tivesse visto muito, mas não me lembrava de já o ter visto com uma expressão tão descansada antes. Como se estivesse finalmente vivo.

Eu poderia observá-lo a noite toda.

Até que senti o cheiro familiar dos cigarros do meu irmão. Virando a cabeça, o vi soprar uma baforada de fumaça, jogar a bituca no chão e pisotear. Ele se postou atrás de mim, apoiando o braço na lápide.

— Então, era isso que você queria que eu visse? — perguntei a ele, enquanto observávamos Kai esmurrar seu oponente. — É preciso muito mais do que isso para nos chocar, lembra?

— Isso não. — Ele balançou a cabeça. — Apenas espere.

Voltei a olhar, esperando o grande mistério sobre Kai Mori se revelar. Eu não conseguia imaginar o que Damon achava ser tão chocante. Eu não era assim tão fácil de impressionar.

Ele suspirou ao meu lado, olhando em volta.

— Eles te deixaram sozinha de novo. Eu realmente vou matar alguém um dia desses.

Eu sorri, sentindo pena dos caras que deveriam me vigiar. Era um trabalho ridículo, sendo que eles eram preparados para muito mais.

— Você não é tão misericordioso. — Olhei para ele, deparando-me com algo no canto de sua boca. — E você tem mostarda no lábio. E está com bafo.

Ele abriu a boca e bufou na minha cara, o cheiro de cigarro e cachorro-quente – ou o que acabara de comer – agredindo minhas narinas. Estremeci e me virei.

— A última garota não se importou — debochou. — Claro, eu não estava beijando seus lábios. Não os de cima de qualquer maneira.

Ele enlaçou meu pescoço e lambeu minha bochecha como um cachorro desleixado.

— Que nojo! — rosnei, empurrando-o para longe e limpando meu rosto. — Jesus.

Ele apenas gargalhou.

— Sim, é tudo que eu preciso, o "suco" de uma garota esparramado em cima de mim. Obrigado.

Ele bagunçou meu cabelo por cima do capuz, ainda rindo. Claro, seu prazer na vida era perturbar todas as pessoas ao seu redor, e eu não estava excluída disso. Nunca.

Eu me acalmei e voltei a contemplar a luta, vendo Kai levar um soco na mandíbula. Ele devolveu um gancho de direita e empurrou o oponente para trás. Os fios úmidos do cabelo castanho do garoto cobriram seus olhos, mas ele deve ter visto Kai avançando em sua direção, e esticou as mãos, acenando que precisava recuperar o fôlego.

Kai se virou, de frente para nós, e vi o sorriso em seu rosto. Meu sangue ferveu.

Todos aplaudiram quando o outro cara se rendeu, a luta finalizada tendo Kai como vencedor. Tentei conter meu sorriso, mas não por completo. Ele era bom. Muito mais do que bom. Ele provavelmente poderia ter terminado a luta bem mais cedo.

Eu o observei pegar a camiseta do chão e limpar o rosto e o corpo enquanto resgatava o fôlego.

E então o vi enfiar a camisa no cós da calça, quando uma loira agarrou seu cinto e o puxou para ela. Meu sorriso se desfez.

Ela olhou para ele com um sorriso tímido, e a expressão do rosto dele suavizou ao colocar as mãos ao redor dela, enquanto a encarava.

O que...

— Essa é Chloe — meu irmão informou, em um tom inexpressivo. — A namorada dele.

Minha respiração acelerou, e senti uma ardência súbita em meus olhos. Ele não tinha namorada. Quer dizer, ele *tinha*. Eu o tinha visto com garotas, mas...

Não. Ele não teria me encurralado na torre do Campanário, não teria confessado todas as coisas que fizera, se tivesse uma namorada. Kai não era assim. Ele não era... Damon.

As mãos dele deslizaram até a bunda da garota, enquanto ela percorria os lábios ao longo de seu queixo. Ela parecia estar sussurrando coisas, porque ele respondeu com uma risada ou um sorriso.

Baixei o olhar, sabendo que não tinha o direito de ficar brava. Ele não era meu.

Apenas pensei que fosse diferente. E, sim, senti um pouco de inveja.

— Ele está sempre no clima depois da adrenalina — explicou Damon. — Uma luta, uma corrida de carros, observando alguém...

Ou perseguindo, concluí o pensamento, lembrando-me de tudo o que aconteceu hoje e como o que meu irmão disse fazia todo sentido. Kai gostava de preliminares.

— E ela está sempre aí para ele — Damon continuou ao meu lado, observando o casal à distância. — Além de nós, ela é uma das melhores amigas dele. Campeã estadual de tênis, capitã da equipe de matemática, trabalha no jornal da escola e compete com o Clube de xadrez... tudo o que o pai de Kai quer para ele. Uma namorada da qual se orgulhar. — Ele colocou a mão no meu braço, apertando suavemente enquanto eu observava os dois ao longe. Meu irmão continuou: — Alguém com oportunidades, ambição e motivação. E do ponto de vista de alguém que os viu em uma mesa de piquenique no verão passado, quando todos acampamos no litoral, ela parece ser boa de cama também.

Fechei os olhos perante a imagem projetada em minha mente. Lágrimas brotaram.

— Sim, ela gosta de foder, de verdade. Especialmente com ele — disse Damon.

Mantive a cabeça baixa, mas observei tudo através das lágrimas nos meus olhos, vendo suas mãos o tocando, seu corpo colado no dele.

Um ajuste perfeito.

— Eu te disse — sussurrou Damon no meu ouvido. — Os caras vão dizer qualquer coisa. E nós nem temos que mentir tão bem. As garotas querem acreditar. — Senti seu braço me circundar quando ele apoiou a bochecha na minha têmpora. — Mas seus olhos lhe dirão a única verdade que você precisa. Você sabe disso. Apenas olhe para ela.

Rapidamente enxuguei uma lágrima no canto do olho.

— É ela quem sai com ele... é esse o tipo de namorada que deveria se sentar no colo dele — continuou meu irmão. — É ela quem usará um lindo vestido de formatura ao lado dele em maio. Quem conhecerá seus pais e jantará com eles. É a garota que manda mensagem para ele tarde da noite e o deixa de pau duro. Esse é o normal dele, Nik. Você tem um lugar, e não é com ele. Isso nunca daria certo.

Meu queixo tremia quando assenti. Sua minissaia xadrez ou meu jeans de segunda mão? Sua camisa apertada ou meu moletom enorme? Seu dinheiro, educação e todo o futuro à frente dela ou o meu... nada?

Balancei a cabeça. Foda-se ele. Eu não precisava de todas essas coisas, e se era isso que o interessava – aparências –, então eu estava melhor sem ele. Eu seria mais do que todos eles.

Dando a volta, me soltei do agarre do meu irmão e saí em direção oposta. Damon não viria atrás de mim. Ele sabia que eu estava fora de perigo agora, sem dúvida alguma, satisfeito consigo mesmo por ter me afastado de Kai.

Eu podia ficar com raiva do meu irmão por nunca proteger meus sentimentos ou entender algumas das coisas que eu queria, mas ele sempre me dizia a verdade na lata. Iludir meu pobre coração não me ajudaria em nada.

Ele era o meu melhor professor.

Olhei ao redor procurando por David, tirando meu moletom e o amarrando na cintura. De repente, estava me sentindo afogueada, a irritação formigando pela minha pele.

Perambulando pelo cemitério, conferi se eles não estavam perto do barril de bebidas onde os vi pela última vez; depois subi a colina, procurando dentre os pequenos grupos de pessoas em busca dos caras. Senti o ardor em meu estômago, a raiva se solidificando. Eu precisava chegar em casa. Não queria mais olhar para essas pessoas. Ou ouvir a música deles. Ou lidar com todo o drama. Eu queria sair daqui antes que Kai me visse. Ele pensaria que eu o segui.

— O que você acha dessa? — alguém falou.

Levantei a cabeça, voltando ao presente.

Quatro rapazes vagavam em torno de um túmulo aberto, dois deles sentados em lápides próximas. Acabei me afastando para uma área distante da festa, todo o barulho e iluminação agora para trás.

Merda. Será que aquele túmulo estava vazio?

— Parece ser do tipo que se assusta facilmente — disse outro, levantando-se e soltando uma baforada de fumaça. — Para mim, serve.

O quê?

Comecei a me afastar para ir embora, mas um deles parou na minha frente, me assustando.

— Quer participar de uma brincadeirinha? — ele perguntou, malícia iluminando seus olhos castanhos.

— Não.

— Chama-se Sete Minutos no Paraíso. — Ele segurou minha mão e me entregou uma moeda. — Jogue isso pra cima. Aquele de nós que a pegar, te leva até lá.

Lá? Paraíso?

— Não, obrigada. — Dei a volta, procurando por alguém. Pelo *moicano* preto de Lev, a cabeça raspada de David, a fumaça de cigarro de Damon subindo no ar...

— Jogue — outro cara exigiu.

— Vá se ferrar! — Joguei a porra da moeda nele e, de repente, cada um deles se jogou no chão atrás dela.

Merda! Eles se embaralharam uns nos outros, rindo, mas antes que eu pensasse em correr para longe dali, o carinha de olhos castanhos com a jaqueta de couro preta ficou de pé, erguendo o punho em triunfo, sem sombra de dúvida com a moeda em seu poder.

— Peguem ela! — ele gritou.

— O quê? — disparei.

Todos correram na minha direção, e eu recuei quando agarraram meus braços, machucando a pele dos meus pulsos enquanto me puxavam para frente.

— Não, não!

Mas eles não me deram ouvidos. Eles me balançaram por cima do buraco, e eu me contorci e esperneei, mas fui jogada daquela distância rasa até o fundo da cova obscura.

Aterrissei em um baque, e tropecei para ficar de pé; choquei-me contra a parede da sepultura, sentindo a dor súbita no meu pulso. Respirei fundo e pausadamente, girando ao redor para me assegurar de que o túmulo estivesse vazio.

Havia terra por toda parte, sob as solas dos meus sapatos... eu não sabia se era uma cova recém-escavada para algum enterro neste fim de semana, ou uma cova antiga apenas não funda o bastante por cima do caixão.

— Ai, meu Deus. — Pulei, tentando me agarrar à terra no topo, mas meus dedos deslizaram por ela. — Me tirem daqui! — berrei.

Tentei o outro lado, pulando desesperadamente, tentando me controlar.

No entanto, uma figura aterrissou à minha direita e deparei com Olhos Castanhos novamente.

— São apenas sete minutos — disse ele em um tom arrogante. — Quanto será de estrago que posso realmente te causar?

— Vamos descobrir! — um de seus amigos gritou de cima.

Olhos Castanhos sorriu e avançou sobre mim.

— Vem cá, querida.

— Pare! — Eu o empurrei, me virei e pulei o mais alto que pude, finalmente agarrando um pouco de grama.

Mas meus dedos resvalaram e eu caí novamente, desabando no outro lado da sepultura. Meu braço desnudo se chocou contra a terra molhada, as raízes proeminentes arranhando minha pele.

E, mais uma vez, o cara me encurralou. Ele me imprensou em um canto, segurando minha cintura.

— Qual o seu nome?

— Qual o *seu* nome? — retruquei, rangendo os dentes.

— Flynn.

— Ótimo. — Empurrei suas mãos para longe de mim, tentando me afastar do canto. — Espero que você goste de cobras, Flynn.

— Hã? — Confusão tomou conta da sua expressão, mas não me dei ao trabalho de explicar o método favorito do meu irmão na hora de torturar qualquer um que mexesse comigo.

Todos os músculos do meu corpo retesaram de tal forma, que eu os podia sentir queimando; ergui meu punho e o acertei na lateral da cabeça. Foi um golpe meio desajeitado, mas ele recuou e estremeceu de dor. Eu o empurrei, derrubando-o de bunda no chão.

— Socorro! — Saltei, batendo a palma da mão contra a parede de terra. — Deixem-me sair daqui!

— Eita, porra! — Ouvi os grunhidos acima, mas não conseguia ver ninguém.

Respirei fundo, nervosa, de olho no imbecil que tentava se levantar ao meu lado e no topo do túmulo, agora vazio. Onde diabos estavam seus amigos?

E então alguém se aproximou da beirada da sepultura, ofegando enquanto olhava para baixo.

Kai? Por que ele não estava com sua rainha loira do baile?

Ele deu um passo, pulando dentro do túmulo e aterrissando de pé. Ignorei a batida acelerada do meu coração quando ele me encarou, preocupado, varrendo minuciosamente o meu corpo em busca de escoriações.

— Kai, mas que porra, cara? — o outro cara resmungou, ainda segurando a lateral da cabeça. — Nós estávamos apenas brincando.

Mas ele se virou para o garoto, invadindo seu espaço pessoal.

— Cinco... quatro... três — ele resmungou, e a expressão do cara tornou-se apavorada. — Dois... — continuou — U...

Então o Jaqueta de Couro disparou antes que ele terminasse de contar, escalando a parede até alcançar o topo.

Desapareceu.

Kai virou-se para mim, estendendo a mão para o meu rosto.

— Você está bem?

No entanto, afastei sua mão com um tapa, dando um passo para trás.

Qual era o problema com esses caras? Doente, sádico... Eu deveria ter dado um chute nas bolas do babaca quando o joguei no chão.

— Ei — disse Kai, estalando os dedos diante do meu rosto. — Eles foram embora. Está tudo bem. Você está machucada?

Pisquei, tentando processar através da nuvem de ódio que sentia, o que ele havia me perguntado.

Não. Não, não me machuquei. Mas meus nervos estavam em frangalhos.

Passei por ele, pulando e grunhindo enquanto tentava agarrar qualquer coisa que me tirasse daqui. Como aquele idiota conseguiu sair com tanta facilidade?

— Isso não vai funcionar — informou Kai.

Parei, cerrando os punhos e borbulhando de raiva.

— Então me tire daqui.

— Tudo bem, apenas espere.

Ele recuou para o menor lado do túmulo, como se estivesse dando distância para começar a correr e escalar a parede.

Mas, então estendeu a mão e agarrou meu braço.

— Espere, o que aconteceu? — perguntou.

Torci meu braço, vendo sangue escorrer do meu cotovelo.

Hein? Nem senti quando isso aconteceu. Deve ter sido durante a luta.

Kai tirou a camisa do cós da calça e limpou o sangue.

— Banks!

Respirei fundo e ergui o olhar ao ouvir meu nome sendo chamado.

— Merda — murmurei, baixinho.

— Banks! Onde você está?

Baixei os olhos e deparei com Kai me encarando, o cenho franzido.

— Esse é o seu nome?

Droga. Eles não me deixariam em paz se me encontrassem ali com ele, mesmo que não tenha sido minha culpa. Eles contariam a Damon e eu nunca mais poderia sair de casa.

Kai soltou meu braço e correu, pulando até a beirada para espiar. Depois de um momento verificando, ele voltou ao meu lado.

— Quem são esses caras? — perguntou. — Eles são os mesmos que pegaram você na estrada hoje cedo.

— Apenas me deixe sair.

— Quem são eles?

— Irmãos — respondi, sarcasticamente. — Eles me compartilham, tá bom? Às vezes, eles fazem isso em festas. Você quer um pedaço?

— Banks! — Ouvi David berrar, já sem paciência. Olhei o topo da sepultura, preocupada, e me encolhi no canto.

Droga.

Mas Kai apenas revirou os olhos, com um ar divertido.

— Ela está aqui! — ele alertou.

Mas que por...? Eu me joguei sobre ele, cobrindo sua boca com a minha mão enquanto segurava sua nuca com a outra.

— Cale a boca! — sussurrei.

Puxei nossos corpos para serem envolvidos na escuridão de um dos cantos.

— Shhh... — implorei em um sussurro. — Se eles me encontrarem com você, serei presa até ficar velha e grisalha.

Senti o sorriso por baixo da minha palma, e ele plantou as mãos contra a parede de terra atrás de mim, o olhar escuro fazendo meu estômago dar cambalhotas.

Ele sacudiu a cabeça, afastando minha mão.

— Você é confusão na certa.

— Então, pare de procurar por isso.

Nós nos encaramos, em desafio. Seu corpo estava pressionado contra o meu, e eu podia senti-lo se mover enquanto respirava. *Inspirando, expirando. Inspirando, expirando.*

Meu olhar pousou em seus lábios e umedeci os meus.

Ele se inclinou, seu hálito acariciando meu rosto, ciente de que ele ia me beijar. Mas alguém gritou logo acima, nos detendo.

— Kai! — A voz de uma mulher perfurou o ar noturno.

Vi seus olhos se fechando quando murmurou:

— Porra.

A realidade me atingiu novamente.

— Essa é a Chloe? — provoquei.

Seus olhos se abriram, me avaliando.

— Você a conhece?

— Eu sei que você é dela.

— Quem te disse isso?

Fiquei em silêncio, notando a confusão estampada em seu rosto.

— Não. — Ele riu, balançando a cabeça. — Tá bom? Nada disso. Ficamos algumas vezes por um longo tempo, mas...

— Mas...?

— Nós terminamos — ele garantiu. — Há muito tempo.

— Mas vocês ainda se pegam, não é?

Ele desviou o olhar, desconfortável, e um sorriso envergonhado surgiu em seu rosto.

— Kai? — insisti.

Então deu de ombros, parecendo se desculpar.

— É melhor ficar com uma garota que eu já conheço, do que com outra que pode se tornar pior do que ela, okay?

Eu pouco me importava. Se ele ainda gostava de dormir com ela, então a garota não poderia ser assim tão ruim. Era apenas mais conveniente confiar em algo certo do que ter que se esforçar para seduzir outra pessoa.

Típico.

— Olha... — Ele segurou meu queixo, me obrigando a encará-lo. — Eu nunca teria tentado nada com você naquela torre se tivesse uma namorada. Ela está saindo com outros caras. Nós não estamos juntos.

— Não estou nem aí.

Passei por ele para tentar subir pela parede, mas agarrando o cós do meu jeans, ele me puxou de volta contra seu corpo, aquecendo meu ouvido com seu hálito quente.

— Eu gosto mais de você.

Minhas pálpebras estavam pesadas de repente, e meu corpo formigou em todos os lugares. No entanto, fiz de tudo para manter a raiva fervente.

— Como se eu me importasse com isso — eu disse. — Se eu não estivesse aqui, você estaria "gostando" muito mais dela no banco de trás do seu carro neste exato momento, não é?

Ele riu no meu ouvido.

— Você é tão cruel — disse, e, em seguida, se aquietou, sinceridade se mostrando através de sua voz suave quando me virou para encará-lo. — Eu realmente gosto de você.

Eu não sabia o que dizer. O que poderia falar diante de suas palavras? Por alguma razão, porém, foi muito bom ouvir isso. Kai era gentil.

— Deixe-me tocar em você — ele sussurrou, os olhos fixos aos meus enquanto me puxava para mais perto.

Eu o vi avançar e, lentamente, inclinei a cabeça para dar acesso ao meu pescoço. Seus lábios tocaram minha pele e minhas pálpebras tremeram. Ele me trazia a melhor sensação do mundo.

— Não quero ir a encontros — falei, indo direto ao ponto. — Eu não gosto de muita gente.

Senti o sorriso contra a minha pele enquanto ele continuava uma trilha de beijos.

— Nem eu. O que você acha de você, eu e a Netflix?

Aí, sim.

— E ninguém pode saber que estou *brincando* com um garoto rico, tá bom? Eu perderia minha reputação.

Ele bufou, tremendo de tanto rir.

— Ei, não é a etiqueta do jeans que importa e, sim, o que há em seu interior. — Ele me levantou, segurando minha bunda e me pressionando contra seu corpo.

Gemi, sentindo o calor entre nós. *Sim, tudo bem, espertinho.*

Inclinando-me, abri os lábios e ele mergulhou, capturando-os. Gemi em sua boca. *Ai, meu Deus.* A calidez, o sabor... Ele me beijava devagar, mas intensa e profundamente, e eu me derreti nele, espelhando seus gestos, sugando e mordiscando.

Meu corpo inteiro estava ligado, uma corrente elétrica se espalhava dos meus lábios através de todas as terminações, fazendo-me ansiar pelos seus beijos em todos os lugares.

— De onde você é, Banks? — sussurrou, mordendo meu lábio. — Por que mora com os Torrance?

Espalmei uma mão na lateral de seu rosto, segurando-o quando recostei minha testa à dele.

— Não importa. Não quero ser *eu* hoje à noite, tá bom? — Eu me afastei, dando-lhe um pequeno sorriso e desafiando-o. — Estamos no confessionário e ninguém pode nos ver. Vamos fugir e não olhar para trás hoje à noite.

Seus olhos se iluminaram ao acariciar meu rosto.

— Caralho, sim — respondeu. — Com uma condição.

Ele me colocou de pé e pegou algo de dentro do jeans. Olhei para baixo, entre nossos corpos próximos, e avistei uma espécie de cartão.

Quando Kai o levantou à altura dos meus olhos, vi gravado no plástico escuro: *The Pope*, em Meridian.

Um cartão-chave?

Eu o encarei, vendo a emoção que sentia refletida em seus olhos.

Ele tinha reservado um quarto? No *The Pope*?

— Quero encontrar o décimo segundo andar — disse ele. — Quer se aventurar comigo?

Soltei um sorriso e não pude evitar – enlacei seu corpo com meus braços, me enfiando em seu peito. Eu acabaria me apaixonando perdidamente, se ele não se cuidasse.

Isso destruiria *totalmente* minha reputação.

Como ele conseguiu um quarto? Deve ter sido mais cedo hoje, depois da confissão, sei lá.

Inclinei-me para trás e assenti, afastando-me de seu abraço.

— Vamos lá...

Mas então, de repente, um agarre em minha camiseta me levantou do chão. Senti as mãos apertando meus braços, puxando-me para cima da cova.

— Ei! — gritei, meu coração batendo na garganta.

— Que diabos? — Ouvi o berro de Kai logo abaixo.

Aterrissei na grama fria, o vento me atingindo na mesma hora. Quando me virei, avistei vários pares de botas pretas.

Quem…

No entanto, instantaneamente deparei-me com seus rostos. David, Lev, Ilia e... Damon estavam pairando sobre mim, me encarando. Os olhos escuros do meu irmão estavam em chamas.

Ah, não...

Levantei-me bem devagar, olhando para baixo.

Porém mantive a cabeça erguida. Acovardar-me não faria bem desta vez.

Kai pulou para fora da sepultura, levantando-se e postando-se à minha frente.

— Damon? — ele disse, respirando com dificuldade enquanto olhava para meu irmão. — Que diabos, cara?

Abri a boca para dizer algo – sem nem saber o quê –, mas Damon agarrou meu pulso e me puxou para trás de si.

— Fique quieta, porra — rosnou para mim.

Kai avançou sobre ele.

— Que porra você está fazendo?

Meu irmão se virou para ele.

— Você não está mexendo com o que é meu, não é? Achei que fôssemos irmãos e tal.

Fechei os olhos. *Ah, meu Deus.* Eu podia sentir o olhar de Kai sobre mim. A confusão explícita.

— Sua? — ele retrucou. — Eu não sabia que ela era sua. Você agiu como se não a conhecesse no Campanário!

Olhei rapidamente entre ele e meu irmão, sentindo as lágrimas brotando. As pessoas estavam começando a se reunir ao redor, e vi quando Michael e Will entraram em cena também.

O olhar perscrutador de Kai se manteve fixo em mim, o cartão-chave ainda em sua mão.

— E lamento dizer — continuou ele —, mas não parece que ela queira ser sua. — Então, ele se dirigiu a mim: — Você quer que eu te leve para casa?

Não.

Leve-me para qualquer outro lugar.

— Você quer que *ele* te leve para casa? — Meu irmão olhou para mim, me desafiando com sua voz gélida.

Porém, não era uma escolha.

Eu adoraria ser outra pessoa, estar em qualquer outro lugar, mas... era isso. Damon precisava de mim. Kai, não. O que aconteceria com meu irmão se eu partisse seu coração?

Segurei a mão dele com a minha, negando com a cabeça.

Pude sentir o silêncio de Kai me cortando por dentro.

— Bem, isso é divertido pra caralho — Will falou. — Vamos, cara, deixe-a em paz. — Ele cutucou Kai. — Damon tem prioridade aqui. Qual é o problema?

— Desde quando Damon se preocupa com prioridades? — Kai rosnou para Will. — Se uma garota não estiver disponível, ele parte para a próxima. Mulher nenhuma vale a pena, não é? — ele desafiou meu irmão. — Você nunca escolheu uma garota antes de nós. E se eu a quiser também?

— Bem, você não pode tê-la — Damon respondeu. — É bom ter uma boceta pura e limpinha só pra mim.

Vômito subiu à minha garganta com a implicação de suas palavras e pelos risos ao redor.

Damon se virou para mim.

— A quem você pertence? Quem você ama?

Balancei a cabeça, a raiva destruindo toda a felicidade que eu acabara de sentir naquele túmulo. Filho da mãe.

Mas o sangue era um elo eterno.

— Eu *te* amo — eu disse, olhando para ele.

E vislumbrei o brilho de alívio em seus olhos antes que se tornassem gélidos novamente. Ele realmente tinha alguma dúvida?

Ele beijou minha testa.

— Vá para o meu quarto e me espere lá — instruiu, dando-me um tapa na bunda e olhando para seus amigos. — Eu posso querer um pedaço quando chegar em casa. Seja a hora que for.

Risadas me cercaram novamente, e David colocou a mão nas minhas costas, empurrando-me para longe.

Nós quatro andamos em direção ao SUV, deixando meu irmão e seus amigos, mas ouvi a advertência que deu a Kai enquanto eu puxava meu capuz de volta.

— Ninguém mais a toca — disse ele. — Jamais.

Não. Jamais.

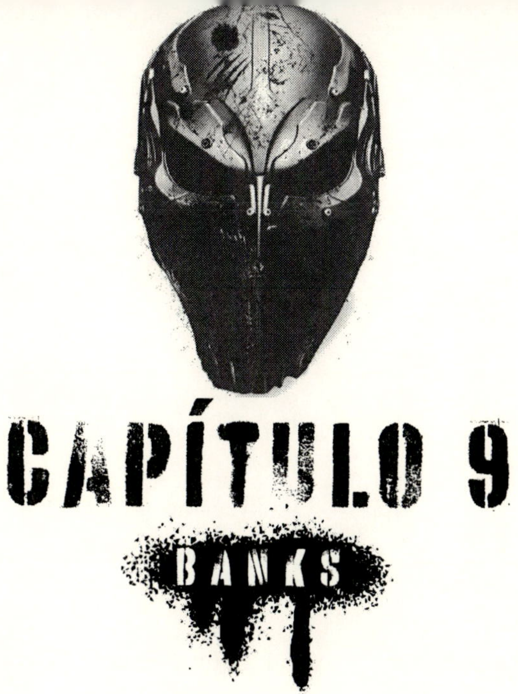

CAPÍTULO 9

BANKS

Dias atuais...

Kai Genato Mori, LI BAIXINHO. *Nascimento: 28 de setembro, Thunder Bay... sem irmãos.*

Sua vida estava detalhada página após página, as notas impecáveis e estatísticas de basquete e natação. Além de sua prisão e atividades desde que foi solto mais de um ano atrás.

Com exceção do motivo que o levou a ser preso – agredir um abusador de crianças que por acaso também era policial –, ele sempre foi um garoto exemplar. Sabia como se divertir, mas nunca foi além do limite como Will.

Ele gostava de mulheres, mas elas não pareciam odiá-lo por ser assim, da forma como odiavam Damon.

E ele poderia ser difícil, rude e assustador, mas nunca da maneira cruel como Michael era.

Kai era o melhor dentre todos em seu pequeno grupo.

Até sair da prisão. Agora ele estava diferente.

Nada de mulheres, pelo menos não publicamente. Nunca ingeria mais de uma bebida, a menos que o fizesse em privado. E agora parecia que não era apenas mau, mas, sim, cruel às vezes.

Parei em uma fotografia dele tirada enquanto caminhava para Hunter-Bailey. O detetive o registrou na calçada, o paletó preto chicoteando contra o vento, a gola da camisa branca aberta, uma mochila pendurada no ombro e o cabelo negro destacando o olhar severo. Observei sua camisa, lembrando-me da sensação do homem por baixo quando vestia uma camiseta e um agasalho com capuz.

Cálido. Era disso o que me recordava.

Muito quente.

Fechei a pasta de arquivo, inspirando profundamente e enfiando-a debaixo do assento junto às outras. Eu tinha visto meu irmão brincar com inúmeras meninas, tratando-as como brinquedos insignificantes e depois descartando-as como lixo. Eu sabia quão horríveis os homens podiam agir com as mulheres com quem estavam transando. E as mulheres não somente aceitavam isso, como voltavam pedindo mais. Imploravam por isso, de fato.

Eu nunca seria assim.

— Onde diabos ele está? — David resmungou do banco do motorista, sacudindo as cinzas do cigarro pela fresta da janela.

Olhei pela janela do passageiro, tentando enxergar algum movimento na casa de tijolos pretos através dos filetes de gotas de chuva que deslizavam pelo vidro. Havíamos chegado há quinze minutos, e enviei uma mensagem informando que estávamos aqui. Mesmo que não tenha respondido, eu sabia que ele estava em casa. Seu Audi RS7 estava na entrada da garagem, embaixo de uma árvore, sendo emporcalhado por todas as folhas que se desprendiam na chuva.

Verificando meu telefone, vi que agora eram oito e quinze. Se ele não saísse de casa em breve, eu iria embora. Tinha outras coisas para fazer além de esperar por ele.

Lev bocejou à esquerda e olhei por cima, vendo seu assento reclinado e os olhos fechados. Ele ainda usava o mesmo jeans preto e camiseta branca sem mangas da noite passada e fedia a um banheiro de bar.

— Quando Vanessa deve chegar? — David me perguntou.

Olhei pela janela, meu coração batendo forte apesar de tudo.

— Em uma semana mais ou menos.

— Como ela reagiu às novidades?

— Isso importa?

Eu podia sentir seu olhar através do espelho retrovisor, mas o ignorei. Gabriel ligou para Londres no final da noite passada e me enviou instruções para lidar com ela quando chegasse. Ela não estava feliz, mas sabia que esse dia chegaria. Uma hora ou outra, ela teria sido vendida para alguém, e desde que esse alguém mantivesse o estilo de vida ao qual estava acostumada, ela obedeceria às ordens que lhe foram dadas.

Gabriel disse que ela ao menos estava feliz por Kai ser pelo menos jovem e bonito.

Fechei os olhos por um momento. *Kai não vai seguir em frente com isso.* Essa era uma coisa da qual estava confiante de que não havia mudado. Sua integridade. A princesa Nikova, que faz beicinho se tiver que espirrar, o irritará sem dar trégua.

Sorri internamente. De forma alguma ele conseguiria suportá-la.

— Sabe... se precisar de mim — disse David, e eu abri os olhos, encontrando os dele no espelho — a qualquer momento... eu estarei lá.

Eu queria acenar para ele. Esforcei-me arduamente para conseguir o reconhecimento e o respeito que agora tinha na casa de Gabriel. Odiava estar sendo expulsa como se fosse dispensável. Mas meus ombros relaxaram um pouco, ao me conscientizar de que realmente não estava sozinha nisso. Eles ainda estavam lá por mim.

Ele soprou fumaça, balançando a cabeça como se estivesse pensando em voz alta:

— Eu não gosto desse cara.

Contive o sorriso.

— Que tipo de caras você gosta?

Lev começou a rir baixinho, com os olhos ainda fechados, e olhei para cima, vendo David, perplexo, me mostrar o dedo médio pelo espelho retrovisor.

Voltei a observar a casa. As persianas das janelas eram tão baratas. Dava para ver daqui. A pintura externa estava desgastada e os tijolos lascados em muitos lugares. Eu esperava que o interior fosse melhor. Seria necessário um monte de caras para conseguir reformar esse lugar em duas semanas.

— Damon era é um fodido das ideias — continuou David —, mas ele nunca escondeu isso de ninguém. Esse cara... — Ele olhou pela janela do lado do passageiro para a casa. — Eu não sei.

David reclinou a cabeça no encosto e, por mais que meu coração tenha se aquecido por ver que ele realmente estava preocupado comigo, na companhia constante de Kai, eu não queria que se preocupasse. Queria manter o controle adquirido e me empoderar mais ainda. Não ajudava em nada que os caras com quem trabalhei tentassem me socorrer para atravessar cada poça maldita, de forma que minhas anáguas não se respingassem de lama. Eu poderia lidar com Kai Mori.

— Ele é muito controlado — disse David. — Pessoas muito feridas podem ser imprevisíveis.

Coloquei o celular dentro do meu colete de inverno e puxei as mangas da minha blusa.

— Não se preocupe com ela — disse Lev, os olhos ainda fechados. — Em duas semanas, ele terá sua linda noivinha para brincar.

Não consegui evitar. Meus lábios se curvaram, e um rosnado irritado se formou até que disfarcei minha reação rapidamente.

Sim, ele a terá, não é? Então uma imagem dos dois juntos surgiu na minha mente: sozinhos naquela casa, olhando um para o outro, esbarrando um no outro, se conectando e essas merdas todas... Sentei-me ereta e soltei o cinto de segurança.

— Se Gabriel quisesse que vocês pensassem, ele o teria colocado no comando — murmurei. — Eu já volto.

Imensas gotas de chuva me atingiram quando subi correndo a escadaria de cimento, os dedos enluvados enfiados no bolso.

Toquei a campainha.

Este lugar era um lixo. O jardim negligenciado e coberto de vegetação tinha uma aparência sombria e uma varanda imunda repleta de jornais, vasos de flores vazios e folhas mortas. Por que ele morava aqui? Eu tinha certeza de que poderia ter se mudado para o Delcour – o edifício alto e luxuoso de Michael Crist, do outro lado do rio – de graça. Erika Fane e Will Grayson moravam lá, então por que Kai optou em ficar aqui tão longe e sem seus amigos?

Claro, sempre soube onde ele morava desde que comprou este lugar há um ano, mas nunca me importei com isto até então.

Só que, agora que eu precisava ajeitar esse buraco de um jeito decente para uma esposa morar, estava começando a perceber quanto trabalho precisava ser feito.

Toquei a campainha novamente, ficando cada vez mais irritada. Onde diabos ele estava?

Bati na porta de tela, a madeira velha rangendo a cada batida.

— Olá — gritei, em um tom exigente.

Olhando pela janela à direita, avistei um piso empoeirado e uma pequena mesa virada, o restante da sala escondido da vista por conta da velha persiana amarelada pendurada em um canto só.

Suspeita rastejou em minha mente quando aprumei a postura.

Havia alguma coisa errada. Ninguém morava aqui.

Nunca tive a impressão de que Kai Mori precisasse de um palácio para se contentar, mas ele era, definitivamente, o tipo de homem que se orgulhava de si mesmo e de tudo que lhe pertencia. Ele cuidava das suas coisas, e este lugar não parecia nem um pouco bem-cuidado.

Olhei para o alto da colina, à direita, vendo uma grande casa de pedra acinzentada. Um pouco pequena para ser considerada uma mansão, mas grande o suficiente para chegar perto disso. Era cercada por um imenso portão preto, sendo a única casa vizinha de Kai. Eu deveria ter pesquisado quem morava lá. Garantir que não fossem curiosos intrometidos.

Dei um olhar de relance para o carro, sem conseguir ver Lev através das janelas com película, mas pude ver David pelo para-brisa, observando-me.

Foda-se. Resolvi abrir a porta de tela e girei a maçaneta, encontrando-a destrancada. Empurrei-a hesitantemente e dei um passo para dentro da casa de Kai Mori, olhando de um lugar para o outro.

Uma luz turva iluminava o chão, atravessando as janelas imundas, enquanto sombras de gotas de chuva dançavam sobre a madeira suja. Lençóis cobertos de poeira repousavam sobre objetos que pareciam cadeiras, mesas e um sofá.

Deixando a porta aberta, entrei devagar na sala, observando a lareira com seus tijolos manchados de fuligem e uma pilha de carvão antes de ir para a cozinha e avistar a geladeira e o fogão dos anos 50, bem como o piso de linóleo antigo. As bancadas eram de uma cor rosa bem retrô.

Contive uma risada, divertida. Jesus. A quem ele queria enganar? Esta não era a casa dele. De jeito nenhum.

Voltando pelo vestíbulo, subi as escadas, dois degraus de cada vez, e perambulei por dois quartos e um banheiro, nenhum deles parecendo ter sido habitado. Não havia comida, nem louça usada, escova de dente, roupas, nem TV, ou lâmpadas...

Até que atravessei o corredor, e entrei no último quarto, olhando em volta. Parei na mesma hora quando vi a cama. Era o único quarto mobiliado.

Os lençóis estavam perfeitamente estendidos sobre o colchão. Eu deveria acreditar que ele dormia aqui?

— Olá! — gritei novamente.

Mas não ouvi nada além do som da chuva do lado de fora.

Saí do quarto e abri algumas portas de um armário no corredor, verificando canto por canto. As prateleiras estavam vazias, sem nem ao menos toalhas de banho.

Qual é a do mistério aqui, Kai?

— Olá! — berrei.

Fechei a última porta e virei-me, vendo-o, de repente, bem na minha frente.

Ofeguei com o susto, quase sentindo o coração sair pela boca.

— Merda! — explodi, arfando, enquanto ele apenas me olhava. — De onde diabos você veio?

Ele estava vestindo jeans e um pulôver preto de marca, parcialmente aberto e revelando a camiseta branca por baixo.

Ele apontou a cabeça para trás, o cabelo perfeitamente estilizado e no lugar.

— Do quarto.

Estreitei o olhar em sua direção.

— Eu estava ali dentro — eu disse a ele. — E você, não.

Havia uma cama e velas, uma cômoda e nada mais. Onde ele estava então? Escondido no armário?

Percebi que respirava com dificuldade, então fiz de tudo para me acalmar.

— Eu toquei a campainha e o chamei várias vezes. Era como se ninguém estivesse aqui — falei.

Mas ele me ignorou, parecendo entediado quando perguntou:

— Você trouxe as plantas, chaves e códigos, como eu pedi?

Sua expressão severa demonstrava impaciência. Okay, tudo bem. Eu daria um jeito de entrar aqui e futucar as coisas, em algum momento, de qualquer maneira, então era melhor disfarçar minha curiosidade.

— Estão no carro — respondi, grossa.

Ele assentiu e desceu as escadas, sabendo que eu o seguiria.

Saímos para a varanda e seu olhar encontrou, no mesmo instante, David e Lev sentados no SUV, à minha espera.

Kai me encarou com os olhos escuros.

— Você está comigo agora. Diga a eles para darem o fora.

Semicerrei as pálpebras, irritada. Mas me virei e desci os degraus restantes em direção ao carro, enquanto ele caminhava pela lateral externa da casa em direção ao dele.

David abriu a janela do lado do passageiro.

— Volte para Thunder Bay — falei, pegando os arquivos do *The Pope* e o rolo de plantas arquitetônicas do assento. — Vejo vocês hoje à noite.

Seus olhos se tornaram fendas, parecendo inquieto.

— Está tudo bem — assegurei, começando a me afastar. — Finalize as cobranças, não se esqueça dos estoques de Weisz e Brother e verifique se Ilia ajeitou os canis. — Conferi a hora no painel. — E lembre-se que De Soto está chegando às três. Certifique-se de enviar um carro para buscá-lo.

Eu me virei antes que ele tivesse chance de responder e fui em direção ao Audi de Kai. Ele recuou pela entrada da garagem, a chuva intensa limpando lentamente as folhas por toda parte, mas parou quando me viu chegar.

Contornei o carro e entrei pelo lado do carona, jogando tudo atrás enquanto secava as gotas de chuva do meu rosto. Eu podia sentir a água escorrendo pelo tecido do gorro e queria me livrar dele, mas teria que esperar até ficar sozinha.

Sem falar nada, Kai colocou a ré e seguiu pelo caminho; eu olhava para todos os lugares, menos para ele. Mudando a marcha, quase perdi o fôlego, ao observar seus movimentos ao meu lado enquanto o zumbido suave do motor vibrava sob meus pés.

Ele pisou no acelerador e disparou pela avenida, indo cada vez mais rápido.

— Você não mora naquela casa — atestei em voz baixa e uniforme.

Ele apoiou o antebraço no volante, olhando em frente.

— Você acha que não consigo viver sem luxo? — brincou, ligando o rádio. *Emotionless* começou a tocar na mesma hora.

— Sem luxo? — Disfarcei o sorriso irônico. — Acho que Howard Hughes era menos obsessivo que você. Você nunca viveria naquele lixão.

— Eu vivi em um por dois anos e meio — respondeu, com a voz áspera. — As coisas mudam.

Olhei para ele de esguelha, vendo-o desviar o olhar, impassível. Engoli em seco, calando a boca por um momento.

Era fácil esquecer, a contar com as unhas limpas e as roupas caras. Mas não muito tempo atrás, ele usava uma camiseta barata e estava trancado em uma cela tendo que fazer o que outras pessoas lhe mandavam a cada minuto do dia.

Ainda assim, ele mereceu tudo aquilo por conta do crime que cometeu.

— Você não vai mais ficar na casa do Torrance — ele disse, acelerando o carro. — Você trabalha para mim agora. Quero você em Meridian.

— Eu moro em Meridian. — Afastei o olhar da janela. — E mesmo que não morasse, você não pode ditar onde vou dormir.

Quando eles saíram da prisão no ano passado, mudei-me para a cidade para ficar perto de Damon. Meu pai começou a me pagar um salário mísero – apenas o suficiente para encontrar um muquifo onde pudesse dormir.

— E onde você dorme? — ele perguntou.

— Não muito longe.

Ele ajustou o retrovisor central, lançando um longo olhar através do espelho.

— Com um deles?

Lentamente olhei para ele e depois para trás, vendo o Escalade nos seguindo. Não consegui conter um sorriso.

Eu deveria estar com raiva por terem desobedecido uma ordem, mas... Se Gabriel tivesse dito para eles irem para casa, eles teriam ido. Ele só tinha esse tipo de lealdade deles porque os pagava. Já eu, não lhes pagava nada.

Recostei a cabeça no apoio do banco, a rara sensação de satisfação pacífica atravessando meu corpo.

— É só para isso que eu sirvo, não é?

Seus lábios se curvaram com irritação.

— Damon realmente deve ter te dado um belo trato para manter esse tipo de lealdade — rosnou. — Eu o vi com as mulheres. Você realmente gosta do que ele faz com você?

O que ele faz comigo... Encarei o para-brisa coberto pela chuva, alheia. Eu pertencia a Damon, e se Kai soubesse, ou não, o verdadeiro motivo, não mudava o fato de que sempre escolheria o lado do meu irmão.

— Aquela noite...

— Não — disse, interrompendo-o.

Ele parou, o ofego irritado sendo audível de onde eu estava.

— Adoro o fato de ele nos ter visto naquela noite — ele continuou, a voz quase um rosnado. — Adorei o olhar furioso na porra do rosto dele, quando viu seu corpo grudado ao meu.

Esfreguei minhas pernas, estremecendo com a memória. Agi horrivelmente naquela noite. E a sensação de cada centímetro do corpo dele contra o meu ainda era muito vívida.

— Há algo em você, garota — disse ele, ainda observando a estrada à frente. — Eu não sei o que é, mas na maioria das vezes, quando estou dando aulas, resolvendo pendências com empreiteiros, conversando com meus amigos, porra... — Ele balançou a cabeça. — Eu mal posso suportar. Sinto até mesmo dificuldade em mastigar minha maldita comida a maior parte do tempo. — E então ele olhou para mim. — Mas não perto de você. Quando estou ao seu redor, tudo que sinto é um anseio. Como se estivesse faminto.

Mantive o olhar à frente, o instinto de me encolher e tentar me fazer invisível quase assumindo o controle.

— Você está usando o cinto dele. — Sua voz profunda tinha uma entonação perigosa e fez minha pele inteira se arrepiar.

O cinto de Damon. Eu me mexi no banco, de repente, muito consciente da tira larga de couro ao redor da minha cintura.

Ele apontou para o objeto antes de olhar de novo para a estrada.

— Reconheço as marcas registradas gravadas no couro para cada enterrada que ele deu no ensino médio. Dentro e fora da quadra.

Dentro e *fora* da quadra? *Jesus, Damon.* Contive um suspiro, exasperada. Peguei o cinto quando ele foi para a prisão, e ele nunca me pediu de volta.

— Use-o todos os dias, Banks — ordenou Kai. — Todo santo dia.

— Ah, eu já faço isso — sussurrei, mas tinha certeza de que ele pôde me ouvir.

Aposto que se perguntou se também havia uma marca para mim no couro. Damon estava certo. Era estrategicamente vantajoso que ninguém soubesse quem eu era e o que significava para ele. Se Kai pensasse que eu era um brinquedinho e instrumento de Torrance, ele não saberia exatamente o que esperar ou quais jogadas poderia fazer.

Deus me ajude se algum dia ele descobrir.

Kai continuou dirigindo, descendo para o distrito de Whitehall, e pude ver um navio de carga e alguns rebocadores flutuando rio abaixo. A cidade pairava ao longe, arranha-céus parcialmente envoltos em nuvens, e avistei o preto e dourado de Delcour, situado entre as melhores lojas e restaurantes da área.

Kai diminuiu a velocidade quando chegamos ao *The Pope*, e notei o novo Rover de Michael Crist estacionado ao longo da calçada. O que ele estava fazendo aqui?

Viramos mais à frente, dirigindo para o pequeno beco ao lado do hotel em direção à parte de trás, e o carro subitamente se infiltrou na escuridão. A saliência do prédio bloqueou qualquer luz, me fazendo passar as mãos pelas coxas, sentindo um zumbido subindo por toda a pele. O carro parecia muito menor agora.

A escuridão.

O confessionário. O porta-malas. O Campanário. O túmulo. Espaços minúsculos com ele. Sempre pequenos espaços escuros.

Sem me dar uma olhada ou uma palavra, Kai estacionou o carro e abriu a porta, saindo na chuva. Rapidamente o segui e o observei pegar as plantas que eu havia trazido, do banco traseiro.

Ele começou a correr, dirigindo-se para uma das portas dos fundos, e notei duas lixeiras, alguns paletes de madeira e um excesso de caixas de papelão encharcadas nas proximidades.

— O que vocês estão fazendo aqui fora? — ouvi Kai perguntar. Olhei para cima e o vi conversando com Michael Crist e Will Grayson, que esperavam sob um toldo.

Will usava apenas um par de jeans e uma camiseta branca, enquanto

Michael estava vestido para o clima que esfriava, parecendo estranhamente igual ao que parecia no ensino médio em seu agasalho com capuz. Manchas úmidas cobriam seu jeans.

— Por que vocês não estão esperando no carro? — Kai insistiu.

Michael desviou o olhar entrecerrado para mim, enquanto Will se afastou da parede e cuspiu o chiclete que mascava em uma poça d'água.

— Não queríamos perder o momento da sua chegada — disse ele.

Kai estendeu a mão, solicitando que eu entregasse as chaves do hotel.

— Onde está Rika? — ele perguntou.

Michael se virou quando se aproximou, pronto para segui-lo pela porta.

— Aula. — E então olhou para mim novamente. — Somos apenas nós.

Uma sensação de mau-presságio agitou no meu estômago e fiquei para trás, deixando todos entrarem à frente.

Atravessamos um túnel escuro, e era impossível ver claramente por conta da muralha de caras enormes com mais de um e oitenta de altura à minha frente, mas depois de alguns instantes, consegui ver alguma luz. Paredes brilhantes apareceram e notei vários freezers, geladeiras e fogões. Estávamos entrando pela cozinha mesmo que só a pudéssemos ver através da parca iluminação que entrava pelas janelas.

Cada um deles ligou suas lanternas e Will me entregou uma.

— Então, Kai? — Will disse enquanto seguíamos em direção a uma porta. — Você por acaso não vai precisar que eu tire o lacre da sua noiva virgem para você, vai?

Ele começou a rir e virou a cabeça para mim antes que Kai tivesse a chance de responder.

— Kai não gosta de virgens. Ele gosta de mulheres que sabem o que estão fazendo.

Então, deslizou o olhar lentamente pelo meu corpo.

Arqueei uma sobrancelha. Ah, tá, eu não acreditava nisso. Eu era virgem naquela noite, anos atrás, e isso não o impediu de me querer intensamente.

— Agora, eu? — Will continuou. — Curto as zeradas. Posso ensiná-las exatamente o que fazer do jeito que gosto e o que quero que façam.

— Você quer dizer que gosta que elas não tenham ninguém com quem comparar — caçoei —, porque aí, não poderão dizer se você é péssimo.

Michael bufou uma risada, que não me passou despercebida, e pude ver pelo tremor dos ombros de Kai, que ele também estava morrendo de rir.

Will se virou para frente, deixando-me em paz.

Seguimos atrás de Kai, e esperei do lado de fora da sala de segurança enquanto eles ligavam os disjuntores de eletricidade. Depois de alguns minutos, porém, não obtivemos sucesso.

— Ainda bem que trouxemos lanternas — Michael murmurou, enquanto saía da sala.

Kai o seguiu e parou logo atrás.

— Bem, pelo menos todos os quartos estarão desbloqueados — ele nos disse. — A má notícia é que subiremos de escada.

Doze andares. *Excelente.*

— Vamos nos separar — ele nos disse, indo em direção às portas da cozinha que provavelmente levavam a uma sala de jantar. — Tirem fotos de todos os quartos em que entrarem e foquem naqueles que podem ter qualquer problema em potencial. Roedores, encanamentos, vazamentos, qualquer tipo de dano... Vou solicitar que os empreiteiros façam uma melhor estimativa, mas já quero ter uma ideia dos reparos e dos gastos que serão necessários.

Michael e Will foram embora, saindo da cozinha, e Kai se virou para mim.

— Veja se consegue encontrar o gerador — disse. — Podemos ter pelo menos alguma iluminação funcionando.

Sim, está bem. Mantive o sarcasmo para mim mesma e peguei o acesso da escada, iluminando com a lanterna enquanto descia para o porão. Não havia janelas nessa parte do prédio, e meu pulso começou a acelerar, lembrando dos estúpidos filmes de terror que Damon assistia quando éramos mais jovens. Quando iluminasse uma área, uma garota de vestido branco com as presas ensanguentadas em sua boca saltaria na minha direção.

Abri a porta e entrei no porão, suspirando na mesma hora. Era uma enorme sala de aquecimento aberta, com janelas no alto da parede. Era possível ver os pés de alguns pedestres que passavam por ali. Um pouco de luz natural entrou, mas mantive a lanterna acesa, já que o lugar ainda estava mergulhado na penumbra.

Caminhei devagar pelo corredor, iluminando canos e reservatórios, fornos e outras máquinas que eu desconhecia. Na verdade, o hotel não estava fechado há tanto tempo. A maioria dessas coisas ainda devia funcionar bem.

Avistei um gerador perto da parede e fui em direção a ele. Eu não tinha ideia de como essas coisas funcionavam, mas nada que uma pesquisa no Google não resolvesse.

Inclinando-me, soprei a poeira dos interruptores, afastando a sujeira.

Essa coisa não era grande o suficiente para gerar tanta energia, e, definitivamente, não seria capaz de religar os elevadores, mas talvez ativasse a iluminação do corredor.

Quando acionei o botão de funcionamento, nada aconteceu. Será que ele tinha um cabo para ligar em alguma tomada na parede? Bem, acho que não, né? Se tivéssemos eletricidade, não precisaríamos de um gerador.

Talvez estivesse conectado a algum tipo de bateria. Rapidamente tirei o casaco, largando-o no chão, e me ajoelhei, iluminando por baixo e ao redor, em busca de fios ou extensões.

Algo segurou meus tornozelos, arrancando-me um grito quando fui puxada, sendo arrastada pelo chão.

— Que porra? — gritei, virando-me para ver quem havia me agarrado. Meu coração acelerou. Chutei sem dó Michael e Will, que estavam à minha frente. — Saiam de cima de mim!

Michael estendeu a mão e me puxou para cima pela camiseta.

Babaca. Olhei em volta, mas Kai não estava junto.

Michael agarrou a gola e me largou contra a parede.

Eu o encarei. Esperava por isso em algum momento com eles – sabia o que fizeram com Rika no ano passado, e que esse era o *modus operandi* para aterrorizar alguém –, mas por algum motivo, fiquei quieta. Em breve, eles se veriam em problemas, mas eu faria a minha jogada quando estivesse pronta.

— Não tenho ideia do que Kai está pensando agora — disse ele com um tom mordaz —, mas darei a você apenas um único aviso.

Levantei o queixo, lentamente, preparando-me para sua ameaça.

— Se você mexer com a gente, vamos te dar um sumiço — rosnou. — Basta somente eu sentir a menor preocupação que seja com o fato de você ter algo na manga, e não hesitarei. Entendeu? — Estreitou os olhos. — Você trabalha para ele, cuida dele e faz o que quer que ele queira que faça, e sugiro que faça isso bem feito, querida. Só não me dê um motivo para te afundar no rio, porque é assim que você pode terminar. Você me entendeu?

Oh, sim. Entendi.

Minha respiração acelerou. Coloquei os dedos timidamente sobre meus lábios e fingi um olhar apavorado. *O que eu fiz? Oh, não, por favor, não me machuque. Por favor?* Soltei um gemido e franzi o cenho em confusão.

Então interrompi meus soluços falsos e dei um sorriso irônico.

Essa merda pode ter funcionado com Erika Fane, mas comigo, ele teria uma surpresa.

— Farei o meu trabalho — retruquei —, e você não me assusta.

O olhar furioso se intensificou.

— O que você pode fazer? — perguntei. — Você é um atleta, aos olhos do público, prestes a se casar com a garota que ama desde sempre, com muito a perder. E aquele ali — gesticulei para Will atrás dele — só fica sóbrio durante o tempo em que arrasta a bunda da cama pela manhã e consegue chegar à geladeira para pegar uma cerveja.

Will fez uma careta para mim.

— Os Cavaleiros estão fracos e morrendo aos poucos — continuei, fingindo um olhar preocupado. — Hora perfeita para os inimigos atacarem. — Estendi a mão e peguei meu casaco, vestindo-o em seguida. — O pai de Damon adoraria acabar com você; seu pai está tentando impedir alguns de seus negócios imobiliários, Damon está sabe-se lá onde, Rika anda todos os dias armada apenas com seus pequenos golpes de Kung Fu. — Olhei para Will. — E aquele policial que fez com que fosse preso por atacá-lo, está espreitando ao seu redor ultimamente, ansioso por uma vingança, não é mesmo?

O olhar de Michael se estreitou, mas ele o desviou logo depois, parecendo surpreso. *Sim, você não sabia disso, sabia?*

— Você tem muita coisa nas costas, Michael, sério — eu o provoquei como se ele tivesse cinco anos, colocando as mãos nos bolsos.

Quando as retirei do bolso, Michael captou o brilho prateado em minha mão direita, agarrando meu pulso para me impedir de atacar.

Ri quando segurou a pequena lâmina longe de seu rosto e me encarou com uma careta. No entanto, meu sorriso se desfez quando torci a ponta da lâmina na minha *outra* mão, a que passou despercebido a ele, e cutuquei logo acima de sua virilha.

Ele recuou, rosnando, irritado.

— Enquanto você fica prestando atenção em mim, sua vida está toda descontrolada e você nem está percebendo; assim como a de seus amigos, que andam dando sopa por aí. — Guardei as facas outra vez. — Vocês, rapazes, precisam de alguém em quem se inspirar.

Deslizando para o lado, passei pelos dois e saí do porão, ouvindo o sussurro zangado de Michael atrás de mim:

— Que porra é essa?

— Eu ia te contar! — Will sussurrou de volta.

Balancei a cabeça. Que perda de tempo.

Depois de todos os anos de trabalho pesado – limpeza, inventário, entrega e retirada –, finalmente ganhei um pouco de respeito. Agora, fui encarregada de ser a sombra de Kai e sua turminha, observando-os tropeçar para dar cinco passos quando poderiam obter o que precisavam com apenas um.

Puxei o gorro mais para baixo, tentando conter um bocejo.

Atendi o celular que tocou enquanto subia as escadas.

— *Encontre-me no treze.*

Kai. Como ele conseguiu meu número? Então lembrei que havia mandado uma mensagem para ele naquela manhã. *Ótimo.* Treze, e eu estava no porão. Coloquei o celular no bolso, agarrei o corrimão e comecei a saltar os degraus, voando pelas escadas a cada passo. A cada patamar alcançado, eu parava e conferia o número do andar, e quando cheguei ao nono, precisei descansar um pouco para recuperar o fôlego. Olhando para cima, vi as partículas flutuantes de poeira por onde a iluminação fraca das luzes de emergência entrava.

Respirando fundo, desacelerei meus passos pelos lances restantes, chegando ao décimo terceiro andar e abrindo a porta de acesso.

Uma dor pontiaguda fisgou abaixo das minhas costelas, e engoli em seco. Caramba, pensei que estava em boa forma.

Entrei por um corredor escuro olhando de um lado ao outro, o carpete cinza com um desenho de filigranas brancos lentamente desaparecendo nos vãos escuros a cada canto.

— Olá? — gritei.

Virei à direita, manuseando a lanterna, mas uma corrente de ar frio atingiu minhas costas me fazendo olhar para trás. Uma brisa tênue refrescou meus lábios.

Segui pelo corredor à esquerda e inspecionei cada porta pelo caminho até encontrar a única aberta. Olhei para dentro, vendo cortinas brancas do outro lado do quarto chicoteando contra o vento.

As portas da varanda deveriam estar abertas.

Entrei no cômodo, averiguando de um lado ao outro até que finalmente avistei a silhueta de Kai na sacada.

— A varanda do décimo segundo andar — disse ele, assim que atravessei as cortinas. Seu corpo se inclinava sobre o parapeito enquanto me encarava.

Espelhei seu movimento, espiando por cima da grade e olhei para baixo. Cada andar contava com uma varanda, e a que havia logo abaixo de nós não era diferente. Esculturas intrincadas na pedra, um corrimão grosso, tudo molhado pela chuva...

Endireitei a postura, inclinando a cabeça para ele. *O décimo segundo andar.* A suspeita começou a tomar forma.

— Você realmente achou que o ajudaria a procurar no *The Pope* se eu pensasse que Damon estava escondido aqui? — perguntei. — Você não está comprando este hotel por causa de uma história que contei aos dezessete anos, não é?

Vi o canto de sua boca se curvar em um sorriso.

— Em primeiro lugar, sim — afirmou. — Acho que você me ajudaria a procurá-lo, nem que fosse para me indicar a direção errada. — Ele se levantou e olhou para mim. — Em segundo lugar, não tenho certeza se Damon realmente te disse onde está se escondendo.

— E por que você acha isso?

— Porque eu me lembro de ele ser especificamente possessivo com você — disse ele. — Acho que você até sabe que ele está na cidade, mas acredito que ele está te observando tanto quanto a nós.

Ri por dentro.

Ouvi falar do décimo segundo andar logo depois que fui morar com Damon e meu pai. Gabriel protegia sua privacidade com fervor, e construíra quatro hotéis naquela época: em Meridian, São Francisco, São Petersburgo e Bahrein – os lugares pelos quais ele mais viajava. Privacidade, segurança e a necessidade de ser invisível, às vezes eram uma exigência para alguém que faturava pelo menos parte de seu dinheiro de forma ilegal.

Mas meu irmão não estava aqui. Pelo menos não na última vez que verifiquei. Kai estava perdendo tempo.

— Nós já exploramos esse lugar uma vez, lembra? — eu disse.

Ele piscou, divertido, de um jeito arrogante.

— Não chegamos muito longe, *lembra*?

Um rubor instantâneo aqueceu minhas bochechas, e afastei o olhar.

Kai espiou por cima do parapeito novamente, e eu fiz o mesmo, levando em conta a imensa queda de tal altura. Eu o encarei, observando a curiosidade estampada em seu rosto. A maneira como suas sobrancelhas escuras franziram como se estivesse calculando o próximo movimento, e a forma como esticou o pescoço para ter uma melhor visão. Ele parecia tão jovem. Como uma criança tentando encontrar a coragem de seguir os amigos por um penhasco.

O que ele estava fazendo?

Desenrolei o cachecol ao redor do pescoço e o tirei. Kai me observou enquanto eu o segurava por cima do corrimão.

Avaliando a brisa suave, abaixei-o o máximo possível, finalmente o soltando para flutuar até a varanda do décimo segundo andar. O tecido ondulou contra o vento e foi jogado para o interior por cima do corrimão.

Sem olhar para ele, voltei para o quarto. Ele não teve escolha a não ser me seguir.

Sério, se ele queria passar por cima do parapeito e se matar, não era da minha conta, mas... Ele poderia estar certo. Damon não estava aqui quando procurei por ele, mas isso não significava que não estava mudando de esconderijo também. Ele poderia estar aqui, e eu precisava ganhar algum tempo.

Cruzamos o corredor, em direção à porta de acesso da escada por onde subi. Nós dois descemos rapidamente os degraus, mas quando alcançamos o patamar do andar inferior, deparamos com uma parede branca, ao invés da porta que nos daria acesso ao décimo segundo.

Olhei para ele, e um entendimento tácito se passou entre nós. Descemos mais um lance de escada, e seguramos a maçaneta ao mesmo tempo. Sua mão roçou a minha e, rapidamente, me afastei ao sentir a corrente elétrica subindo pelo meu braço. Ele abriu a porta e nós dois corremos, indo direto para o quarto 1122, que ficava dois lances abaixo do 1322.

Girei a maçaneta e entrei, seguindo até as portas da varanda. Ao abri-las, uma rajada de vento atingiu meu rosto. Kai e eu procuramos ao redor pelo cachecol.

Não foi preciso muito tempo para que percebêssemos que não havia nada ali, como eu já imaginava. Nada, exceto um vaso de plantas mortas, uma mesa enferrujada e uma folha.

O cachecol não estava aqui, é claro, mas...

Fui até o lado direito da varanda, estiquei a cabeça e olhei para cima.

E lá estava ele. O tecido preto chicoteava contra o vento com um pedaço pendurado no corrimão.

— Ali. — Apontei para cima.

Kai franziu o cenho e se aproximou, inclinando-se para o lado, virando a cabeça. Ele estava confuso, ou irritado, mas eu sorri do mesmo jeito.

— Que diabos? — resmungou. — Precisamos subir lá — disse.

E como você planeja fazer isso? Os elevadores não estavam funcionando no momento, e não tínhamos nenhuma corda por ali.

Percebi quando ele começou a subir no parapeito, mas imediatamente o puxei para baixo.

— Está tudo bem — eu disse de pronto. — Não vale a pena. Esqueça.

As sobrancelhas dele se arquearam.

— Você está preocupada comigo?

— Sim. Da mesma forma que estou preocupada com o preço do chá na China.

Ele balançou a cabeça, sorrindo satisfeito. Mas, novamente, fez um movimento para subir.

Eu o puxei de volta outra vez.

— Não consigo te segurar, caso você perca o equilíbrio. Você é muito grande. Mas você pode impedir minha queda, então deixa que eu vou.

Contornando-o, pulei no parapeito e ele disparou, agarrando meu braço para me firmar. Recusei-me a olhar para baixo, para evitar computar o tamanho da queda.

Minhas pernas tremiam, mas curvei os dedos, ao redor do corrimão grosso. Droga. Eu não precisava da porra do cachecol de volta, mas não podia correr o risco de ele escalar até o décimo segundo. Ainda não.

Apertando o braço dele com uma mão, agitei o outro para me equilibrar e lentamente me levantei. Senti o frio na barriga na mesma hora.

— Te peguei — Kai assegurou. Olhei para baixo, deparando-me com seus olhos escuros focados nos meus enquanto ele enlaçava minhas pernas com o outro braço. Minhas mãos ficaram flácidas e, por algum motivo, isso não me fez sentir melhor.

Estendi as duas mãos e procurei pelo tecido, o abraço de Kai se firmando mais ainda. Infelizmente, porém, eu deveria ser pelo menos uns dez centímetros mais alta para conseguir alcançá-lo.

Apoiando a mão no ombro de Kai para me firmar, lentamente me pus nas pontas dos pés para me elevar. Estendi o outro braço, esticando músculos e articulações centímetro por centímetro até que cheguei o mais longe que pude. Estremeci, tentando agarrar a ponta que balançava. Deslocando um pouco mais do meu corpo, continuei tentando, mas de nada adiantou.

Soltei um suspiro.

— Não consigo alcançá-lo.

Firmando os pés, olhei para Kai.

E parei de respirar.

Ele estava apenas me encarando. Bem ali, olhando para cima, com os braços em volta das minhas coxas e o rosto quase entre elas. Abri a boca, sem conseguir dizer absolutamente nada.

Um sorriso divertido alcançou seus olhos, e meu coração começou a bater loucamente. Eu não queria saber o que raios estava passando pela cabeça dele agora.

— Você está bem? — ele perguntou. Era nítido que o filho da puta estava contendo um sorrisinho prepotente.

Pulei do corrimão, forçando-o a se afastar, e ajeitei minhas roupas, puxando a camiseta e o casaco para baixo.

— Estou bem.

Ele só vai usar você. Eu tinha que lembrar que o objetivo dele era Damon. Vingança. E ele sabia que Damon se importava comigo, então isso me tornava valiosa.

Ignorei a batida trovejante no meu peito e desviei o olhar.

Não cometa os mesmos erros. Não o deixe te tocar. Eu não o desejo. Você não pode tê-lo.

Esqueci isso seis anos atrás, mas desta vez não o faria.

O silêncio rastejou em minha pele, e o som da chuva leve zumbiu ao nosso redor.

— Por que você usa essas coisas? — A voz de Kai era baixa e suave.

Coisas. As minhas roupas?

Desviei o olhar, sentindo a armadura ao meu redor se espessando. Eu já tinha ouvido zoações mais do que suficientes sobre minha aparência ao longo dos anos.

Você não gosta dos meus coturnos detonados com cadarços rasgados? Eles te ofendem? Havia alguma regra de que meus jeans deviam ser apertados, para que qualquer homem por aí pudesse babar pela minha bunda como se eu fosse um carro em exposição?

— Eu me visto do jeito que quero — respondi com rispidez. — Não para agradar outras pessoas.

— Pelo contrário... — Eu o senti se aproximar e olhei para baixo, vendo seus sapatos quase se encostarem aos meus. — Gostaria de saber se você realmente se veste dessa forma para agradar outra pessoa.

Encontrei seu olhar, sem demonstrar nenhuma emoção devido à longa e exaustiva prática desde criança.

Okay. Ele tinha razão. Talvez eu tenha começado a me vestir assim para agradar Damon. Nunca recebi dinheiro para comprar roupas e, mesmo agora, meu salário era mísero demais para gastar com supérfluos. Mas fiquei feliz com o que meu irmão me deu e teria usado de bom grado qualquer coisa, se isso significasse que eu poderia ficar com ele.

E quando estava crescendo, essas roupas me mantinham a salvo. Havia muitos homens por perto, e eu parecia mais jovem quando usava essas coisas. Escondia minhas formas e ajudava a me manter invisível.

— Essas roupas são masculinas — ressaltou, sua voz mais áspera. — Roupas masculinas usadas. De quem são? São todas de Damon?

— Por que isso te interessa? — retruquei. — Vou fazer o meu trabalho. Servir de motorista para você, reformar aquele buraco que você chama de casa, limpar seu *dojo*, e não preciso fazer tudo isso usando um vestido de festa.

Ele abriu um sorriso.

— Você é muito misteriosa, e estou curioso ao seu respeito. Só isso. Então, vamos partir do básico. Qual é o seu nome?

— Banks.

— Qual é o seu nome, Banks?

Quase bufei uma risada.

Quase.

Ele foi um pouco mais rápido para sacar as coisas do que seus amigos, não é mesmo?

Banks era meu sobrenome. Eu gostava de usá-lo, porque achava que seria mais respeitada dentre os homens, e meu pai preferiu assim, já que odiava meu nome de batismo.

E nada disso era da conta de Kai Mori.

Porém, ele continuou:

— E de onde você é? Onde estão seus pais? Você realmente estudou em casa? — Ele começou a avançar na minha direção me fazendo tropeçar para trás. — Onde você mora? Você tem algum amigo? Como pode trabalhar para esse merda nojento, hein? Como você dorme?

Meu corpo colidiu com a porta de vidro e ele encurtou a distância entre nós, pairando e baixando a voz em um sussurro:

— Ou que tal uma pergunta ainda mais fácil? — Seu calor filtrou através da minha jaqueta, vibrando por cada fibra do meu ser. — Vou me confessar hoje. Quer vir comigo... *Banks*?

Seus olhos se fixaram nos meus lábios e meu ritmo respiratório acelerou. Ai, meu Deus. O mundo à minha frente começou a girar quando uma brisa fez com que o seu perfume me alcançasse.

Pisquei, virando-me. A lembrança de nosso primeiro encontro – a história que me contou nunca mais foi esquecida naquele dia no confessionário. Deus, como gostei da forma como me senti ao conversar com ele.

Cerrei os punhos e o encarei por cima do meu ombro, obrigando-me a dizer com calma.

— Ah, Sr. Mori, você se esqueceu? — respondi, fingindo inocência. — Você sempre se confessa no final do mês.

Lancei um sorriso perspicaz, vendo sua expressão divertida desaparecer e se tornar mais sombria.

Sim. Nunca se esqueça de que sei tudo sobre você.

Seus olhos permaneceram calmos, mas suas palavras debochadas mostraram que meu desafio foi aceito:

— Vejo você no trabalho.

E passando por mim sem dizer mais nada, saiu do quarto e me deixou sozinha.

Fiquei ali por um instante, observando a franja do meu cachecol flutuando na varanda acima.

Eu me orgulhava de sempre estar um passo à frente. Informação era poder. Era algo mais valioso do que dinheiro.

Mas a apreensão se infiltrou lentamente.

Kai não era idiota.

Eventualmente, ele descobriria a verdade.

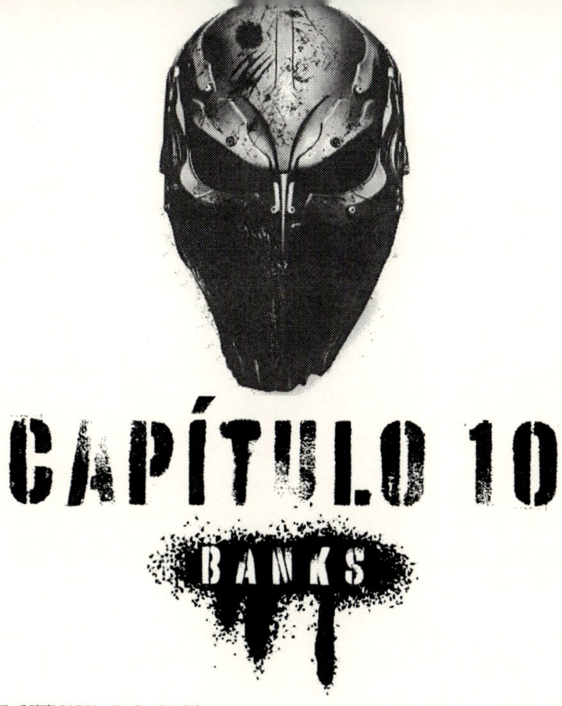

Dias atuais...

O DELCOUR SE SITUAVA DO OUTRO LADO DO RIO, NO DISTRITO DE WHITEHALL. Lembrei-me de ver o prédio à distância do nosso apartamento no centro da cidade quando era criança e morava com minha mãe. Alto, preto, com detalhes dourados, me lembrava os prédios de um filme antigo. Gângsteres de ternos risca de giz, carros com pneus com uma listra branca, damas em vestidos extravagantes... Um pouco do visual *art déco*, da velha e totalmente ostensiva Hollywood, mas que sempre me enchia de admiração quando eu o vislumbrava. Não sabia como tudo podia ser fascinante e assustador ao mesmo tempo, mas Delcour provou que algo assim existia. Estava no meio da cidade como uma joia ornamentada em meio ao caos.

Eu não me encaixava em lugares como este, e meus nervos estavam em frangalhos.

Provavelmente haveria pessoas da minha idade, mas ao contrário de mim, eles estariam empolgados em suas prioridades totalmente diferentes das que eu vivia: sapatos de grife e suas bebidas *latte* de leite de soja, sem açúcar e chantilly.

O elevador parou e, quando as portas se abriram, meus ouvidos foram atingidos pela música que vibrava sob meus pés.

Com a boca seca, dei um passo à frente e entrei na cobertura de Michael Crist.

— Olá — um homem de calça e camisa pretas me cumprimentou. — Posso pegar seu casaco?

— Não.

Passei pelos cabideiros dos casacos na entrada, ignorando sua expressão chocada, e virei adentrando na residência. A música tocava na maior altura, mas, ainda assim, pude ouvir a conversa dos casais ao redor enquanto passava. Os homens se movimentavam, vestidos casualmente, alguns de terno com os colarinhos abertos, outros de jeans e camiseta, enquanto as mulheres usavam vestidos elegantes. Como sempre.

A iluminação suave refletia sobre o piso de mármore preto e, quando entrei na sala, senti meu corpo arrepiar diante do imenso número de convidados.

Obriguei-me a relaxar. Multidões me deixavam nervosa, mas eu podia lidar com isso. Atraí alguns olhares que me varreram de cima abaixo, conferindo minha aparência, mas apenas me concentrei em procurar ao redor.

Onde diabos ele estava?

Perambulei pela festa em busca do cabelo preto estilizado e seu olhar entediado de sempre, mas parecia impossível encontrá-lo. Muitos convidados deviam ser jogadores do Storm – companheiros de equipe de Michael –, porque até os impressionantes um e oitenta e oito de altura de Kai se perderiam em meio a alguns dos caras com quase ou mais de dois metros.

Cry Little Sister ecoou pelos alto-falantes, e avistei Erika voltando de um dos terraços. Ela veio até mim quando a luz das velas cintilou em sua pele e nossos olhares se encontraram.

— Oi — ela disse, tranquilamente, um sorriso sutil, mas caloroso. Por mais que soubesse que eu não queria me relacionar com ela, não demonstrou incômodo.

— Kai ainda está aqui? — perguntei, apontando para o envelope na minha mão. — Ele queria isso esta noite.

Ela não disse nada por um momento, mas apenas me encarou.

— Por aqui — finalmente respondeu.

Eu a segui pela cozinha e por um corredor, olhando à esquerda e vendo uma quadra de basquete interna em um nível mais abaixo, bem aqui, no apartamento.

Porque era óbvio que ele tinha que ter uma quadra.

Vários caras de terno sem o paletó corriam de um lado ao outro. Procurei por entre os rostos dos jogadores, mas também não vi Kai por lá.

Erika seguiu por um corredor mal iluminado e meu olhar pousou em suas costas, meio que admirando o macacão preto elegante e esvoaçante de alças cruzadas que ela usava. Bonita, simples e o centro das atenções dos Cavaleiros.

Tudo o que eu nunca seria para ninguém.

Ainda assim, não conseguia entender por que Damon estava tão obcecado por ela.

Ela virou à direita e abriu uma porta, vozes e risadas baixas flutuando imediatamente para o corredor. Rika virou-se de costas para a porta aberta, dando-me espaço para passar.

Entrei e olhei em volta. Uma mesa de carteado com meia dúzia de homens, incluindo Michael e Will, se encontrava no meio da sala; Kai ocupava uma cadeira, de costas para mim. Outros homens estavam distribuídos em várias mesas ao redor da sala, e uma mulher recostava-se à parede no canto, com uma bebida na mão.

Alguns, incluindo Michael e Will, me lançaram um olhar, parando por um momento, mas a maioria não me deu atenção.

Fui em direção a Kai, sem olhar para trás para ver se Rika me seguiu ou não.

— Eu poderia ter levado isso para sua casa mais tarde — eu disse, irritada, enquanto enfiava o envelope em seu peito. — Ou para o *dojo* pela manhã.

Afinal, ele me fez trabalhar e executar tarefas sem parar nos últimos dois dias. Era tarde e eu precisava dormir.

Ignorando minhas reclamações, pegou o envelope e o abriu.

Quando me virei para sair, eu o ouvi dizer:

— Fique.

Parei, retrocedendo.

Kai pegou os papéis que Gabriel me deu, enquanto meu olhar se desviou para Michael, que apenas me observava. Contive o sorriso. Provavelmente, o garoto principiante ainda estava irritado pelo que aconteceu ontem no hotel.

Observei Kai folheando o contrato, e depois retirando uma caneta do bolso interno do terno. Isso era de se esperar. Gabriel sabia que ele relutaria em certas cláusulas.

— Você não vai apresentar sua amiga, Kai? — um homem do outro lado da mesa perguntou.

Mas ele apenas ergueu a caneta, estreitando o olhar enquanto lia.

Até que se virou na cadeira e me encarou.

— Ele está de brincadeira? — Apontou a caneta para uma linha do contrato, algo sobre garantir que Vanessa tenha filhos em tempo hábil.

Uma de suas sobrancelhas se arqueou até quase alcançar o couro cabeludo enquanto me encarava como se a culpa fosse minha.

Dei de ombros.

— Se você acha que não consegue, podemos entregá-la a um homem melhor. Basta dizer a palavra.

Ele apenas olhou para mim, e nem mesmo a leve carranca em seu rosto escultural estragava sua beleza. Voltou a concentrar-se no documento, riscando a página inteira, rabiscando a cláusula para avançar e marcar inúmeros X no documento.

— Então, isso é muito fácil em seu mundo, hein? — perguntou, mantendo o tom baixo para que apenas nós ouvíssemos. — Basta dar uma pessoa para outra?

— Você deveria saber disso já — retruquei.

Eu fui dada a *ele* até o casamento, não é?

— Esta é Banks — ele falou novamente, mais alto, para que todos na mesa pudessem ouvir. — Ela trabalha para Gabriel Torrance. Há quanto tempo você trabalha para ele agora? — Olhou para mim, mas não esperou que eu respondesse. — Meio estranho como uma garota tão jovem foi levada para a mansão de um babaca milionário assim, não acha? — Sua caneta se moveu rapidamente pelas páginas, circulando e fazendo anotações. — Ele conhece sua família? Vocês têm conexões com ele? — Um sorriso tênue suavizou seu rosto severo enquanto olhava o resto do contrato. — Seria interessante descobrir como isso aconteceu. Fico me perguntando que utilidade uma mulher poderia ter em uma casa cheia de homens.

Algumas pessoas ao redor da mesa riram baixinho com a insinuação dele.

— E quanto ele te paga ou... — Ele fez uma pausa, prolongando suas últimas palavras: — O quanto ele pagou *por* você?

Ele olhou para mim, organizando as páginas e as colocando de volta no envelope. Ele pode ter pensado em voz alta, ou pode ter sugerido estar tentando descobrir as respostas por si mesmo. Não seria assim tão difícil. Um detetive particular só teria que conversar com minha mãe.

— Tem que ser menos do que eu pago por uma mulher — ouvi Will caçoar, seguido por mais risadas silenciosas ao redor da sala. Ele me lançou um olhar, deixando sua aversão aumentar e desmerecer minha aparência.

— Ah, conta outra — a mulher no canto interrompeu. — Como se eu ainda te cobrasse. Tudo o que você quer fazer é ficar abraçadinho metade do tempo de qualquer maneira.

Um dos homens à mesa escarneceu, mal conseguindo conter o riso, enquanto outros nem se deram ao trabalho de disfarçar.

Will virou-se para ela com uma carranca, resmungando:

— Caralho.

Ela sorriu e piscou para ele.

Essa devia ser a tal Alex. Estudante universitária e acompanhante excessivamente cara e que morava no décimo sexto andar. Amiga de Rika, cujo cliente mais assíduo era Will Grayson.

Damon gostava de seu vigor. Embora não gostasse quando ela se recusava a fazer tudo o que ele queria.

— São tantas perguntas... — Kai levantou o envelope, oferecendo-o para mim. — Quase faz a pessoa querer contratar alguém para descobrir as respostas.

Pisquei lentamente, tentando parecer entediada, mas meu coração acelerou infimamente. Eu já esperava por isso. Kai era muito mais inteligente do que a maioria. Estive investigando a vida dele e de seus amigos. Era óbvio que começaria a fazer o mesmo comigo.

Eu teria que dar um pulo na casa da minha mãe.

Amanhã.

— Faça com que ele concorde com essas alterações e eu assino — disse.

Agarrei o envelope, mas ele não o soltou. Em vez disso, puxou-o para baixo, trazendo-me junto.

— E, por favor — sussurrou, seu hálito tocando minha bochecha —, continue me subestimando.

Nós dois seguramos o envelope e meu olhar se focou ao dele, ambos paralisados por um instante.

Tão perto. Eu queria me afastar, mas não consegui. Algo cresceu em meu peito, e seus olhos escuros se tornaram quase negros enquanto me mantinha cativa.

Você disse que queria ser caçada. Deus, por que pensei nisso depois de todo esse tempo? Quase fechei os olhos perante a lembrança.

Seu cheiro, sua boca, seu corpo pressionado ao meu... Ele era frio como gelo o tempo todo. Até que ardeu de desejo por mim. Eu sabia o quão ganancioso ele poderia se tornar naquela época.

O pulso entre as minhas pernas começou a latejar, e puxei o envelope das mãos dele de uma vez, endireitando-me.

— Posso fazer mais alguma coisa por você, Sr. Mori?

Ele apoiou a mão no suporte da cadeira e pareceu se concentrar novamente no jogo de cartas.

— Vá reabastecer as toalhas para os convidados na piscina.

Arqueei uma sobrancelha.

— Não estou aqui para servir seus amigos.

— Você está aqui por mim e por qualquer coisa que eu te mandar fazer. — Lançou um olhar de advertência. — A menos que queira voltar para Thunder Bay e dizer a Gabriel que você rompeu o contrato.

Sim, você simplesmente amaria isso, né? Você tem as chaves e os códigos do hotel, ainda não assinou o contrato, e a culpa seria minha por romper o acordo.

Mantendo o olhar firme ao dele, saí da sala, ouvindo a voz de Michael atrás de mim:

— As toalhas estão no armário do corredor no andar de cima!

Cerrei os dentes, fervendo enquanto risadas flutuavam para fora da sala. *Filhos da puta.*

Ao virar a esquina, passei por entre as pessoas e agarrei o corrimão, subindo as escadas rapidamente. Não estava com pressa nenhuma de prestar serviço, mas queria sair daqui, e assim que pegassem suas malditas toalhas, eu sairia com ou sem a permissão dele.

A música no andar de baixo desapareceu e, ao chegar ao topo, deparei-me com uma grande área aberta cheia de TVs, sofás e algumas pessoas que me cumprimentaram.

Continuei pelo corredor, no escuro, abrindo algumas portas de quartos, um banheiro e um escritório, antes de abrir outra e finalmente encontrar prateleiras de roupas de cama e toalhas empilhadas ordenadamente. Comecei a arrancar o máximo de toalhas que poderia carregar.

— Oi.

Dei um pulo, sobressaltada. A jovem mulher do jogo de pôquer espiou pela porta aberta, a mão no quadril.

— Eu sou Alex — ela me disse.

— Eu sei quem você é.

Peguei mais uma toalha e a coloquei na pilha no meu braço.

— Vou considerar isso como uma coisa boa.

Entenda como quiser.

— Não consigo entender como Rika tolera sua presença — eu disse, fechando a porta do armário. — Quantos de seus convidados você está aceitando como clientes hoje à noite?

Mas, para minha surpresa, ela riu.

— Não estou trabalhando hoje à noite, na verdade.

Um brilho iluminou seus olhos, e tive que dar o braço a torcer. Fui grosseira de propósito, mas ela aceitou o desafio sem vacilar.

— E Rika gosta de me receber em todos os lugares — provocou, inclinando-se. — Ela acha que eu beijo bem.

Sim, tudo bem.

— As mulheres realmente beijam muito melhor, na minha opinião, de qualquer maneira — continuou ela, olhando-me de cima a baixo de um jeito tão intenso que, de repente, tornei-me hiperconsciente. — Quer dizer, os homens não têm ideia do que fazer com a língua. — Ela riu. — Eu cobro taxa extra para beijar.

Minha memória viajou para o momento em que beijei Kai, e os nervos sob minha pele saltaram à vida. Kai definitivamente sabia o que fazer com a língua.

Alex continuou, revirando os olhos.

— Ou é do tipo "*sou uma casquinha de sorvete*" — ela fechou os olhos e lambeu o ar, grunhindo e fazendo movimentos exagerados com a língua — ou é como um maldito tornado revirando aquela coisa dentro da nossa boca. — E novamente, ela fechou os olhos, fazendo círculos no ar com a língua. — Algo como isso: "*desculpa, vou precisar de um babador quando te beijar?*".

Ela estremeceu, e não consegui conter a risada. Graças a Deus, não passei por esse infortúnio. Eu provavelmente acabaria mordendo qualquer coisa desagradável tentando entrar pela minha boca.

Ela atravessou o corredor, espiando a porta entreaberta.

— Mas o Will? — ela sussurrou, a luz de dentro da sala fazendo seus olhos brilharem. — Ele é muito bom. Ele sabe dosar do jeito certo, e é como se fôssemos capazes de sentir sua língua entre as pernas ao mesmo tempo. Ele sabe como deixar uma mulher louca.

Eu a segui, avistando Will dentro de um quarto, imprensando uma garota contra a parede. Vi quando a boca dele cobriu a dela, as pálpebras femininas tremulando enquanto a mão dele deslizava pela pele escura de sua coxa antes de levantá-la e pressionar-se mais profundamente entre as dele, as roupas servindo como única barreira entre os dois.

Ouvi o gemido suave ao longe.

— Gentil no começo — Alex continuou, observando-o como se estivesse narrando a cena: — Ele saboreia e brinca, e depois entra mais forte e com mais ímpeto, e você sente que nunca foi tão bem fodida na vida, mesmo que o pau dele ainda nem esteja dentro de você.

Eu podia ver a língua dele se movendo na boca dela, não muito profundo, até que lambeu o lábio superior para morder o inferior em seguida. Então mergulhou em mais um beijo apaixonado outra vez.

Meus dentes rangeram quando os cerrei, fechando os olhos por um momento.

— Ele realmente se empenha, sabia? — Alex disse, e dava para ver que ela estava sem fôlego. — Nenhuma parte do corpo de uma mulher deveria se privar de beijos. Will realmente aproveita ao máximo aquilo que faz de melhor.

A batida da música no andar de baixo vibrou através das minhas pernas, mas não conseguia ouvir nada. Tudo o que podia ouvir era ela. A garota no quarto, seus ofegos e gemidos, e realmente sem nem precisar ou querer ver o que ele fazia, pois a imagem já era nítida em minha mente.

Uma parte minha sabia que tudo o que meu cérebro dizia era verdade. Os homens me machucariam, me usariam e me jogariam fora e blá, blá, blá.

Mas não importava o que minha cabeça dissesse, ainda assim, eu não conseguia evitar o desejo que sempre se infiltrava, cada vez mais, ultimamente.

Eu queria amadurecer.

— Eu realmente gostaria de fazer isso com você agora — disse uma voz no meu ouvido, e quando abri os olhos, percebi que Alex estava às minhas costas. — Eu gostaria de tirar as suas roupas e enterrar minha língua entre suas pernas.

Meus olhos se arregalaram e deixei cair as toalhas. Merda!

— Alex. — Uma voz grossa, de repente, atravessou o silêncio, me fazendo congelar.

Ela parou também e se virou por trás de mim.

— Não essa — disse Kai.

— Você formou o trio que eu queria com Michael e Rika, e agora ela? — Alex resmungou. — Estou começando a pensar que você é meu concorrente, Kai.

Trio. Engoli o nó na garganta. Eu sabia disso, mas não precisava de lembretes.

Houve um silêncio, e então, finalmente, pelo canto do olho, vi Alex sair pelo corredor. Esfreguei uma coxa à outra, sentindo a umidade entre as pernas quando me virei.

Kai se inclinou contra a parede oposta, olhando para mim com os braços cruzados. Mas não havia nada frio em seus olhos. Eles me enraizaram.

Os sons do quarto onde Will e a garota se encontravam, começaram a se tornar mais altos, e uma imagem espontânea de Kai em cima de mim, seis anos atrás, surgiu na minha cabeça.

Minha respiração vacilou e senti o estômago revirar quando fui tomada por uma tontura.

— Eu vou... vou vomitar.

— Você não vai vomitar. — Ele permaneceu recostado à parede, me olhando de cima a baixo. — Você está excitada.

Calor aqueceu minhas bochechas e balancei a cabeça, tentando controlar a respiração.

— Abra as coxas — ouvi Will pedir pela porta entreaberta. — Abra-as para mim, gata.

Diversão tocou os olhos de Kai quando nós dois ficamos ali congelados, nossos olhares presos.

— Sim — a garota ofegou. — Depressa. Estou prestes a gozar.

— Oh, isso é tão *sexy* — Will disse a ela, acrescentando: — Continue esfregando essa boceta. Deixe-a gostosa e molhadinha.

Meu fôlego ficou preso e imediatamente imaginei o que ela devia estar fazendo por ele naquela cama.

— Mumm-humm — ela gemeu, implorando: — Vamos lá, vamos fazer isso.

— Vire-se.

Um suor frio brotou por todo o meu corpo, e olhei para Kai, deslizando o olhar pelo dele. Mesmo sob as roupas, eu podia atestar sua beleza. Fechei os olhos por uma fração de segundo, tentando afastar a necessidade que crescia entre minhas pernas. Eu queria ser tocada. Queria arrancar minhas roupas. Queria toda a atenção dele em uma cama. Não estava nem aí para o lugar. Ele era tão gostoso e sua memória ainda era bem vívida.

A cabeceira da cama começou a se chocar contra a parede e grunhidos e gritos suaves flutuaram pelo corredor.

Meus olhos continuaram o lento exame pela cintura estreita e pernas longas de Kai, desejando, por um instante, que fosse eu naquele quarto. Entretida pelo momento que eu seria bem capaz de deixar acontecer.

— Continue me olhando assim — disse Kai —, e teremos problemas.

Desviei o olhar. Eu precisava sair daqui.

— Posso ir embora agora? — disse, ríspida.

Mas ele não respondeu. Em vez disso, moveu-se, abaixando os braços e caminhando direto para mim.

— Você sabe no que pensei inúmeras vezes ao longo dos anos? Mais do que gostaria de admitir? — perguntou, apoiando a mão na parede atrás da minha cabeça. — Você e eu naquela torre, minhas mãos em você, apenas sentindo cada pedacinho seu. Lembra-se disso?

Não respondi nada, e ele se inclinou.

— Gostei demais de assumir o controle sobre você — prosseguiu, suas palavras saindo suavemente. Gentis. — Foi completamente diferente de como eu era com outras garotas. Controle é uma ilusão. Geralmente dura apenas alguns minutos. — Ergueu o olhar, encontrando o meu. — Mas contigo, senti como se tivesse controle sobre você para sempre. Parecia que eu poderia segurar toda a sua existência na palma da minha mão. Você fez e disse tão pouco para me fazer te querer.

Recuei, colidindo contra a parede. O que ele queria de mim? Ele começou a *descer o nível* ou algo assim? Não que eu achasse que era nojenta ou feia, mas, pelo amor de Deus. Eu me vestia de propósito com roupas largas e masculinas, a fim de evitar qualquer tipo de atenção, mas Kai agia como se não enxergasse as roupas, o cabelo emaranhado e as unhas sujas.

Ele agia da mesma forma que fez há seis anos. Como se eu fosse apenas uma garota. Mas não uma garota qualquer. Eu era especial. Querida. Desejada.

Ele se inclinou no meu ouvido, enviando uma agitação pelo meu estômago enquanto sussurrava:

— Tire sua jaqueta e abra a camisa para mim.

O desejo de afastá-lo me atingiu, mas fiquei quieta, porque realmente queria fazer o que ele me pedia. Eu queria suas mãos em mim outra vez.

Apenas balancei a cabeça.

Ele estendeu a mão, puxando o gorro da minha cabeça e meu cabelo ficou livre, derramando-se ao meu redor. Com carinho, pegou uma mecha, enrolando-a nos dedos. A tênue sensação fez minhas pálpebras tremularem.

No entanto, ele se endireitou e agarrou um punhado do meu cabelo à nuca, me fazendo ofegar ante a dor repentina.

— Sejamos honestos — ele rosnou baixo, forçando-me a encará-lo. — Você me observou. Você me seguiu. Contou, inclusive, o número de vezes que tomo banho por dia. Você espionou isso também? Hã?

Cerrei os dentes, o calor de seu hálito tocando meus lábios.

— Você me espionou enquanto eu transava? — Seus olhos pousaram na minha boca. — Abra sua camisa para mim, pequena. Vamos ver se eu gosto daquilo que está me metendo em encrenca.

Seus lábios pairavam sobre os meus, e o desejo no meu corpo se enfureceu.

— Não — sussurrei e plantei as mãos em seu peito. — Você tira a camisa.

Ele fez uma pausa, olhando para mim com curiosidade enquanto segurava minha cabeça a um centímetro da dele. Minha pele estava queimando e minhas roupas irritavam meu corpo. Era quase doloroso. Eu queria arrancá-las. Queria senti-lo contra mim.

Estendendo a mão, toquei seu rosto, passando a mão pela mandíbula e por sua nuca. Quente e suave, no entanto, eu queria mais.

Ele me olhou com cautela, os olhos pousando brevemente na minha boca quando seus próprios lábios se separaram, porém não me impediu. Seu agarre afrouxou.

Arrastei os dedos até sua camisa e mantive o olhar focado ao dele enquanto abria os botões, mas meus dedos estavam tão trêmulos que decidi arrancar logo tudo de vez ao segurar as laterais e puxar com força, fazendo os botões voarem em todas as direções.

Ele ofegou profundamente, quase grunhindo, enquanto firmava o agarre em meu cabelo e recostava a testa à minha. No entanto, eu o empurrei, enviando-o aos tropeços para longe de mim.

— Não me toque. — Avancei sobre ele, empurrando-o novamente até que se chocou contra a parede oposta.

Uma mistura de choque e irritação atravessou sua fisionomia, mas não lhe dei chance de responder. Corri até ele, segurando seus pulsos com minhas mãos e os prendi ao lado de seu corpo, enquanto ficava na ponta dos pés e enterrava meu rosto em seu pescoço.

Então deslizei meus lábios sobre sua pele.

Lentamente, para cima e para baixo, por cima da saliência da veia no pescoço e pela curva deliciosa em direção à clavícula.

Ele estremeceu.

Deus, ele era tão suave e quente, e um formigamento atingiu meus lábios, espalhando-se pelo meu rosto e por todo o meu corpo. Abri a boca, arrastando meus lábios por todos os lugares. Mergulhando sob o queixo para o outro lado, eu o explorei com a boca, tão tentada em beijá-lo. Só uma vez. Afundar meus lábios em sua pele e provar tudo aquilo que cheirava maravilhosamente. Passei o nariz sob a orelha dele, inalando seu perfume e depois expirando meu hálito quente. Ele se derretia contra a parede, inclinando a cabeça para trás e fechando os olhos, convidando-me a ir mais além.

Kai começou a resistir ao meu agarre, tentando soltar as mãos, mas apertei com mais força ainda, enviando uma advertência tácita.

Voltando a me firmar, soltei seus pulsos.

— Mantenha suas mãos aí.

Puxando sua camisa e paletó, movi as mãos e boca pelo tórax forte. Meus dedos escalaram sua pele, formigando com a sensação dos relevos e reentrâncias, e minha boca seguiu o caminho traçado por minhas mãos. Circulei seu mamilo com um dedo e depois o segui com os lábios, minhas coxas friccionando a pele sensível e o feixe cheio de nervos do meu centro.

Fechei os olhos. Eu não queria que isso acabasse. Queria que ele me abraçasse, me encapsulando em seu calor e cheiro intoxicantes. Mas se permitisse aquilo, estaria cometendo meu primeiro erro.

Levantei a cabeça, vendo-o me observar enquanto seu peito subia e descia com as inspirações profundas.

— Eu não sou sua pequena. — Afastei as mãos, recuando. — Mas você está certo sobre o controle. É uma ilusão. Olhe para você. Você nunca teve controle nenhum.

Deixei um sorriso escapar e me abaixei para pegar meu gorro.

Quando dei por mim, Kai me agarrou e me puxou de volta para ele.

— E você também não — ele sussurrou no meu ouvido. — Você só tem tanto controle quanto eu permito que tenha.

— Oh, sim, você venceu. A força contra a mente sempre, estou certa? Mas você esquece uma coisa. — Virei a cabeça, dizendo: — Posso dizer não quando quiser, e tudo se acaba. A menos que você queira ir para a prisão novamente.

Ele parou, sem dizer nada.

Ele sabia que eu estava certa. Claro, ele também poderia dizer não, mas isso era meio improvável.

Seu hálito tocou meu cabelo, e ele soltou meus braços, abaixando a cabeça ao lado da minha.

— Você está certa — ele disse, calmamente. — Você pode dizer não a qualquer momento. — E começou a roçar os lábios em meu pescoço, da mesma forma que eu havia feito com ele. — Quando quiser.

Minhas pálpebras tremeram, e sua mão segurou minha bochecha, virando meu rosto em sua direção. Nossos narizes se roçaram, nossos lábios se afastaram um do outro, tão perto que eu podia prová-lo, e não estávamos nem nos beijando.

Eu podia sentir o latejar intenso entre as pernas, e me lembrei daquela casa de merda onde ele dizia morar e da cama solitária no quarto, e em como não havia outro lugar onde eu mais desejasse estar agora.

Quem realmente controlava quem? Nós dois estávamos muito fodidos.

Sua mão roçou minha barriga, descendo, e a agarrei assim que ele a posicionou entre minhas coxas. Gemi baixinho.

— Oh, meu Deus. — Eu pretendia afastá-lo, mas aquilo era tão gostoso.

Porra. Minha respiração saía em ofegos. Essas malditas ataduras.

Eu não conseguia respirar.

— Pare — choraminguei, afastando suas mãos. — Pare, pare, pare. Eu não consigo respirar. Não consigo respirar.

Inspirei com força, descansando a palma da mão na parede para me apoiar. *Jesus. Que droga era aquela?* Minhas costelas e pulmões doíam, e eu estremeci, desesperada para tirar essa merda.

Eu precisava sair daqui.

— Oi, Kai — ouvi uma mulher dizer.

Virei a cabeça e vi duas garotas andando pelo corredor, sem reconhecer nenhuma delas. Não que eu devesse conhecê-las, claro.

Elas olharam para mim, varrendo-me de cima a baixo, conferindo minha aparência. Desviaram o olhar, mas não me passou despercebido quando se entreolharam, dando risadinhas desdenhosas antes mesmo de entrarem no banheiro. Olhei para o chão.

— Posso ir embora agora?

Kai olhou para mim, o terno e a camisa parcialmente abertos, revelando a pele morena de seu peito.

— Não se preocupe com elas. Estão bêbadas.

Coloquei meu gorro, sem me preocupar em enfiar o cabelo por baixo. Não tinha paciência para isso.

— Como se você desse a mínima — disse, entredentes. — Você queria que eu me sentisse desconfortável. É por isso que me fez vir aqui, em torno dessas pessoas, para que pudesse me lembrar do meu lugar.

— Eu não...

— Eu não ligo para suas mentiras. — Eu o encarei, uma raiva familiar aquecendo meu sangue agora. — Você acha que não estou acostumada com a maneira como pessoas desse tipo olham para mim? Homens pensando que se me embonecarem, me farão algum tipo de favor, e mulheres que cobrem suas bocas com as mãos para rirem às escondidas. Tem sido assim toda a minha vida. Eu não dou a mínima para o que eles veem quando olham para mim. Seu mundo é vazio e não pode me ensinar nada.

Estava decepcionada. Havia me empolgado com ele, outra vez. Mas, felizmente, não fui longe demais. Culpe o estresse ou a atração que sempre senti por ele, mas o impedi de ir em frente. Eu poderia pelo menos me sentir bem com isso.

Ergui o queixo.

— Eu tenho Damon. Ele é tudo o que eu quero.

Os olhos de Kai se arregalaram e sua respiração se tornou mais profunda e arfante. Sim, ele que pensasse o que quisesse, mas era a verdade. Meu irmão era o único homem que queria que eu fosse forte. O único homem que nunca me machucaria.

Eu me virei e voltei pelo corredor, em direção à escada.

Contornando o corrimão, desci rapidamente os degraus, vendo, de esguelha, que ele me seguia. Como seus passos não eram rápidos, eu sabia que não estava tentando me alcançar e impedir de ir embora.

Em dois minutos eu estaria fora e longe daqui. Apenas vá.

Mas, quando cheguei ao piso inferior, levantei a cabeça e vi uma briga se formando no meio da sala de estar. *O qu...?*

Lev estava com as mãos entrelaçadas à nuca, sorrindo para David e Michael que se encaravam quase nariz com nariz. Ilia recuou com os braços cruzados sobre o peito, enquanto Rika, Will e vários espectadores próximos observavam o que estava prestes a explodir.

— O que está acontecendo? — Kai gritou por trás de mim, ultrapassando-me.

O recepcionista do saguão do prédio se virou e disse:

— Sinto muito, senhor — Ele parecia confuso. — O Sr. Crist disse que qualquer um poderia aparecer, mas eles pareciam fora do comum e, quando interfonei para saber se poderiam subir, eles simplesmente pegaram o elevador. Eu sinto muito.

Ele olhou entre Michael e Kai, com o olhar preocupado. Eu não tinha certeza do porquê estava se desculpando com Kai. Não era o apartamento dele.

— Está tudo bem — Michael assegurou e depois olhou para os meus rapazes. — Quem são vocês?

— Eles trabalham para Gabriel — gritei, empurrando as pessoas. — David, o que vocês estão fazendo aqui?

Eu os vi em Thunder Bay, algumas horas atrás, quando estava pegando o contrato, mas eles deveriam ter ficado por lá. Eu não os esperava na cidade tão tarde.

David virou a cabeça, olhando para mim.

— Você quer ir para casa?

— Eu já estava indo embora.

Mas Kai interferiu, olhando para mim.

— Sente-se — ordenou.

Cerrei a mandíbula com força, olhando para ele. O quê? *De jeito nenhum.* Dane-se ele e seu complexo de superioridade. Já tive o suficiente por uma noite.

— Você não está preparado para começar algo com esses caras — debochei com arrogância.

Realmente era fácil agir assim quando eu tinha uma equipe de apoio. Sim, eu era uma merda.

No entanto, Kai falou com David:

— Gabriel concordou com isso. Ela trabalha para mim agora. Deem o fora.

— Gabriel não nos enviou. — Ele deu um passo à frente, aproximando-se de Kai. — E nós só sairemos sob o comando dela. Não o seu.

Kai virou-se para mim, inclinando a cabeça para me encarar.

— Vá com eles. Eu te desafio.

Meu coração pulou uma batida. Quanto ele me lembrava de Damon agora...

Mas o contrato ainda não havia sido assinado. Uma vez que fosse, eu poderia fugir, e caberia a ele me perseguir ou não. Se rompesse o acordo agora, Gabriel me culparia.

Kai abaixou o tom de voz, todos ao nosso redor silenciaram, mas a música e os festeiros se mantiveram cada vez mais ruidosos.

— A quem você pertence?

— Kai — alguém repreendeu.

— Quieta, Rika — disse, ríspido, ainda olhando para mim. — A quem você pertence?

Eu podia sentir os olhares em mim, e o que mais queria fazer naquele momento era pegar meu canivete e cravá-lo em suas tripas. *Filho da puta.* Anos e anos tentando provar meu valor a idiotas como ele, e quando consigo me impor como fruto do meu esforço, ele vem e me dá uma rasteira. Todo mundo testemunharia a minha impotência.

Mantive o olhar conectado ao dele, sentindo meus olhos incendiando de puro ódio. Cerrei os dentes com tanta força que cheguei a sentir dor.

Dando um passo, fui para o lado dele e me virei, encarando David, Lev e Ilia.

— A você — sussurrei em um tom quase inaudível.

E eu vou te matar por isso. Um nó se formou na minha garganta e senti náuseas.

— Agora, sim... — Kai disse, sentando-se na cadeira de estofado preto atrás de si. — Você pode levá-la para casa.

Não esperei pelos caras. Saí empurrando as pessoas à minha frente, sendo seguida pelos três logo depois. Senti uma mão descansar levemente nas minhas costas.

— Ela sabe andar sozinha — gritou Kai. — Não toque nela.

O toque, provavelmente de David, sumiu na mesma hora.

Viramos na sala e entramos no elevador. Quando Ilia apertou o botão, e as portas se fecharam, perdi o controle. Soquei a parede metalizada repetidas vezes, esticando a perna para chutá-la e descontar minha raiva.

— Porra! — rosnei, enfurecida.

Eu me virei, golpeando com mais força ainda, sentindo todas as articulações latejarem de dor. Bati na parede de novo e de novo, esmurrando e chutando.

— Urgh! — Dei outro soco.

Ainda bem que os caras sabiam quando calar a boca e ficaram do outro lado do elevador.

Andei de um lado para o outro, respirando com dificuldade. Ele me humilhou. Bati a palma da mão contra a parede novamente, a dor subindo pelo meu braço. *Me humilhou...*

— O que você quer que façamos? — David perguntou.

Entretanto, não olhei ou sequer respondi a eles.

Eu sabia o que deveria vir a seguir. Kai precisava assinar esse maldito contrato. Depois que fizesse isso, então ele seria tudo o que eu teria que enfrentar. Meu irmão poderia voltar e ficar em segurança, e meu pai sairia de cena, tendo conseguido o que queria. Só então eu poderia fazer as coisas do meu jeito.

Mas eu suspeitava que Kai nunca teve a intenção de assiná-lo. Esse era o problema. Ele ia prolongar essa situação e me arrastar com ele.

Eu nunca deveria tê-lo deixado me tocar.

— *Os caras só querem foder* — lembrei-me do meu irmão dizendo isso para mim, uma vez. — *Vamos foder tudo em que pudermos colocar em nossas mãos. Ninguém vai te amar. Não de verdade. Ele só vai te conduzir, conseguir o que quer e, uma hora ou outra, vai te trocar por alguém mais jovem e gostosa. Prometa que nunca permitirá que alguém te use desse jeito. Não seja uma vagabunda. Seja forte.*

Meu irmão me ensinou que os homens só me usariam e me machucariam, e pelo que eu tinha visto até agora nesta vida, ele estava certo.

Kai poderia ficar com tesão como qualquer outra pessoa, mas a luxúria nunca poderia ofuscar o quão cruel eu sabia que ele poderia ser. Quão cruel foi com Erika no ano passado e como havia acabado de se provar.

Ele tinha total controle sobre mim. Ele sabia, e acabou de provar isso a todos.

Eu precisava parar de ser tão responsiva a ele. Seja luxúria, raiva ou medo, eu precisava conter a minha excitação. Precisava deixá-lo entediado.

Se não o fizesse, nós dois nos deixaríamos levar um pelo outro.

E se isso acontecesse... haveria guerra.

CAPÍTULO 11

KAI

Dias atuais...

FECHANDO A PORTA DO ARMÁRIO COM FORÇA, ENFIEI AS ROUPAS NA MINHA mochila e fechei-a. Já era tarde, a academia estava vazia e, quando saí do vestiário, não me sentia tão exausto quanto imaginei.

Depois de mais um treino e outro banho, ainda estava acordado às dez e meia da noite.

Segui pelo corredor até o escritório, peguei o telefone na mesa e tranquei a porta. Não havia mais ninguém ali, o lugar agora calmo e escuro.

Meu telefone tocou.

Olhando para baixo, vi o número da minha mãe.

Senti o peso da culpa por um instante. No entanto, eu sabia que ela me ligaria em algum momento, já que havia cancelado minha ida ao jantar hoje à noite.

Eu amava meus pais, mas, às vezes, realmente invejava a atitude e metodologia mais relapsa dos pais de Michael.

— Você está acordada até tarde.

— Estou tentando não dormir — ela brincou. — Parece sempre dar certo com o meu filho.

Ri sozinho, andando pelo saguão e certificando-me de que os computadores estivessem desligados.

— Você está ligando para puxar minhas orelhas? — perguntei a ela.

— Talvez.

— Sinto muito, okay? — Andei em direção à porta da frente. — Eu deveria estar aí hoje à noite.

Eu sempre ia para casa aos domingos para o café da manhã e para treinar com meu pai, então não era como se não os visse direto. Eu só achava difícil me obrigar a ir lá mais vezes, quando a decepção do outro lado da mesa era palpável.

— Papai está com raiva?

— Não — ela respondeu. — Ele está apenas...

Eu assenti.

— Decepcionado. Eu sei.

Minha mãe ficou calada, até mesmo porque ela sabia que era verdade. Andávamos sempre às voltas, e por mais que meu pai raramente gritasse comigo, seu silêncio era mais difícil de aguentar.

— Marinei alguns bifes extras — ela disse. — Eles estarão à sua espera, se quiser voltar para casa amanhã.

— Talvez.

O que significava que eu a veria domingo, como sempre.

— Você está indo bem — ela me disse. — E ele está vendo isso. Ele te ama, Kai.

— Sim, eu sei. — Em tese.

Se eu morresse, ele choraria a minha ausência. Eu sabia. Porém, eu tinha muitas dúvidas se qualquer outra coisa nos tiraria desse impasse em que nos encontramos desde que fui preso todos esses anos atrás.

— Vejo você em breve, tudo bem? — Digitei o código no teclado e abri a porta da frente, saindo e trancando-a em seguida.

— Eu te amo — afirmou, baixinho, mas essas três palavras expressavam tantas coisas mais que ela não estava dizendo. Eu odiava ter feito minha mãe chorar.

— Também te amo — respondi e desliguei o telefone.

Deslizando-o no bolso, virei-me e olhei para o *The Pope*. Se não encontrasse Damon, a merda bateria no ventilador outra vez, e, provavelmente, nunca seria capaz de encarar meu pai.

Andando em direção ao beco logo depois da esquina, vi Banks encostada na parede de tijolos com as mãos nos bolsos.

— O que você está fazendo? — Eu a deixei ir embora uma hora atrás.

— Esperando minha carona.

— Você não tem carro? — perguntei.

— Você já me viu com um carro?

Hesitei por um instante. *Bem, não.* Ela sempre foi conduzida por esses idiotas.

E falando do diabo...

Olhei para cima e avistei o mesmo SUV preto estacionar próximo ao meio-fio. David e aquele garoto – cujo nome havia esquecido – estavam sentados nos bancos da frente, lançando olhares entre mim e Banks.

Sempre que ela ligava, eles com certeza vinham correndo, não?

Passei por ela e entrei no beco.

— Vou te levar para casa. Entre.

— Como eu disse, já tenho carona — ela retrucou.

Parei, virando-me e encarei-a.

— Além disso, vou para Thunder Bay — acrescentou. — Preciso cuidar de algumas coisas.

— Impressionante. Estou indo para lá também. — E me virei, destrancando e indo em direção ao carro.

Não pretendia ir a Thunder Bay, mas, pelo jeito, agora iria.

E não estava com ciúmes. Eu simplesmente não gostava de como esses babacas sempre apareciam, agindo como se ela ainda fosse deles. Ela não era, e todo mundo precisava se lembrar disso.

Abri a porta do carro, olhando para ela por cima do capô.

— Banks.

Ela ficou lá por um momento, lançando um olhar de soslaio para os caras e parecendo envergonhada. Ela provavelmente queria discutir, mas fez o que foi mandado. Veio até o carro, abriu, entrou e bateu a porta com força, não se incomodando em colocar o cinto de segurança.

Encarei os homens no outro carro, vendo suas carrancas. Quase ri.

Afastei-me do estacionamento e passei acelerado por eles na rua tranquila.

Ela não disse nada, e permiti que se mantivesse calada enquanto eu dirigia. Ultimamente, eu a pressionava bastante e não queria que nossa interação fosse sempre assim. Gostava de conversar com ela.

Depois da festa de Michael, há alguns dias, fiquei fora do seu caminho, assim como ela ficou fora do meu, porém, mais por estar confuso do que irritado.

Eu deveria estar procurando por Damon. Deveria estar cuidando da pendência que ele tinha comigo.

Mas na outra noite, naquele corredor escuro no Delcour, tudo voltou à tona. Como foi fácil me envolver e conversar com ela, e o quanto amei aqueles raros momentos de vulnerabilidade quando ela quase precisou de mim. E me quis.

Ela era um mistério, mas agora, a única coisa de verdade que queria era tê-la embaixo de mim, entre os lençóis. Qual seria o olhar em seu rosto? Que palavras sussurraria? Em que parte do meu corpo ela colocaria suas mãos?

No entanto, ela era leal aos Torrance. Como eu poderia fazer o que era preciso e ainda mantê-la ao meu lado?

O carro cortou a noite fria, atravessando a ponte e descendo a estrada obscura em direção a Thunder Bay com os faróis brilhando à frente. Respirei fundo, tudo de repente parecendo denso dentro do carro.

Minha pele zumbiu com a sensação de tê-la ao meu lado.

Olhei de relance, vendo-a encarar a paisagem pela janela, as costas eretas e as mãos no colo. Lentamente, porém, ela começou a passá-las para cima e para baixo sobre as coxas, a respiração um pouco acelerada.

Virou a cabeça para frente novamente e notei o rápido olhar de esguelha que me lançou enquanto mordiscava os lábios cerrados.

Voltei a me concentrar na estrada, contendo um sorriso.

— Você é realmente muito boa em autocontrole, não é, garota? — Mantive o tom calmo. — Quer me dizer alguma coisa? Posso sentir a tensão no ar. Você pode ficar à vontade.

Mas ela permaneceu quieta, como sabia que faria. Apoiei o cotovelo na porta e passei os dedos pelos lábios. Como brincar com alguém que não se envolvia muito?

Até que tive uma ideia.

— Então, como ela é? — perguntei.

As sobrancelhas delicadas franziram.

— Quem?

— Vanessa.

Ela voltou a olhar pela janela do seu lado, suspirando com impaciência.

— Ela se parece a alguém que vai ficar ótima quicando em cima de você na noite de núpcias.

Apertei o volante com força. Que pirralha do caralho.

— Então, você nunca falou com ela, é isso? — insisti.

Eu queria deixá-la com ciúmes.

— Algumas vezes — respondeu. — E uma vez ela pagou um garoto para agarrar meus seios em uma festa quando tínhamos quinze anos. Damon o amarrou a uma árvore e enfiou a cobra Volos dentro da cueca dele. O garoto gritou como uma cadela.

Bufei uma risada.

E então minha expressão se desfez, odiando que, por um momento, tenha sentido falta dele. Não gostei da parte em que Banks foi agarrada, mas me senti mais tranquilo por saber que ele puniu o cara. Esse não era o comportamento típico de Damon.

Por que ele era tão apegado a ela?

Mas, quem era eu para falar, já que também estava rapidamente me apegando? Por razões que não conseguia nem entender agora.

— Conversei com Michael hoje — comentei, mudando de assunto enquanto olhava à frente. — Ele disse que você o ameaçou no *The Pope*. Depois que ele te agarrou e imprensou em uma parede para te ameaçar.

Não consegui evitar e me diverti com a imagem na minha cabeça.

— Você disse a ele que somos vulneráveis e desfocados? — Eu sorri, fazendo uma curva suave. — Ele realmente parecia preocupado, como se você tivesse razão.

Suas sobrancelhas franziram mais ainda, claramente tentando ignorar minhas tentativas de puxar assunto.

— Sabe, a última vez que te vi, seis anos atrás, você era tímida e inocente. O tipo de garota que se encolhia perante uma brisa leve. — Soltei um longo suspiro, perguntando-me se aquela garota ainda estava dentro dela em algum lugar. — Agora, é como se cada passo seu fosse calculado. Assim como os próximos que se seguem.

Pude senti-la enrijecer ao meu lado.

— Alguns anos depois daquela Noite do Diabo, Rika nos acompanhou em uma delas — revelei, mas suspeitava que ela já soubesse de tudo isso. — Ela me lembrou muito de você naquela noite. Apenas tomando consciência das coisas que a excitavam. Começando a dar o primeiro passo além de seus próprios limites, como ela tanto sonhava. Vocês duas são muito parecidas.

Rika me lembrou de Banks naquela noite. Alguém que poderia me atrair. Alguém que desceria na toca do coelho comigo. Eu tinha meus amigos, mas não era a mesma coisa.

— Exceto pelo controle. Rika reage instintivamente — acrescentei, lambendo meus lábios. — O que ela quer, ela vai lá e pega.

Banks voltou a olhar pela janela, agindo como se eu não estivesse aqui.

— Mas quando estava crescendo, ela também era muito diferente. — Dirigi o carro em uma velocidade tranquila. — Quando jovens, somos quem somos por necessidade, somos aquilo que fomos ensinados a ser. Com a liberdade, porém, vem a possibilidade de ampliar nossos horizontes. Quando damos satisfação apenas a nós mesmos — eu disse e olhei para ela novamente. — Você não conseguiu essa liberdade ainda, conseguiu? Por quê? As pessoas te punem se você sair da linha? Gabriel te machuca se você se comportar mal ou falar na hora errada? Damon te machucou? — continuei cutucando, esperando que a vencesse pelo cansaço.

Ela respirou fundo e encarou o para-brisa, pigarreando.

— Você e Michael poderiam começar a restringir os hábitos destrutivos de Will. Tem piorado bastante desde que Damon partiu — ela atestou, ignorando todas as minhas perguntas. — Ele está deprimido. Você precisa dar a ele algo para fazer. Um monte de coisas, na verdade, de forma que ele não tenha tempo para pensar. Dê a ele um propósito.

Arqueei as sobrancelhas. Eu não estava irritado por ela ter mudado de assunto, voltando à sua discussão com Michael. Ela estava conversando comigo, pelo menos.

Refleti em suas palavras. Will quase nunca estava sóbrio e isso o tornava fraco e um alvo fácil. Talvez ela estivesse certa. Afinal, eu estava lidando muito melhor que Will, e talvez fosse apenas pelo fato de me manter bastante ocupado, por isso não ficava pensando no passado.

O silêncio se instalou no carro outra vez, e vi suas mãos subindo e descendo em suas coxas mais uma vez. Estendi a mão e liguei o aquecedor em um nível mais brando, para o caso de ela estar com frio.

O brilho do painel lançava luz suficiente para distinguir seu perfil: a mandíbula, nariz e uma parte desnuda de seu pescoço. Apertei o volante novamente, meu corpo carregado de nova energia. Muita energia reprimida.

Já fazia um tempo desde que fiquei com alguém.

Talvez eu devesse deixar você me perseguir também.

Pisquei, tentando aliviar o calor que aquecia meu corpo. Ela atraía demais o meu interesse e eu não precisava desse tipo de distração. Havia outras mulheres para brincar. Inferno, Alex já havia me entregado seu cartão de visitas mais de quinze vezes. Ela estava pronta para o jogo se eu decidisse que a queria.

Um ruído leve interrompeu o silêncio, e percebi que provinha de Banks. Seu estômago estava roncando. Olhei para o relógio no painel, vendo que passava das onze.

— Quando foi a última vez que você comeu? — quis saber.

Não obtive nenhuma resposta.

— Eu nunca te vi comer, na verdade. — Continuei focado na estrada, mas a olhava de esguelha vez ou outra.

— Acho que todo mundo poderia dizer o mesmo de você.

Era verdade. Eu tinha hábitos estranhos, então fazia minhas coisas no meu próprio ritmo.

Mas também não pude ignorar a dor súbita em meu estômago. Após as reuniões mais cedo, estive ocupado com a folha de pagamento e diversos telefonemas. Eu tinha me esquecido de comer.

— Você está certa — confessei, desviando para pegar a bifurcação na estrada. — Estou morrendo de fome. O que gosta de comer?

— Eu gostaria de ir para casa.

Sim. Tenho certeza disso.

— Sem problema — respondi.

— Eu quis dizer a *minha* casa — resmungou meia hora depois, irritada.

Eu ri baixinho, passando por ela que ainda se mantinha plantada ao lado de uma parede na sala de jantar dos meus pais.

Em vez de levá-la de volta à casa de Gabriel, eu a trouxe para minha casa. Ou dos meus pais, na verdade. Os dois – no andar de cima dormindo e alheios ao fato de estarmos aqui embaixo – ainda moravam em Thunder Bay, assim como os pais de Michael e Will e, é claro, o pai de Damon.

Levei os pratos para a mesa comprida de madeira, brilhando com a luz suave do lustre de ferro forjado pendurado acima. Apesar do amor de meu pai pelo estilo tradicional japonês de decoração, minha mãe conseguiu dobrá-lo e decorou nossa casa com muita madeira escura, tapetes, pinturas e cores.

Mas ela também pretendia agradá-lo. Havia uma vista maravilhosa de nossa propriedade e muita luz natural entrando na casa.

Coloquei dois pratos e dois guardanapos enrolados com talheres.

— Este é o melhor restaurante da cidade — brinquei, pegando uma garrafa de água que estava carregando debaixo do braço e jogando para ela. — Sente-se.

No entanto, ela apenas cruzou os braços, a garrafa de água enfiada por baixo deles, e desviou o olhar, ignorando-me.

— Posso ir embora agora?

Puxei uma cadeira para me sentar.

— Eu sei que você está com fome.

Seus olhos se voltaram para o prato, mas rapidamente se desviaram.

Desenrolando meu guardanapo, sentei-me e peguei o garfo e faca, começando a cortar um dos filés que minha mãe avisou que guardaria para mim na geladeira.

Ela permaneceu recostada à parede até que abaixei os cotovelos, perdendo a paciência.

— Sente-se.

Ela esperou cerca de três segundos só para me irritar, provavelmente, mas, por fim, puxou a cadeira e desabou sobre ela.

Depois de pousar a garrafa de água, cruzou os braços outra vez.

— Eu não gosto de bife.

Sim, tudo bem. Tanto faz.

Decidi não discutir com ela por isso. Mesmo sabendo que estava mentindo. Era uma desculpa, para que não tivesse que ser cortês e compartilhar uma refeição ao meu lado.

Quer dizer, quem diabos não gostava de bife? A menos que ela fosse vegetariana e, sem ofensa, tive a impressão de que havia crescido comendo tudo o que lhe era dado. E, na maioria das vezes, provavelmente deviam ser sobras do McDonald's – e de outras pessoas –, em vez de brócolis orgânico e leite de amêndoa.

Baixei os olhos, encarando a comida em meu prato. Batatas cozidas, feijões verdes e um pedaço grosso de bife macio.

De repente, perdi-me em pensamentos. Provavelmente éramos mais parecidos do que ela pensava.

Coloquei a faca e garfo ao lado, meu estômago roncando com o cheiro das bordas bem-passadas que eu tanto amava.

— Quando era pequeno — disse a ela, recostando-me na cadeira —, morávamos em um apartamento de dois quartos na cidade. — Tentei me lembrar de todos os detalhes da época. — Os buracos nas paredes do meu quarto eram tão profundos que era possível sentir o cheiro da maconha que nossos vizinhos fumavam e do tempero que a senhora no andar de cima usava para cozinhar.

Olhei para a toalha de mesa, lembrando-me dos lances de escada que subíamos todos os dias; minha pobre mãe me levando no colo.

— Minha mãe fazia o possível para tornar nosso lar agradável —

admiti, lembrando-me dos meus desenhos rabiscados com os quais ela decorava as paredes. — Ela era muito boa em lidar com o dinheiro e fazer muito com o pouco.

Banks permaneceu em silêncio.

— Meu pai estava terminando a faculdade e trabalhava o tempo todo, então quase nunca ficava em casa — expliquei. — Comia tanto macarrão com queijo, que nunca perguntava o que havia para o jantar. Não que me importasse. Eu achava uma delícia. — Dei um meio sorriso. — Mas minha mãe fazia o maior esforço para tornar a refeição como se fosse algo *gourmet*. Ela empilhava um pouco de pão num prato e adicionava um raminho de salsa.

Ao pensar nisso, percebi que nunca mais comi macarrão com queijo desde que saímos daquele apartamento.

— Lembro-me de uma noite... acho que eu tinha uns cinco anos... quando meu pai chegou em casa — continuei, a voz calma como se estivesse falando comigo mesmo. — Eu já tinha comido. Macarrão com queijo, é claro. Estava sentado, assistindo TV, e ela colocou um bife no prato à frente dele na mesa da cozinha. Ainda me lembro de ouvi-lo chiar na frigideira. O cheiro da manteiga em que foi refogado. Ele ficou furioso.

Lembro-me de ele olhar para ela, sentado à mesa, uma mistura de raiva e confusão. Meu pai estava acostumado ao pouco. Ele cresceu pobre. Mas minha mãe, não. Ela era de uma família próspera e abandonou um noivo rico com quem teria que se casar à força, para ficar com meu pai. Ela foi deserdada. Meus avós nem sequer haviam me conhecido.

— *"Como você pôde desperdiçar o dinheiro assim?"* — repeti as palavras de meu pai em sua voz severa. — *"Se minha família não come bife, então eu também não comerei"*. Mas minha mãe disse que homens importantes comem bife e não queria que meu pai esquecesse que ele era um homem importante.

Ergui a cabeça, forçando um sorriso quando encarei seus olhos.

— E ao invés disso, ele se tornou um grande homem e agora podemos comer bife quando quisermos. — Abaixei o olhar, murmurando baixinho enquanto afastava distraidamente o prato: — E eu nem preciso ser importante.

Eu não era importante.

Ainda não.

Meu pai trabalhou duro para devolver à minha mãe tudo o que ela havia sacrificado ao escolhê-lo, e como eu o retribuí? Toquei o terror, dirigindo carros comprados por ele e comendo qualquer coisa que quisesse, sem me importar com o custo. Não ganhei nada por conta própria.

Eu não era ninguém à sombra do que ele havia conquistado.

Peguei meu fundo fiduciário depois que fui solto no ano passado, investi muito e tentei fazer algo de mim mesmo, mas a nuvem negra e que me rotulava como um ex-condenado ainda pairava sobre mim. Era visível nos olhos dele. Eu nunca seria capaz de apagar a vergonha.

Meus olhos arderam por um instante e precisei piscar com força, desviando o olhar. Eu não merecia estar nesta mesa, muito menos comer a porra desta carne que fora comprada por ele.

Mas então vi quando ela se moveu. Olhei para cima o suficiente para vê-la desenrolar o guardanapo para pegar os talheres. Lentamente, cortou um pedacinho da carne e colocou em sua boca.

Ela mastigou devagar e, de repente, fechou os olhos, colocando a mão sobre os lábios.

Meu corpo esquentou.

— Está gostoso? — perguntei, baixinho.

Ela abriu os olhos novamente e assentiu, deixando escapar um pequeno gemido.

Meus ombros relaxaram quando a observei dar outra mordida, mais rápida dessa vez. Eu sorri. A marinada caseira da minha mãe era fantástica, mas eu também era um excelente cozinheiro.

Olhei para o meu próprio prato e o puxei para frente novamente, pegando a faca e garfo.

— Bem, estou feliz por ter mudado de ideia sobre o bife — comentei, cortando um pedaço do meu.

Ela engoliu em seco.

— *Na verdade*, nunca comi bife.

Dei uma mordida na carne macia, o molho atiçando meu paladar.

— Nunca?

Ela encolheu os ombros, olhando para longe enquanto mastigava outro bocado.

— O que você geralmente gosta de comer?

Ela cortou a carne novamente, sem esforço. Devia estar com fome.

— Ovos, torradas... — disse. — Esse tipo de coisa.

— Não pode ser só isso.

Mas ela apenas desviou o olhar novamente, ignorando minha tentativa de obter mais informações. Meu olhar pousou em suas mãos. As unhas apresentavam uma fina camada de sujeira por baixo, e a jaqueta preta que ela usava estava desgastada nos punhos. Ovos e torradas, não é? Tive a leve suspeita do caralho de que era tudo o que ela podia comprar. O que Gabriel lhe pagava de salário?

Bem, agora aquilo era por minha conta, não é? Eu resolveria o assunto amanhã, então.

— Você nunca usou essas luvas — falei, apontando para a luva sem dedos de couro. — Existe uma razão agora?

— Dessa forma, eu não arrebento meus nódulos quando te bater. — Deu outra mordida na carne.

Meu peito vibrou com uma risada reprimida. Ei, eu poderia até deixá--la me dar um soco. Ela não me venceria, no entanto.

Banks devorou o bife, o feijão verde e a maioria das batatas, finalmente abrindo a garrafa de água e tomando um longo gole. Curiosamente, ela parecia... satisfeita.

Não soube bem o porquê, mas me senti bem em alimentá-la. Ela não era o tipo de pessoa que deixava os outros fazerem as coisas por ela, então esse evento seria uma raridade. Eu bem poderia gostar disso.

Ela tomou outro longo gole e tampou a garrafa, limpando a boca na manga.

Terminei de comer enquanto ela se mantinha calada, brincando com o guardanapo em cima da mesa, até que finalmente rompeu o silêncio:

— Eu não sei onde ele está. — Ergueu o olhar resoluto, encontrando o meu. — E mesmo se soubesse, não diria a você.

Ela não estava tentando ser marrenta. Apenas direta e honesta comigo, e suas palavras assentaram em minha mente, quando eu, finalmente, acenei em concordância.

Peguei o guardanapo e limpei a boca, colocando-o de volta e concentrado em seu olhar.

— Compreendo. Ainda assim, não a deixarei ir embora.

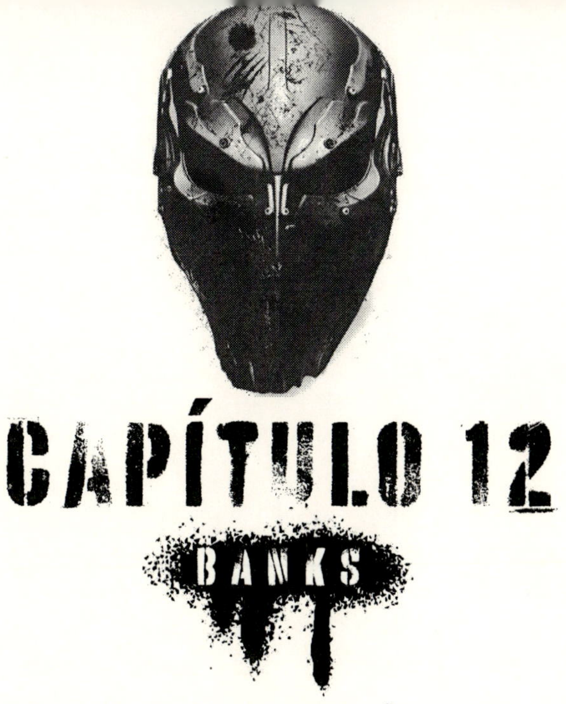

CAPÍTULO 12

BANKS

Dias atuais...

UM TOQUE ESTRIDENTE PERFUROU O AR NA MANHÃ SEGUINTE, E EU ME LEVANTEI sobressaltada, apalpando a cabeceira da cama em busca do meu telefone. Ele quase caiu para o lado, pendurado pelo cabo do carregador, mas agarrei-o a tempo enquanto tentava me livrar do sono. O nome de Gabriel apareceu na tela. Atendi imediatamente.

— Banks — disse, pigarreando, quando me sentei no colchão.

— Um mensageiro levará o contrato ao *dojo* esta manhã — informou. — Certifique-se de que seja assinado.

Esfreguei o rosto, tentando acordar. Porra, eu não deveria ter comido aquela refeição noite passada. Eu tinha mais energia quando comia menos.

— Já disse que acho que ele não tem nenhuma intenção de assinar. Ele queria ter acesso ao *Pope*, porque acha que Damon está lá. Ele está só nos sacaneando.

— Estou pouco me lixando para o plano dele — meu pai disse, ríspido. — Ele plantou, vai ter que colher.

Kai não ia assinar o maldito contrato. Eu não tinha certeza do que ele queria comigo – acho que nem ele mesmo sabia –, mas definitivamente percebi que Kai não gostava de fazer as coisas da maneira errada. Depois do que ouvi ontem à noite, ele nunca se casaria com alguma desconhecida, muito menos gostaria de explicar ao pai que acabara de se vincular a Gabriel Torrance. Meu pai e o dele não se cruzavam com frequência, e apesar do fato de seus filhos terem sido bons amigos uma vez, Katsu e Gabriel se odiavam.

— Damon não está no *Pope*, não é? — Gabriel averiguou.

Levantei-me e fui até a janela, afastando a cortina esfarrapada e contemplando a chuva.

— Como eu disse, acho que ele esteve lá em algum momento — informei. — Mas parece ter desaparecido agora.

Eu tinha certeza de que meu irmão possuía vários esconderijos na cidade. Se ele estivesse no *Pope*, teria nos visto a tempo de fugir.

— Você me diria se ele te ligasse, não é? Ou se o tivesse visto? — ele pressionou em um tom ameaçador. Dava para ver que ele estava nervoso. Damon era uma bomba-relógio e Gabriel já não sabia como controlá-lo. — Sei que você é leal a ele, mas sou eu quem paga seu salário. Você só está protegida graças a mim, garotinha. Lembre-se disso.

Soltei a cortina, sentindo a raiva rastejar.

— E você só tem poder sobre ele ainda por minha causa. Lembre-se disso.

Fechei imediatamente os olhos, lamentando ter aberto a boca. *Merda.*

Meu pai ficou calado. Eu o desrespeitei dessa forma somente uma vez. E bastou apenas essa vez para que eu aprendesse onde era o meu lugar.

Respirei fundo, acalmando o tom de voz.

— Estamos juntos nessa — assegurei a ele. — Não se preocupe, e confie em mim para saber exatamente o que fazer. Conheço Damon melhor do que ninguém, e vou levá-lo para casa.

Ele não disse nada por um tempo, mas pude ouvir vozes ao fundo. Graças a Deus, eu não estava em frente a ele agora. Caso contrário, suas alternativas para lidar com minha insolência não seriam tão limitadas.

Mas, para minha surpresa, ele apenas deu um longo suspiro e disse:

—Tudo bem. — E então acrescentou: — Você deveria ter nascido homem. Você é o filho que Damon deveria ter sido.

Apenas fiquei lá, sentindo o peso imenso em meus ombros. Uma parte minha gostou de ouvir isso. Que ele desejava que meu irmão fosse mais parecido comigo e não o contrário. Encheu meu coração de orgulho.

Mas, ainda assim, eu não era um garoto. E *nunca* seria. E tudo sempre se resumiria a isso. O que havia entre as minhas pernas. E não importava o quanto eu me esforçasse, essa realidade sempre prevaleceria.

— De toda forma, as mulheres não são completamente inúteis — continuou ele. — Kai gosta de você, então use o que Deus lhe deu e faça com que ele assine o contrato. Não se preocupe em voltar até conseguir isso.

E então desligou.

Joguei o celular em cima dos lençóis emaranhados na cama. Cruzando os braços, cerrei os dentes, tentando encontrar a porra do meu foco novamente.

Eu estava tão cansada.

Deveria ter voltado para casa ontem à noite. Não deveria ter entrado no carro dele ou aceitado sua comida, ou deixado que me contasse histórias idiotas que fizeram meu estômago dar um nó com coisas que eu não deveria sentir.

E daí se ele gostava de macarrão com queijo, pelo amor de Deus?

Passei a mão pela cabeça, afastando os fios que haviam se soltado das minhas duas tranças francesas.

Droga. Fechei os olhos com força, gemendo enquanto cravava as unhas no couro cabeludo. De repente, o penteado pareceu tão apertado que tudo o que eu queria era arrancar os elásticos para desmanchar. Minha cabeça doía. Minha pele queimava. E meu estômago se corroía de fome, desejando ficar saciado de novo, como esteve na noite passada.

Inspirei e expirei diversas vezes.

Onde você está, Damon? Nós não temos que viver assim. Por que você me abandonou?

Mas eu sabia a resposta. Ele foi embora, porque sabia que eu o esperaria. Como sempre fiz.

Quanto mais tempo eu passava com Kai, mais confusa ficava. Ele foi tão sincero ontem à noite, relembrando seu antigo apartamento de infância, mas sua expressão se entristeceu ao se lembrar de como seu pai conseguiu se tornar um homem tão formidável. Ele deixou muito por dizer. Coisas que nem mesmo precisavam ser ditas.

Ele achava que era uma decepção.

Olhei em volta do meu apartamento minúsculo de um quarto, as tábuas rachadas do piso vibrando sob meus pés toda vez que alguém andava pelo corredor do lado de fora da porta.

A janela suja estava coberta por uma cortina amarelada. A pia se encontrava vazia; meu prato, uma tigela, uma xícara e um conjunto de talheres na prateleira ao lado. Havia um sofá-cama que comprei em um brechó e alguns blocos de concreto com uma placa em cima que servia como mesa de café.

Kai Mori não sabia quão sortudo era. Pelo menos ele tinha pessoas com quem contar, educação e oportunidades.

Eu nem tinha um diploma do ensino médio. Nem dinheiro, além do fato de que nunca poderia deixar a única pessoa que me importava.

Kai poderia alcançar voos mais altos, e eu estava cansada de estar perto dele e ser lembrada de que nunca poderia fazer isso.

Eu sempre viveria assim.

Subindo as escadas estreitas, virei o corrimão e continuei até o segundo andar. Havia inúmeras bitucas de cigarro esmagadas no chão de madeira lascada, e respirei pela boca para impedir que o fedor de tudo o que acontecia neste prédio me fizesse engasgar. Não foi nenhum passeio no parque crescer com Damon e Gabriel, mas sempre seria grata ao meu irmão por ter me levado embora daqui onze anos atrás.

Bati na porta do apartamento da minha mãe. O número 3 do logradouro acima do olho-mágico – que indicava 232 – havia desaparecido muito tempo atrás. Somente a marca escura da cola permanecia na madeira.

— Mamãe! — gritei, socando a porta com o punho. — Mãe, sou eu!

Nós duas morávamos no mesmo bairro decadente em Meridian, então a caminhada até aqui não levou mais do que dez minutos.

Quando me mudei para a cidade depois que Damon foi preso, eu poderia ter voltado a ficar com ela, acho – para dividir os gastos e tudo mais –, mas não quis, e, ainda bem que ela não pediu que o fizesse. Ela ainda mantinha um estilo de vida que podia ferrar com a vida de uma criança, então...

Porém eu precisava conversar. Precisávamos definir alguma história, caso alguém – tipo Kai, por exemplo – aparecesse para perguntar a meu respeito. O nome de Gabriel não constava na minha certidão de nascimento, e as outras pessoas que sabiam que eu era sua filha trabalhavam para ele, logo, minha mãe era o único elo fraco. Eu precisava me assegurar de que ela ficasse de boca fechada. Kai não precisava descobrir exatamente quanta vantagem ele tinha na ponta dos dedos.

Depois de um minuto sem resposta e sem ouvir som algum no interior, peguei a cópia da chave que roubei para poder destrancar a porta. Ao abri-la, dei um passo e imediatamente olhei ao redor, deparando-me com a bagunça da sala de estar.

— Mas que porra...? — Respirei, estremecendo com o fedor.

Vi um homem desmaiado no sofá, uma perna pendurada para fora, e fechei a porta com força, sem me preocupar em fazer silêncio. Ele obviamente não me ouviu batendo um momento atrás de qualquer maneira.

Coloquei as chaves no bolso e adentrei a sala suja imersa na penumbra. A única iluminação provinha da fresta entre a persiana quebrada e as cortinas bregas de veludo azul. Fui até a mesinha de centro, vasculhando recipientes de comida chinesa do dia anterior, cigarros e garrafas de cerveja tombadas. Peguei um cachimbo, o vidro embaçado com o resíduo do que havia sido queimado dentro dele. Cada músculo se retesou enquanto eu encarava o objeto, decepcionada.

Jogando-o de volta na mesa, olhei para o motociclista esparramado no sofá com a calça jeans aberta e o cinto desafivelado. Então, erguendo a cabeça, avistei a câmera posicionada no braço do sofá. Do tipo caro e de alta tecnologia com um microfone conectado.

Puta que pariu.

Girando, corri para a mesa da cozinha, derrubei uma cadeira e quebrei uma das pernas. Com ela em mão, disparei pelo corredor em direção ao quarto dela e o abri.

A maçaneta se chocou contra a parede, e a encontrei com outro cara – esse mais jovem –, apagado na cama ao lado dela, ambos enroscados entre os lençóis. Uma lâmpada estava caída no chão, e a chuva respingava no peitoril por causa da janela aberta. As roupas se encontravam espalhadas por toda parte e o cheiro de cigarro me atingiu com força, quase me fazendo tossir.

Desviando o olhar, vi o tripé da câmera.

Filha da puta. Girei o pedaço de madeira na minha mão e acertei a penteadeira.

— Pra fora! — gritei. — Se manda daqui!

Bati meu bastão improvisado novamente, enviando os frascos de perfume pelos ares.

— Que diabos? — O homem de repente acordou, esfregando os olhos enquanto tentava se sentar.

— Levante-se, imbecil! — Chutei a cama. — Dá o fora daqui agora!

Minha mãe, com o cabelo escuro cobrindo um olho, puxou o lençol e se sentou.

— O quê? O que está acontecendo?

— Cale a boca — rosnei, levantando o pedaço de pau.

O rapaz, provavelmente apenas alguns anos mais velho do que eu, olhou para mim como se estivesse meio apavorado e confuso.

Okay, eu precisava ser um pouco mais direta, então fiquei cara a cara com ele.

— Vá. Embora! — berrei, o rosto afogueado enquanto acertava a parede acima de sua cabeça uma e outra vez. — Se manda daqui! Vai! Vai! Vai!

— Que porra é essa? — ele resmungou, saindo da cama e correndo para pegar suas roupas. — Qual é o seu problema, porra?

— Nik, o que você está fazendo? — ouvi minha mãe perguntar, mas ignorei-a.

Respirei fundo. A câmera, os homens, drogas... prostituta do caralho. Engoli a bile subindo pela garganta.

O cara se enfiou em seu jeans, pegou os sapatos e a camisa da cadeira, e fez uma careta para mim quando saiu do quarto.

Minha mãe rapidamente vestiu a camisola e o robe, mas eu segui o babaca, certificando-me de que ele levasse o amigo.

Eu o vi pulando em uma perna, tentando colocar os sapatos.

— Cara, levante-se! — disse ao amigo.

O outro começou a se levantar do sofá, mas eu me virei e agarrei a câmera.

— Ei, isso é nosso! — o jovem gritou. — A gente pagou a vadia! O que tem nisso aí é nosso!

Mas apenas fiquei lá, segurando o pedaço de pau com força enquanto os desafiava.

— Gabriel — eu disse, lentamente — Torrance.

Eles rapidamente se entreolharam, e vi quando suas expressões mudaram. Era isso aí. Esse nome era útil quando eu precisava. Eles não sabiam que meu pai não dava a mínima para o que minha mãe fazia.

— Saiam — repeti uma última vez.

Eles se moveram com lentidão, pegaram seus casacos, suas drogas e saíram pela porta, o jovem me lançando mais um olhar desagradável antes de ir embora.

— Ela não era boa de qualquer maneira — debochou, os olhos focados atrás de mim.

Quando se foram, dei um chute na porta para fechá-la.

Ouvindo um barulho às minhas costas, virei-me, jogando a madeira no sofá.

Minha mãe estava na sala de estar, o robe de seda vermelho no meio da coxa, cobrindo parcialmente sua camisola rosa. Ela mordeu a unha do polegar, o queixo trêmulo.

— Para que serve a câmera de vídeo? — perguntei.

— Eu precisava de dinheiro.

— Eu te dou dinheiro!

— Isso nem cobre o aluguel!

Seus olhos se encheram de lágrimas, e marchei até o sofá, jogando no chão as almofadas novas que ela havia comprado.

— E essa merda? — continuei, andando pela sala, exasperada e prestes a perder o controle. Mais do que já havia perdido.

Eu me virei, avistando suas unhas postiças com a manicure francesa e o bronzeado artificial. Gabriel me pagava um salário de merda, uma remuneração "de mulher" comparado ao que David, Lev e Ilia recebiam, e depois que pagava meu aluguel e as poucas coisas que precisava, eu lhe dava o restante. De alguma forma, conseguia sobreviver com muito menos! Por que ela não podia? Senti um soluço subir à garganta, e tudo o que mais queria naquele momento era estrangulá-la.

— Existem milhões de outras pessoas no mundo e elas conseguem dar um jeito de alguma forma! — gritei, enfrentando-a e exigindo uma explicação.

Tudo estava fodido, e as paredes ao meu redor estavam se fechando. Eu odiava a minha vida. Odiava Damon, meu pai, Kai e todos. Eu só queria dormir por um ano. Quando as coisas seriam diferentes?

— Ele estava certo — declarei, olhando para ela, mas vendo apenas a mim mesma. — Você é apenas uma prostituta desleixada e viciada! O que vai fazer quando ninguém quiser pagar mais pela sua boceta surrada e velha? Seus peitos já estão despencando!

A mão dela acertou minha bochecha com força e minha cabeça virou para o lado.

Respirei fundo, meu corpo inteiro imóvel.

A ardência no meu rosto se espalhou como uma picada de cobra cada vez mais profunda, e fechei os olhos.

Cristo. Minha mãe nunca tinha me batido antes.

Devo ter recebido algumas palmadas quando criança – embora não me lembrasse –, mas ela nunca me bateu no rosto.

Lentamente, virei a cabeça para frente, deparando-me com o seu olhar vidrado tomado de mágoa. Ela levou a mão à boca, e eu não sabia se estava chocada com o que havia feito ou triste por termos chegado a esse ponto.

Enfiei a mão no bolso, sentindo uma lágrima escorrer enquanto olhava para o chão. Peguei os sessenta e quatro dólares que tinha e me aproximei, jogando-o sobre a mesinha de centro.

— Isso é tudo o que tenho — eu disse.

E, *hoje*, jurei a mim mesma, seria a última vez que lhe daria alguma coisa.

Mas amanhã... eu daria o suficiente para mais alguns dias.

E na próxima semana... eu voltaria com mais.

Eu sempre voltava, não é? O que poderia fazer? Eu não queria minha mãe morando nas ruas. Ainda a amava.

Ignorando seu choro suave e a cabeça enterrada em suas mãos, abri a porta da frente para sair.

— Você tem dinheiro para comer? — ela perguntou.

Mas eu apenas ri baixinho.

— Dê a si mesma algumas doses — ironizei, gesticulando para o cachimbo. — Dessa forma, você não vai precisar se importar com isso.

Batendo a porta, soltei um suspiro, meu peito tremendo enquanto fechava os olhos.

— Eu sou importante — sussurrei para mim mesma.

Lágrimas silenciosas deslizavam quando afastei qualquer dúvida. Afastei as suspeitas de que estava sendo usada. *Não*. Não, meu pai precisava cada dia mais de mim. E Damon também não estava me usando. Ele queria que eu fosse feliz. Eu sabia disso. E eu seria, em algum momento.

E se não cuidasse da minha mãe, quem cuidaria?

Eu era necessária. Era valiosa.

Não seria descartada como se fosse lixo, como ela. Eles não fariam isso comigo. Quem faria por eles o que eu fazia?

A câmera estalou no meu punho, e todos os meus músculos faciais estremeceram quando solucei, porque nem eu conseguia acreditar em minhas próprias palavras.

Ai, meu Deus. Comecei a correr quando o mundo à minha frente se tornou embaçado e todas as lágrimas começaram a transbordar. Eu seria como ela. Meses se transformariam em anos. Pessoas como eu não conseguiam se safar desse destino. Ela ia morrer naquele apartamento. E eu morreria nesta cidade, tão burra, idiota e pobre como era agora.

Desci correndo as escadas, dando a volta no corrimão e saindo em disparada pela porta. A chuva fria atingiu meu rosto como cristais de gelo, um alívio bem-vindo para toda a merda que corria como lava incandescente sob a minha pele.

Inspirei e expirei, arquejando enquanto corria pela calçada, desviando dos pedestres já a caminho do trabalho diário. Eu não sabia para onde estava indo. Só precisava fugir.

Para o mais longe e o mais rápido que conseguisse. Apenas em frente, e em frente. *Vá!*

Então, eu corri. Corri, a chuva martelando a calçada ao meu redor, vendo nada além de pés e pernas enquanto passava pelos outros e corria pelas ruas. Buzinas soaram, mas não conferi se eram por minha causa.

A chuva encharcou meus coturnos desamarrados, e logo meu gorro também se encontrava grudado na cabeça, com o peso da água.

Pisei nas poças, espirrando para todo lado, lentamente sentindo cada peça de roupa começar a grudar na minha pele. Tentei limpar meu rosto, mas a chuva era tão espessa que eu mal conseguia ver seis metros à frente.

Mas não parei. Corri, sem dar a mínima se houvesse um penhasco ou um carro viesse na minha direção através da neblina a qualquer momento.

Isso tudo era culpa deles. O irmão de Michael fez com que Damon fosse preso, e graças a Deus ele estava morto, ou eu o teria matado por conta própria. Se não fosse por isso, Damon teria terminado a faculdade e teríamos ido embora.

E então, os demais... Meu irmão teria levado uma bala por eles, que escolheram Erika Fane sem hesitar. Por anos ele lhes deu cobertura, e eles o jogaram fora como se não valesse nada. Nem sequer lutaram por ele.

Ouvi um som estridente cortar o silêncio, e percebi que estava na calçada que atravessava a ponte. Desviei o olhar exausto para a água, vendo um rebocador empurrando uma barcaça rio abaixo, seu alerta de nevoeiro ecoando através da tempestade.

Olhando para a câmera na minha mão, levantei o braço e a joguei no rio, vendo-a desaparecer nas águas escuras.

Baixei os olhos, sacudindo a cabeça. Isso não era verdade, era? Pude ver o lado de Damon, porque sabia o quanto ele estava sofrendo. Eu sabia o que se passava na cabeça dele.

Ninguém em casa o amava. Nosso pai era um tirano e sua mãe... Ele foi aterrorizado por ela. Gemi ante a náusea que assolou meu estômago, lembrando-me de todas as coisas que ele nunca quis que eu presenciasse naquela torre.

Todas as coisas que vi, sem ela saber que eu estava lá.

Por conta disso, Damon se tornou muito possessivo com as poucas pessoas boas em sua vida.

Eu, os amigos dele...

Tudo o que nos ameaçava se tornava imediatamente um inimigo.

Por isso ele odiava Erika – ou Rika, como todos a chamavam. Ele não estava certo, mas eu conhecia seu passado, então era mais fácil compreender.

No entanto, ele foi preso por sacanear com Winter, uma garota que ele sabia ser proibida. De mais de uma maneira.

E ele havia ido longe demais no ano passado e teve que se esconder.

Se Damon realmente quisesse ter fugido, só nós dois, por conta própria, ele teria me levado com ele. Teria esquecido os amigos dele, Rika. Apenas sumir e dar o fora daqui, e, só então, poderíamos finalmente ser livres.

Mas isso não aconteceu, e agora percebi que nunca aconteceria.

Mordi o lábio inferior, tentando controlar o choro. Nós nunca iríamos embora, não é? Ele também me usou.

Cruzando os braços sobre os seios, comecei a andar novamente, tentando me manter firme, mas não consegui. Eu andei, andei e andei, atravessei a ponte, passei pelo antigo mercado agrícola na *State Street*, e desci as ruas desertas e decadentes de *Whitehall*, e não chorei mais, porém as lágrimas continuavam jorrando assim mesmo enquanto mantinha os dentes cerrados, tremendo.

Minhas roupas estavam ensopadas pela chuva, a cabeça pesada com o gorro encharcado e o frio congelante que cobria minha pele. Eu podia sentir os arrepios percorrendo meu corpo por todo lugar.

Finalmente parei e olhei para cima, cruzando os braços para me aquecer enquanto meus dentes batiam de frio.

Sensou brilhava em vermelho, um emblema com um labirinto dentro do outro ao lado e uma palavra escrita em japonês no centro. Meus pés sabiam onde eu deveria estar. Eu era assim: como um robô.

Com as mãos trêmulas, olhei para o relógio e vi que já eram oito da manhã. Kai me disse ontem à noite para chegar aqui às nove.

Eu precisava ligar para David e avisar que não precisaria de carona.

Fui até a porta da frente do *dojo* e puxei-a, mas estava trancada. Dei a volta no prédio, entrando no beco escuro; todos os edifícios ao redor eram de tijolos pintados de preto, até mesmo as escadas de incêndios.

Correndo até a porta lateral, encolhi-me embaixo do toldo e tentei abri-la, sem sucesso.

Envolvi meu corpo com meus braços, recostando-me no prédio.

O frio estava rastejando pelos meus ossos, e, cabisbaixa, fechei os olhos.

Minha mãe devia estar fumando o que lhe dei ou comprando uma roupa nova nesse momento. O que fosse preciso para se sentir melhor.

Era bem capaz de que ela adoraria me ver fazendo o que fosse necessário para levar mais dinheiro, não é? Claro, ela se sentiria mal por isso, mas realmente, o que achou que poderia acontecer comigo quando Damon me comprou anos atrás? Ela perguntou o que ele queria de mim, e ele simplesmente respondeu:

— *Isso importa?*

Não importou. Em um mundo perfeito, ela até teria se dado ao luxo de se importar, mas se eu parasse para pensar no assunto, ela não fazia a menor ideia do que ele poderia ter feito comigo, e mesmo isso, não a impediu de me entregar a um desconhecido.

Eu era exatamente o que Kai dissera. Um instrumento. Algo a ser usado pelos outros.

Meus olhos brilharam novamente e limpei a bochecha com a manga da blusa.

— Bom dia.

Conferi de relance, à direita.

As calças pretas de Kai estavam cobertas de gotas de chuva quando ele se aproximou, uma mochila por cima do ombro e um jornal dobrado sobre a cabeça. Virei o rosto, que devia estar vermelho e manchado de lágrimas. Não queria que me visse assim... minha reputação era tudo o que me restava.

— O que... — Parou ao meu lado, sob o toldo. — Você está encharcada. O que acontec...

— Não me faça perguntas, por favor — implorei, baixinho. — Eu só fui surpreendida pela chuva e... vou ficar bem.

Cerrei os punhos, tentando aquecer minhas mãos, mas não consegui evitar os arrepios. Ainda não havia olhado para o seu rosto, mas não o ouvi se mover por um momento, então não sabia o que ele estava fazendo.

Finalmente, a porta se abriu.

— Entre aqui. Vamos lá — instruiu.

Ele segurou a porta aberta para mim e eu passei por baixo do seu braço, entrando na cozinha do *dojo*. Poderia ligar para David e pedir que me trouxesse algumas roupas. Ou talvez houvesse alguma camisa polo extra daquelas que os funcionários usavam. Eu poderia vestir e continuar com o jeans molhado, por enquanto.

Mordi o lábio, tremendo e, quando Kai entrou, largou a bolsa e acendeu as luzes. Olhei para cima, vendo que vestia uma camisa branca de botão, seu peito visível por conta do tecido úmido. Apenas o encarei por um momento. Seu cabelo estava molhado e arrepiado, com uma aparência incrível, e isso afastou meus pensamentos do frio por um instante.

Ele chegou perto e me entregou uma toalha, mas depois pegou minha outra mão, tentando me levar a algum lugar.

Eu me afastei dele. Não precisava que ninguém cuidasse de mim.

Mas ele se virou, encarando-me, irritado.

— Você não quer discutir comigo agora — alertou. — Apenas obedeça. Você é boa nisso.

Então segurou minha mão novamente e me puxou atrás dele. Tropecei um passo, seguindo-o pela cozinha, saguão e corredor. Todo o lugar estava vazio e escuro, exceto pelo pequeno brilho das luzes que revestiam os rodapés das paredes.

Ele empurrou a porta do vestiário feminino e me levou por entre os armários em direção aos chuveiros. Em seguida, abriu uma porta do boxe, estendeu a mão e ligou o chuveiro. A água começou a derramar e o vapor subiu instantaneamente.

Deus, isso parecia bom.

— Você está congelando — disse ele, voltando-se para mim. — Tire essas roupas.

Ele tocou os botões da minha jaqueta e eu afastei suas mãos.

— Não. — Cruzei os braços à frente, o constrangimento crescendo dentro de mim. — Não me toque.

— Eu não ia tocar em você — disse, sua voz subitamente mais suave. — Eu só quero tirar sua jaqueta, okay?

Neguei com a cabeça.

— Olha, você não precisa tirar a roupa — explicou, seu tom se tornando mais urgente novamente —, mas precisa se aquecer.

Encarei meus dedos embranquecidos e cerrados em punhos.

— Minhas roupas vão secar.

Ele suspirou uma espécie de rosnado abafado, e antes que me desse conta, passou os braços em volta de mim e me levantou do chão, carregando-me para o chuveiro.

Empurrei seu peito quando ele fechou a porta do boxe e nos colocou sob a ducha quente.

— Não! — argumentei.

Mas, com os dentes entrecerrados, ele resmungou, irritado:

— Shhh... — E me deixou de pé, seus braços envoltos em meu corpo e me segurando contra ele.

Idiota!

Apoiei as mãos em seu peito, grunhindo, mas logo o calor da água começou a se infiltrar pelas minhas roupas, e então a água passou a fluir em minha pele.

Ah...

Deliciosos arrepios percorreram minha pele, fazendo meu sangue reviver quando o formigamento se espalhou com o calor.

Eu queria sorrir ante a sensação maravilhosa.

Minhas pálpebras começaram a pesar, a água quente cobrindo minhas costas, escorrendo pelas pernas e se espalhando pela cabeça e pescoço.

Cálido. Eu estava tão quente. Eu só queria...

Gemi, começando a vacilar.

Meu corpo estava tão cansado. Kai firmou seu domínio, deixando-me relaxar contra ele, e assim o fiz. Não lutei contra isso.

Deitei a cabeça em seu peito e, depois de um momento, senti quando ele retirou meu gorro de tricô com cuidado, a água atingindo meu couro cabeludo e afogando o resto do mundo.

Fechei os olhos e saboreei o sentimento.

Só por um minuto, eu disse a mim mesma.

Encolhendo meus braços, aconcheguei-me em seu peito, cedendo por um instante. Seus braços circulavam ao meu redor, um descansando na minha cintura e o outro ao redor dos ombros, à medida que o calor da água se misturava com o calor de sua pele através da camisa molhada. Ele me embalou em uma sensação pacífica que nunca senti antes. Nem mesmo com Damon.

Não conseguia me lembrar da última vez em que estive tão perto de alguém.

O chuveiro martelava à nossa volta, abafando o som da tempestade lá fora, nossa respiração, até mesmo meus pensamentos... Eu não queria pensar. Por cinco malditos minutos, não quis falar nada, nem me preocupar, nem discutir, nem ter medo, nem raiva, nem odiar tudo. Eu não queria nem ficar de pé.

— Isso não significa nada — murmurei, ainda aconchegada em seu corpo.

Seu peito vibrou sob a minha cabeça.

— Absolutamente nada. Eu prometo.

Algo roçou minha testa e senti seus dedos afastando os fios de cabelo da minha bochecha. Sua mão passou por cima da minha cabeça, e outra pequena onda de prazer me atingiu até os dedos dos pés. De repente, percebi minhas coxas molhadas moldadas às dele e o resto do meu corpo pressionado ao seu.

Isto era o paraíso.

Sua mão alisou meu cabelo mais algumas vezes, mais lenta e gentil, e então ele passou os braços em volta de mim outra vez, segurando-me apertado.

— Eu gosto de suas tranças. — Sua voz profunda de repente soou rouca. — Seu cabelo tem uma cor bonita. Como mogno. Por que você o esconde?

Abri a boca para responder com grosseria, mas me contive. Eu não queria que isso terminasse ainda, e acho que era normal ele querer saber.

Mas ainda não era da conta dele.

— Você cobre o cabelo, veste roupas de homem — continuou ele. — Quem é você, garota?

Quase soou como uma pergunta retórica, como se ele estivesse pensando em voz alta. E uma parte minha queria muito esclarecer.

Dei um meio sorriso que ele não chegou a ver.

— Eu não sou ninguém.

— Isso não é verdade — argumentou e ouvi sua voz mais perto do meu ouvido. — Nunca vi Damon ser tão possessivo com uma mulher, mas ele agiu assim naquela noite. — Ele levantou meu queixo, forçando-me a encará-lo. — Quem é você para ele?

Abri a boca, mas, novamente, não soube o que dizer, balançando a cabeça.

— Ele te machucou? — Os olhos de ônix de Kai imploraram por mais quando baixou a voz para um sussurro: — Ninguém está aqui, além de nós dois. Ele te machucou? Por que você é leal a eles?

Eu o encarei fixamente, sentindo a ardência em meus olhos enquanto duelava entre o amor que sentia pelo meu irmão e o desejo patético que crescia dentro de mim para me apegar em alguém.

A ducha caía em seu cabelo negro, riachos escorrendo pelo pescoço e pelas veias proeminentes. A água desaparecia sob o colarinho dele, e deixei meus olhos voltarem pela mandíbula angular até sua boca. Lábios cheios, o inferior com um leve abaulamento no centro, como se alguém tivesse pressionado o dedo ali deixando uma marca. Ao olhar para ele, praticamente pude sentir meus dentes doendo. Eu ainda podia sentir em minha boca a carne do jantar que ele me ofereceu ontem à noite, bem como a sensação deliciosa de morder cada bocado.

Confusão nublou meu cérebro. Ele não era realmente meu inimigo. Não de verdade. Kai queria respostas. Eu queria meu irmão de volta.

— Como foi para você na prisão? — perguntei a ele. — Nós pagamos algumas pessoas para que mantivessem Damon seguro, mas e você e Will? Foi muito ruim?

De repente, a dor cruzou seu olhar quando me encarou, perdido por um momento.

— Michael fez o mesmo — revelou. — Pagou para que nos mantivessem a salvo, mas...

Ele parou o que estava dizendo, e eu esperei. Como no confessionário, tantos anos atrás, ele parecia precisar reunir coragem para falar.

Engoliu em seco antes de prosseguir:

— Eu disse a Rika uma vez que nunca mais voltaria para aquele lugar. Que nunca soube que as pessoas poderiam ser tão ruins. — Seu olhar encontrou o meu. — Mas estava falando de mim.

Acariciou meu cabelo, parecendo perturbado.

— Não foi tão simples quanto Michael pensou que seria. Ao pagar as pessoas, quero dizer. Éramos ricos, jovens, privilegiados, e estávamos cumprindo metade da sentença que outros, pelos mesmos crimes cometidos. As ameaças, os olhares, as provocações noturnas enchendo as celas em nossa direção — ele disse. — Eu só queria ir para casa.

Um nó se alojou em minha garganta, trazendo-me uma tristeza profunda por ele e meu irmão.

— Meu pai me ensinou a lutar — prosseguiu. — Ele me ensinou a matar, se fosse preciso. Mas também me ensinou a tentar fazer do mundo um lugar melhor — hesitou, pensando, e depois falou de novo: — Um truque de sobrevivência na prisão é: no seu primeiro dia, entre lá dentro com a cabeça erguida, olhe ao redor e encontre alguém para espancar. Estabeleça sua força e garanta que todos tomem ciência disso.

Escutei, lembrando-me de ter ouvido a mesma coisa em algum lugar.

— Esperei até o terceiro dia — disse ele. — Escolhi o maior cara que pude encontrar, alguém que já estava metendo o bedelho, que havia ameaçado Will no nosso primeiro dia, e fui até lá e o espanquei.

Quase podia ver a cena na minha cabeça.

— Para minha surpresa, porém, ele não se rendeu imediatamente — continuou Kai, com um meio sorriso no rosto. — Acabei com o nariz quebrado, três costelas fraturadas e um lábio inchado.

Não consegui segurar um riso. Um *Cavaleiro* nunca se rendia com frequência, então ele conseguiu sua punição, por assim dizer.

Mas sua expressão se tornou mais séria.

— Ele acabou com a coluna fraturada.

Ai, meu Deus...

— Eu tinha treinamento — comentou, como se ainda estivesse com raiva de si mesmo. — Eu deveria saber onde acertar ou não.

— Ele se curou?

Ele assentiu.

— Sim, mas levou alguns meses, e ficou com sequela nos nervos. Ele não sente mais uns três dedos na mão direita.

Bem, poderia ter sido pior. Muito pior.

— No dia seguinte — continuou —, minha mesa de almoço era a mais cheia no pavilhão.

— Então, você ganhou o respeito deles.

— Sim, agindo como um animal — ressaltou. — Isso me assustou, porque não foi a primeira vez que decidi reagir com violência quando não deveria. Seria um hábito? Eu estava perdendo a noção da vida que queria ter e da pessoa que queria ser, porque continuava agindo com estupidez. — Baixou o olhar, respirando com dificuldade e parecendo vulnerável. — Eu não quero arruinar minha vida.

Eu o encarei, incapaz de desviar o olhar. Ele não olhou para mim, e percebi que se sentia tão inútil e inadequado quanto sempre me senti.

Um desejo intenso me impeliu a fazê-lo se sentir bem.

— Ei. — Levantei a mão, cutucando seu queixo.

Ele ergueu os olhos e lhe dei um sorriso sutil.

— Às vezes, quando tudo e todos ao meu redor são difíceis demais para enfrentar, eu olho para cima.

Ele franziu o cenho, sem entender, e eu inclinei a cabeça para trás, olhando para o teto. Lentamente, ele fez o mesmo.

O vapor subia no ar acima de nós, desvanecendo aqui e ali para mostrar o teto de granito branco do chuveiro. Partículas de cristal brilhavam na penumbra e, por um momento, minha mente flutuou entre a névoa. Leve como uma pluma, subindo nas nuvens.

— É uma forma de mudar sua visão... — Parei. — Isso ajuda. Não é?

Ele sorriu, relaxando os ombros.

— Nós vamos ter que tentar isso do lado de fora e à noite em algum momento.

Nós?

De repente, ele pigarreou e se endireitou, soltando-me.

— Vou pegar algumas roupas para você, okay? — informou. — Por que não se senta? Aqueça-se um pouco mais debaixo d'água.

Assenti, relutantemente me afastando quando se afastou. Ele estava envergonhado? Eu não queria que fosse embora, mas ele parecia estar com pressa de sair daqui. Talvez tenha se arrependido de ter me contado tudo isso, mas fiquei feliz por ter feito.

Ele apontou para o chão do chuveiro.

— Fique aqui, tá?

Foi até a porta e abriu.

— Alex — eu o ouvi chamar, mas antes que pudesse conferir, fechou a porta do chuveiro novamente.

Fiquei ali, todo o frio que senti antes agora desaparecido. Com as pernas flácidas, recostei-me suavemente à parede para sustentar meu peso.

Ele não me tocou. Apenas enlaçou meu corpo e me abraçou, sem cobiçar ou tentar tirar proveito de mim ou algo assim. Nem mesmo Damon já agiu com tamanha paciência e me reconfortou desse jeito.

Nas raras ocasiões em que meu irmão se sentia compelido a demonstrar afeto, nenhum abraço durou mais do que alguns segundos. Minha mãe provavelmente foi a última pessoa a me abraçar assim.

Deslizei pela parede, sentando a bunda nos azulejos e esticando os joelhos. Fechei os olhos, sentindo meu sangue agora aquecido fluir sob a pele, minha respiração lenta e constante.

Minha cabeça inclinou para o lado, e cada membro pareceu pesar dez toneladas. Não soube por quanto tempo fiquei adormecida.

— Banks? — Ouvi uma voz suave dizer.

Poderia ter sido uma hora depois ou um minuto. Eu não tinha certeza.

Eu me mexi, deixando escapar um pequeno gemido.

— Banks? — a voz insistiu, mais perto desta vez, e, lentamente, abri os olhos.

Alex, a garota da festa, estava agachada ao meu lado, vestindo um short rosa curto e um sutiã esportivo branco. Ela estava mais distante da ducha.

— Kai me pediu para te arranjar algumas roupas — explicou. — Estive esperando lá fora. Só vim te avisar que tenho algo para você vestir. Pode ficar aqui o tempo que quiser.

Funguei, abrindo os olhos e me endireitando.

— Estou bem.

Eu me coloquei de pé, Alex se levantando comigo.

— Tudo bem — disse ela, recuando e apontando para o gancho na parede. — As toalhas estão aqui e há uma sacola para colocar suas roupas molhadas também. Eu deixei algumas secas no banco do lado de fora.

Sacudi a cabeça, apreciando – com certa relutância – por ela ter pensando em tudo. Eu não havia ligado para nenhum dos caras, então estava sem roupas, e precisaria usar alguma coisa enquanto as minhas secassem. Sabia que eles possuíam lavadoras e secadoras disponíveis para o serviço de toalhas de academia.

Ela saiu rapidamente e fechei a ducha. Peguei uma das toalhas do gancho, tentei secar meu cabelo ainda trançado e pendurei-a, tirando apressadamente minhas roupas. Tirei a jaqueta ensopada e joguei-a no chão, seguindo rapidamente com a camisa de flanela, botas, meias, jeans e roupas íntimas. Cada desdobramento das ataduras ao redor do meu peito parecia mais glorioso que o anterior, até que finalmente meus seios ficaram livres, sacudindo ao vento.

Fechei os olhos, deixando escapar um pequeno gemido. Envolvi-me na mesma toalha e rapidamente enfiei as roupas molhadas em uma das sacolas brancas que o *Sensou* vendia na recepção. Desfazendo as tranças no cabelo, agitei as mechas livremente, massageando o couro cabeludo com a outra toalha.

Cheguei do lado de fora da porta e peguei as roupas secas que Alex havia deixado para mim, ouvindo as conversas de várias outras mulheres no vestiário. A academia já devia estar aberta.

Fechando a porta, vasculhei as peças de roupas.

— O quê? — soltei.

Uma calça preta que mais se parecia a uma segunda pele e um sutiã esportivo cinza com um símbolo da Nike no meio. Eu gemi. Onde estava o resto? Não dava para usar essa merda.

— Urgh — rosnei, segurando o sutiã e vestindo a calça. Ela tinha que ter algo mais por aí. Ou pelo menos um moletom.

O tecido macio envolveu minhas coxas e meu traseiro, e gemi com o desconforto. Era estranho ter algo tão agarrado na minha pele assim. Mas quando puxei a toalha e estendi a mão para pendurá-la, hesitei, percebendo como era boa a sensação da calça justa. Uma tonelada mais leve.

Deslizando os braços pelas aberturas do sutiã, passei a cabeça e o puxei para baixo, ajustando rapidamente meus seios para caber dentro.

Pisquei por um longo tempo. *Ai, meu Deus.* Eu me sentia pelada. Puxei o cabelo por cima de um ombro, tentando cobrir meus seios que estavam quase pulando fora e cruzei as mãos sobre minha barriga desnuda.

Abri uma fresta da porta, espreitando. Eu não queria andar por ali desse jeito.

A quem eu estava tentando enganar? Toda mulher aqui estava praticamente vestida assim. Eu não me destacaria. Damon tinha me deixado muito autoconsciente, como se pelo fato de eu deixar o tornozelo à mostra, os homens atacariam como lobos.

Secando os pés, saí, pegando a sacola de roupas e jogando as toalhas na cesta do lado de fora do chuveiro. Entrei no vestiário, vendo algumas mulheres correndo para começar a treinar.

— Você parece ótima — disse uma voz.

Levantei a cabeça e deparei-me com Alex em pé com as mãos nos quadris e acenando para mim enquanto seus olhos me varriam de cima a baixo.

Fiquei tensa na mesma hora.

— Nós somos do mesmo tamanho — ela refletiu, aproximando-se e pegando minha mão. — Não dava para saber pela maneira como você se afoga em suas roupas habituais.

Ela pegou a bolsa da minha mão e a vi jogar para uma atendente – uma jovem usando uma camisa polo preta do *Sensou* –, que a levou para algum lugar – esperançosamente, para as secadoras.

— Minhas roupas não são tão grandes — murmurei.

Ela me levou até uma penteadeira e me empurrou para sentar, minhas pernas cansadas cedendo e a bunda despencando no assento. Imediatamente começou a escovar meu cabelo.

— Eu posso fazer isso — resmunguei, tentando pegar a escova.

Mas ela se afastou.

— Você não pode — retrucou, pegando uma coisa embrulhada em papel alumínio do balcão e largando no meu colo. — Você tem que comer.

Peguei o pão quente e macio.

— O que é isso?

— Kai comprou alguns burritos de café da manhã.

Coloquei-o de volta no meu colo.

— Estou bem.

— Ele avisou que você diria isso. — Ela segurava um punhado do meu cabelo, trabalhando intensamente em escovar as pontas. — Ele também disse que você é inteligente o suficiente para escolher suas batalhas, e alguém tão prática quanto você não argumentaria com uma coisa tão besta quanto um burrito estúpido.

Um sorriso me escapou. Tudo bem. Entendi.

O aroma da massa da tortilha atingiu meu nariz e meu estômago, de repente, roncou. Eu não tinha comido esta manhã.

Ela terminou de escovar meu cabelo emaranhado quando desembrulhei o burrito e o mordi. Ovo cozido, linguiça apimentada, cebola, pimentão e *jalapeños* com um pouco de queijo, e não pude evitar... Mordi novamente, sem esperar para engolir o primeiro bocado primeiro.

— Boa menina. — Alex piscou para mim e ligou o secador de cabelo.

Meu cabelo soprou ao meu redor, o barulho abafando tudo, menos eu e esse burrito. Na maioria das vezes, raramente parava tempo suficiente para perceber se estava com fome ou não, por isso costumava passar o dia inteiro com um ovo e uma torrada. Marina estava sempre cozinhando também, então eu poderia pegar alguns pedaços de sobras ou uma tigela de sopa da panela que ela mantinha no fogão, mas, geralmente, pegava algo que pudesse comer na rua ou não ingeria nada.

Alex passou a escova pelo meu cabelo enquanto os secava, os longos fios fazendo cócegas na pele nua dos meus braços e costas. Senti calafrios se espalharem pela minha pele e me vi abaixando a cabeça para dar a ela melhor acesso com a escova. Respirei fundo, fechando os olhos enquanto comia. As pontas da escova se arrastaram sobre meu couro cabeludo.

Depois de comer, fiquei quieta, saboreando a sensação de ter meu cabelo penteado, e só então, percebi que o secador já não estava mais ligado. Abri os olhos, vendo Alex me encarando pelo espelho, seu lindo rabo de cavalo preso no alto da cabeça e algumas mechas soltas em volta do rosto.

Meu próprio cabelo, todo o meio metro dele, caía em cascata às minhas costas, e ela colocou uma parte no lado. Há anos eu não o soltava, lavava e escovava.

— Quando foi a última vez que alguém te tocou? — ela perguntou, me estudando. — Tipo, realmente tocou?

Abaixei a cabeça novamente, evitando seu olhar. Acho que devo ter demonstrado gostar um pouco demais de ter meu cabelo penteado...

Ela se sentou ao meu lado, montando no banco e de frente para mim.

— Todos nós precisamos disso, sabia? — disse, baixinho. — Nós precisamos de contato. É apenas humano. Mas se você não está conseguindo isso de outra pessoa, também não há nada errado com um pouco de amor próprio. Só comentando... Você me parece tensa, e isso ajuda. Eu me toco pelo menos duas vezes por dia.

Fiz uma careta para ela. Eu não gostava de pessoas que compartilhavam demais.

Ela riu e notei o sorriso largo e brilhante que lhe dava uma doçura infantil. Muito em contraste com seu corpo não-infantil, que eu sabia que mais da metade dos homens naquela festa na outra noite provavelmente já havia desfrutado na cama. Será que Kai havia dormido com ela?

— Estou falando sério. — Ela me cutucou, trazendo-me de volta. — Ser tocado é uma necessidade. Feche os olhos para mim.

Hã?

— É um experimento — explicou, provavelmente vendo meu olhar confuso. — Eu não vou tocar em qualquer lugar íntimo.

Não. Eu me afastei, mas ela apenas insistiu.

— Feche os olhos e imagine que sou *ele*.

— Ele?

— Sua fantasia.

Minha fantasia? O qu...?

— Me conceda dois minutos — ela se inclinou, sussurrando — e eu te dou minha camiseta.

Deixei escapar uma risada de escárnio.

Mas ainda assim... eu gostaria de um moletom.

Bem. Foda-se. Fechei os olhos.

Sem minha visão me trazendo certo equilíbrio, meu cérebro pareceu começar a flutuar, mas senti quando ela se moveu ao meu lado, e então sua mão tocou minha barriga, me sobressaltando.

— Você o vê em sua cabeça — ela sussurrou, o hálito soprando sobre o meu queixo. — Sua fantasia. Imagine ele, ou *ela*, o que estão vestindo, o quarto, como estão te desejando.

Minhas pálpebras tremeram, as imagens surgindo na minha cabeça por instinto.

— Não — murmurei, a palavra acidentalmente escapando.

As pontas dos dedos roçaram meu abdômen, enviando arrepios deliciosos pelos meus braços.

— Sim — ela respirou no meu ouvido. — Você o vê, não é? Ele está tocando em você agora. Esta é a mão dele na sua barriga. O corpo dele ao seu lado. A voz dele no seu ouvido. Você o vê?

Estremeci, minha respiração acelerando. De repente, eu estava de volta ao túmulo.

O peito nu de Kai estava à minha frente, e eu queria afundar meus dedos em sua cintura e enterrar meu nariz em seu pescoço. O leve perfume de seu sabonete e a terra molhada sob nossos pés me cercaram, e outro perfume que era apenas Kai. Estava no cabelo, na boca, na pele...

— *Eu quero você* — ele suspirou, seu hálito quente no meu ouvido. — *Eu quero você na minha boca.*

Sua mão deslizou para a minha nuca, passando pelo meu cabelo e segurando-o levemente. Eu choraminguei, sentindo meus mamilos endurecerem.

Ele afundou a boca no meu pescoço e eu respirei fundo por entre os dentes, seus lábios beijando e chupando minha pele. Ai, meu Deus. Inclinei a cabeça para o lado, dando-lhe acesso.

— Eu te comeria com tanto gosto — disse, sua mão possessiva na minha barriga se arrastando por dentro da minha coxa.

Eu podia nos imaginar em uma cama, a cabeça dele enterrada entre as minhas pernas, e mesmo sentindo o calor do meu rosto ruborizado, eu o queria lá.

— Você está sentindo? — perguntou. — Sente o quanto eu quero você? Vou enfiar minha língua dentro de você e te lamber até que esteja gritando para eu deixar você gozar. Você é minha.

Meu peito vibrava e eu gemia, sentindo-o morder minha orelha, suas mãos se tornando mais exigentes, fazendo-me suar.

— Pegue minhas mãos, querida — sussurrou. — Coloque minhas mãos em você.

Umedeci meus lábios secos, nem mesmo hesitando. Agarrei sua mão na minha coxa, mas parei, sentindo uma mão macia e esbelta que não parecia nem um pouco masculina.

Abri os olhos, encontrando Alex ao meu lado.

— Ai, meu Deus. — Cobri a boca com uma mão, sentindo a vergonha se infiltrar. Tudo aquilo fora feito por ela. Puta merda. Soltei sua mão, observando-a relutantemente se afastar e soltar um suspiro.

— Ele é um cara de sorte. Seja lá quem for.

Balancei a cabeça, confusa com o que aconteceu. O frio na minha barriga ainda vibrava com força total.

Ela se inclinou.

— Hoje à noite, você deve se lembrar dessa fantasia e finalizá-la, mesmo que seja apenas você, sozinha, em sua cama.

Não é de admirar que Will a mantenha em sua folha de pagamento.

— Ou se você quiser — provocou, com um sorrisinho —, me ligue, e vou finalizar por você.

O pulso entre as minhas pernas latejou com mais intensidade.

Puta que pariu, que maravilha, pensei comigo mesma. Eu poderia enfrentar um cara de duzentos e cinquenta quilos, mas uma acompanhante de vinte anos me deixou tímida.

Estava prestes a me levantar quando um grito ecoou pelo vestiário.

— Banks já está pronta aí?

Kai.

Alex pulou do banco, pegando sua escova e empurrando meu cabelo atrás dos ombros.

— Sim, ela está seca e vestida!

— Traga-a aqui então.

Rapidamente me levantei e corri até o armário de Alex, pegando o casaco de zíper cinza no banco em frente. Era longo – esperançosamente longo o suficiente – para cobrir as partes curvas.

Fui até a porta, vendo-a parcialmente aberta e a silhueta de Kai por trás do vidro fosco. Coloquei o agasalho.

— Estou aqui — eu disse, abrindo a porta. — O que você precisa?

Ele imediatamente se virou e começou a andar, sem olhar para mim, claramente esperando que eu o seguisse.

— Preciso que você lide com a recepção por uma hora. Quem fica no primeiro turno está preso no trânsito.

Estava prestes a fechar o zíper do casaco, quando, de repente, ele foi arrancado de mim por trás. Eu me virei, vendo uma Alex sorridente pegando-o de volta e me empurrando para fora do vestiário.

Que porra é essa?

Ela fechou a porta e eu tentei abri-la, sacudindo a maçaneta, mas fui impedida de entrar. Abri a boca para gritar, mas apenas cerrei os punhos, rosnando baixo.

Filha da puta.

— Tudo fica mais lento, como se as pessoas nunca tivessem visto chuva antes — continuou Kai, ainda andando pelo corredor. — Basta digitalizar os cartões, distribuir toalhas, caso solicitem, e atender aos telefones. Não deve demorar muito.

Coloquei uma mecha atrás da orelha e o segui com relutância, mexendo as mãos e tentando cobrir a barriga e meu decote com os braços.

— Vou mostrar como usar o interfone para me chamar, se precisar de mim — ele instruiu.

Parei à mesa quando ele estendeu a mão, pegando um conjunto de chaves e um *walkie-talkie*.

Mas então algo caiu no meio do saguão, atraindo minha atenção e de Kai, e vi Michael parado, congelado, com as sobrancelhas do caralho quase tocando o couro cabeludo. Ele estava me encarando.

Desviei o olhar, rangendo os dentes. *Sim, pode rir, imbecil.*

Kai estendeu as mãos, irritado ao olhar para Michael e Rika parados no meio do saguão com um Gatorade derramando no chão.

— Qual é o problema de vocês? — explodiu.

E então seguiu o olhar de seus amigos, finalmente se virando para me encarar.

Suas sobrancelhas franziram, suas costas se endireitaram e ele olhou para mim como se eu tivesse acabado de chutar um filhote.

Seu olhar aterrissou nos meus pés descalços, lentamente subindo pela calça *legging* apertada de Alex, minha barriga nua, o sutiã esportivo e meu cabelo longo solto.

Mantive os punhos cerrados ao lado.

Os olhos de Kai finalmente encontraram os meus, e um nó retorceu meu estômago. Eu conhecia aquele olhar. Era o mesmo que me lançara naquela Noite do Diabo, pouco antes de me perseguir.

Ele arqueou uma sobrancelha e virou a cabeça na direção dos amigos.

— O que você está olhando? — rosnou para Michael. — O vestiário é daquele lado.

Michael tentava conter um sorriso quando Rika olhou para ele de cara feia.

— Pare de babar, imbecil — disse ela e então saiu pisando duro pelo corredor.

Ele a seguiu, uma risada sufocada em sua voz.

— Amor, eu só fiquei um pouco chocado. Foi uma mudança muito radical!

— Cale-se.

— Rika, qual é...

E a discussão dos dois desapareceu no corredor.

Eu fiquei lá, a cabeça erguida, porém ainda encarando o chão enquanto mordia o interior da bochecha.

— Eu vou me trocar assim que minhas roupas estiverem secas — eu disse, olhando para cima. — Onde posso conseguir uma daquelas camisas polo que os outros funcionários usam?

Ele não respondeu por um momento, seu olhar hesitante me olhando de cima a baixo novamente.

Semicerrando o olhar, deu a volta por mim e foi em direção ao corredor, dizendo:

— Não temos mais nenhuma.

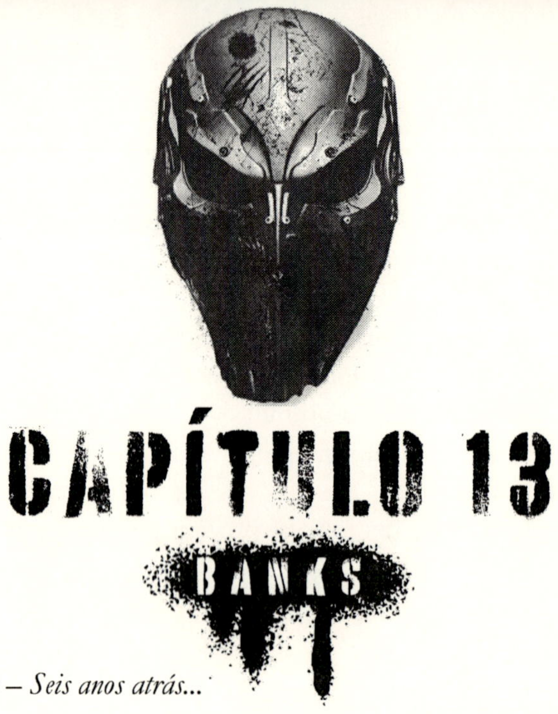

Noite do Diabo – Seis anos atrás...

JOGANDO AS CHAVES NA MESA, FECHEI A PORTA E ATRAVESSEI A SALA, FECHANDO as cortinas. Tirei a blusa de moletom, os sapatos e vasculhei a gaveta de cima da cômoda de Damon, pegando uma boxer e uma camiseta. Bocejando, entrei no banheiro, sentindo o piso de mármore branco fresco e suave sob meus pés.

Meu irmão não estaria em casa até pelo menos o amanhecer. Kai ainda estava planejando ir ao *The Pope* hoje à noite? Ele deve ter conseguido a chave depois da nossa conversa hoje de manhã, antes de saber que havia me encontrado de novo.

Eu odiava a ideia de ele ir sem mim.

Depois de jogar minhas roupas no cesto, vesti-me com as de Damon, lavei o rosto, escovei os dentes e cabelo e saí do banheiro, apagando a luz na saída.

Arrastei-me para a cama, agarrando o travesseiro e o abraçando quando estendi a mão e desliguei o abajur. O quarto ficou escuro, o sutil zumbido do ar-condicionado fluindo pela casa e me tranquilizando. Minha respiração desacelerou e meu batimento cardíaco se acalmou.

Kai provavelmente estava com muita raiva de mim. Ele não tinha motivos para não acreditar em Damon. Talvez esteja se sentindo traído, enganado e ficou chateado.

Irritado o suficiente para pensar que deveria ficar com a garota que já conhecia, em vez daquela que não fazia ideia de quem era. Talvez ele acabasse dividindo o quarto de hotel com Chloe hoje à noite.

E, por alguma razão, apreciei a pontada de dor que aquilo causou no meu peito. A raiva era mais fácil de lidar, e quase desejei que ele corresse para ela. Isso o tornaria exatamente o mesmo tipo de homem ao qual estava acostumada. Egoístas, hipócritas e gananciosos.

Se ele me desapontasse, eu poderia deixar de desejá-lo, certo?

Eu tinha Damon, afinal, e aqui, eu era uma rainha, pelo menos. Ele nunca trouxe meninas para o seu quarto. Nunca me expulsou para que pudesse ter privacidade. Este era o nosso espaço, e nenhuma mulher estava acima de mim em sua vida aqui em casa.

Eu só precisava me satisfazer com tudo o que já tinha.

Bocejei novamente, minhas pálpebras mais pesadas a cada segundo.

Mas então ouvi a porta atrás de mim se abrir e o chão ranger. Virei a cabeça por cima do ombro, tensa quando vi uma figura alta e sombria se movendo em direção à cama. Dava para vê-lo já tirando a camisa enquanto pairava acima de mim.

— Você já está em casa? — comentei, permanecendo imóvel.

Mas ele apenas respondeu:

— Shhh... — E não pressionei mais quando virei a cabeça, olhando para o escuro.

Ele não acendeu a luz, então acho que era um bom sinal de que não gritaria comigo.

Senti a cama afundar às minhas costas quando ele se deitou, fazendo a madeira ranger com seu peso.

Não entendia por que ele me queria aqui. Quer dizer, dormi ao lado dele inúmeras vezes, mas sabia que ele estava bravo, então era melhor apenas dar-lhe seu espaço hoje à noite. Porém, o senti atrás de mim quando rolou em minha direção e passou um braço ao redor da minha cintura.

Prendi o fôlego e senti a pulsação acelerar. O que ele estava fazendo?

Sua respiração atingiu meu pescoço, e antes que me desse conta, estava beijando minha pele, a mão enfiada por dentro da minha camiseta e segurando meu seio possessivamente.

Um grito ficou preso na garganta.

— O que você est...

Sua mão se moveu entre as minhas pernas, e ele me agarrou, segurando-me com força enquanto empurrava seus quadris contra a minha bunda.

— Damon, não! — resmunguei, lutando para afastar as mãos dele e sair da cama.

No entanto, ele me abraçou com mais força ainda. Empurrando-me de costas, subiu em cima de mim, prendendo minhas mãos acima da cabeça e tomando minha boca com a sua, áspera e possessiva.

Tentei gritar diante de seu ataque enquanto lágrimas escorriam dos meus olhos. *Não, não, não, por favor! Não faça isso.* Fechei os olhos com força, tentando afastar a cabeça. Náusea subiu à garganta como uma avalanche. Não, não, não...

Até que ele forçou sua língua na minha boca, e eu parei, percebendo que algo estava errado. Congelei, inspirando profundamente pelo nariz.

Nada de *Davidoffs*. Nem sequer um indício do cheiro de seu cigarro em sua pele, no hálito, no cabelo...

Eu me debati, gritando em sua boca enquanto me soltava de suas mãos e estapeava seu rosto.

— Você não é Damon! — berrei.

Ele agarrou meus pulsos, prendendo-os acima da cabeça mais uma vez. Seu hálito quente tocou meu rosto, minha respiração acelerada ao sentir o peso sobre mim.

— E você não está transando com ele como ele disse, não é?

Michael? O que diabos ele estava fazendo aqui?

— Quem é você? — insistiu.

— Saia de cima de mim — rosnei, contorcendo-me. — O que você está fazendo?

Seria uma tremenda sorte a minha, se um dos caras, ou pior, Damon, entrasse agora e colocasse a culpa dessa merda em mim.

Ele soltou um dos meus pulsos, inclinando-se para a esquerda, e, de repente, a luz se acendeu, iluminando Michael Crist à minha frente.

Soltando meu outro braço, ele se apoiou, deslizando o olhar pelo meu corpo. Rapidamente puxei a camiseta para baixo.

Ele sorriu.

— Não é à toa que ele mantém você em segredo.

Ele rolou de cima de mim e se deitou ao meu lado, deslizando um braço debaixo da cabeça.

— Às vezes, também me sinto possessivo com Rika Fane — admitiu, voltando o olhar para mim. — Embora *ela* não seja minha irmã.

Franzi o cenho, de repente, em alerta. Como?

Ele sabia?

Ou talvez apenas suspeitasse, e confirmei quando surtei diante de seu blefe.

Ele curvou os lábios em um meio sorriso, provavelmente divertido com minha expressão confusa.

— Você se parece com ele. Não sei como Kai não vê isso.

— Eu não sou a irmã de...

— Os assuntos de Damon são dele. — Ele se sentou na cama e depois ficou de pé. — Mas você está arruinando a noite de Kai, garota.

Revirei os olhos, sentando-me também.

— Bem, estou fora do caminho agora — apontei. — Você e seu melhor amigo podem se divertir juntos.

Ele riu, mantendo o olhar fixo ao meu.

— Eu tenho uma ideia melhor — declarou, dando um tapa na minha coxa. — Vamos para a cidade.

E então se abaixou e agarrou meus tornozelos, puxando-me para o fim da cama.

— O quê? — Deslizei sobre os lençóis, caindo de costas. — Não!

Mas meu protesto de nada adiantou. Ele me fez levantar da cama, e meu coração quase pulou da garganta quando me jogou por cima do ombro e me deixou de cabeça para baixo a uma distância de mais de um metro e meio do chão.

— Você não pode fazer isso! — Esperneei, fazendo-o cambalear. — Eu nem estou vestida!

— Jesus Cristo! — ele resmungou, tropeçando na mesa de cabeceira. Apoiei as mãos na parede para impedir nossa queda.

— Sabe de uma coisa, já estou me cansando de ter que mandar um bando de idiotas me deixarem em paz! — retruquei.

— Então não diga nada. Você sabe que quer ir.

Algo caiu sobre as minhas costas, e percebi que se tratava do moletom com capuz que ele usava.

Ele voltou a andar, afastando-nos da cama, da mesinha de cabeceira e do quarto.

— Qual é, cara — gemi, seu ombro cavando no meu estômago. — Damon não vai gostar nada disso.

— Ele não vai saber de nada.

Sim, ele vai! Meu irmão estaria no mesmo lugar. Como ele não me veria?

Ele passou os braços firmemente ao redor das minhas coxas, e parei de me debater assim que começou a descer as escadas. Não queria que me deixasse cair.

Quando parou um segundo depois, senti o vento frio atingir minhas pernas assim que abriu a porta.

— Sério — implorei. — Não quero ir. Damon me mataria se me encontrasse com Kai novamente.

Mas ele apenas me ignorou.

— Qual é! — gritei, chutando e socando suas costas. — Não seja um idiota! Eu também não estou a fim de vê-lo. O fracote nem fez nada quando eu saí de lá, não foi homem o suficiente para vir atrás de mim, hein?

Um tapa acertou a minha bunda, fazendo-me gritar. Estremeci quando a ardência se espalhou.

Ele desceu as escadas e vi a porta do quarto de meu pai se abrindo, a luz incidindo sobre o corredor escuro.

— O que diabos está acontecendo? — Saiu, dando de cara comigo quando torci o pescoço para vê-lo.

— Gabriel — ofeguei quando Michael parou. — Ele acabou de entrar no quarto de Damon. Não quero ir com ele.

Meu pai apenas arqueou uma sobrancelha, mas o perdi de vista quando Michael se virou para encará-lo.

Houve um segundo de silêncio e fiquei ali, paralisada, esperando que Michael me colocasse no chão, mas ele não fez nada.

Em vez disso, meu pai disse:

— Os portões são trancados à noite — informou. — Se a levar para fora desta casa, não poderá trazê-la de volta até o amanhecer.

Entrecerrei os olhos, sentindo o sangue ferver de frustração. Eu não me surpreendi. O que esperava que ele dissesse quando um cara seminu entrava em sua casa para sequestrar sua filha?

Absolutamente nada.

Ouvi a porta se fechar novamente, e Michael girou, descendo as escadas enquanto seu corpo tremia de tanto rir.

— Pai exemplar, hein? — Apertou minhas coxas. — Na boa, acho que você estará mais segura comigo.

Pouco tempo depois saímos pela porta da frente.

— Olha só... — eu disse, vendo a entrada da garagem enquanto meu cabelo bloqueava o resto da minha visão. — Não posso ir com você. Ele já está com raiva o suficiente.

— Eu te disse, ele não vai saber que você está lá.

E então eu estava tombando para trás, meus pés encontrando o chão.

Minha cabeça girou com uma tontura súbita, mas o vi abrir a porta traseira de sua Mercedes Classe G e, de repente, música e risadas soaram. Avistei um monte de gente desconhecida.

— Deem espaço — Michael disse a alguém.

Ele se virou e me empurrou para o assento.

— Ty, dê um trato nela — disse e fechou a porta.

Olhei em volta, deparando-me com o povo um em cima do outro, meninas sentadas nos colos disponíveis, enquanto duas pessoas dividiam o banco do passageiro à frente. Michael deu a volta pela frente do carro, indo para o lado do motorista. As pessoas me olharam de relance, mas continuaram suas conversas animadas.

Todos bêbados, eu diria.

Michael entrou no carro, jogando o agasalho para o lado e deu partida. Então uma garota subiu em cima de mim. Respirei fundo, olhando para cima quando montou meu colo. Ela vestia um short curto, mas também usava uma jaqueta de couro marrom, botas e um cachecol. Seu rosto estava maquiado com uma *Cavalera*, um crânio bem desenhado onde os olhos estavam envoltos por tinta preta e lindas flores em sua têmpora.

O que ela estava fazendo?

Levantando algum tipo de esponja, esfregou-a em uma embalagem com uma espécie de maquiagem branca e estendeu a mão para o meu rosto.

Recuei na mesma hora.

— O que você está fazendo? — gritei, tentando me fazer ouvir por cima da música estridente. *Save Yourself*, reconheci.

— Ela está disfarçando seu rosto — informou Michael enquanto acelerava em direção aos portões. — Colabore.

Ela sorriu, os lábios cor de vinho se abrindo para revelar dentes brancos perolados. Inclinando-se, começou a passar a base branca em mim.

— É quase meia-noite — sussurrou, animada. — *Dia de Los Muertos.*

Dia dos Mortos? Eu sabia que a data era comemorada desde o Halloween até depois do Dia de Todos os Santos, em primeiro de novembro, mas por que...

Ah, a maquiagem. Então entendi o porquê seu rosto estava pintado e o que pretendia fazer no meu.

E as velas no cemitério também.

Eu não sabia muita coisa sobre esse feriado além de um desfile que assisti em Meridian quando era criança.

— Está com frio? — Michael perguntou, e quando dei por mim, um moletom foi arremessado para trás.

Eu o peguei. *Impressionante*. Tudo o que estava vestindo era a *boxer* e uma camiseta. Em seguida, meu Vans aterrissou no meu colo. Ele pegou meu tênis? Calcei e me vesti com pressa, imediatamente me sentindo mais aquecida.

— Onde estamos indo? — Coloquei o cabelo para trás, facilitando o trabalho de Ty.

Os olhos dela brilhavam.

— Vamos brincar de pique-esconde.

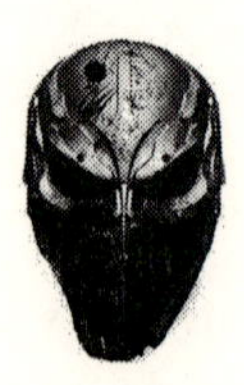

Gritos animados chegaram aos meus ouvidos no instante em que Michael abriu as portas duplas do *The Pope*.

Demorou menos de quarenta e cinco minutos para chegarmos a Meridian, as ruas desde a nossa vila costeira até a movimentada metrópole agora escuras e silenciosas durante a noite.

Pelo menos trinta pessoas perambulavam pelo saguão e, ao olhar ao redor, instintivamente puxei o capuz do moletom – de Michael –, preocupada que a pintura no rosto não fosse suficiente para me disfarçar. Grupos de adolescentes estavam espalhados entre as colunas negras que se estendiam até o teto alto e escuro, decorado com madeiras entalhadas e lustres de cristal. Alguns se sentaram em sofás e cadeiras estofadas, ou se mantinham próximos às grandes janelas, com belas cortinas brancas, altos vasos de plantas e mudas nas proximidades.

Nunca havia entrado aqui antes. Nosso pai raramente encontrava um motivo para nos trazer – ou Damon, de qualquer maneira – para a cidade. No entanto, eu sabia que o hotel estava à beira da falência. O estádio que deveria ter sido construído anos atrás nunca foi para frente e isso afetou os negócios. Era realmente uma pena que algo tão grandioso estivesse vazio e desvalorizado.

Um braço enganchou no meu pescoço, e vi Michael parado ao meu lado. Ele ainda estava sem camisa.

— Você tem pernas bonitas — disse ele, olhando ao redor do saguão.

— E pode estar a salvo de Damon no momento, mas não pense que está a salvo de todos nós.

Então me encarou com um olhar desafiador.

— E não pense que não sei me cuidar — retruquei. — Eu não me importo de bater em uma garota.

Seus lábios se abriram em um amplo sorriso, antes de rir baixinho. Michael não parecia um cara de muitas palavras, mas senti um toque de orgulho por ele me achar divertida, pelo menos.

Todo mundo se espalhou, e a garota que havia me maquiado segurou minha mão e me arrastou em direção aos elevadores. Michael e alguns outros fizeram o mesmo.

— A brincadeira é — afirmou a garota — uma mistura de pique-esconde e Sete Minutos no Paraíso.

Sete minutos no Paraíso? Gemi por dentro. Eu já tinha brincado disso naquele mesmo dia.

— Você se esconde e, se for encontrada — continuou —, você e ele terão alguns minutos a sós.

— E se eu não quiser brincar?

— Por que não? — Michael apertou o botão do décimo terceiro andar e as portas começaram a se fechar. — É divertido.

Sim, divertido. Até parece que meu irmão brincava disso com apenas a expectativa de apalpar algumas garotas em um armário escuro. Eles estavam mentindo ou amenizando muito essa brincadeira por minha causa. Eu não tinha interesse nisso.

— Quantos "caçadores" vão participar? — Olhei de volta para a garota, ignorando Michael.

Ela encolheu os ombros.

— Um para cada uma de nós. Às vezes, mais de um.

Mais de um?

O elevador subiu, mas meu estômago estava afundando. Calafrios se espalharam pelas minhas pernas e minha boca secou.

Então Michael se inclinou no meu ouvido, sussurrando:

— Você não quer que Kai encontre outra pessoa, não é?

Meus lábios tremeram com um pequeno rosnado.

— Não há garantia nenhuma de que ele irá me encontrar.

— Então certifique-se de que ele faça isso.

Umedeci meus lábios, sentindo na mesma hora o gosto do batom escuro de cereja que a garota havia passado. Ela soltou minha mão quando as portas se abriram e vi todos passarem por mim, disparando para fora do elevador.

Mas dei meus passos devagar.

O corredor estava escuro e barulhento, uma música agressiva da *Fear Factory* sobrepujando o burburinho ao redor; cerrei os punhos, subitamente me sentindo nervosa. Eu não queria me enfiar em uma situação da qual não pudesse me livrar. Na verdade, eu me sentiria um pouco mais confortável se David estivesse aqui.

Ri comigo mesma diante da ironia.

Eu os segui pelo corredor lotado, várias portas dos quartos abertas, como se este fosse um grande espaço comunitário.

As arandelas da parede iluminavam bem pouco, mas os lustres no teto estavam apagados, e isso dava ao andar uma sensação assombrosa, como se fosse uma caverna. Passamos por mais portas abertas, música vibrando de todos os cômodos, e parecia mais um dormitório do que um hotel. Eles devem ter reservado o andar inteiro.

Adolescentes mascarados perambulavam dentro e fora de quartos imersos na penumbra, à luz de velas, e quando olhei para um deles, avistei um grupo dançando lentamente de um jeito erótico. Duas garotas estavam se beijando, mãos em todos os lugares, e outra garota se encontrava escarranchada em cima de um cara sentado em uma poltrona.

Se meu irmão me visse, eu colocaria a culpa em Michael. Foi ele quem me arrastou para cá.

— Okay, galera! — alguém gritou e ergui o olhar. Will estava em cima de um refrigerador do lado de fora de um quarto, olhando de um lado para o outro no corredor.

Mais ou menos uma dúzia de pessoas começou a se reunir, e mantive a cabeça baixa e coberta pelo capuz. Eu ainda não tinha visto Kai, mas Michael continuava perto de mim, então me sentia menos insegura. O cheiro da comida do serviço de quarto, à direita, se infiltrou em meu nariz e uma pontada de fome me atingiu. Eu não tinha comido nada desde... o pão e a sopa esta tarde?

— Para manter isso viável, vamos limitar nossa brincadeira dos quartos 1312 ao 1322 — Will instruiu. — Senhoras, vocês já sabem o que fazer. Encontrem um esconderijo que valha a pena em qualquer um desses cômodos. Vocês podem trocar de lugar, mas se forem pegas no meio do caminho, já era. — Seu rosto estava adornado com um sorriso sagaz enquanto olhava em volta para os caras, avisando-os: — E se elas disserem para recuar, recuem.

Algumas risadas soaram pela área, e imediatamente dei um passo para trás. Onde estava Kai? Se ele não estava brincando, então eu também não queria. E pelo amor de Deus, e se eu for encontrada pelo meu irmão?

Então, o que deveria fazer? Encontrar um lugar seguro para enrolar até que essa merda acabe ou tentar achar um esconderijo perfeito?

Avistei uma figura sombria sair de um dos quartos atrás de Will e se aproximar lentamente. Quando o brilho da arandela recaiu sobre sua máscara, desejei que fosse toda prateada.

Mas não era. Aquela máscara era toda preta, e na mesma hora, senti a pulsação acelerar no meu pescoço. Era o meu irmão. Abaixei o olhar outra vez.

— Vocês têm um minuto para se esconder — disse Will, encarando os caras —, e então, vocês terão quinze minutos para se trancar em um armário com a namorada do seu amigo, se vocês chegarem nela primeiro. — O riso explodiu, depois de alguns gritos. — Quando todo mundo ouvir essa buzina — ergueu um alarme de neblina —, significa que o tempo acabou e terão que aparecer.

Ele jogou a buzina para um garoto que estava perto, provavelmente um aluno calouro que foi pego para fazer o serviço braçal, enquanto Will pulava do refrigerador e posicionava a máscara sobre o rosto. Eu sabia que ele também brincaria.

Comecei a andar para trás, passo a passo. Não ficaria aqui dando sopa e correndo o risco de Damon me ver, mas também não tinha intenção de ser encontrada. Eu conhecia o esconderijo perfeito.

— Prontos? — Will gritou. — Preparem-se...

Olhei para a direita, vendo o quarto 1332. *Era melhor ir um pouco mais distante.*

— Eeeee... vão!

Não esperei para ver o que os outros estavam fazendo. Dei a volta e disparei pelo corredor escuro, ouvindo risos e gritos atrás de mim à medida que tentava alcançar o quarto 1312. Ao abrir a porta, olhei de um lado ao outro para conferir se havia alguém aqui.

Mas estava vazio. *Sim.*

Sentindo as vibrações dos passos acelerados das outras garotas que corriam pelo corredor, subi na cama e deslizei para trás da fileira de travesseiros macios à cabeceira. Deitei-me na parte superior do colchão, mantendo-os no lugar com uma mão, com as costas pressionadas contra a madeira. Assegurei-me de que todos ficassem ajeitados, para não delatar minha posição.

Meu coração disparou quando prendi o fôlego. Eu mal conseguia respirar de tanto medo. Não tinha tanta certeza se estava apavorada, de verdade. Talvez fosse apenas por conta da perseguição. Mas eu sabia que meu esconderijo era excelente e estava à vista de todos.

Certa manhã, quando era mais jovem, acordei com Damon tendo um ataque. De alguma forma, durante a noite, eu havia me enfiado por baixo dos travesseiros. Eu era pequena aos treze anos. Magra. Ele acordou e não me viu na cama imensa, pensando que eu já havia acordado. No entanto, quando desceu as escadas e não conseguiu me encontrar, revistou a casa e os terrenos, chamando-me aos gritos.

Até que acordei com toda a comoção e me arrastei para fora de onde estivera dormindo o tempo todo, bem debaixo do nariz dele, e vi que ele não estava nem um pouco feliz.

Acho que ele realmente se assustou naquele dia. E foi quando também percebi que ele poderia, de verdade, se importar comigo.

Ouvi a porta se abrir, de repente, e bater contra a parede, seguida de risadas. Fiquei tensa, segurando o fôlego.

— Atrás das cortinas! — uma garota sussurrou. — Vou ver se consigo me esconder no armário.

Outro grito se seguiu, e ouvi barulhos, o ranger de uma dobradiça e um baque. A música ainda flutuava pelas paredes como um eco subterrâneo, e apertei o travesseiro ao meu lado, tentando conter os tremores.

E então ouvi. Uivos de algum lugar distante. Logo depois, trovões vibraram pelo chão. Como os passos pesados de uma dúzia de caras correndo pelo corredor.

Fechei os olhos. *Cinco quartos.* A menos que destruíssem este lugar, não me encontrariam.

Portas se chocaram contra as paredes, soando como se estivessem sendo chutadas, e vozes profundas gritaram, mas eu não conseguia entender suas provocações. Mais portas se abriram, cada uma parecendo mais próxima que a anterior até que finalmente...

A porta do meu quarto foi aberta, a maçaneta colidiu com a parede novamente, me sobressaltando. Meu sangue disparou e eu congelei.

— Saia, saia, onde quer que esteja — brincou uma voz suave.

Ouvi uma risadinha de algum lugar do quarto.

É isso aí. Leve-o até você. Eu só tinha que ficar aqui até que encontrassem os outros e se ocupassem com o que queriam fazer.

Vários sons vieram do corredor, bem como um grito de uma garota em outro quarto. *Alguém foi encontrado.*

— Verifique o armário — outro cara disse.

Havia dois aqui.

Fiquei o mais imóvel possível, mas depois ouvi um barulho e apurei os ouvidos.

— Não! — Uma das garotas riu. As argolas da cortina deslizaram pela haste e eu sabia que um dos caras havia encontrado a garota ali atrás.

— Cai fora — ela retrucou. — Eu não brinco com calouros.

— Bem, para sua sorte — respondeu ele —, eu gosto de mulheres mais velhas.

Ouvi um bufo irritado dela e uma risada dele.

— Tem uma garota no armário. Vá atrás dela — dedurou.

Nesse momento, um baque soou por trás da madeira, e o suporte de cabides sacudiu.

— Sua vaca! — acho que a outra garota escondida no armário exclamou.

— Ei, obrigado — o outro cara agradeceu.

Ouvi mais ruídos e alguns protestos, uma porta se fechando – o banheiro, talvez? –, e depois, passos.

O silêncio se seguiu, e então a garota que se escondeu atrás das cortinas, disse:

— Não conte a ninguém sobre isso. — O colchão afundou, deixando-me alarmada.

— Não se preocupe — o garoto disse —, você vai querer contar a todos sobre isso.

E senti os dois se movimentando na cama.

Segurei os travesseiros, tentando garantir que continuassem me cobrindo, quando as coisas começaram a esquentar. Ofegos, pegação, beijos e gemidos femininos, e, de repente, a cabeceira se chocou contra a parede.

Jesus! Para uma garota que não brinca com garotos mais novos, ela certamente estava dando tudo de si.

Meu corpo balançou para frente e para trás, sacudindo minha cabeça. Eu não podia ficar aqui enquanto eles transavam.

Virando de bruços, afundei os cotovelos na cama e me arrastei para deslizar para fora do colchão. Agachei-me no tapete, ainda por um momento ouvindo os gemidos e beijos trocados.

Ainda estava rolando, e eles não notaram minha presença.

Rastejando ao redor da cama, fui para a porta para ver se o corredor estava deserto. A esta altura, todo mundo já devia ter sido descoberto.

Mas, naquele instante, a porta de um quarto se abriu novamente e um jovem rapaz, com a máscara erguida no alto da cabeça, imediatamente me viu.

— Ora, ora...

Ai, droga. Não.

Eu me levantei e passei por ele, disparando pelo corredor.

Caindo direto nos braços de outra pessoa.

Gritei, afastei a mão, fechei o punho e dei um soco no cara, por cima da máscara, fazendo-o tropeçar para trás.

— Merda!

Tirando a máscara, ele a deixou cair no chão e segurou o nariz com as mãos.

Will Grayson.

Eu me afastei, mantendo distância, mas segurando o riso. Essas pessoas estavam me agarrando a noite toda. Era apenas uma questão de tempo.

Algumas gargalhadas encheram o salão, e Will afastou as mãos para conferir se estava sangrando.

— Você não conseguiu pegá-la, cara? — alguém gritou.

As pessoas riram, mas mantive o olhar concentrado nele, preparada. Eu não seria apanhada.

— Bem, o que você quer que eu faça? — Estendeu as mãos, discutindo com seus amigos. — Eu não posso descontar o soco!

— Não, você não pode, não é? — instiguei.

E a multidão foi à loucura.

Ele balançou a cabeça para mim.

— Sua merdinha.

E isso me fez sorrir, mesmo que minhas mãos estivessem trêmulas. Eu ficava muito mais à vontade com isso. Estava acostumada a conviver com homens.

Mas ele avançou, ameaçando:

— Vou te colocar em um armário só por causa disso.

— Não se não puder me pegar. — Então respirei fundo e dei um passo à frente, lançando meu punho na direção do rosto dele, mas ele desviou. Rapidamente ergui a palma esquerda sob a mandíbula dele, enviando sua cabeça para trás.

Eita porra, funcionou!

Ele tropeçou e rosnou, agarrando meu moletom e me puxando para perto, em seguida, me jogou por cima do ombro. De novo, não!

— Essa é a única maneira de ganhar, hein? — zombei, me contorcendo enquanto os espectadores se divertiam. — Você carrega os caras com quem briga também? Ou gosta de seus homens curvados, é isso?

Risos encheram o corredor, mas logo depois senti meu corpo sendo arremessado e gritei quando minha bunda se chocou contra o chão. Que diabos?

Perdi o fôlego na mesma hora.

Will se jogou em cima de mim, empurrando-me de costas e agarrando meus pulsos. Eu me debati, sentindo os músculos doloridos pelo esforço para me soltar de seu agarre, até que ele finalmente conseguiu forçar meus braços acima da cabeça. Eu não era forte o suficiente. *Filho da puta.*

Eu me contorci sob o peso de seu corpo, a multidão uivando ao nosso redor enquanto ele me prendia no chão. Will grunhiu, o cheiro de cerveja em seu hálito enquanto sentia dificuldade para me conter.

— É isso que você realmente quer, não é, pirralha?

— Vá à merda!

Eu me debati sob ele, que apenas gargalhava.

Todos estavam rindo. Meu irmão estava certo. As mulheres se resumiam a isso. Eu estava reduzida a ficar de costas, sem dúvida onde esse babaca achava que era meu lugar.

Soltei um grunhido, jogando todo o meu peso sobre o dele e inverti nossas posições. Dei um soco, acertando seu nariz outra vez, antes que ele me empurrasse para longe. Caí no chão e nós dois ficamos de pé, ele segurando o nariz e estremecendo.

Avancei em sua direção novamente, mas alguém agarrou meu moletom por trás, e um braço enlaçou minha cintura, levantando-me do chão.

— Eita, calma, tigresa. — O peito largo às minhas costas tremia quando o homem atrás de mim riu.

Respirei fundo, sacudindo a cabeça para dar uma olhada.

Fiquei cara a cara com uma máscara prateada. O capuz de agasalho preto estava caído, revelando o cabelo escuro, e encontrei seu olhar quando ele me encarou.

Kai.

Ele olhou para frente, gesticulando o queixo.

— Que porra você está fazendo?

Olhei para Will, a cabeça inclinada para trás, o dedo por baixo do nariz enquanto o sangue escorria pelo lábio superior.

— Ela estava me dando uma surra — ele resmungou quando o burburinho do povo ao redor nos cercou. — Ela é briguenta.

— Eu só consegui te dar uns socos porque você deixou — resmunguei com rispidez. — Vamos terminar. Pra valer, desta vez.

Will revirou os olhos e Kai me apertou com mais força, mas ouvi sua risada ofegante atrás de mim.

— Ninguém quer que você se machuque, querida — disse, colocando-me de pé e olhando para mim. — Você está bem?

Coloquei o cabelo atrás da orelha, parando quando percebi que meu capuz havia caído. Olhei de um lado ao outro. *Por favor, não deixe Damon me ver aqui.*

Puxei o capuz, cobrindo-me o máximo possível.

— Você é de outra escola? — Kai perguntou. — Esta é uma festa de Thunder Bay. Você deveria estar aqui?

Ele não me reconheceu.

A maquiagem. Havia esquecido por completo que estava maquiada.

Além disso, eu vestia pijama e moletom, roupas diferentes das do cemitério.

Comecei a retroceder em meus passos.

Quanto mais tempo eu ficasse, maior a chance de ser descoberta. Era hora de ir embora.

— Espere um minuto — insistiu, vindo em minha direção. — Esta é uma festa particular. Quem é você?

Relanceei um rápido olhar para as pessoas ao redor, vendo-as nos observando.

— Eu posso te arranjar uma carona — Kai ofereceu, avançando lentamente enquanto eu me afastava. — Você está de carro? Quantos anos você tem?

— Kai, deixe-a ir. Vamos! — Will gritou, indo para outro quarto.

Dei mais um passo, mantendo o olhar focado ao dele enquanto meu coração martelava no peito.

— Sou velha o suficiente para ter visto e ouvido coisas piores — declarei.

Então, ele parou no meio do caminho.

Adrenalina correu em minhas veias e a emoção entalou na garganta, o desejo intenso de sair correndo dali.

Ele olhou para mim, a respiração agora acelerada. Ele se lembrou. Estava com medo de que não lembrasse. Talvez eu tenha sonhado com o confessionário esta manhã, e aquilo nunca tenha acontecido, de verdade.

Mas ele inclinou a cabeça, como se estivesse sintonizando a informação.

Merda.

Dei outro passo para trás, por entre a multidão e continuei:

— Michael me trouxe aqui. — Engoli em seco. — Não tem nada a ver com você. Eu nem queria estar aqui.

Tropecei em alguma coisa, desviando o olhar para me equilibrar de novo e o encarei. Mas ele apenas ficou enraizado no lugar, observando-me.

Ele não ia dizer nada?

Continuei me afastando, com medo de dar as costas a ele.

E então ele deu um passo.

Respirei fundo.

— O que você está fazendo?

Ele deu outro passo.

— Dando-lhe uma vantagem.

Meu estômago deu um nó.

— Mas eu não... eu não queria brincar!

— Aah, você esteve brincando comigo o dia todo — disse ele, um grunhido entrelaçando sua voz. — Fuja. Porque eu me transformo em uma pessoa muito diferente quando ninguém está olhando.

Perdi o fôlego e me virei, disparando para longe dali. O saguão. Com certeza, devia ter gente por lá. E os recepcionistas. Corri até o final do corredor, passei pelo elevador, sem olhar para trás e entrei pela porta de saída de emergência que dava para as escadas.

A luz ofuscante me cegou, e me agarrei ao corrimão enquanto descia voando pelos degraus. Ouvi a porta acima se fechar, mas um ruído surdo, em seguida, indicou que havia sido aberta novamente.

Ofeguei e desci outro lance, saltando os degraus, porém não pude deixar de olhar para trás. Olhando por cima do ombro, tentei ver os sapatos ou qualquer movimento, mas não havia nada. Nem mesmo o som de passadas.

Então, de repente, ele aterrissou com um baque alto ao pousar, voando por cima das grades.

Ele endireitou a postura e seus olhos escuros me perfuraram através da máscara horrível. Meu coração se alojou na garganta e não consegui conter o grito, correndo mais rápido ainda pelas escadas, sentindo-o quase colado às minhas costas.

Os músculos das minhas pernas ardiam e o suor cobria minha testa, mas, meu Deus, eu estava excitada.

Queria que ele me pegasse.

Lançando-me mais e mais para baixo, podia ouvir seus passos se aproximando cada vez mais. Mas não olhei para trás. Não queria vê-lo chegando. Só queria sentir isso. Sentir seus braços ao meu redor enquanto o perigo assumia, forçando-me a encará-lo.

Respirei rapidamente, cada centímetro da minha pele em desespero total para ser agarrada, acariciada, beijada, mordida e chupada. Deus, o que ele estava fazendo comigo?

Chegando ao saguão, abri a porta, avistando a penumbra pelo canto do olho e sorrindo, quase delirante, por estar apavorada de que ele estivesse tão perto de mim.

Passei pelo *lobby*, olhando de um lado ao outro e vendo algumas pessoas ainda sentadas ao redor do hotel mal iluminado. Nenhum funcionário se encontrava atrás do balcão. Eu me virei, reparando que não havia nenhum segurança, zelador ou qualquer outra pessoa. Não que estivesse planejando pedir ajuda, mas achava que Kai não faria qualquer coisa se alguém pudesse presenciar.

Virando-me para trás, tropecei quando vi a silhueta sombria por trás da janela retangular da porta de emergência.

Um calor intenso aqueceu meu ventre, e perdi o fôlego quando ele abriu a porta, o olhar conectado ao meu.

Ele parecia muito maior agora. Ele já era alto, mas eu estava com medo, e o medo me fez comparar seu tamanho com o meu. Seus braços poderiam, provavelmente, dar duas voltas ao redor do meu corpo.

Venha, eu o desafiei com o olhar. O dia havia sido longo pra caralho, e eu estava exausta, mas o fogo correu em minhas veias, fazendo-me vibrar. Eu queria ver tudo dele. O calmo, ponderado, estoico e reservado Kai Mori. *Vamos. Brinque comigo.*

Umedeci meus lábios, sentindo o suor na minha pele.

E ele disparou, incitando-me a correr.

Ofeguei e disparei pelas primeiras portas que vi. Ignorei a atenção que estávamos atraindo das pessoas sentadas no saguão.

A porta se fechou assim que passei, e me vi correndo em um salão de festas, decidida a me esconder atrás das imensas cortinas pretas. Cobri a boca com a mão, sem fôlego e desesperada para respirar com mais calma quando ouvi a porta outra vez. O som dos meus ofegos alcançava meus ouvidos, bem como o som das batidas intensas do meu coração. Ele estava ali?

Será que havia desistido?

Eu queria que ele me encontrasse, e por mais que a adrenalina da perseguição aquecesse meu sangue, também estava com medo.

— Você sente isso, não é? — ele disse.

Fechei os olhos, tremendo incontrolavelmente.

— Como se eu já estivesse dentro de você.

Meu clitóris latejava, doendo, e abaixei a mão para colocá-la entre minhas pernas. *Ai, meu Deus.*

— Eu sei que você está aqui — continuou ele. — Estou vendo as cortinas em movimento.

Baixei as mãos, apoiando-a no parapeito da janela atrás de mim quando me sentei e encarei o tecido escuro à minha frente.

— Eu quero algo que não me pertence — ele rosnou, e eu sabia que estava ali. — Mas não estamos aqui, certo?

O quê?

— Nós não existimos e isso não está acontecendo — ele declarou.

Mordi meu lábio para não sorrir. Damon nunca saberia, e o que não soubesse, não poderia magoá-lo.

— Nós não estamos aqui — sussurrei de volta, seguindo seu exemplo.

Então as cortinas se abriram, e ele veio até mim, retirou a máscara e agarrou minha nuca, puxando-me para perto de si.

Gemi quando minha boca colidiu com a dele, sentindo-o, de repente, em toda parte. Apertando meu pescoço, uma mão segurou minha bunda, meus braços em volta de seu pescoço. Seus quadris estreitos pressionaram dolorosamente entre minhas coxas, fazendo-me ansiar por mais proximidade. Eu o queria por inteiro. Sua boca cobriu a minha e nos beijamos, com força e rapidez, nos devorando. Ele tinha o sabor de tudo de que eu precisava.

Mordi o lábio, arrastando-o entre os dentes enquanto me atrapalhava com a fivela do cinto.

— Eu só quero você — sussurrei sobre sua boca, nossos lábios macios provocando um ao outro. — Não é assim com ele. Eu só converso com você.

Ele me empurrou para trás, puxou para cima meu moletom e camiseta e começou a chupar meu seio enquanto se aninhava entre minhas pernas, esfregando-se contra mim.

Fechei os olhos, gemendo. O fogo floresceu no meu mamilo e se espalhou pela minha pele. *Oh, Deus.*

— Nós não estamos conversando agora — ele resmungou, passando para o outro seio. Sua língua estava tão quente que chegou a acender uma fornalha entre minhas pernas.

Com o jeans aberto, ele moeu os quadris contra os meus, uma vez e outra. Seu comprimento espesso por baixo da cueca provocou meu clitóris à medida que ele se esfregava de novo e de novo.

Gritei, e ele cobriu minha boca com sua mão, fodendo-me a seco enquanto se aproximava e mordia minha orelha.

— Eu posso sentir isso — sussurrou, a outra mão segurando meu quadril. — Você me quer, não é? Você quer isso?

Balancei a cabeça, grunhindo, suando e esfregando-me com mais força, tentando alcançar meu orgasmo prestes a explodir.

— Vou abrir suas pernas e te foder em todos os cantos em que eu puder entrar.

Gemendo de novo, virei a cabeça e capturei sua boca, faminta. Suas palavras. Deus, suas palavras.

— Me foda — ofeguei. — Me persiga, me roube e me foda. Me esconda, eu não ligo.

Ele agarrou minha nuca, me puxou para seu peito e me fodeu com mais força, ambos ofegando e grunhindo e, finalmente, nos beijando quando gozamos em nossas roupas. Uma corrente elétrica sacudiu e se espalhou pelas minhas pernas, minha boceta cada vez mais quente à medida que ficava encharcada.

— Minha — ele gemeu.

Enfiei as mãos sob seu moletom, sentindo suas costas úmidas de suor e enterrei meu rosto em seu peito quando o orgasmo desvaneceu e meu coração pulsou em meus ouvidos.

Ficamos lá, imóveis e acalorados, mas incapazes de nos mover. Enganchei as pernas na parte de trás das dele e apenas respirei quando os segundos se transformaram em um minuto e um minuto se transformou em dois.

Seus dedos acariciaram meu cabelo, e ele forçou minha cabeça para trás e meus olhos para cima quando se inclinou e me beijou suavemente. Profundo, longo e lento, eu poderia beijá-lo para sempre.

— Encontre-me no Campanário amanhã — ele me disse.

Mas neguei em um aceno.

— Não posso tão cedo. Estarei confinada em casa.

— Não vou ficar esperando. — Ele se inclinou para depositar uma trilha de beijos no meu ouvido enquanto me esfregava entre as pernas. — Dê um jeito de sair ou dou um jeito de entrar. Não me importo de fazer isso atrás de outras cortinas, se for necessário. — E então ele deslizou a mão pela frente do meu short e enfiou os dedos dentro de mim.

— Aahh... — Eu me contorci. Aquilo doía.

Mas também me deixou arrepiada. Ainda havia muito que sentir.

— Gosto de perseguir você — declarou, com um sorriso nos lábios. — Gosto das nossas preliminares.

Assenti.

— Gosto disso também.

— Esconda-se comigo, então?

Esconder-me do meu irmão? De David, Lev e Ilia, e me esgueirar com Kai?

Assenti novamente.

— Okay.

Ele me beijou e, embora soubesse que não estávamos sendo realistas – nos escondermos não duraria –, não pude deixar de me animar com a promessa de mais momentos roubados. Eu só queria estar com ele. Queria senti-lo.

Perdida em seus lábios, não percebi a música no começo. Uma pitada de gotas de chuva por toda parte quase me fez olhar pela janela para conferir se estava chovendo, mas então ouvi a música seguir rapidamente. As notas agudas de um xilofone ou outro instrumento parecido que soavam como uma canção de ninar assombrada pairaram no silêncio do salão de festas.

Nós dois paramos e olhamos para cima e depois ao redor.

E não pude acreditar no que via. De repente, uma bela mulher veio girando do palco para a pista de dança, suas sapatilhas pretas de balé amarradas às suas pernas fantasmagóricas, brancas, porém tonificadas, enquanto o cabelo da cor da meia-noite dançava ao seu redor. Ela deu uma pirueta e girou, etérea, diante da melodia misteriosa, seu traje preto esfarrapado, mas chique, como um cisne, adornado com penas e brilhos. Ela era como um sonho.

— Você está vendo o mesmo que eu? — Kai sussurrou.

— Sim — respondi, incapaz de desviar o olhar. — É a bailarina.

CAPÍTULO 14

KAI

Dias atuais...

— Ei, garota — chamei Banks, quando passou pela porta do escritório. — Venha aqui por um minuto.

Ela parou, hesitando antes de entrar. Percebi que seu corpo agora estava coberto outra vez pelas roupas já secas, escondendo cada centímetro de pele possível. Ela mal pôde esperar para tirar as coisas da Alex, não é?

Por trás da mesa, peguei um conjunto de chaves e joguei em sua direção, do outro lado da sala.

— O que é isso? — perguntou quando as pegou.

— Chaves do *dojo*. Caso eu precise que você pegue alguma coisa, deixe algo... Há também chuveiros, colchonetes no andar de cima, lavanderia, comida na cozinha dos funcionários... — continuei, enfiando os recibos mensais em uma pasta na gaveta. — Entre e saia a hora que quiser.

— Eu tenho um chuveiro, uma cama e um lugar para lavar a roupa.

Olhei para cima, encontrando seu olhar teimoso, nem um pouco surpreso com o quão inteligente ela era. Sim, tudo bem. Talvez estivesse dando uma sugestão não tão sutil, mas não me rendi.

— Não estou dizendo que não tenha. Você precisa de chaves, isso faz parte do seu trabalho. Não é complicado entender isso.

— Como pode ter certeza de que não vou te enganar?

Fechei a gaveta, um sorriso curvando meus lábios quando me levantei.

— Porque eu sou um grande juiz de caráter e pequenos furtos não parecem muito o seu estilo — comentei.

Ela poderia precisar das chaves, caso quisesse entrar aqui enquanto ainda estivesse fechado, mas suas suspeitas iniciais também estavam certas. Gabriel a deixou viver como um rato – a contar pela aparência de suas roupas –, e eu ainda não tinha certeza de como era sua situação de vida. Ela alegou morar na cidade, mas não acreditava que sua casa fosse segura ou em um bom lugar. Queria me assegurar de que ela tivesse uma alternativa, caso precisasse. O *dojo* era protegido, limpo e ela teria tudo o que necessitasse aqui.

Exceto um carro. Eu teria que arranjar um para que ela pudesse usar e não fosse apanhada de surpresa pela chuva como acontecera esta manhã.

Ela enfiou as chaves no bolso e se virou para sair.

— Já vi que suas roupas estão secas.

Deslizei o olhar na parte de trás de suas pernas, que só cheguei a ver nuas uma única vez.

— Tenho mais algumas alterações contratuais para que leve para Gabriel — informei, pigarreando. — Está na mesa.

Ela se aproximou e pegou o envelope, segurando-o ao seu lado.

— Algo mais?

Não, na verdade, não.

No entanto, também não queria que ela fosse embora.

— Sim. — Enfiei a caneta no suporte e a encarei. — Você pode se cobrir o tanto que quiser, não vai adiantar nada. Você é linda.

Ela franziu a testa e, em seguida, deu meia-volta e saiu do escritório o mais rápido que pôde.

Balancei a cabeça, sorrindo internamente. Ela era a mulher mais teimosa que já conheci na vida.

Alex passou pela porta, seguindo pelo corredor.

— Alex? — chamei, caminhando de volta para minha mesa.

Ela entrou na sala, uma toalha branca sobre o ombro e o suor brilhando no peito.

Peguei minha carteira e retirei o cartão de crédito preto.

— Leve Banks às compras nos próximos dias — eu disse a ela, entregando o cartão. — A festa de Will está chegando, e ela precisará de algo para vestir.

Sua expressão impaciente ficou radiante quando o pegou.

— Eu sou uma consultora de moda? — caçoou. — Uhuuul!

— Pode me mandar a conta pelo seu tempo.

— Bem... — Ela deu de ombros. — Me presenteie com uma roupa nova também e ficaremos quites.

Ela se virou e foi em direção à porta.

— Alex? — chamei. — Compre mais algumas roupas para ela. Para o dia a dia, roupas comuns.

— E se ela recusar?

Apaguei a luminária da mesa e fui em direção à porta.

— Então compre o que você quiser que ela use. Ela terá algumas opções se decidir abandonar a postura emburrada.

Abri a porta mais amplamente, dando passagem a nós dois.

— Quanto posso gastar? — perguntou.

— Eu te ligo quando as mensagens no celular começarem a me assustar.

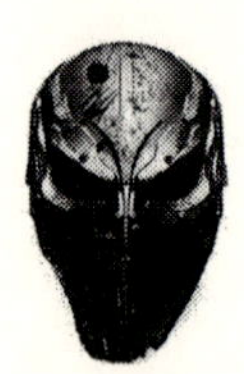

Enrolei um elástico em volta de todos os envelopes e peguei a mochila. Passava das seis e, por mais que o *dojo* ainda estivesse cheio, eu já havia encerrado o meu dia.

Will não ajudava em nada, Rika estava ocupada dando aulas ou na faculdade, e Michael quase nunca estava ali. Eu era o único que não tinha absolutamente mais nada para fazer durante o dia.

Não que me importasse. Eu gostava do que havíamos feito aqui e onde mantínhamos nossos interesses imobiliários, mas queria dar uma passada no *The Pope*. Desta vez, sozinho.

Entregando a pilha de cheques de pagamento a Caroline para que pudesse distribuí-los, desejei um boa-noite e saí pela porta da frente.

Nuvens pairavam no céu, cobrindo a cidade de uma forma sombria como se ondas a inundassem e, de uma maneira incomum, a temperatura estava aconchegante. Chegava a estar quente. Eu podia sentir o cheiro do asfalto das ruas.

Peguei o celular do bolso assim que abri a porta do carro.

— Alô?

Joguei a mochila no banco e posicionei o telefone entre o ombro e a orelha.

A linha estava em silêncio.

— Alô? — repeti.

E então a voz disse:

— Você já transou com ela?

Endireitei a coluna, com o queixo erguido. O calor inundou minhas veias.

Damon.

Eu não sabia identificar o que havia em sua voz que sempre me deixava perturbado. Sempre incomodou, de alguma forma, mas não havia percebido até agora depois de tanto tempo sem ouvi-lo.

Glacial. Era isso. O tom se assemelhava à ponta de uma lâmina cavoucando a pele.

— Ela é bonita quando está dormindo — revelou. — Tantas noites a observei ao meu lado, desejando poder dormir daquele jeito.

Minha mão doeu e percebi que meu punho estava apertado em torno da moldura da porta. Abri os dedos.

— É quase Noite do Diabo. Daqui a alguns dias — apontou, como se eu não soubesse. — Alguma programação para este ano?

Minha boca ficou fechada. Ergui o olhar, lentamente virando a cabeça de um lado ao outro, procurando algum sinal dele.

Se já transei com ela? Imaginei que ele estivesse se referindo a Banks. O que significava que ele sabia que ela trabalhava para mim agora.

— Você sabe que não sou burro. — Ele não estava me perguntando, e, sim, dando ênfase. — Você, acima de todo mundo, sabe disso. Realmente acha que me encontrará no *Pope*? Acha que o lugar inteiro não está monitorado, e que não o veria chegando? Que Banks teria deixado você entrar se pensasse, por um segundo, que eu estava lá? Ela sempre será minha.

Os carros passavam enquanto a brisa cálida soprava pelo beco onde meu carro estava estacionado. Uma parte minha esperava que ele estivesse certo, pois ela poderia acabar me levando a ele.

— Você está entediado pra cacete, não é? — provocou. — Entediado porque, ao me ter por perto, você tinha uma desculpa perfeita para ser o depravado que era. De olhar para si mesmo e dar uma boa olhada no monstro que tem aí dentro. Você não é nobre por trás das portas fechadas, Kai.

— Onde você está? — perguntei.

— Por aí.

Torci os lábios ante sua evasiva.

— Rika está sozinha demais — continuou ele. — Com Michael viajando o tempo todo, você não deveria ter se mudado para tão longe, do outro lado do rio, sabia?

Mal registrei a mudança de assunto, fechando os olhos.

— Noite passada, ela dormiu com uma calcinha de seda branca muito tentadora. — Seu tom de confidência me fez apertar o celular. — Foi quase insuportável ver um corpo daquele ser desperdiçado naquela cama fria, tão sozinha. Deus, eu queria transar com ela. Quarto escuro, meio adormecida... talvez ela nem soubesse a diferença.

Ele estava mentindo, me provocando. Não havia como ele ter acesso àquele apartamento. Michael poderia até viajar, às vezes, mas tomava precauções significativas. Segurança redobrada, alteração de todos os códigos de acesso, contratação de pessoal adicional... Ele até colocou um rastreador no telefone e no carro dela. Eu deveria me sentir culpado por isso, já que ela também era minha amiga, mas sabíamos que ela discutiria, e seria inútil. Michael estava certo. Era necessário.

Sinceramente, fiquei surpreso que ele também não tivesse colocado alguma identificação em suas joias, já que Damon não a sequestraria em seu próprio carro e, com certeza, se livraria do telefone na mesma hora.

— Mas tenho que esperar a hora certa — disse Damon, melancolicamente. — Esperei tanto tempo... Não vou me apressar.

Apressar o quê?

— Você arranjou um monte de problemas só para comprar o *The Pope* — continuou. — E não vai me encontrar.

— Eu não diria que foi tudo em vão. — Fixei o olhar no imenso prédio do outro lado da rua. — Sua pequena encrenqueira é muito mais agradável do que imaginei.

O que era uma afirmação inteiramente verdadeira. Deixe-o deduzir o que quiser.

— Acho que agora entendo por que você gosta tanto dela. Por quê, sem as roupas desleixadas, ausência de maquiagem e cabelo preso, você a acha tão atraente. — Inspirei, gostando de provocá-lo. Agora dominando o ataque. — Ela é tão reprimida. É cativante vê-la se soltar e perder o controle. Perceber que gosta de ser vista como mulher. — E então, prolonguei-me ao dizer: — E que ela gosta de fazer as coisas que uma mulher faz.

Eu podia sentir seu silêncio como se fossem suas mãos me empurrando. Só que eu não recuaria.

— Tão quieto de repente? — provoquei.

— Nik é minha — afirmou, o tom cortante. — Você nunca será o que eu sou para ela.

Nik? Esse era o primeiro nome dela?

— E eu vou te matar na frente dela — acrescentou.

— Bem, vamos lá, então. Por que esperar até a Noite do Diabo? Vamos acabar logo com isso. — Bati a porta do carro, caminhando em direção à rua e à chuva que flutuava no ar. Eu não tinha ideia se ele estava no hotel ou não, mas encarei o prédio como se estivesse falando diretamente com ele. — Ou você pode fugir novamente. Um ou outro.

— Mas não é isso que você quer — atestou, o tom astuto de volta em sua voz. —Eu te disse, Japa, não sou burro. Sei do que está atrás. E não é um confronto, não é vingança, e nem mesmo Banks.

Nivelei o olhar em uma janela acima, desejando que ele aparecesse.

— Vá em frente — desafiou. — Pergunte o que quer. Pergunte-me o que só você e eu sabemos, e que não quer que Will, Michael e Rika descubram.

Meu peito arfava com respirações silenciosas.

— Pergunte-me onde enterrei o corpo quando limpei sua barra há seis anos.

Fechei os olhos, meu coração trovejando.

Ele não tinha esquecido. Nunca esqueceria. Eu realmente pensava que isso aconteceria?

Ir para a prisão por três anos, por ter agredido um policial, não foi a pior coisa que já fiz. Eu nem tinha começado a pagar pelos meus crimes.

— Não me conte — falei, entredentes, perdido em pensamentos, mas tentando manter o tom firme. — Porque se você fizer, vou enterrá-lo junto dela. E sei que você odiaria isso.

Desliguei, imóvel no beco e ainda de frente para o hotel, enquanto o pesadelo de uma noite se infiltrava em minha mente.

A forma como estávamos nos divertindo e, do nada, tudo acabou. Como estava confuso e com raiva e não consegui me conter, e como permiti que a ira me consumisse. Como queria machucá-la, mesmo que realmente não a conhecesse, mas a odiava.

Como amei Damon uma vez e sabia que Gabriel Torrance estava errado. Eu faria qualquer coisa por seu filho. Eu *fiz* qualquer coisa por seu filho.

Matei por ele, e no ano passado ele se virou e quase me matou.

Olhei para cima, de volta ao hotel, perguntando-me se ele estava certo. Eu havia perdido meu tempo? Talvez devesse ter seguido a sua preciosa namoradinha?

Duas coisas eram certas, no entanto: ele estava aqui, na cidade, e ainda queria Rika. Antecipar suas ações não fora um erro.

Eu ligaria para Gabriel amanhã e renunciaria minha reivindicação no hotel. Não havia nenhum contrato assinado, logo, nada de acordo.

Quando me virei para sair, a chuva agora leve sobre minha cabeça, parei ao avistar Banks, do outro lado da rua, descendo de um SUV. Ela olhou ao redor, sem me ver, e correu para a mesma porta dos fundos que havíamos entrado apenas alguns dias atrás.

O que ela estava fazendo?

O trovão estalou no céu e disparei pela rua, correndo enquanto os faróis de um carro brilhavam na névoa.

Chegando à parte de trás do prédio, peguei as chaves e olhei para baixo, percebendo que havia dado a Banks as do hotel. Mas ainda tinha o código de acesso memorizado. Apertando os sete dígitos do teclado, guardei o molho no bolso e abri a porta, entrando rapidamente.

Não mandei que ela fizesse qualquer coisa no hotel hoje. Ela não estava aqui para mim, eu sabia disso.

Pegando meu telefone, acendi a lanterna, saí da cozinha e atravessei a sala de jantar e o saguão. Entrando no espaço aberto, virei a cabeça para a direita e para a esquerda, procurando por ela. Onde ela estava?

Então ouvi um zumbido abafado, um ruído como se estivesse oculto nas paredes ou no chão. Seguindo o som, olhei de um lado ao outro e vi os números acima de um dos elevadores acendendo.

Subindo cada vez mais.

Eles estavam funcionando?

Estendendo a mão para pressionar o botão para cima, parei e depois me afastei. Em que andar ela desceria?

Observei os números – oito, depois nove e dez... E então, continuaram: onze, doze...

E parou. A luz não acendeu mais.

Décimo segundo andar.

Apertei rapidamente o botão superior, pressionando-o várias vezes quando meu sangue começou a ferver.

Só podia ser sacanagem. O elevador *foi* para o décimo segundo andar.

Esperei que descesse novamente, mantendo o celular à mão, caso precisasse de luz.

Como diabos ela colocou os elevadores em funcionamento?

Assim que as portas se abriram, entrei, apertei o número doze e as portas se fecharam. Ela sabia que ele estava aqui o tempo todo. Ela o estava vendo, nos observando dando voltas e ouvindo nossas conversas. Quer dizer, eu sabia que ela não estava do nosso lado e nunca guardou segredo sobre a pessoa a quem era leal. Então, por que eu queria estrangulá-la mais do que a ele agora?

Cerrei a mandíbula com tanta força que meus dentes doeram. Se o que ela gostava era de homens cruéis, então mostraria quão cruel eu poderia ser.

Bati a mão no *12* novamente, com tanta raiva, que mal notei que não estava acendendo. Ou que o elevador não estava em movimento.

Que porra era essa? Não foi apenas há um minuto? Por que não estava funcionando agora?

Apertei o botão mais algumas vezes, tentando iluminar para ver se o elevador havia registrado o andar, mas nada aconteceu.

A luz fluorescente estava úmida ali dentro, e procurei outros botões para apertar ou qualquer outra coisa que parecesse incomum. Qualquer coisa para indicar como chegar onde queria ir.

O elevador havia seguido para o décimo segundo andar. Um andar que agora realmente tinha certeza da existência.

Apertei o *11* só para ver se funcionaria. E funcionou. O número se iluminou de repente, e senti os cabos se movimentando quando comecei a subir. As portas se abriram no décimo primeiro, e olhei para cima a tempo suficiente para ver o corredor escuro na minha frente antes de chegar ao *13* e rapidamente fechar as portas novamente. Subi mais uma vez, parando no décimo terceiro quando as portas se abriram, permitindo-me descer.

As portas se fecharam outra vez. Como ela conseguiu fazer com que ele parasse no décimo segundo?

Talvez houvesse outro acesso à escada em um desses andares? Eles tinham que ter um que chegasse até ali. E se rolasse um incêndio ou os elevadores quebrassem?

Estendi a mão e tentei a única outra coisa que me ocorreu. Pressionei o 11 e o 13 juntos. Para minha surpresa, os dois se iluminaram, mas não senti o elevador se mover.

Em vez disso, um pequeno zumbido veio detrás de mim e me virei, vendo um painel prateado se erguer para revelar um teclado escondido na parede do elevador.

Meu coração quase saltou da boca. Então era isso. Foi assim que ela chegou ao décimo segundo andar. E ela já sabia disso, na última vez em que estivemos aqui.

Andando até o teclado, notei os botões claros com números pretos, junto com uma pequena tela iluminada em verde.

Digitei o único código que eu conhecia. Aquele que dava acesso ao prédio.

Nada aconteceu.

Tentei novamente, pressionando o símbolo # depois.

Nada ainda.

Era um código diferente. Um que não recebi.

Mas algo que Banks disse uma vez me fez parar.

— *... e quando foi investigado, não havia nem a possibilidade de o elevador parar por lá. O andar havia sido obstruído.*

Mas isso não era verdade. Ela parou neste andar.

Mantendo as costas para as portas do elevador, me inclinei perto da parede dos fundos, recostando a cabeça no aço. Passei a mão pela borda, percebendo uma lacuna onde a parede encontrava o painel.

Um vão.

Isto não era uma parede. Era uma porta e esse elevador se abria pela frente *e por* trás.

Jesus.

De repente, a porta começou a abrir. Recuei quando a parede metalizada – e a entrada secreta – deu de cara com Banks, o olhar arregalado assim que percebeu minha presença.

Olhei para ela por um instante, reparando no grande espaço imerso na penumbra às suas costas. Não havia portas dos quartos com números, corredor, carpete de merda...

Era um *loft.*

Olhei para ela outra vez.

— Você sabia o tempo todo.

Ela me encarou, seu corpo imóvel e rígido.

Entrei no amplo espaço, forçando-a a dar um passo para trás.

— Leve-me até ele.

— Ele não está aqui.

Mas avancei em sua direção, invadindo seu espaço pessoal com um olhar de advertência.

— Ele não está aqui! — ela rosnou.

— Você é uma mentirosa do caralho!

— Eu suspeitava que ele estivesse, então vim dar uma olhada. Mais uma vez — acrescentou quando passei por ela e dei uma longa olhada ao redor.

Os cômodos estavam escuros, a sala curva dava lugar a uma biblioteca e um salão, com alguns corredores que levavam a vários lugares, provavelmente quartos. Havia sofás e luminárias, mesas e tapetes, o lugar todo montado como uma casa com uma vista privilegiada.

Quando virei próximo ao elevador, notei a varanda por trás das portas francesas duplas – a mesma que tentamos alcançar naquele dia.

Este apartamento parecia ocupar um andar inteiro. O que significava que poderia ter várias varandas ao redor de todo o edifício.

— Como você conseguiu fazer o elevador funcionar sem a eletricidade ligada? — perguntei.

Ela enfiou as mãos nos bolsos.

— Os elevadores têm um disjuntor diferente.

— E você sabia disso quando estivemos aqui da última vez?

Ela desviou o olhar.

Obviamente.

O cheiro persistente de cravo flutuou em minhas narinas, e o reconheci imediatamente.

Damon fumava principalmente *Davidoffs*, mas de vez em quando se satisfazia com *Djarum Blacks*. O odor inconfundível permaneceu no lugar.

— Você tinha que saber que eu nunca o entregaria a você. — A voz de Banks estava séria. — Eu sei do que você e seus amigos são capazes.

Eu me virei, incapaz de disfarçar a careta.

— Do que sou capaz? — perguntei a ela. — Então, ele é a vítima?

Eu me aproximei dela, cansado de sua ideia fixa de que só havia preto no branco. Eu era amigo dele. Sempre fiquei ao lado de Damon, e ele não fez nada além de tentar nos prejudicar. Ele era uma ameaça.

Eu me virei e avancei mais para o interior do *loft*, descendo por um dos corredores. Entrei nos quartos, reparando na poeira, alguns lençóis desordenados e o cheiro de umidade, provavelmente pelo lugar ter sido mantido fechado por algum tempo.

Entrando em um quarto com uma varanda visível através das portas duplas, imediatamente avistei um cinzeiro em uma cômoda e caminhei para inspecioná-lo.

Peguei uma das pontas do cigarro preto de Damon em um mar de outras bitucas brancas, e o trouxe até o nariz. O cheiro de especiarias tinha a mesma doçura sobrepujante da qual me lembrava.

Coloquei-o de volta no cinzeiro, reparando em todos os *Davidoffs* brancos também. Ambas as suas marcas preferidas.

Olhando ao redor, reparei nos lençóis bagunçados com os travesseiros ao pé da cama, as garrafas de Corona no lixo e o chão cheio de embrulhos de papel alumínio dentro de suas caixas de cigarro, cuja obsessão de Damon era dobrar até que não fosse mais possível reduzir o papelão.

— Ele pode não estar aqui agora, mas estava — atestei, virando-me para encará-la.

Seu olhar permaneceu fixo ao meu enquanto se mantinha em silêncio.

— Onde ele está agora? — indaguei, caminhando em direção a ela.

— Eu não sei.

Levantei a cabeça, repetindo a pergunta:

— Onde ele está?

— Eu não sei.

Outro passo em sua direção.

— *Onde* ele está?

— Eu não sei.

Eu a imprensei à parede, calor enchendo meu olhar.

— Ele é muito possessivo com você, não é?

Ela cerrou os lábios carnudos, e percebi que havia tantas coisas para as quais ainda não tinha respostas: por que Damon era tão apegado a ela, por que ela era tão leal a ele? E eu podia não fazer a menor ideia de quem ela era, mas uma coisa sabia com certeza: eu poderia mexer com Gabriel, poderia usar Rika como uma isca em um anzol, mas essa garota aqui era a única pessoa capaz de enlouquecer Damon.

Ela era sua fraqueza.

—Talvez eu não precise procurá-lo, afinal de contas — disse a ela. — Eu tenho você, e ele virá até mim, não é? Com a motivação certa.

Seus olhos aflitos se voltaram para os meus, e detectei o leve sobressalto antes que ela disfarçasse. Mas bastou esse pequeno vacilo. Era uma rachadura – uma das únicas que vislumbrei em seu exterior comedido e frio.

E, por um momento, esqueci tudo sobre Damon Torrance.

— Peça-me para não machucá-lo — eu disse, minha voz falhando inesperadamente.

No entanto, ela apenas me encarou, seu olhar hesitando um pouco.

Cheguei mais perto, sentindo o calor de seu corpo.

— Já te ocorreu que tudo o que você precisa fazer é pedir?

Eu precisava de Damon para que pudesse localizar o maldito corpo antes que ele decidisse usá-lo contra mim, mas não precisava machucá-lo. Isso dependia dele. E, talvez, dela.

Ela buscou a veracidade de minhas palavras em meus olhos, o infinito abismo dos seus, verdes, começando a brilhar. Seu queixo tremia quando agitou a cabeça lentamente, em guerra consigo mesma.

— Você não consegue, não é? Não vai me pedir nada.

Ela baixou o olhar, ofegando.

— Você o ama? — perguntei.

— Sim.

Sua cabeça ainda estava baixa quando ela sussurrou, mas ouvi a resposta rápida o suficiente.

— Sim — repetiu, assentindo. — Eu o amo muito. Mais do que jamais amarei alguém. — Seus olhos lacrimejantes se levantaram e encontraram os meus novamente. — Eu posso controlá-lo. Se conseguir encontrá-lo. Só me dê uma chance.

Mas mal ouvi a última parte.

Sim.

Eu o amo muito.

Mais do que jamais amarei alguém.

Ela parecia abrir o coração, mas era apenas para ele.

Eu me endireitei, sentindo uma frieza se instalar em meu corpo.

— Você está chorando? — perguntei. — Por ele?

Ela não disse as palavras, não me implorou, mas estava escrito em seu olhar. Ela pertencia a ele tanto agora quanto naquela época.

— Tudo bem — eu disse, inclinando-me e provocando-a. — Chore por ele então e me implore. Me implore para deixá-lo em paz, e eu o farei.

Sua mandíbula flexionou, e o rubor furioso cruzou seu rosto.

— Você tem uma chance de salvar a vida dele, Banks. Tudo o que tem a fazer é me implorar. Vamos. Eu quero ver. Até onde você irá por ele? — rosnei, com ódio. — Implore!

Ela gritou, sua mão enluvada acertando meu rosto.

Minha cabeça girou para o lado, e a ardência do tapa se espalhou pelos meus lábios.

Meu coração deu um pulo.

Novamente.

— Porra, você é patética. — Sorri com arrogância quando me virei para encará-la. — O cachorrinho de estimação dele, não é? Se você for boazinha, ele te dá o privilégio de lamber o pau dele depois que ele trepa com uma mulher de verdade?

— Urgh! — ela grunhiu, me dando um tapa na mesma bochecha novamente.

Meu pescoço doeu com o golpe repentino desta vez, e respirei fundo, absorvendo a dor. Ela era forte.

Lambi o canto dos meus lábios, saboreando o gosto metálico onde meus dentes haviam rasgado a pele.

— Você nunca será mais do que é agora. — Avancei, batendo minhas mãos na parede atrás dela, ficando nariz a nariz. — Algo para os homens usarem. Isso é tudo o que você é. E em cinquenta anos, vai acabar sozinha, sem saber como é isso.

Passei o polegar sobre a gota de sangue no canto da boca e a esfreguei em sua bochecha.

Ela rosnou, afastando minha mão, mas eu estava fora de mim, e não sabia se estava chateado, excitado ou desesperado por esse confronto, mas mergulhei e perdi o controle. Meu corpo assumiu o comando.

Agarrei sua nuca em uma mão e a bunda dela com a outra e colei seu corpo ao meu.

— Como é *isso* — rosnei sobre seus lábios, pressionando meu pau duro e já desesperado por ela em sua virilha.

Ela gemeu baixinho e seu corpo endureceu na mesma hora, como se estivesse assustada, mas segurou-se aos meus ombros de qualquer maneira, os dedos cravando minha pele através da camisa.

— E como é *isso* — sussurrei, deslizando a mão pelo seu traseiro e apertando com força.

Ela ofegou, fechando os olhos com força, mas não passou despercebida a forma como abriu as pernas para me acomodar melhor, agitando os quadris. Não dava para saber se era sua intenção mesmo, ou se apenas agiu como eu, por instinto, deixando as sensações nos dominarem.

— Não vou te implorar por merda nenhuma — disse ela, uma lágrima escorrendo por sua bochecha.

— Foda-se Damon. — Eu a pressionei de volta na parede, levantando-a e friccionando meu pau entre suas pernas. — Isto é entre mim e você.

Ela ofegou quando enlaçou minha cintura com as pernas. A pequena mancha de sangue em sua bochecha começou a brilhar com o suor, e não parei de tocá-la ou abrandei meus avanços, porque se desse a ela um segundo para pensar, ela impediria de seguirmos em frente.

— Eu gostava de você — sussurrei. — Ainda me lembro de como aqueles momentos roubados foram bons.

Mesmo depois de inúmeras mulheres, minha mente sempre voltava a ela.

E eu mal podia esperar por mais. Capturei seus lábios, silenciando todas as nossas palavras, preocupações, passado e essas merdas, e a beijei, mergulhando minha língua e provando-a como se ela fosse uma deliciosa refeição.

Garota fria – durona –, por que eu estava tão obcecado? Por que estava com ciúmes de que ela provavelmente tenha dado um pedaço de si a sei lá quantos homens naquela casa, mas reservava para mim apenas frases monossilábicas?

Ela que se foda. Ela me queria. Não me importava com a besteira que saía de sua boca. Não éramos mais adolescentes e eu não era o mocinho. Ela faria por mim o que fez por Damon ou David – ou por quem diabos entrasse e saísse da casa de Torrance –, e, dessa forma, ela saberia que eu era tão cruel quanto ela. Ela me subestimou, mas não se esqueceria disso nunca mais. Que eu possuiria um pedaço dela, assim como eles possuíam.

Arranquei sua jaqueta e a puxei pelos braços.

— Tire sua camisa.

Eu a deixei de pé, o gorro escorregou da cabeça, soltando o cabelo, enquanto eu tirava meu pulôver e a camiseta por cima da cabeça, jogando-os no chão.

Ela fez uma pausa, erguendo os braços e cobrindo o corpo ainda vestido.

— E-eu...

No entanto, eu a agarrei e a beijei novamente, interrompendo suas palavras. Ela gemeu contra a minha boca, e rasguei sua camisa de flanela, enviando botões para todo lado; eu me afastei, parando apenas um momento quando vi as ataduras ao redor de seus seios.

Que diabos?

Eu teria que perguntar sobre isso quando minha cabeça clareasse mais tarde.

Olhei para a mesa, vendo um abridor de cartas, e o agarrei, deslizando a lâmina fria de metal por dentro das amarras; puxei com força, abrindo o material e vendo seus belos seios saltarem livres. Respirei fundo, absorvendo brevemente as marcas em sua pele antes de empurrar sua camisa pelos braços e chegar até ela, colando seu peito ao meu.

— E como é isso — respirei em seu ouvido, tonto com a sensação de seus mamilos endurecidos pressionados no meu peito.

Passei os braços ao redor de seu corpo, enlouquecendo com a maciez de suas costas e com a maneira como seu cabelo acariciava meus braços, causando arrepios.

Ela se agarrou a mim, ofegante e nervosa.

— Eu sou dele. Eu pertenço a ele.

Concordei, empurrando-a em direção à cama.

— Diga isso de novo.

Mergulhei em seu pescoço, mordendo a pele suave.

— Eu pertenço a ele — gemeu, inclinando a cabeça para trás. — Nunca serei sua. Eu te odeio.

— Mas você me quer.

Fiz com que caísse de costas no colchão.

Com o olhar conectado ao dela, soltei meu cinto, abri a braguilha e me livrei da calça.

Ela respirava cada vez mais rápido, os olhos arregalados e fixos no meu pau duro como aço, pronto, desde quando ela atraiu minha atenção.

Eu precisava disso agora. Paixão. E não importava que fosse com raiva. Contanto que os sentimentos fossem intensos.

Lágrimas encheram seus olhos, e observei seus seios, grandes o suficiente para encherem minha mão, mal podendo esperar para possuir cada centímetro dela.

— Se você quiser que eu pare — eu a desafiei, aproximando-me da cama e olhando para ela. — Aqui está sua chance. Basta me pedir para parar e assim será feito.

Ela ficou em silêncio, mas sua mandíbula travou, os olhos se tornaram tempestuosos enquanto grunhia:

— Sim, eu sabia que isso era só papo-furado. Vá em frente e pare, frangote.

Abri um sorriso.

Abaixei-me, agarrei a parte de cima de sua calça jeans e calcinha e as puxei pelas pernas, as roupas enormes deslizando sem nenhum problema. Ela gritou, fechando os olhos, mas eu sabia que era apenas seu orgulho falando.

Banks esteve com caras mais ásperos que eu, mas iria me assegurar de que ela nunca se esquecesse desse momento. A putinha dos Torrance era toda minha por quanto tempo ela mantivesse as pernas abertas.

Desci sobre seu corpo, gemendo a cada centímetro de sua pele quente contra a minha. Levantei seu joelho e mordisquei seus lábios enquanto me acomodava entre suas coxas. Deus, eu podia sentir o calor úmido no seu centro. Meu corpo começou a tremer.

Cobri sua boca, sentindo seus gemidos e ofegos vibrarem sob meus lábios.

Enfiando minha mão entre nós, eu me posicionei e comecei a empurrar.

Ela ofegou, os músculos subitamente tensos.

— Estou com medo...

— Não fique. Damon não precisa saber que você adorou ser fodida por mim mais do que por ele.

E então rosnei, empurrando forte e profundamente, me afundando em seu corpo tenso, meu cérebro mal registrando uma fina barreira rompendo.

Ela gritou, inclinando a cabeça para trás com o rosto contorcido pela dor.

— Aaah! Ai, meu Deus!

Que porra era essa? Parei na mesma hora.

Seu corpo convulsionava, as unhas cravadas nos meus ombros enquanto arfava, em busca de ar. Era dor, não prazer.

Parei de respirar.

Não, não, não... O quê? Não.

Fiquei ali deitado acima dela, encarando-a enquanto meu pau palpitava em seu interior.

Virgem?

Eu podia sentir a confusão estampada no meu rosto.

Ela era virgem, porra?

Banks ofegou repetidamente, tentando recuperar o fôlego. Então se acalmou, devagar, quando o choque diminuiu, e nós dois apenas nos deitamos lá, sua expressão começando a relaxar.

Ela abriu os olhos, encarando meu rosto aflito.

Ah, Deus. O que eu fiz?

Seus lábios lentamente se curvaram em um meio sorriso.

— Sim, não estava esperando por isso, não é mesmo?

CAPÍTULO 15

BANKS

Dias atuais...

— Mas que diabo é isso? — Ele me encarou, agoniado, toda a maldade e arrogância agora desaparecidas.

Eu sabia o porquê estava confuso, mas não respondi nada. Pisquei para afastar as lágrimas.

Doeu. Assim como Damon sempre havia me alertado.

Eu queria me afastar dele, mas então ele saberia que eu não seria capaz de lidar com isso. Não consegui evitar e me contorci abaixo de seu corpo forte, tentando me livrar da dor incômoda. Ardia pra cacete e eu estava desconfortável. Minha garganta sufocou com as lágrimas que estava tentando segurar.

Claro, eu sabia que só doeria a primeira vez, mas só bastou aquela para saber que nunca mais desejaria sofrer outra vez, então... Flexionei a mandíbula para impedir que meu queixo tremesse. Não queria demonstrar a vergonha que sentia. E nunca faria isso de novo. Não foi nada agradável.

— Saia de cima de mim — resmunguei. Estava com frio, dor, e ele parecia um intruso no meu corpo. Como algo que não deveria estar ali dentro.

— Está tudo bem — ele sussurrou, gentilmente afastando meu cabelo dos meus olhos. — Tudo bem.

— Você conseguiu o que queria, então saia de cima de mim agora.

Eu estava perdendo o controle, e as lágrimas se libertaram, deslizando pelas minhas têmporas, se entremeando no meu cabelo. Estava arruinada. Damon me odiaria para sempre.

Mas Kai apenas balançou a cabeça, devagar, ainda olhando para mim, confuso.

— Eu não sabia. E... eu pensei... — Seus dedos acariciaram minha bochecha e depois meu braço. — Que porra é essa?

Sua testa recostou-se à minha, e eu estava prestes a empurrá-lo, mas hesitei. Por que diabos ele se importava? Não era isso o que ele queria? Fosse lá a minha primeira ou a centésima vez, ele me usou como o brinquedinho que sempre fui para ele. Que importância tinha isso?

— Quem é você para ele? — perguntou, levantando a cabeça para olhar para mim.

— Não importa. Eu ainda vou escolhê-lo. Ele nunca me machucou assim. Não como você fez.

Ele estremeceu, e eu sabia que isso o magoaria. Kai temia que fosse mau, e tentou até ser alguém sinistro, mas lá no fundo, ele era bom e era quem era. Ele nunca mudaria.

Ele não gostava de me machucar.

Quando moveu seu corpo, retirando-se para fora, eu me encolhi com a dor aguda entre as pernas enquanto tentava fechá-las, No entanto, ele não se afastou, mantendo-se aninhado entre minhas coxas.

— Olhe para mim — pediu.

Lentamente, ergui o olhar e ele tocou meu rosto.

— Eu teria sido mais gentil na sua primeira vez — declarou.

— Eu não ligo. — Balancei a cabeça. — Não estou nem aí para nada disso.

Pressionando minhas mãos em seu peito, eu o empurrei para que saísse de cima de mim e desci da cama, correndo. No entanto, ele me pegou por trás. Envolveu um braço em volta da minha cintura e puxou-me de volta, fazendo-me ofegar quando nós dois caímos na cama. Caí deitada em cima dele, minhas costas moldadas em seu peito.

Meu grito foi interrompido por sua boca quando ele segurou um punhado do meu cabelo e torceu minha cabeça, em um beijo abrasivo. Eu me debatia e tentei empurrá-lo, acertando-lhe uma cotovelada enquanto tentava me afastar, mas ele não me soltou. Sua boca, forte e exigente, moveu-se para minha mandíbula, bochecha e orelha, chupando e mordendo, e rosnei, acertando um tapa em seu corpo com minha mão esquerda.

— Me machuque. Faça o que quiser comigo — ofegou no meu ouvido. — Eu mereço.

Ele colocou as pernas entre as minhas, dobrando os joelhos e espalhando as minhas. Sua mão deslizou entre as coxas, e eu gritei, de repente, com medo, mas ele parou e apenas a deixou lá, imóvel enquanto me segurava na palma de sua mão.

— Kai! — gritei, debatendo-me contra ele.

Seus lábios pararam na minha bochecha, o hálito cálido e áspero.

— Não essa noite.

O quê?

— Eu não sou Kai — disse ele — e você não é Banks.

Havia uma súplica em sua voz que me fez hesitar.

— Thunder Bay não existe e não estamos no *The Pope* — continuou. — Faz seis anos desde que estive feliz e empolgado, e você estava curiosa a respeito de tudo, e minhas palavras foram o suficiente para tocá-la.

Meu corpo inteiro parou e as lágrimas subitamente embaçaram minha visão quando ele sussurrou:

— Você é a garota que eu não conhecia e poderíamos ser qualquer pessoa naquele confessionário. Todo o resto desapareceu. Tudo. Poderíamos nos esconder e foder com o mundo naquele quartinho. Éramos apenas nós.

Fechei os olhos, a exaustão me dominando.

Todos esses anos atrás. Aquela não era eu, de verdade, era?

Relaxei contra seu corpo, incapaz de encontrar vontade de lutar.

Quase me lembro de ainda ser aquela garota. Quando ainda esperava que houvesse possibilidades. Quando pensei que havia alguma maneira de tê-lo e fazer as coisas divertidas que as meninas normais faziam. Quando me permiti desejar os beijos roubados e seu olhar concentrado em mim; sonhando que ele quisesse de mim as coisas que um homem desejava de uma mulher.

Respirei fundo, percebendo que estava prendendo o fôlego quando senti os pulmões queimando. Deus, toda aquela ânsia voltou à tona, lavando-me e aquecendo minha pele. Era como se eu tivesse passado fome, e, de repente, senti nada mais do que ossos frágeis que poderiam facilmente se quebrar. Eu estava faminta.

Virei a cabeça, encontrando seu olhar a centímetros do meu. Seus dedos relaxaram no meu cabelo, enquanto encarava as piscinas escuras, meus pensamentos coerentes nublados.

— Concentre-se em meus olhos — ele disse, suavemente. — Continue olhando para mim.

E assim o fiz. Apenas mergulhei, me rendi e caí.

O confessionário.

Nós estávamos de volta ao confessionário. Nós éramos mais jovens, e não havia ninguém além de nós. Escondidos, seguros.

Eu estava em segurança.

Sua mão entre as minhas pernas começou a se mover, esfregando para frente e para trás, suave e lentamente.

— Ninguém está nos vendo — ele suspirou. — Não há ninguém além de mim e você. Somos invisíveis. Nós não existimos.

Assenti, débil, mas minhas pálpebras começaram a pesar com a sensação de suas carícias. *Ah, meu Deus.*

— Mantenha os olhos em mim, querida — instruiu.

Pisquei várias vezes, focando novamente quando a mão dele subiu, acariciando minha barriga. Seu toque enviou arrepios pelos meus braços, e eu gemi, lutando para manter o olhar concentrado no seu quando a mão alcançou meu seio. Ele o segurou, amassando tão suavemente e me provocando.

Eu o flagrei olhando para o meu seio, a boca aberta e o olhar faminto como se quisesse levar à boca aquilo que estava em sua mão.

Umedecendo meus lábios, senti quando deu atenção ao outro lado, acariciando o mamilo até que também ficou intumescido. Um frio se instalou em minha barriga, e comecei a sentir o pulso latejante em meu clitóris, ansiando que sua mão me tocasse ali.

Seus dedos cravaram levemente na minha pele, percorrendo pelo meu abdômen, enviando choques por todos os poros do meu corpo enquanto ele me segurava com um pouco mais de força entre as coxas dessa vez.

Fechei os olhos e arqueei as costas, sentindo sua ereção pulsar debaixo de mim.

— Kai...

Cada toque, cada respiração aumentava a sensação de leveza que tomava conta do meu corpo. Eu estava flutuando, a sala girava e eu só queria me perder naquilo.

Virando a cabeça, abri meus lábios, procurando os dele.

Seus dentes capturaram meu lábio inferior, arrastando-o para provocá-lo.

— Isso é o que deveria ter sido — declarou. — Não doeria tanto se tivesse te preparado primeiro. Me desculpe... Eu deveria ter ido devagar.

Abri os olhos e encarei-o. O instinto me mandava fugir. Enfiar-me de volta em minha concha e afundar-me na escuridão. Mas eu não era Banks hoje à noite. Ele não era Kai e não estávamos aqui. Nada disso estava acontecendo.

— Então, vá devagar comigo agora — sussurrei.

Ele apenas hesitou um momento antes de sair debaixo do meu corpo e me deitar na cama. Na mesma hora, ergui os braços para me cobrir, uma bola entalada na garganta enquanto o coração palpitava com intensidade.

Eu o queria, mas ainda era tímida. Ninguém nunca havia me visto nua. A vida se tornou muito mais complicada nos últimos dez minutos.

Ele não estava olhando para lugar nenhum, mas apenas nos meus olhos quando pairou sobre mim.

— Eu quero você. — E gentilmente puxou meus braços para baixo.

Seu olhar me atingiu quando passou a mão no centro do meu torso, deslizando entre os meus seios e meu pescoço. Ele mergulhou, cobrindo meu mamilo com a boca, e eu inclinei a cabeça para trás, gemendo.

— Kai... — sussurrei novamente.

Coloquei as mãos em seus braços quando ele se apoiou em um braço e usou a outra mão para tatear o seio que estava beijando. Sua boca quente chupou a pele rija e esticada, puxando o mamilo para fora em uma carícia provocante antes que começasse a trilhar por toda parte.

Meu corpo estremeceu.

— Isso é tão bom.

Ele rapidamente se moveu para o outro lado, deixando a mão onde estava e me mantendo aquecida. A carícia seguiu pela minha barriga, me causando arrepios, e enfiei meus dedos em seu cabelo.

— Abra suas pernas — disse com a voz rouca.

Levantei a cabeça e meus olhos, instantaneamente, pousaram entre suas pernas, vendo-o duro e grosso.

— Uh — choraminguei. — Não.

Sem olhar para cima, ele desceu e levantou minha perna pela parte de trás do joelho.

— Preciso prepará-la, querida.

Ele mergulhou a cabeça entre minhas coxas, enterrando sua boca em meu centro enquanto eu tentava empurrá-lo.

— Não, não faça isso.

Mas com o movimento sutil de sua língua, minhas pálpebras, de repente, se tornaram pesadas.

Ele girou um pouco acima do clitóris, esfregando-me com a boca enquanto sua mão se enrolava ao redor da minha coxa, segurando-a, e seu corpo se aninhava entre as pernas.

Lambendo e mordiscando, seu ataque foi suave no início, fazendo meu estômago revirar – fogos de artifício disparando pelo meu corpo. A sensação era como se eu estivesse em um balanço nas alturas, inclinando-me para trás enquanto meu cabelo esvoaçava no ar.

Eu queria mais. Mais fundo.

Então ele começou a chupar. Tudo. Dentro, fora e ao redor, beijando a pele lá embaixo e apertando meu seio com uma mão. Ergui a cabeça, observando-o.

— Você é tão apertada — ofegou, me mordendo com gentileza. — Mas você vai se esticar. Eu prometo.

Mordi o lábio quando ele olhou para mim.

— Você gosta disso? — perguntou, lambendo-me de cima a baixo lentamente.

Minhas bochechas aqueceram de embaraço, e um sorriso sutil cruzou seu rosto.

— Ou isto? — Ele me observou enquanto circulava a língua ao redor do meu clitóris uma vez atrás da outra.

Perdi o fôlego, as pálpebras tremulando.

Ele me deu um sorriso provocante.

— Ou talvez isso?

Então cobriu meu feixe com os lábios e chupou com força, puxando e puxando, o calor de sua boca me torturando à medida que eu arqueava a coluna no colchão e gemia.

— Aaah... — arfei.

— Tão linda — ele sussurrou. — Você está pronta, garota?

Senti o frio no estômago, ansiosa, e nem ao menos me irritei por ele me tratar como uma pirralha – novamente. Dessa vez, foi até cativante.

Agitei a cabeça, deslizando os dedos entre os fios de seu cabelo. Pronta para o quê, eu não fazia ideia, mas queria ir mais além. Eu só queria mais.

Pairando sobre mim, ele me beijou, mergulhando a língua entre meus lábios. Gemi, deixando meu corpo assumir o controle enquanto agarrava seus quadris e separava minhas pernas, levantando os joelhos para deixá-lo entrar.

Meus mamilos roçaram seu peito, e eu me esfreguei contra ele, retribuindo seu beijo com força total. Seu cheiro, sua pele, seu gosto... neste momento, tudo era novidade.

Ajoelhado sobre mim, ele se abaixou e se posicionou em minha abertura. A ponta de seu pau me penetrou e a ardência me fez tensionar na mesma hora.

— Isso dói. — Cada músculo se contraiu. Estava com mais medo ainda de me mover.

— Olhe para mim — instruiu.

Ergui o olhar, insegura, olhando para a suave saliência de seu lábio.

— Dobre mais os joelhos — ele me disse.

Fiz conforme me orientou, meus dedos se curvando em seus quadris.

— Agora, relaxe as coxas — indicou. — Deixe-as bem afastadas, tudo bem? Abertas para mim. Basta abrir.

Relaxei a musculatura, dobrei mais os joelhos e me espalhei para ele.

Ele empurrou um pouco mais e eu respirei fundo, mas não tentei impedi-lo. Ele parou e se inclinou, sussurrando sobre os meus lábios:

— Você está me torturando. Tudo o que eu mais quero é me afundar em você.

— Ainda não fez isso?

Seu peito vibrou com uma risada.

— Nem todo o caminho. Ainda dói?

Estava prestes a dizer que sim. Com toda a certeza, era algo desconfortável, mas… agora achava que não doía tanto.

Neguei com um aceno de cabeça.

O tempo inteiro conectado ao meu olhar, ele afundou, devagar, e comecei a me sentir esticada, cheia e um pouco esquisita.

— Que tal agora?

— Eu... e-eu n-não... — gaguejei, sentindo-me ajustar a ele. — Eu não sei.

Ele me penetrou até o fim, chegando tão fundo que meus olhos reviraram. Ah, merda.

— Kai...

— Banks, minha nossa... — Ele me beijou. — Eu amo o jeito como seu corpo se encaixa ao meu.

Agarrei seus quadris quando ele mordiscou minha boca, pescoço e orelha, e antes que me desse conta, já não havia desconforto algum.

— Coloque uma mão no meu ombro — disse ele, inclinando-se para olhar para mim. — Quero que você me sinta em movimento.

Eu fiz o que pediu e, lentamente, ele se retirou. Registrei brevemente algo molhado, mas ele revirou os quadris, afundando de volta dentro de mim.

— Ai, meu Deus — gemi.

Não doía mais nada.

Segurando-o, vi seu corpo se mover enquanto o quarto se enchia com o ruído de nossos ofegos e gemidos. Ele deslizou dentro e fora, estocando mais rápido enquanto o olhar se desviava dos meus olhos para os meus lábios, e para onde nossos corpos se uniam.

— Qual é a sensação de me ter em seu corpo? — ele perguntou.

Eu o puxei para mais perto enquanto ele arremetia outra vez, ansiando por mais e mais.

— Suave e duro... — arfei. — Eu preciso de mais... profundo. E dessa pressão... Aahh, bem aí.

Grunhi em seus lábios, fechando os olhos com força. Eu estava prestes a gozar.

Eu já havia alcançado um orgasmo antes, por conta própria, mas desse jeito era muito diferente. Como se um músculo estivesse se contraindo cada vez mais, a sensação semelhante a um ciclone, girando e girando, louco para ser libertado.

Ergui um pouco o meu corpo e agarrei sua nuca, puxando-o para um beijo faminto e voraz. O suor umedeceu seu cabelo quando sussurrei em seu ouvido:

— Me faça gozar, Kai. — Dei um sorriso. — Me faça gozar e vou te deixar ver o que faço durante o banho, pensado em você. Você gosta de observar, não é?

Ele rosnou, agarrando meus pulsos e prendendo-os acima da minha cabeça com uma mão. Eu ri, surpresa, nervosa e louca de tesão.

— E eu aqui, achando que estava sendo legal ao pegar leve com você. — Ele apertou minha bunda com a outra mão, pressionando-me mais ainda em seu pau.

— Sim — gemi, extasiada.

Ele bombeava com mais rapidez e aspereza, enlouquecendo em cima de mim, até que tudo que eu podia fazer era aguentar seu arroubo. Até que me senti como um brinquedo do qual ele não se fartava nunca, e naquele momento, era tudo o que queria ser.

Eu amava que ele me visse dessa forma. Amava que quisesse tudo isso de mim.

Ele arremeteu de novo e de novo, meus joelhos cada vez mais altos; calor cobria meu corpo, e rajadas de prazer explodiram dentro de mim, percorrendo todos os meus poros. Gritei, convulsionando enquanto o segurava a mim, deleitando-me em meu orgasmo.

Ele grunhiu e bombeou, até que, por fim, estocou fundo e se manteve afundado enquanto inclinava a cabeça para trás.

— Caralho!

Seu corpo desabou em cima do meu, ambos derretendo em suor e euforia. *Jesus amado...*

Eu sabia o que estava perdendo esse tempo todo, mas... nunca pensei que seria incapaz de resistir. Não sabia se seria capaz disso agora.

Lentamente, minha respiração se normalizou, mas não me afastei dele ou da suave carícia de seus lábios no meu pescoço. A realidade se infiltraria em breve, então, tudo o que eu queria era me deleitar nestes últimos instantes.

Apenas nos deitamos lá. Amando sentir seu calor e proximidade.

Eu amei sentir isso.

— Por que você está depilada? — ele perguntou de repente.

Depilada?

Ah... Lá embaixo.

Seu nariz roçou minha bochecha quando se inclinou para trás, o rosto afogueado, e os olhos lânguidos me encarando.

— Não estou reclamando — assegurou com um meio sorriso. — Apenas me surpreendeu. Especialmente para uma... uma virgem que não estava esperando nenhuma ação lá embaixo.

Revirei os olhos, achando graça de sua piadinha. No entanto, minha diversão desvaneceu enquanto pensava em uma resposta plausível. Mesmo que não fosse da conta dele.

Eu me depilava com cera há anos. No início era um saco, mas ao longo dos anos, a dor excruciante da tarefa se tornou mais fácil de suportar e... bom, eu só precisava fazer isso a cada dois meses.

Tentei raspar quando começou a aparecer os pelos pubianos na pré-adolescência, mas voltaram a crescer rápido e começaram a engrossar. Pouco tempo depois, comecei a fazer as pernas e axilas também. Depois, passei a me vestir como menino, acobertando o cabelo, achatando os seios... tudo o que podia fazer para não me tornar uma mulher.

— Eu não deveria mudar — respondi, calmamente. — Não deveria crescer.

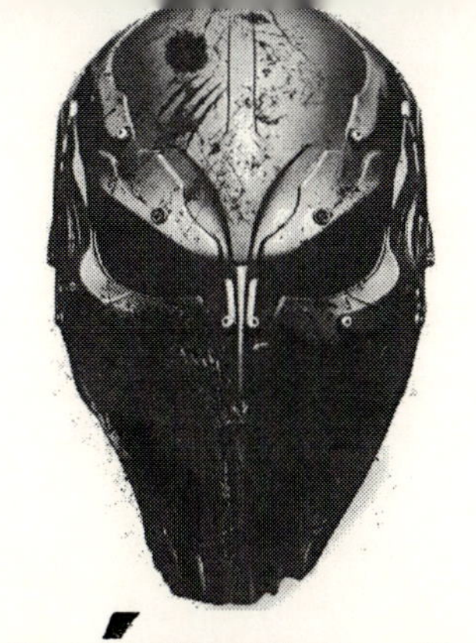

CAPÍTULO 16

Noite do Diabo – Seis anos atrás...

— Você tinha razão — respondeu Kai.

Sacudi a cabeça, distraidamente, sem acreditar no que via. Nós dois observamos a bailarina flutuar pelo chão, quase como uma borboleta, mas também como uma criança. Tão inocente e etérea. Ela era linda.

Linda e... familiar.

Quem...

O cabelo esvoaçava ao redor de seu corpo, e quando vislumbrei seu rosto, uma sensação aflita instantaneamente cobriu meu coração. Perdi o fôlego na mesma hora.

Ai, meu Deus. Não...

A música. *Night Mist.* Eu já tinha ouvido isso antes.

Encolhi-me atrás das cortinas.

Não poderia ser ela.

— Pensei que fosse apenas uma história — sussurrou Kai, ainda a observando abaixar a cabeça e mover os braços e pés com graça e leveza. Era como se voasse. Ela flutuava e voava em movimentos requintados, como se a gravidade não fizesse parte de sua realidade.

— Você sabe quem é ela? — ele perguntou.

Encontrei seu olhar afiado em mim, o cenho franzido em preocupação.

Assenti uma vez. Meu estômago revirou e fiquei horrorizada demais para pensar em uma mentira.

— É Natalya Torrance. A mãe de Damon.

— A mãe dele? — A confusão se espalhou por seu rosto quando ele se virou para encará-la outra vez. — Mas...

Mas *nada*. Ela havia desaparecido três anos atrás, quando Damon, finalmente, deu um basta ao seu sofrimento. Ele se automutilava, fazia com que eu o machucasse também, e se retraía para o filme de terror que se passava em sua mente, até que uma noite ela veio procurá-lo inúmeras vezes.

Continuei contemplando Natalya, o longo cabelo sedoso e negro flutuando ao seu redor em ondas. Eu não a conhecia bem, mas morávamos na mesma casa há alguns anos – antes que ela escapasse da ira de Damon naquela noite e conseguisse fugir.

Ela estava desaparecida desde então.

A mulher ainda era linda, no entanto. Era claro que continuaria belíssima. Ela devia ter apenas trinta e quatro anos agora. Gabriel a viu pela primeira vez em um balé em São Petersburgo, quando ela tinha apenas treze anos. Ele imediatamente a cobiçou. Aos dezesseis, Natalya havia se tornado sua esposa e já havia dado à luz Damon. Ela era mais apegada ao filho do que ao marido.

Contudo, nunca fez questão de saber muito a meu respeito. Eu não representava coisa alguma para ela. Embora soubesse dos laços que me uniam a Gabriel, ela parecia não se importar, e eu bem poderia ser comparada à poeira dos móveis, e mesmo assim, ela não notaria minha presença. Ela vivia em seu próprio mundo.

— Sim, você está certa. — Kai a estudou, finalmente a reconhecendo. — Ela não foi embora alguns anos atrás? O que está fazendo aqui?

Balancei a cabeça, pensativa. Deus, eu não fazia a mínima ideia. E não sabia o que aconteceria se Damon a visse aqui. Ela não deveria se aproximar dele.

No entanto, esse hotel pertencia a seu marido – já que ela e Gabriel ainda estavam casados –, mas Damon a mandara embora. Ele disse que a mataria se a visse novamente.

Eu precisava tirá-lo daqui antes que ele fizesse exatamente isso.

— Devemos avisá-lo? — Kai perguntou.

— Não — respondi, apressada e segurando sua mão. — Não, ele não vai querer vê-la.

Ou melhor, não deveria vê-la. Eu só precisava chegar até ele e arranjar algum motivo para tirá-lo do hotel. Meu pai poderia lidar com ela sem que Damon descobrisse.

Puxei Kai para fora das cortinas e me movi ao longo da parede, tentando silenciosamente apressar nossos passos em direção às portas.

— Oooh... — Eu a ouvi dizer.

Parei, fechando os olhos. *Merda.*

— Eu não sabia que havia alguém aqui — disse ela. — O que vocês estão fazendo, crianças?

Soltei a mão de Kai e lentamente a encarei. Ela ficou parada no meio da pista de dança, como se estivesse no meio de uma pirueta com os braços levemente estendidos.

— Você não deveria estar em Thunder Bay ou em Meridian — declarei, dando um passo à frente.

Ela me olhou por um momento, provavelmente tentando me reconhecer por trás de toda a maquiagem, até que seus olhos se acenderam quando disse:

— Você.

Ela se lembrou de mim.

No entanto, antes que eu pudesse avançar sobre ela, Natalya se virou para a porta, o olhar iluminado como o de uma criança.

— Meu filho está aqui? — ela perguntou. — Não o vejo há tanto tempo.

— Fique longe dele! — Fui até ela. — Estou falando sério.

Seu olhar se desviou para mim novamente, o sorriso tímido enquanto tocava a saia de filó de seu traje.

— Você gostou? — Olhou para o meu rosto, esperançosa, como se eu não tivesse dito nada. — Minhas roupas antigas ainda cabem perfeitamente. Ainda sou bonita, não é mesmo?

Bonita? O quê? Ela estava completamente louca.

— O que está acontecendo? — Kai parou ao meu lado, mas ela mal olhou para ele antes de se concentrar nas portas.

Ela estava procurando Damon.

— Ele é um homem agora — disse ela, melancolicamente. — Jovem e forte.

Acenei com a cabeça, indicando para Kai me seguir.

— Ela é má. Precisamos sair daqui.

Eu me virei, segurando sua mão enquanto girava a maçaneta.

— Diga a ele que a mamãe o ama — ela chamou. — Eu sou a única pessoa que o ama.

Eu me virei, soltando Kai.

— Isso não é amor — rosnei.

Um soluço se alojou na minha garganta, fazendo-me sentir desamparada, apesar da raiva borbulhante. Ela não o machucaria novamente. Não conseguiria mais, pois ele não permitiria.

No entanto, ela me ignorou, parecendo calma e, até mesmo, um pouco animada.

— Ouvi dizer que ele é voraz agora. Um animal selvagem — provocou. — Nenhuma garota naquela cidade está segura. Esse é o homenzinho da mamãe.

— Jesus Cristo — ouvi Kai murmurar ao meu lado. — O que diabos ela fez com ele?

— Ele tocou em você? — ela me perguntou.

Entrecerrei os dentes.

— Ele vai, sabia? — Ela deu um passo mais perto. — Ele é um saqueador. Assim como o pai dele.

Minha cabeça balançou um pouco. Isso nunca aconteceria. Meu irmão nunca me machucaria assim.

— Eu queria que ele te tomasse. — Suas palavras suaves deixaram seus lábios e se infiltraram por dentro de mim enquanto nossos olhares se mantinham conectados. — Você, sempre dormindo no quarto dele, ele não seria capaz de resistir ao perfume de sua preciosa garota. — Ela estendeu a mão, passando os nódulos dos dedos gentilmente pelo meu queixo. — Seu pequeno tesouro.

— Ei, ei. — Kai afastou a mão dela, puxando-me para longe.

Até que, por fim, ela olhou para ele.

— Eu me lembro de você. É amigo do meu filho — ela disse. — Isso significa que ele está aqui, não é?

Perdi o fôlego. *Damon.*

As portas atrás de nós se abriram de repente, e sacudi a cabeça, olhando por cima do ombro. Meu irmão irrompeu pelo salão, o rosto contraído e o olhar furioso sobre mim.

— Eu sabia que era você lá em cima! — exclamou, puto. — Que merda é essa? Como você chegou aqui?

Rapidamente me virei para encará-lo, esperando bloquear sua visão.

Mas não adiantou.

Sua voz soou atrás de mim.

— Damon.

Fechei os olhos, cerrando as mãos em punhos. Damon.

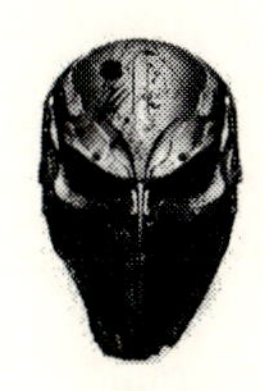

— Por favor, Nik — ele implorou, os lábios trêmulos.

Lágrimas escorreram pelo meu rosto enquanto eu me mantinha de pé, vendo-o sentado na beirada da cama. Ela havia ido embora. Depois de conseguir o que queria dele.

No entanto, seu perfume ainda exalava do corpo do meu irmão. Ele sempre tomava banho logo depois. Por que não tinha feito isso ainda?

— Estou apodrecendo. — Seu sussurro o deixou como um último suspiro quando inclinou a cabeça e encarou o chão.

Olhei para os novos cortes em sua coxa – em um local onde a maioria das pessoas não seria capaz de identificá-los. Ele fez isso alguns dias atrás. Depois da última vez.

Ela vinha ao seu quarto com mais frequência agora. Ele estava crescendo mais rápido, o corpo agora bem maior, mais alto, as maçãs do rosto e a mandíbula já sem a suavidade da infância, tornando-se mais parecidas às de um homem. Seus ombros ficaram mais largos, e o treinamento de basquete durante o verão lhe deu formas aos músculos.

Quando descobri o que estava acontecendo anos atrás, assim que me mudei, meu irmão se recusou a contar a alguém. Ele não me permitiu contar a qualquer outra pessoa. Tive esperança de que, uma hora ou outra, ela perdesse o interesse quando ele atingisse a idade adulta.

Isso não aconteceu. Percebi que ela não era pedófila no sentido mais estrito da palavra. Não se tratava do corpo ou sua juventude. Era sobre ele, e ela era apenas psicótica.

E ciumenta. Ele estava no ensino médio agora. Muitas outras garotas – garotas mais novas – roubavam a atenção de Damon. Ela não gostou disso.

Fui até ele e estendi uma mão trêmula, tocando seu ombro. Ele ainda estava nu, o lençol preto emaranhado no colo, cobrindo sua nudez.

Abaixando-me, tentei nivelar nossos olhares, em um tom de súplica.

— Prefiro me machucar. Por favor. Não me obrigue a fazer isso de novo. Por favor.

Ele abaixou a cabeça, recostando a testa à minha, respirando rápido, como se estivesse tentando conter os soluços.

— Alguma coisa tem que servir — ele sussurrou. — Qualquer coisa. Você quer que seja eu? Hein? — Ele agarrou meu queixo, segurando-o com força. — Sem'ya. *Eu preciso que você faça isso.*

Sem'ya.

Família.

Eu não falava russo muito bem como Damon, que havia aprendido desde cedo, mas sabia identificar determinadas palavras.

Balancei a cabeça, mesmo com seu agarre firme. Cada vez era pior que a outra. Quando isto acabaria? Ele sempre precisava de mais. Mais forte, mais bruto, mais doloroso...

— Por favor — chorei, baixinho.

Ele rosnou e pegou o cinto da cama, preparando-se para dar em si mesmo uma chicotada.

— Não! — Arranquei o objeto de sua mão. Quando ele fazia isso por conta própria, sempre exagerava na força. Os colegas do time poderiam acabar fazendo perguntas.

Levantei-me, deixei cair o cinto no chão e solucei enquanto agarrava um punhado de seu cabelo. Ninguém faria perguntas sobre cortes e contusões em seu rosto. Damon sempre se metia em brigas, então era uma desculpa plausível para justificar qualquer ferimento.

Abafando meu medo e aflição, os transformei em raiva e rosnei, batendo o mais forte que pude em sua bochecha.

E continuei... De novo e de novo e de novo. Eu tinha que acabar logo com isso. Apenas fazer o que me pediu. Eu chorava mais alto a cada golpe, lágrimas escorrendo pelo meu rosto.

Alguma coisa tem que servir, ele disse.

Ele estava certo. Bebida alcoólica já não era suficiente. Nem os cigarros, as garotas que usava e tratava como lixo na escola, ou, até mesmo, a dor. Com o tempo, ele se acostumou com tudo isso e passou a precisar de mais.

Alguma coisa tem que servir. Quanta dor ele seria capaz de suportar antes de se destruir? Quanto tempo até que mais nada fosse o bastante para acalmá-lo?

Corri até Damon.

— Apenas saia daqui — eu disse, agarrando seu braço. — Vamos embora. Por favor.

Eu o puxei, ignorando o olhar confuso no rosto de Kai, mas meu irmão estava enraizado ao chão como uma árvore.

Ele a encarava com um olhar de aço, duro e cortante.

— Querido — ela murmurou, aproximando-se dele. — Você é tão lindo. Senti tanto sua falta.

Agitei a cabeça, puxando-o para chamar sua atenção. Mas ele estava paralisado.

— Eu sei que você perdeu a paciência, e está tudo bem — ela disse, com doçura, sempre a flor delicada do lado de fora. — Estou bem. Eu te amo, independente de qualquer coisa. Juro que desta vez será melhor. Eu vou cuidar de você.

— Damon — eu disse com rispidez, tentando quebrar o feitiço.

Mas seus olhos estavam vidrados, acompanhando a aproximação dela.

— Senti tanta saudade — ela continuou. — Eu preciso de você. Estou tão sozinha. Estou tão perdida, querido, eu...

Nesse momento, ele avançou e a segurou pelo pescoço, a mão enorme envolvendo a garganta delgada e pálida.

— Damon... — Olhei de um ao outro, sem saber o que fazer.

Ela ofegou, mas permaneceu imóvel quando ele a ergueu até que estava quase suspensa do chão. Seu maxilar estava cerrado, e uma raiva incandescente percorreu meu corpo enquanto os observava, encarando-se.

— Esse é o meu garotão — ela sussurrou. — Você cresceu e está tão forte.

— Damon — supliquei. — Olhe para mim.

Ele simplesmente ficou lá, segurando seu pescoço, em transe.

— Esperei que viesse à minha procura — ela ofegou. — Para assumir o controle. Você é o homem agora. Tudo o que meu filho precisar.

Fechei os olhos.

— Ela é louca — Kai sussurrou ao meu lado.

— Damon! — gritei. — Olhe. Para. Mim!

Ele a segurou, ainda cativo em suas palavras.

— Tome-a para si — ela insistiu. — Purifique-a. Assim como mamãe costumava purificar você.

Surtei, desfazendo-me em lágrimas perante a agonia do passado sendo trazido de volta à vida do meu irmão.

— Você é o homem — ela repetiu. — Tudo é seu. Tudo.

Balancei a cabeça. *Damon.*

— Se você a ama, ela pode te magoar — Natalya disse. — Se você a machucar, ela nunca fugirá de você. Você sempre a possuirá. Ela é sua. Você não pede e não se importa. Pegue o que é seu. Tome-a. — Sua voz desceu para um tom quase inaudível. — Possua.

E, de repente, ele se virou, me encarando.

Não.

Lágrimas caíram quando silenciosamente implorei a ele. Estávamos sozinhos no mundo. Só estávamos seguros um com o outro. Eu nunca o machucaria. Ele tinha que saber disso!

Ela queria que ele arruinasse o laço que tínhamos. Queria destruir tudo o que havia de bom nele, porque Damon era o futuro da família e, no final das contas, os monstros sempre se tornavam mais fortes.

Damon poderia acabar sendo muito pior do que meu pai já foi.

— Possua-a — Natalya o incentivou, passando a mão pelo seu peito. — Ela vai te suprir. Tome-a. Mostre a ela quem você realmente é.

Fique comigo. Mantive o olhar fixo ao dele. Eu sei quem você é. Você me protege, me leva às compras no meu aniversário e me deixa escolher o que eu quiser, e você me acorda com meus malditos milkshakes favoritos quando chega em casa no meio da noite. Eu sei quem você é.

— Lamba-a todinha — Natalya suspirou. — Leve-a para casa e reivindique-a.

O toque assustado em seu olhar desapareceu, e, de repente, apenas me encarou como se fosse um robô. Como se já não estivesse mais lá.

Como se já não fosse Damon.

Arfei, chocada.

E então, Kai estava ao meu lado. Ele se aproximou, afastando-me dali e segurou Damon pelo pulso.

— Solte — ele exigiu. — Deixe-a ir, Damon.

— Somos todos seus — ela sussurrou para o filho como se Kai não estivesse lá. — Vou cuidar de você, meu amorzinho. Vou me certificar de que a bocetinha doce seja sua.

— Cale-se! — Kai gritou. — Sua cadela doente! — E então se virou para Damon, que ainda me encarava. — Olhe para mim, cara. Não olhe para ela!

Ele não faria isso. Não. Ele nunca faria isso comigo. Nunca.

— Possua-a — insistiu Natalya novamente.

Gritei, desesperada:

— Damon! — Acorde.

— Não olhe para ela! — Kai berrou, empurrando-o.

— Ela é parte de você — sua mãe sussurrou como a provocação de um fantasma. — Ela vai te deixar mais forte. Tome-a.

— Cale-se! — Kai se virou e estapeou o rosto dela, perdendo o controle.

Perdi o fôlego enquanto observava seu corpo girar e aterrissar sobre uma mesa redonda no salão. Copos se quebraram e um vaso tombou para o lado; pratos e talheres deslizaram para fora com a queda.

Até que ouvi um suspiro e desviei o olhar dela, voltando a encarar meu irmão. Ele se curvou, apoiando o corpo no encosto de uma cadeira, e começou a arfar com a cabeça baixa enquanto ela cuspia e tossia.

Corri em sua direção, aos prantos.

— Está tudo bem. — Enlacei seu corpo com meus braços. — Tudo bem. Calma. Estou aqui. Escute minha voz.

Ele fez ânsia de vômito, nada saindo além de saliva enquanto lutava para normalizar a respiração. Eu o abracei com mais força.

Muitas crianças que sofrem abusos não gostam de ser tocadas, mas quando Damon estava em espiral, era como se não conseguisse se aproximar o suficiente de mim. Como se tudo o que quisesse fosse rastejar para dentro da minha cabeça, onde sabia que estaria seguro.

— Ela não tem mais poder sobre você. — Eu o abracei, sussurrando em seu pescoço suado: — Somos livres. Somos apenas nós.

— Ainda está dentro de mim — ele disse, arfando. — Isso dói.

Fechei os olhos com força, chorando mais ainda.

— Segure-se em mim. Apenas me abrace.

Eu sabia o que ele queria. Do que precisava. E não pude negar isso a ele. Não essa noite.

Mordi a curva entre o pescoço e seu ombro. Envolvendo meus braços ao redor dele, senti-o grunhir enquanto afundava os dentes com mais força em sua pele. Seus braços serpentearam à minha volta, e ele segurou firme, mantendo-me perto. Se Kai olhasse, pareceria que estávamos nos abraçando.

Mas ele ainda estava focado em Natalya, a quem eu não conseguia ver pelas costas do meu irmão.

Ainda está dentro de mim. Eu não sabia se ele se referia a ela, ao terror e o medo ou algo mais. Eu apenas sabia que me sentia impotente.

Lágrimas deslizaram pelo meu rosto.

— Mais forte — sussurrou.

Mordi com mais força, sentindo o gosto de sua pele salgada e cercada pelo cheiro familiar de seus cigarros. Ele não me machucaria. Ele precisava de mim.

Ele me amava.

O gosto de cobre atingiu minha língua me indicando que eu havia ferido sua pele. Ele soltou um suspiro e se afastou.

— Obrigado — agradeceu e olhou para mim, a estranha calma habitual se instalando. — Você está bem?

Assenti.

— E você?

Ele deu um aceno cansado, virando-se e ajustando o capuz para garantir que a marca da minha mordida estivesse encoberta.

Só então olhei para Kai.

Ele estava encarando o chão onde Natalya jazia, uma expressão indecifrável no rosto que parecia mudar a cada passo que eu dava em sua direção. Ele estava com medo? Ele não fez nada de errado. Se não a tivesse feito se calar, ela...

Não conseguia nem pensar nisso agora. Meu irmão pareceu estar em um maldito transe naquele momento, e eu não conseguia entender o que estava acontecendo com ele. Isso aconteceria novamente?

Fiquei feliz por Kai ter batido nela.

Damon parou do lado do amigo, os dois a encarando. Ela estava deitada no chão, caída contra a perna quebrada de uma cadeira, e parecia estar ferida. Seus olhos estavam fechados, mas sua cabeça se mexia de leve enquanto pressionava a lateral do corpo.

— Você está bem? — Kai virou-se para Damon. — Cara, me desculpe. Eu não sabia...

— Cale a boca — Damon respondeu, ríspido. — Ela estava falando merda. Esqueça. Entendeu?

Meu irmão olhou para o amigo, uma ameaça entrelaçada em suas palavras.

Kai não respondeu, apenas fechou a boca e o encarou. Ele sabia que era mentira.

Sangue escorria pelos dedos de Natalya, e quando conferi os escombros, avistei a haste de uma taça de vinho quebrada. Uma das bordas afiadas estava embebida em sangue. Ela havia sido cortada.

— Ela está machucada — continuou Kai. — Precisamos de uma ambulância. Acho que ela bateu a cabeça também.

— Eu cuidarei disso. Você já fez o suficiente. — Ele olhou por cima do ombro para mim. — Você a colocou em perigo. Ela nem deveria estar aqui.

— Não vi você tentando reverter a situação.

— Chega. — Dei um passo à frente.

Tínhamos problemas maiores. A sanidade de Natalya claramente havia se deteriorado mais ainda desde seu desaparecimento três anos atrás. Todas aquelas coisas que disse e bem na frente de Kai... Era óbvio que já estava totalmente fora de controle. Gabriel não gostava de ser envergonhado. O que faríamos com ela?

— Vá embora — disse Damon a Kai. — Vou ligar para o meu pai.

Kai olhou para ele, ainda incerto.

— Não, é minha culpa que ela tenha se machucado. Quero ter certeza de que seja levada ao médico.

— E quando ela disser a alguém no hospital que foi você que bateu nela? — Damon retrucou. — Sim, tenho certeza de que isso será maravilhoso para qualquer oportunidade de entrar em uma faculdade. — Ele acenou com a cabeça. — Apenas saia daqui. Minha família garantirá que ela esteja bem e fique de boca fechada. Não se preocupe. Ninguém quer uma cena.

Kai hesitou, provavelmente preocupado em garantir que ela recebesse cuidados médicos, mas os Torrance obviamente tinham um histórico familiar conturbado, e ele precisava entender que Damon queria que o pai a visse. Sem hospitais. Sem polícia. Todos nós tínhamos interesse em mantê-la calada.

Ele segurou minha mão.

— Vamos.

Mas Damon me agarrou e me puxou para ele.

— Minha — disse ele ao amigo.

— O caralho que é. — Kai fez uma careta. — Eu vi o olhar no seu rosto, cara. Você estava surtado. Você a teria machucado.

Damon apenas agitou a cabeça, sem se preocupar em se defender. Isso era algo que eu admirava em meu irmão e desejava poder controlar em mim mesma. As pessoas podiam pensar o que quisessem, não por acreditarem estar certas, mas porque faz parte da natureza humana sustentar suas opiniões. Ao se defender, você dá corda para a discussão. Quando não faz isso, você encerra a conversa.

Você. Não eles.

Mas não pude evitar quando também me perguntei se Kai poderia estar certo. O que teria acontecido se ele não tivesse interferido?

Damon se virou para mim, acenando.

— Vá com ele, então. Pode ir.

O quê?

— Está tudo bem — ele me disse. — Vá embora se quiser.

— Damon...

— Você quer ir, eu sei que quer. Não preciso de você. Nunca precisei.

Senti um aperto no coração. Por que ele estava fazendo isso? Por que sempre fazia isso?

— Vamos. — Kai segurou minha mão.

Mas eu me afastei.

— Apenas vá. — Abaixei a cabeça, incapaz de encará-lo. — Volte para a festa.

— Banks.

— Eu nunca vou deixá-lo — respondi, ríspida.

Nunca. Fui até meu irmão e segurei sua mão, querendo que Kai fosse embora.

Por duas vezes, hoje, escolhi Damon. Ele não sabia que éramos uma família, e poderia até entender se soubesse, mas isso não mudaria nada. Damon viria em primeiro lugar. Sempre.

Meu irmão apertou minha mão, um gesto sutil que indicava que havia me perdoado.

— Garotas, mano — disse a Kai, em um tom debochado.

O silêncio se estendeu entre eles, e pude sentir o olhar de Kai sobre mim. Ele era um cara legal, mas não aceitaria ser rejeitado pela terceira vez. Desviei o olhar para Natalya, cada segundo que Kai estava lá, estendendo-se como uma eternidade.

— Sim — ele respondeu. — Noite louca, né? — E então, pelo canto do olho, o vi se afastar. — Vejo você na aula na segunda-feira.

E saiu, meu coração doendo mais a cada instante em que se afastava sem olhar para trás. Mais tarde, quando estivesse sozinha e perdida em meus pensamentos, me perguntaria o que teria acontecido se eu o seguisse. Se tivesse agarrado sua mão e me escondido com ele pelo resto da noite.

Damon me puxou para dentro, beijando minha testa.

— Boa menina. Você nunca me decepcionou.

Natalya gemeu, as pálpebras se abrindo. O sangue encharcava sua mão e, embora parecesse um corte desagradável – ou vários cortes desagradáveis –, o sangramento não era tão ruim. Precisávamos levá-la a um médico. Talvez ela precisasse de pontos ou algo assim.

Damon me entregou seu celular e depois se agachou, olhando para ela.

— Ligue para David — instruiu. — Diga a ele para vir te buscar aqui e vá esperar por ele no saguão.

— Por que você não pode me levar para casa? Vamos simpl...

— Voltarei para casa mais tarde — disse ele, o olhar ainda fixo sobre ela. — Preciso limpar essa bagunça.

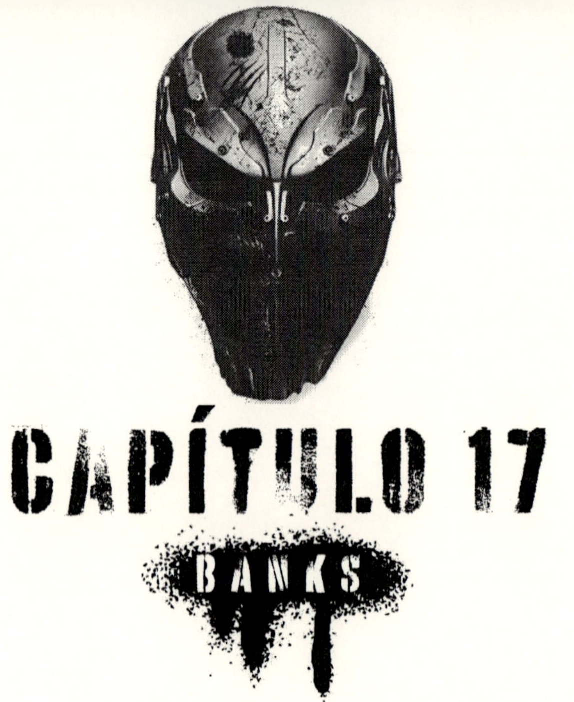

CAPÍTULO 17

BANKS

Dias atuais...

Andei apressadamente pela rua movimentada, desviando dos pedestres com uma mão no bolso do casaco e a outra segurando um envelope grande com mais um contrato para Kai assinar. Ele deveria estar no *dojo*, mas quando voltei das minhas tarefas hoje de manhã, recebi uma mensagem, dizendo-me para encontrá-lo em seu clube. Ele sabia que eu não tinha carro, cacete.

E eu não estava pronta para enfrentá-lo.

Ontem à noite, naquele hotel, enterrados em um andar secreto e em um quarto sem telefones, televisão e ninguém além de nós, foi inimaginável. Como um sonho do qual fui arrancada, onde continuei fechando os olhos para perseguir o sono outra vez só para que pudesse voltar ao lugar onde estava. Aquilo havia acontecido há apenas algumas horas?

Ele tentou extrair um pouco mais de informações a meu respeito na noite passada, mas não me pressionou muito. Quando percebeu que estava na defensiva outra vez, não quis estragar o que havia acontecido. Ele era bom em me entender, tinha que admitir.

Ele quis me levar para casa, mas fui embora antes que pudesse discutir comigo novamente. Enfiei-me noite chuvosa adentro, sabendo que tudo aquilo que me fizera sentir tão bem desapareceria, e não poderia voltar a acontecer. Culpa e vergonha, a sensação do olhar recriminatório de Damon, me julgando, por que eu não conseguia superar isso?

E daí, transei com um cara. Quem liga? Eu gostei. Foda-se.

Mas já era dia e as consequências poderiam tardar, mas não falhariam. Minhas habilidades não se estendiam o suficiente para fazer malabarismos com meu desejo por um e as exigências de outro.

Subindo os degraus de Hunter-Bailey, abri uma das portas duplas e entrei, o cheiro do lustra-móveis impregnando o ar. A madeira brilhava por toda parte, e o relógio antigo no *lobby* se encontrava à minha esquerda.

Fui até a pequena mesa de recepção.

— Preciso ver Kai Mori, por favor.

O jovem de cabelo preto, vestido em um terno simples e com uma gravata fina, assentiu como se estivesse me esperando.

— Ele ainda está no salão. — Andou até outro conjunto de portas duplas. — Basta virar à direita ao entrar na sala de jantar.

Humm. Mulheres normalmente não eram permitidas no clube. Fiquei surpresa por ele estar me deixando entrar com tanta facilidade. Provavelmente Kai havia cuidado desse detalhe.

Ele abriu as portas, afastando-se para que eu pudesse entrar, e imediatamente virei à esquerda, avistando os funcionários organizando mesas para o almoço.

Entrando no salão, olhei ao redor por um instante, reparando na decoração. Sofás de couro marrom brilhavam à luz do abajur, enquanto cortinas verde-escuras cobriam as imensas janelas que iam do teto ao chão. Arandelas douradas, bem como cabeças empalhadas de veados, alces e até mesmo um leão estavam penduradas no alto; almofadas de padrão xadrez se encontravam esparramadas em cadeiras e sofás. Havia um balcão de bar atrás, estantes de livros alinhadas nas paredes e uma tapeçaria retratando alguma espécie de guerra que pairava acima da lareira.

Cristo. Esta sala parecia ter sido decorada com o tema "Se os nazistas tivessem vencido...".

Examinei o ambiente, localizando Kai próximo às janelas. Seu casaco estava aberto, as mangas arregaçadas, o que fez minha boca secar de repente. Era quase doloroso vê-lo ali sentado, curvado sobre uma mesa cheia de papéis.

Aquelas mãos estiveram sobre mim ontem à noite. E aquela expressão bela e severa, como se estivesse com raiva, quase trouxe um sorriso ao meu rosto quando lembrei como estava perdida pelo prazer na última vez em que o vi.

Tão controlado e tão frio, mas poderia ser tão áspero também.

Michael e Will estavam sentados ao seu lado, um ao telefone e o outro, de olhos fechados, largado em uma poltrona com um copo de uísque pressionado à testa. Caminhei até onde estavam, ignorando os olhares da dúzia de outros cavalheiros na sala.

Kai olhou para cima quando me aproximei.

— Você está atrasada.

Seu tom foi cortante, mas a boca se curvou com um sorriso sarcástico, como se soubesse a razão por eu mal ter dormido na noite passada.

— Tive que ir a Thunder Bay hoje de manhã — informei.

— Por quê?

— Gabriel quer saber por que você não assinou o contrato.

Ele parou o que estava fazendo e olhou para mim novamente. Michael se afastou do telefone.

— O que você disse para ele? — Kai perguntou.

Joguei o envelope com um novo contrato em cima da mesa. Alguns de seus papéis se espalharam com o movimento.

— Que você está enrolando — eu disse. — A mesma coisa que tenho dito a ele.

— O que...

Mas ele parou o que ia dizer, pegando o telefone que zumbia em sua mão. Com um ar aborrecido, atendeu.

— Sim.

Ele ouviu enquanto alguém do outro lado falava, o cenho agora franzido.

— Encanamento A&J? — resmungou, parecendo confuso. — Eu não liguei para nenhum...

Inclinei-me sobre a mesa e estendi a mão.

Ele parou, encarando-me, mas entregou-me o telefone.

— Deixei as chaves em um envelope debaixo da mesa — disse ao garoto do *dojo* na ligação — e desliguei o sistema de alarme da casa. Diga a ele para começar pelos banheiros no andar de cima. Preciso de uma estimativa completa o mais rápido possível.

— *Uh, sim, senhora* — ele gaguejou e eu desliguei.

Eu havia providenciado encanadores, eletricistas e empreiteiros quando estava voltando de Thunder Bay. Achei que ele estaria no *dojo*, então pensei em encontrá-lo lá.

Devolvi o telefone.

— Isso é para a minha casa? — questionou. — O que eu te disse antes?

Endireitei a postura, colocando as mãos nos bolsos.

— Vanessa chega em três dias — informei.

Sua careta lentamente se desfez, e vi, de esguelha, Will abaixar a bebida e levantar a cabeça.

Kai, porém, não falou nada.

— Faz parte das novidades que Gabriel informou esta manhã — expliquei, sentindo o mesmo nó no estômago quando recebi a informação. — Surreal, não é? No que você se meteu?

Todos os três ficaram ali, e eu não sabia se estavam atordoados, bravos ou sei lá mais o quê, mas, definitivamente não estavam satisfeitos.

— Tenho certeza de que você se considera o arquiteto de algum grande esquema — continuei —, mas o acordo que fez prossegue, independente de você ou não. Sua noiva logo estará a caminho daqui. Reservei uma suíte no Mandarin para ela enquanto fazemos a reforma em sua casa.

Kai pegou o envelope, com a mandíbula flexionada quando o rasgou, puxou a papelada e começou a folhear as páginas.

— Ele não fez as alterações — disse ele, examinando-as.

— E nem vai fazer, ouso dizer. É pegar ou largar.

Kai estava encurralado e sabia disso. Mas realmente, qual era o problema? Ele sabia como chegar ao décimo segundo andar agora. Não precisava do hotel e não queria nenhuma conexão com a família Torrance. Por que não desistir? Por que, em primeiro lugar, havia concordado com aquilo?

— Se eu não assinar, estará aberta a temporada de caça a Damon — alertou. — Michael, eu, Will, Rika... Nós vamos lidar com isso, e faremos da maneira que quisermos.

Assenti em entendimento. Se ele não assinasse, Damon não teria a promessa de que seria bem-vindo de volta à cidade. E se voltasse para casa, todos poderiam ir atrás dele.

— E se não assinar — disse ele, com a voz mais baixa —, você irá embora.

Eu vou embora? Era isso que o vinculava a esse acordo estúpido?

Vi quando pareceu engolir em seco.

Ele não queria me ver longe.

E eu não tinha mais certeza do quanto queria o mesmo, mas esse contrato não poderia me impedir se fosse minha vontade me afastar. Ele precisava saber disso. Eu só estava aqui a mando de Gabriel.

— Posso sair a hora que eu quiser — lembrei a ele.

— Você voltaria para ele, não é?

Baixei o olhar, não querendo discutir aquilo e, especialmente, na frente de seus amigos.

Sua voz estava estranhamente calma.

— Você quer que eu assine?

— Sim — respondi. — Eu quero Damon em casa.

Ele me encarou, os olhos frios, mas não fez nenhum movimento. Os caras ouviam em silêncio.

— Acordei ontem à noite te querendo outra vez — disse ele.

Meu coração bateu acelerado, o calor do constrangimento subindo às minhas bochechas.

Recostando-se no estofado de sua poltrona, ele respirou fundo.

— Eu fodi com tudo, gente — disse ele, desta vez para seus amigos.

Michael o encarou.

— Queremos o que queremos, certo?

Kai balançou a cabeça para mim.

Então, Damon não era o único objetivo aqui. Em algum lugar ao longo do caminho, eu também havia me tornado um alvo. Gabriel me obrigou a trabalhar para Kai, então assim o fiz. Mas sem contrato, não haveria Banks.

— Você veste as roupas dele — disse-me Kai. — Você mal come. Ele controla sua liberdade, sua comida, suas amizades... O que você quer, garota? Se você fosse ele, se fosse um homem, o que você faria? O que aceitaria?

Lancei-me para frente, contornando a cadeira de Will e fui até Kai. Inclinando-me, peguei o contrato da mesa e uma de suas canetas, folheei até a última página, e rabisquei *Kai Mori* em sua maldita caligrafia quase exata, como o tinha visto fazer em outros documentos no *dojo*.

Larguei a caneta, guardei o contrato no envelope, e lhe entreguei.

Estava na hora de acabar com aquilo. Eu aceitaria o blefe dele. Ou ele cancelaria aquele acordo idiota e me liberava, ou entregaria os papéis a Gabriel e deixava meu irmão voltar para casa.

— Agora você tem uma escrava até o seu casamento — eu o desafiei. — O que você vai fazer comigo? Arrancar minhas roupas aqui e me curvar sobre a mesa, garotão?

Ele pegou o envelope, um sorriso amargo nos lábios.

— Não. Isso é muito suave. Algo que farei com a nova esposinha — debochou. — Gosto de desgastar um pouco mais os meus brinquedos.

Ouvi a risada disfarçada de Will à esquerda e em seguida um suspiro.

— Cacete.

Michael passou a mão no rosto, exasperado, e Kai apenas olhou para mim. Ele se levantou, pegando o terno da cadeira enquanto desdobrava as mangas da camisa.

— Vá para o *dojo* — ordenou. — Vai ser um longo dia.

Horas depois, eu estava sufocada de tanto trabalho que Kai havia me enfiado.

Depois que lidei com o encanador e os dois empreiteiros que estimaram quase dois anos para finalizar a reforma do buraco onde ele morava, voltei ao *dojo* para passar o resto do dia lidando com um monte de merdas. Uma máquina de lavar que explodiu, algum jogador idiota do Storm, amigo de Michael, que esqueceu o celular no banheiro, uma garota na quarta aula de Aikido que havia vomitado essa semana e voltou a fazer o mesmo no saguão... E por que diabos eu estava cuidando dessas porcarias?

Kai estava puto, e, o tempo todo, eu tentava dizer a mim mesma para sair dali. Ninguém poderia me obrigar a permanecer naquele lugar, e eu me recusava a ser vinculada a um contrato estúpido. Eu ainda estava ali por causa do meu irmão. Ficar sentadinha, quieta, apenas aguardando a hora certa chegar.

Repeti para mim mesma que não o deixaria vencer. Ele estava tentando me pressionar, e meu orgulho estava em jogo. Eu havia assumido um dever e tinha um compromisso com a família Torrance e não aceitaria me curvar.

Mas a verdade era que eu não tinha mais para onde ir. Eu tinha recebido meu salário hoje. Um cheque de verdade, um valor muito maior do que o que já havia recebido depois de mais de um mês de trabalho com meu pai. Se eu saísse agora, sem nada planejado, ficaria sozinha. Gabriel não me aceitaria se não cumprisse o acordo, e eu seria mantida de fora e incapaz de ser os olhos e ouvidos de Damon por mais tempo.

Eu tinha todos os motivos para ficar.

Mas meu humor não melhorou quando Rika e Alex entraram enquanto eu estava limpando o chão. Os cabelos abundantes, perfumes caríssimos e shorts curtos e bonitos – mesmo com o clima de 15°C – só agravaram toda a irritação que estava sentindo.

Especialmente o ciúme.

Cada centímetro do corpo de Kai que esteve em contato com o meu, ontem à noite, já havia sido pressionado ao dela uma vez.

Nunca gostei de Rika. Desde o momento em que soube da cena protagonizada pelos três naquela sauna, em Hunter-Bailey. Mas as coisas agora eram um pouco diferentes. Eu estava me apegando cada vez mais a Kai, e sempre que estávamos no mesmo ambiente, a ânsia em ser tocada por ele somente crescia.

Eu odiava que eles se vissem todos os dias. Mal pude conter o ódio enquanto a observava ir em direção aos vestiários. Quando terminei de enfiar todas as toalhas dentro da máquina de lavar, abri a porta da lavanderia com tanta força que ela chegou a se chocar contra a parede.

Era hora de ir para casa. Eu precisava de uma pausa e um tempo longe daqui.

Entrei no escritório para avisá-lo, sem encontrá-lo por lá. Estava prestes a sair e procurá-lo quando o telefone fixo começou a tocar.

— *Sensou* — atendi.

— Quem está falando? — um cara perguntou, parecendo confuso.

— Quer falar com quem? — retruquei, ríspida.

— Ah, Banks — ele disse, finalmente reconhecendo minha voz. — Aqui é o Michael. Onde está o Kai?

Fui até o corredor e olhei de um lado ao outro, o telefone preso entre o ombro e o ouvido.

— Deu uma saída por alguns minutos, acho. Quer deixar um recado?

— Não. Eu não confio em você, lembra?

Eu ri baixinho, andando mais pelo corredor.

— É sábio da sua parte, Michael. Você está aprendendo.

Mas parei, vendo Rika e Kai no saguão. Fiquei escondida no corredor, vendo-os conversar. A severidade que sempre endurecia seu olhar quando conversava com um de seus alunos, agora estava suavizada. Relaxada.

Senti dificuldade em respirar.

Ele estava muito perto dela. Sorriu suavemente e tocou seu braço por um tempo longo demais.

— Mas você confia em Kai? — perguntei a Michael, ainda olhando para eles. — Tão perto dos seus tesouros?

— O que quer dizer com isso?

Balancei a cabeça, vendo Kai seguir em direção à sala principal enquanto Rika vinha pelo corredor, no meu caminho.

Eu me virei, recostando-me à parede e encarando o chão quando ela passou por mim e desapareceu em uma das salas de ginástica.

Pigarrei, voltando a me concentrar na conversa.

— Nada — respondi. — Estou entediada. Vai deixar recado ou não?

Ele não disse nada.

— Tudo bem, vou avisar que você ligou.

— Espere.

Parei, recolocando o fone no ouvido.

— O que é?

Ouvi o suspiro do outro lado, mas ele se calou novamente. Esperei, ouvindo apenas o silêncio.

— Alô? — insisti.

— Você se acha muito esperta, não é? — ele finalmente perguntou. — Então tudo bem. Se você estivesse no meu lugar, o que faria para fortalecer e recuperar o controle sobre todas as situações? Você disse que éramos fracos. Onde? Em quê?

Eu quase ri. Ele estava falando sério?

Andei de volta pelo corredor, de repente, intrigada.

— Você está me pedindo conselhos?

— Estou pedindo para você colocar os seus miolos para funcionar, pirralha — respondeu, irônico. — Finja que você comanda minha equipe agora. O que você faria?

— E por que você acredita que eu te ajudaria?

— Porque acho que você está morrendo de vontade de usar, de verdade, suas habilidades.

Bem, até que ele estava certo. Kai não estava fazendo uso de todo o meu potencial, e eu adorava poder tomar decisões. Estava morrendo de vontade de dizer exatamente o que pensava dele e de suas atividades no ensino médio.

Parei na entrada da sala de ginástica e recuei, observando Rika treinar golpes defensivos contra a estrutura de madeira de Wing Chun[3]. Ela

3 Wing Chun é uma técnica de Artes Marciais que consiste em uma espécie de manequim de madeira, onde o lutador treina e refina golpes de ataque e defesa contra diversos pinos espalhados pela superfície.

manobrava, atingindo os pinos rapidamente, de maneira metódica e constante, sempre parando para corrigir a posição.

E, de repente, cheguei à conclusão.

Michael estava afagando meu orgulho.

Sensou significava "guerra" em japonês. Este lugar, o nome, o que faziam aqui... tudo era parte de um objetivo maior.

Rika podia até ser suave, mas estava treinando. Michael podia estar sendo descuidado, mas estava ciente. Will podia ser fraco, mas ele tinha Kai.

E Kai estava se preparando.

Todos eles eram meus inimigos.

— Se eu fosse você — respondi com calma —, a primeira coisa que faria era me demitir. Eu não sou sua amiga.

E encerrei a ligação.

Eu queria que isso acabasse. Estava cansada da agitação e da espera, e embora soubesse que meu irmão era parcialmente culpado por toda a merda que causou no ano passado, ele tinha todos os motivos para se ressentir dessas pessoas. Eles não lutaram por ele, e o abandonaram com a maior facilidade.

E eu tinha todos os motivos para odiá-la.

Recostei ao batente da porta, observando-a treinar.

Mesmo que Damon voltasse para casa, mesmo que por algum milagre ele se reconciliasse com seus amigos, e não houvesse mais nenhuma inimizade, Kai Mori nunca se tornaria para mim algo mais do que já era hoje. Não com ela por perto. Ele transou com ela porque a queria, e mesmo que esse desejo diminuísse com o tempo, nunca desapareceria. Bastava apenas olhar para ela. O conjunto perfeito. Inteligente, rica, bonita. E todos eles a achavam um exemplo de meiguice.

Levantei as mãos, curvando os dedos, distraidamente, até ouvir os estalos das articulações.

Sim, sentir raiva era bem melhor. Perdi-me em sensações na noite passada, deliciada com o prazer e os toques, beijos... Mas isso não trouxe nada além de confusão na minha cabeça. A raiva era uma linha reta. Tinha um alvo.

— Você precisa de alguma coisa?

Pisquei, olhando para cima. Rika virou a cabeça, encarando-me por cima do ombro, ofegante. Não havia percebido que ela notara minha presença.

Incapaz de disfarçar o entusiasmo, entrei devagar na sala, indo em sua direção. Damon e eu herdamos a natureza metódica de nosso pai, mas enquanto meu irmão tinha paciência, eu já não possuía nenhuma.

— Você já esteve em uma briga de verdade? — perguntei, apontando para o boneco.

— Sim. Por quê? — Ela enrijeceu a coluna.

Dei a volta na estrutura de madeira, avaliando-a.

— Você gasta muito tempo em sua postura e forma física — comentei. — A maioria das pessoas que luta está fazendo isso para sobreviver. Não há regras. Nenhum jogo limpo. Não há tempo para manter a distância adequada para um ataque. Todos os seus planos sairão pela janela.

— Não se preocupe — ela assegurou. — Eu sei como puxar cabelo, arranhar e chutar, se precisar.

— E morder — acrescentei, vendo-a se virar para o manequim. — Quando Damon amarrar você de novo, mostre a ele que você é briguenta. Vai diverti-lo.

Ela se virou, os olhos furiosos.

Não consegui impedir o sorriso em meus lábios. Sim, eu sabia tudo sobre o que aconteceu no *Pithom*, o iate da família de Michael, no ano passado e quão assustada ela ficou. Não que aprovasse o que ele fez na época, mas, meu Deus, estava desejando que ele a sacaneasse pra caralho agora.

Abaixei o tom de voz.

— Eu sei que você impediu os caras de irem atrás dele no ano passado. Sei que insiste em ficar na cobertura, sozinha, sem proteção, quando Michael está fora da cidade. — Avancei, sem pestanejar. — Eu também sei que você gosta do toque masculino sobre seu corpo, e que não precisa, necessariamente, ser do seu noivo, não é? Então, quando Damon vier à sua procura, faça o favor de se debater e revidar direitinho, tá bom? Desse jeito, Michael vai conseguir acreditar nas suas mentiras de que você não estava desejando cada segundo daquilo.

Seu rosto se contorceu em fúria, e ela grunhiu antes de arremessar o punho no meu queixo. Tropecei para trás, perdendo o fôlego por um instante e fechando os olhos por reflexo.

Mas o calor da adrenalina inundou meu peito. *Sim.*

Na mesma hora, endireitei meu corpo, encarando-a. A dor se infiltrou nos meus ossos e na pele. Tocando o canto do meu lábio, estiquei a mão e conferi que havia sangue na ponta dos dedos.

— Obrigada — falei, baixinho.

Com toda a minha força, bati as costas da mão em seu rosto, fazendo-a desabar no chão. Ela conseguiu se levantar sobre as mãos e joelhos, arfando enquanto tentava respirar. Ela socou os punhos no chão uma vez, rosnando de raiva, e antes que eu percebesse, lançou-se na minha direção, golpeando meu peito. Ambas caímos no tapete.

— Qual é o seu problema, porra? — gritou, caindo em cima de mim.

No entanto, inverti nossas posições, montando em sua cintura. Agarrei seu cabelo loiro em um punho e me inclinei.

— Só estou mudando seu ponto de vista, Erika Fane! Nem todo mundo está aos seus pés!

Acertei um soco em seu rosto, mas ela me empurrou, fazendo-me perder o equilíbrio. Agarrei seu pescoço e bati mais duas vezes.

Ela rosnou, arrancando meu gorro da cabeça e puxando o cabelo, causando uma dor excruciante no couro cabeludo.

Droga!

Eu deveria ter cortado o cabelo anos atrás. Aquela era a única parte em mim que ainda lembrava Nik, e não, Banks, e acabei me apegando a isso por algum motivo.

Dei tempo suficiente a ela para me empurrar quando a soltei por um instante. Ela se sentou e estendeu a perna, acertando um chute na minha barriga. Perdi o fôlego na mesma hora, lutando para respirar. Comecei a tossir, a garganta ainda fechada, curvando-me sobre os joelhos. Será que o meu estômago foi parar nas costas?

— Você acabou? — ela gritou, e percebi que seu nariz sangrava.

Um instante ínfimo de satisfação me alcançou através da névoa da dor. Ela me fez sangrar, afinal. Nada mais justo.

— Ainda não. — Avancei, agarrando seu pescoço novamente e enrolando meus dedos com tanta força que minhas unhas cravaram em sua pele.

Ela se engasgou, os olhos arregalados quando agarrou meu pulso. Eu sabia que tinha ferido sua pele. Mãos me agarraram por trás e me afastaram para longe dela.

— Mas que porra é essa? — ouvi Kai rosnar.

Virei a cabeça, brevemente olhando para ele.

Ele ainda usava a mesma calça de treino de antes, mas agora o suor brilhava em seu peito e emaranhava as pontas de seu cabelo.

— Não, que se dane! — Rika empurrou Kai, fervendo de raiva. — Vamos terminar isso!

Eu ri baixinho, vendo as marcas avermelhadas em formato de meia-lua tatuadas em sua jugular, onde já havia uma pequena cicatriz. Olhei para os meus dedos, vendo a sujeira mesclada ao sangue por baixo das unhas.

Eu me lancei em sua direção outra vez, mas Kai me agarrou, puxando-me de volta.

— Já chega! — gritou, entre nós duas. — Todo mundo está olhando para vocês. O que diabos está acontecendo?

Os espectadores permaneciam do lado de fora da sala, espiando a comoção. Voltando a atenção para Rika, cuspi o sangue que escorria da minha boca aos seus pés.

Ela partiu para cima de mim novamente.

— Droga! — Kai me agarrou pela gola do agasalho, empurrando-me para trás. Ele apontou o dedo na minha cara, os dentes entrecerrados quando me lançou um olhar de advertência.

Voltando-se para Rika, fez com que ela inclinasse a cabeça para cima, verificando o nariz ensanguentado.

— Você está bem?

Ela está bem? Sua princesinha deu o primeiro soco, imbecil.

— Estou bem. — Afastou a cabeça de seu agarre, desafiando-me. — Eu posso aguentar qualquer coisa!

— Tenho certeza! E pelo que ouvi dizer, aguenta dos dois lados!

Ela veio atrás de mim novamente, mas Kai a empurrou de volta, virando-se para mim.

— Qual é o seu problema?

— Não gosto dela, e não trabalho para ela, então vou fazer a porra que eu quiser! — gritei.

— Você vai fazer o que *eu* quero — ele sussurrou, enfrentando-me. — Fim da história.

Olhando ao redor, ele falou com a plateia reunida:

— Deem o fora, pessoal. Acabou. — E para Rika: — Deixe-nos a sós, por favor.

Ela não se moveu por um momento, ainda olhando para mim, o rosto vermelho pelo esforço, o rabo de cavalo todo bagunçado. Até que finalmente passou por nós, saindo da sala.

Ouvi as vozes desaparecerem lentamente, enquanto todos seguiram para seus afazeres.

— O que você tem contra Rika? — Kai questionou. — Vocês mal se falaram e você nunca deu bola para ela. O que é isso?

Limpei o sangue no meu lábio com a manga do moletom, ignorando sua pergunta.

— Você está com ciúmes?

Dirigi a ele um olhar de "foda-se" e encarei o espelho às suas costas.

Eu podia sentir seus olhos focados em mim, corroendo a pequena distância entre nós, enjaulando meu corpo.

— O que você quis dizer com "dos dois lados"?

— Você sabe o que eu quis dizer.

O pequeno trio deles na sauna. Kai à frente, Michael por trás. Quantas vezes mais aquilo se repetiu?

— Você ouviu falar sobre mim e Rika? — Sua voz era baixa. — Na sauna?

Quem não ouviu? Todo mundo naquele clube soube, e não era segredo nenhum o que ele sentia por ela. Bastava ver a forma como a olhava.

— Eu...

— Não. — Eu o interrompi. — Já ouvi o suficiente das suas histórias e não estou nem aí...

— Shhh... shh... — Ele pressionou o dedo sobre os meus lábios, negando em um aceno. — Não vamos fazer isso aqui, tudo bem? Precisamos conversar sobre isso, mas em algum lugar onde possamos conversar de verdade.

E seu olhar escureceu, dizendo-me que havia outro significado em suas palavras.

Conversar de verdade? Onde?

Soltando minha mão, ele passou por mim em direção à porta.

— O que você quer dizer com isso? — gritei às suas costas.

— Você vai descobrir — ele disse por cima do ombro e depois desapareceu.

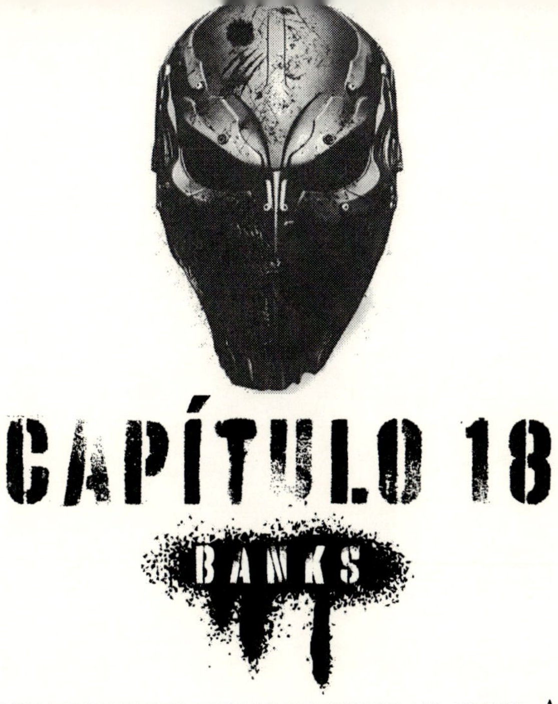

CAPÍTULO 18

BANKS

Dias atuais...

UMA HORA JÁ HAVIA SE PASSADO E EU AINDA ESTAVA NO LIMITE. ANTES DA BRIGA no *dojo*, estava cansada, mas agora eu me encontrava excitada, desperta e puta comigo mesma. Havia colocado minhas cartas sobre a mesa.

Ela sabia que eu a odiava, então não havia como me aproximar mais dela, caso precisasse, e Kai deve ter adorado minha demonstração ridícula de ciúmes. O que Damon sempre me dizia? Era melhor dizer o mínimo possível. Quanto menos souberem sobre você, menor será a vantagem que eles terão.

E eu fui lá e estraguei tudo.

Andei pela rua tranquila, entrando em Halston Park, o distrito comercial de Meridian. Passava das nove quando contemplei o céu, finalmente conseguindo avistar algumas estrelas. Havia tantas luzes brilhantes na cidade, que era quase impossível vislumbrar o céu estrelado.

O que Alex queria? Ela mandou uma mensagem dizendo que Kai queria que a encontrasse na McGivern & Bourne. Nunca havia ido lá, mas sabia que era uma loja de departamentos de luxo.

Ao virar a esquina, afastei o cabelo dos meus olhos e o enfiei de volta sob o gorro enquanto me aproximava das portas de vidro do prédio. Levantei a mão para bater, mas parei ao ver que tudo estava escuro lá dentro. Algumas luzes de emergência brilhavam nos fundos iluminando os corredores, mas a loja estava fechada. Por que ela me disse para vir aqui?

Foda-se. Abaixei a mão e me virei para ir embora.

— Ah, não se atreva! — uma voz feminina gritou.

Olhei para trás, vendo Alex saindo pelas portas. Ela vestia uma blusa branca *sexy* e esvoaçante que pendia de um ombro, *leggings* pretas e botas de couro marrom até os joelhos. Parei para pensar que quase sempre a via usando roupas de ginástica. A não ser naquela festa na casa de Michael.

Ela avançou e agarrou minha mão, puxando-me.

Tentei permanecer imóvel.

— O que é isso? Este lugar não está fechado?

— Não para nós — disse, sorrindo. — Vamos.

Abrindo a porta, ela me obrigou a entrar.

— O que está acontecendo? — resmunguei.

— Ordens de Kai — Alex respondeu. — Cale a boca e me siga.

Um segurança de uniforme cinza escuro apareceu, trancando a porta atrás de nós.

— Divirtam-se, senhoras.

— Obrigada, Pip — Alex brincou.

— Phillipe — ele corrigiu.

— Tanto faz.

Estreitei o olhar.

— Você o conhece?

— Não, acabamos de nos conhecer. Mas ele se rendeu rapidinho aos meus encantos.

Revirei os olhos. O que estava acontecendo? Claramente, a loja estava fechada. Exceto para nós. Por quê?

Meus coturnos chiaram contra o chão de mármore e olhei para cima novamente, por um instante decidida a me render a ela enquanto tentava recuperar o fôlego.

Uau. Havia pelo menos cinco andares acima de onde estávamos. Olhei ao redor, vendo-nos rodeadas pelos pisos abarrotados de lojas que circulavam o perímetro do espaço aberto. Todo vazado, o corrimão de cada andar permitia uma vista perfeita aqui de baixo.

Um imenso lustre completava o visual luxuoso do ambiente decorado em branco e dourado, e o cheiro de couro e perfumes caros flutuava ao redor enquanto andávamos.

Passamos por vitrines de joalherias, balcões de perfumarias e bolsas, tudo rodeado de fotografias penduradas em todos os lugares; imagens de pessoas belíssimas em iates e chalés de inverno, ostentando relógios caríssimos de mais de dez mil dólares e suas botas de camurça chiques que poderiam facilmente ser comprados aqui para que você se sentisse transportado num passe de mágica para um iate no Mediterrâneo ou um chalé em Aspen, ou um clube de polo na Escócia.

Quando eu era pequena, sonhava em fazer compras em um lugar como este ao lado da minha mãe. Sonhava que algum dia seríamos ricas e todos os problemas desapareceriam, então possuiríamos coisas bonitas, eu seria popular e minha vida *real* teria começado.

Ainda parecia que parte de mim continuava sonhando com isso. Sempre esperando enquanto o tempo passava...

— Você já esteve aqui antes? — Alex perguntou, levando-me para um elevador.

— Não.

— É legal, não é? — Ela apertou o botão do quarto andar e quando as portas se fecharam, começamos imediatamente a subir. — Você já viu aquele filme antigo dos anos 80? *Manequim?*

Cruzei os braços, acenando em negativa.

— Bem, o cara trabalhava como vitrinista todas as noites em uma loja de departamentos como essa, e sempre achei que devia ser divertido fazer o que ele fazia. Ter o lugar todinho pra você experimentar roupas, explorar e brincar com tudo.

O elevador parou, as portas se abriram e ela saiu, sem esperar que a seguisse.

— Olha só, já passa das nove. — Fui em seu encalço enquanto ela passeava por um labirinto de prateleiras. — Ainda tenho algumas coisas para resolver esta noite. O que estou fazendo aqui?

Ela pegou delicadamente um pedaço de seda – lingerie? – e roupas íntimas combinando.

— Experimentando roupas, explorando e brincando com tudo — ela respondeu com franqueza, inspecionando as peças.

Alex segurou uma blusa sobre o meu corpo, e na mesma hora, recuei, avistando as alças finas, rendas e uma porcaria de tecido diáfano que deveria cobrir a barriga. *Minha nossa...* Isso não poderia ser chamado de roupa. Eram os restos que haviam sobrado.

Ela apertou os lábios, avaliando-me.

— Hmmm... cabelo castanho escuro. Pele morena. O tom acinzentado vai ficar muito bom.

— Muito bom para o quê? — Fiquei tensa. — Eu não vou usar isso.

— Ai, pelo amor de Deus. — Ela abaixou os braços, suspirando. — Será que você poderia arranjar uma bebida? Um monte delas?

Eu me virei para sair. Esta era a última coisa que eu precisava hoje. Mas um corpo, de repente, bloqueou meu caminho, e respirei fundo, dando um passo atrás.

Will Grayson olhava para mim, todo sorridente.

— O que você está fazendo aqui? — perguntei, ríspida. Ele não estava cambaleando e os olhos não estavam vidrados, como de costume. — Sóbrio pela primeira vez?

Ele riu e passou por mim, revirando as calcinhas em cima do balcão. Pegou um fio-dental preto e jogou-o em Alex antes de voltar e procurar mais peças que lhe agradavam.

Era melhor que aquilo fosse para ela.

— Olha, eu tenho que ir. — Eu me virei e caminhei em direção aos elevadores.

— As portas estão trancadas! — ele gritou.

— Não se preocupe. — Eu o encarei por cima do ombro. — Isso não vai me deter.

Ele jogou outra roupa para Alex, falando com ela:

— Vá escolher mais algumas coisas.

Quando ela assentiu e se afastou, ele veio na minha direção. Eu parei e me virei.

— Olha só... — Suspirou, encarando-me como se eu fosse criança. — Acho que você não tem muitos amigos, e uau, isso é realmente chocante, mas Alex parece gostar de você e eu gosto dela, então estou tentando ser um amigo.

— Isso deve estar te custando bem caro.

Ele ergueu uma sobrancelha, insatisfeito com a minha observação.

— Ela providenciou para que o local fosse aberto após o horário de funcionamento, só para que você não ficasse nervosa por causa de todas as... Humm, qual é a palavra? — Ele bateu no queixo, fingindo pensar. — Pessoas?

Tanto faz.

Sim, não gostava de pessoas, mas era uma escolha consciente, não um problema. Eu poderia lidar com elas. Se quisesse. O que não era o caso.

— Kai quer que você compre roupas — continuou. — Elas não precisam ser *sexy* nem femininas, nem tão elegantes quanto os jeans incríveis e surrados que você usa com as marcas dos maços de cigarros de Damon no bolso traseiro. Mas precisam ser bacanas, ser do seu tamanho e *suas*. Estou aqui para garantir que você tenha isso.

— Prefiro comer minha mão a deixar Kai Mori pagar por minhas coisas — resmunguei entredentes.

— Ele não está pagando. Graymor Cristane está. — Ele me enfrentou, cara a cara. — Você é uma funcionária e nos representa. Temos uma cota a ser gasta com roupas. Não é pessoal. São negócios. E você sempre aparece meio maltrapilha, então aqui estamos nós. — Estendeu os braços, gesticulando para a enorme loja de departamentos vazia e pouco iluminada às nove e meia da noite.

Que eles deram um jeito de abrir só por pensarem no meu conforto.

— Agora, sente-se — ordenou. — Preciso pegar um sutiã para combinar com sua nova calcinha.

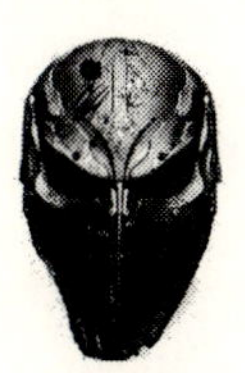

Pouco mais de uma hora depois, estávamos no carro de Will, dirigindo pela cidade com o porta-malas cheio de sacolas. Eu não podia acreditar no que tinha acontecido. Ou com que agilidade aconteceu. Alex era como um tornado, e ela e Will conversavam entre si e com tanta rapidez que eu mal conseguia pensar ou discutir. Eles começaram a escolher as coisas que eu odiava, e quando dei por mim, estava descartando as roupas que não me agradavam e guardando as que achava que *poderia* usar. E depois de mais alguns minutos, estava participando ativamente, comprando e... tudo mais.

E fiquei lá, ainda um pouco atordoada.

Eu provavelmente me livraria da maior parte disso. Poderia doar para alguma instituição e fazer o Natal de alguém mais feliz, não é?

Ou... Bem, tenho certeza de que minha mãe adoraria tudo aquilo. Por que não?

Eu não gostava de ninguém pagando pelas minhas coisas. Isso me deixava em dívida. Mas foi divertido ceder à fantasia de que tudo isso era meu. Por alguns minutos, eu tinha sacolas e mais sacolas de pequenos tesouros e coisas novas e bonitas que nunca haviam pertencido a mais ninguém e que causariam inveja a qualquer mulher na cidade.

Até mesmo gostei da sensação da lingerie cinza contra minha pele, quando Alex me empurrou para dentro de um provador. Pensei na reação de Kai se me visse usando aquilo.

— Bem, obrigada. — Olhei para Alex no banco ao meu lado enquanto Will dirigia. — E obrigada pela carona para casa.

Ela deu um sorriso sincero.

— De nada. E você poderia ter usado uma de suas novas roupas... — Seus olhos aterrissaram nos "farrapos" de sempre.

Dei de ombros.

— Eu vou dormir daqui a pouco. O dia acabou. Não faz sentido usar algo agora para ficar sujo.

Olhei para Will, observando-o dar uma tragada no cigarro, enquanto Alex digitava em seu celular. Eles tinham um relacionamento estranho. Eram amigos que dormiam um com o outro, mas que também dormiam com outras pessoas.

No entanto, quem era eu para julgar? Nunca tive um relacionamento saudável na vida. Pelo menos eles se divertiam juntos.

Peguei meu telefone assim que vibrou no bolso do casaco.

— Alô? — atendi.

— Oi, encrenca.

Aquele tom suave e profundo se derramou como xarope no meu ouvido. Somente uma pessoa poderia fazer essas duas palavras parecerem uma ameaça.

Minha respiração acelerou, assim como meu coração.

Deus, eu não ouvia a voz dele há tanto tempo...

Lancei uma olhada de esguelha para os outros dois no carro, certificando-me de que não havia chamado a atenção para mim mesma. Will observava a estrada, enquanto Alex olhava pela janela.

— Ei, humm... — Respirei fundo, umedecendo os lábios ressecados enquanto mantinha a voz baixa. — Eu realmente não posso falar agora. Posso te ligar de volta?

— Você se divertiu hoje à noite? — ele perguntou.

Esta noite? Como...

Caramba, Kai estava certo. Damon estava me observando também, ou mandou alguém me vigiar? Será que ele desconfiava sobre o que havia acontecido noite passada?

— Eles vão te machucar — assegurou. — E ele vai te jogar fora como se você fosse lixo. Porque é isso o que as putas são... Lixo.

Meu queixo tremia.

— Se eu quisesse que minha irmã caçula desse a boceta para os meus amigos — comentou —, teria preferido te dar para o Will. Ele era o mais leal.

Observei o amigo do qual falava, completamente alheio ao fato de eu estar conversando com Damon.

— Eu tenho que desligar — retruquei.

— Ele vai morrer — ele disse com rispidez.

Ele. Kai?

— Não por ter me traído, mas porque você o fez — explicou. — E a culpa será toda sua.

Meu coração retumbou com tanta força no peito que cheguei a sentir dor. Eu não duvidava nem por um segundo de que Damon não seria capaz disso. Ele não tinha nada a perder. E era obcecado com aquilo que pensava ser o certo e o errado. Traição era imperdoável.

Pigarreei, em um tom vago, tentando disfarçar diante da presença de Alex e Will.

— Eu cuidarei disso.

— Eu já estou fazendo isso. É quarta à noite. Ele geralmente está na catedral nesse horário, não é?

Fechei os olhos.

— Não... — sussurrei.

Mas ele já tinha desligado.

— Alô? — Nada.

Droga. Kai trabalhava até tarde nas noites de quarta-feira. Daí tomava banho, comia e voltava a Thunder Bay até a Catedral de *Saint Raphael*. Às vezes entrava no confessionário, outras passeava e apenas admirava as obras de arte. Às vezes, ele ficava por lá por cerca dez minutos, outras, por mais de uma hora.

Contudo, ele ia toda quarta até lá. Religiosamente.

Bom, ele devia ser especialista em defesa pessoal, né? Mudar a rotina não era uma medida preventiva, cacete?

Guardei o celular no bolso.

— Será que você poderia me deixar em St. Raphael? — perguntei a Will.

— Em Thunder Bay? — Encarou-me por cima do ombro. — Por quê?

— Eu só preciso chegar lá.

— E suas roupas?

— Não estou nem aí para as roupas — retruquei. — Só me empreste seu carro, se for o caso. Por favor!

— Tudo bem, tudo bem. — Suspirou e girou o volante à esquerda, acelerando pela rua estreita de paralelepípedos em direção à estrada. — Eu te levo.

Puxei o cinto de segurança.

— Acelere, por favor.

CAPÍTULO 19

KAI

Dias atuais...

— Kai?

Eu me virei, seguindo o som da voz que me chamava.

A catedral estava quase vazia, exceto por mim e alguns zeladores à espreita em algum lugar, mas as portas ainda estavam destrancadas. E não estava esperando ninguém. Com os braços cruzados, desci o corredor que retratava a *Via Crucis*, espiando pelas enormes colunas de mármore.

Banks se encontrava na parte de trás da igreja, perto de uma das fontes de água benta, olhando de um lado ao outro, à minha procura.

Como ela sabia que eu estaria aqui?

Ah, sim. Claro. Ela andou me investigando, não é mesmo?

Percorri seu corpo com o olhar. Ela não estava fazendo compras? Recebi todos os alertas de mensagens da operadora do cartão, então por que ainda vestia as mesmas roupas folgadas e o gorro que cobria seu cabelo? Embora agora estivesse com alguns fios escuros soltos ao redor do rosto.

Era até divertido. Ela fazia questão de esquecer que era uma mulher, de fato, mas não se dava conta que as roupas velhas realçavam mais ainda o seu rosto. Sem mostrar as curvas ou a pele suave, não havia outra escolha a não ser contemplar a única parte visível dela.

Infelizmente, depois da noite passada, pude ver tudo o que ela escondia por baixo daquelas roupas. Meu corpo foi tomado de excitação.

Saí de trás da coluna, caminhando em sua direção. Sua cabeça se virou para mim na mesma hora.

— Você está aqui sozinho? — questionou, os olhos indo de um lado ao outro.

Contive um sorriso a todo custo. O que ela estava fazendo? Parecia nervosa.

— Não mais — caçoei.

— Bem, eu só... — Ela continuou olhando ao redor, para todos os lugares, a galeria, os corredores e o altar. — Humm, eu sabia que você estaria aqui, só isso. Pensei que seria... humm...

— Humm...?

— Ahn... — Ela engoliu em seco, ainda olhando ao redor, procurando por algo que eu não fazia ideia do que era. — Achei que seria uma oportunidade de conversarmos sobre o casamento. Este lugar é bem apropriado. Devo reservar?

Eu ri baixinho.

— Claro. Por que não?

Tanto faz. Eu não me casaria nem a pau, e mesmo que não precisasse mais do acesso ao hotel, ainda assim, adorava tê-la ao meu dispor. Eu gostava dela.

Muito.

Além disso, ela era meu único elo com Damon. Não estava pronto para desistir dela ainda, e sabia que ela desapareceria da minha vida no instante em que eu anulasse o acordo com Gabriel.

— Você já se confessou? — perguntou.

— Não. Não faço isso desde... — Baixei o tom de voz — Desde a última vez com você.

— Sério? Mas você vem aqui toda semana.

— Venho? — provoquei.

Ora, ora... Como ela sabia daquele detalhe?

No entanto, ambos sabíamos que ela era como o meu satélite pessoal, girando ao meu redor, à distância, por sabe-se lá quanto tempo antes de eu dar as caras na casa de Gabriel naquele dia.

Fui em direção a ela e percorri o imenso saguão com o olhar. Madeira escura brilhava por toda parte, dos enormes arcos ornamentados aos confessionários nos fundos, e às dezenas de fileiras de bancos à nossa volta. Eu não vinha a uma missa aqui há muitos anos, mas o cheiro enjoativo de incenso e flores ainda persistia, por causa da Quaresma de seis meses atrás.

— Você sabia que dentre meus três amigos, Damon foi o primeiro que conheci? — comentei. — Nós não éramos amigos, até que entramos no ensino médio, mas eu conhecia Damon muito antes disso. Nós dois fomos crismados aqui quando tínhamos dez anos. — Olhei para cima e ao redor novamente antes de encontrar seu olhar. — Juntos. Aulas toda quarta-feira.

O olhar dela se desviou.

— E você vem aqui, por que...

— Porque posso não saber onde ele está, mas sei onde esteve. É mais provável que volte aqui dentre todos os lugares.

Ela entrecerrou os olhos, confusa.

— Por que motivo ele voltaria aqui? Para a catedral?

Ela realmente não sabia? Humm...

Bem, acho que Michael e Will também não, então não era nem um pouco estranho que Damon guardasse as coisas para si mesmo. Pelo menos algumas.

Coisas que o tornaram vulnerável.

Bem, não seria eu que revelaria os motivos. Eu vinha aqui, todas as quartas-feiras, no mesmo dia da semana em que tínhamos nossas aulas, quando éramos pequenos, por várias razões, sendo a mais importante o fato de saber que esta igreja tinha um significado especial para Damon.

Pensando nisso, gostei de estar um passo à sua frente, e, como ela ainda não estava do meu lado, guardaria para mim tudo aquilo que eu sabia.

— Você está realmente bonita — eu disse, notando o suave batom malva sobre seus lábios já levemente rosados.

— Você não está respondendo minha pergunta. O que está me escondendo?

— Tudo o que você poderia usar para me deixar em desvantagem.

Ela desviou o olhar, irritada, mas sabia que faria o mesmo na minha posição. Não éramos parceiros – ainda não.

— Tudo bem — ela disse, afastando-se. — Nada mais justo. Sinto muito incomodá-lo.

Deu a volta e começou a caminhar em direção à porta dos fundos, porém parou assim que me ouviu dizer:

— Vi as movimentações do cartão de crédito da empresa — informei. — Por que não está vestindo suas roupas novas?

— Aaah, mas eu estou usando...

Ficou de frente e ergueu a parte da frente da camiseta, exibindo uma peça de lingerie de renda cinza escura que acentuava o abdômen plano, seios perfeitos e pele suave. A parte de baixo abraçava sua cintura logo acima do umbigo, e cada curva – desde o colo de seus seios até a curva que descia ao quadril – e, naquele momento, era como se alguém tivesse arrancado o ar dos meus pulmões.

— Merda. — Fixei meu olhar ao dela e avancei.

Ela gritou, correndo por entre uma fileira de bancos e conseguiu passar por mais antes que eu a alcançasse, aos risos.

Virando-se, ela me encarou com um olhar ardente, fogo fluindo entre nós; apoiei as mãos sobre o encosto do banco de madeira à frente, vendo-a com o corpo retesado e em guarda.

— Você tem muito bom gosto — provoquei. — Estou surpreso.

— Foi o Will que escolheu.

Meu sorriso se desfez.

— Ele te viu usando isso?

Ela assentiu, satisfeita em admitir o fato.

— Ele até acertou o tamanho da minha calcinha. Embora eu não ache que um fio-dental poderia ser chamado de calcinha.

Aquele filho da puta! Pulei sobre o banco e ela correu pela fileira, de volta ao corredor. Eu a segui, perseguindo-a e observando o gorro escorregar de sua cabeça, o cabelo esparramando pelas costas enquanto ela tentava escapar.

Agarrei a parte de trás de seu casaco, puxando-a de encontro a mim e depois a imprensei contra a parede do confessionário, pressionando meu corpo ao dela. Deus, eu podia senti-la agora. As ataduras que usava sobre os seios haviam desaparecido, a suavidade de suas curvas em todo lugar.

Enfiei os dedos pelos fios em sua nuca e puxei, de leve, obrigando-a a erguer a cabeça para me encarar.

— Você é uma pirralha, sabia disso? — comentei. — Eu poderia te dar umas palmadas, se não soubesse que você seria capaz de pedir mais apenas para me irritar.

— Eu nunca vou me comportar só porque você quer.

— É mesmo?

Ela se inclinou, sussurrando sobre minha boca:

— Você não é assim tão assustador sem sua máscara, Kai Mori.

Segurei o punhado de seu cabelo com mais força e ela grunhiu, arqueando-se na ponta dos pés para aliviar a pressão.

Eu não era assustador? O que significava que ela não havia ficado nem um pouco intimidada.

Droga, ela era um pé no saco. Constantemente me provocando, um maldito orgulho que não estava disposto a ceder nem um centímetro.

Entrecerrei os dentes, puxando-a para mais perto e rosnando enquanto dizia:

— Você tem a língua muita afiada, e isso só acrescenta à pilha de problemas em que já se enfiou, inclusive, a briga de hoje mais cedo.

Vi quando engoliu em seco, desconfortável.

— Eu não quero falar sobre ela.

— Ah, eu acho que você precisa. — Inclinei a cabeça para trás, olhando para ela. A raiva aprofundou o vinco entre suas sobrancelhas, e aquilo indicava que a brincadeira tinha acabado.

Agarrei-a pelo casaco novamente e a puxei para o confessionário.

— O que você est...

— Precisamos ir a algum lugar onde possamos realmente conversar — aleguei, obrigando-a a entrar pela porta.

Meu pé se chocou contra o genuflexório, mas procurei pela cadeira, fechei a porta, e a coloquei sentada no meu colo.

— Apenas me solte.

— Não.

— Não?! — ela explodiu.

O quarto estava escuro como breu, e eu mal conseguia distinguir sua silhueta. Um pouco de luz se infiltrou pela tela de vime e um pouco mais através das rachaduras na porta, mas, fora isso, estávamos escondidos do mundo.

Novamente.

— Eu não vou te tocar — prometi. — Vou tirar as mãos de cima de você, porque... — Recostei a testa em seu ombro. — O que começou entre nós aqui seis anos atrás começou honestamente. Pelo menos deixe que essa memória prevaleça. Apenas ouça.

A última vez que estivemos aqui juntos, ela ouviu tudo. Tudo o que eu não queria que as pessoas soubessem. E eu queria que pelo menos uma pessoa me conhecesse. Não queria isso contaminado entre nós simplesmente porque tinha medo do que ela pensaria. Eu precisava que ela entendesse.

Ela respirou com dificuldade, mas, ainda assim, manteve-se imóvel.

Afrouxando meu aperto, coloquei as mãos em sua cintura.

— Meu pai costumava me contar histórias sobre guerreiros japoneses — comentei em uma voz baixa — que, se fossem derrotados em batalha, cometeriam o que é chamado de seppuku[4]. Um ritual suicida. — As

4 Também conhecido na cultura ocidental como Haraquiri.

imagens dos livros que eu tinha visto vieram à minha mente: homens e mulheres ajoelhados com uma espada nas mãos. — Usando uma lâmina curta, eles se empalam e abrem seus estômagos. Isso recuperaria a honra deles.

Ela ouviu e eu me inclinei para trás, trazendo-a comigo.

— Eles preferem se matar a viver o resto de suas vidas com a vergonha — expliquei. — E não apenas eles, mas isso recuperava a honra de sua família também.

Ela ficou quieta, mas a senti relaxar um pouco.

— Ser preso mudou tudo para mim — continuei. — Meu futuro, minha família, minha esperança... Mesmo depois que saí, eu ainda podia ver nos olhos dos meus pais. A tristeza nos da minha mãe, e a decepção nos do meu pai.

Senti a ardência em meus próprios olhos, mas senti seu corpo relaxar contra o meu enquanto me ouvia.

— O que eu poderia fazer, além de enfiar uma espada no meu estômago, que faria meu pai me enxergar da mesma forma outra vez?

Enlacei sua cintura com meus braços, ouvindo os ruídos ao redor da catedral, bem como o vento que soprava lá fora.

— Eu não conseguia estar com uma mulher, Banks. Não conseguia tocá-las. Nem beber, sorrir... mal era capaz de comer. Não podia fazer nada que me desse prazer, porque não era digno.

Hesitei, não querendo magoá-la, mas ela precisava que eu fosse honesto.

— Colocamos Rika em um inferno no outono passado — admiti. — Nós a culpamos e a usamos como alvo, a colocamos em perigo e fizemos com que sentisse medo. Nós a aterrorizamos, Banks.

Baixei a voz para um sussurro:

— Ela me viu em meu pior momento, e mesmo assim, ainda falou comigo. Ainda me ouviu. Passou os braços ao meu redor e... foda-se... — ofeguei, sentindo as lágrimas querendo se derramar. — Nós três precisávamos daquele momento. Cada um por diferentes razões, mas ela me fez sentir como se eu não estivesse mais sozinho. Ela me fez sentir desejado e forte. E isso me trouxe um pouco de paz pela primeira vez em muito tempo.

Eu podia sentir o corpo dela tremendo nos meus braços, os ofegos suaves, o choro baixinho.

— Mas você... — Enterrei o nariz em seu pescoço, cheirando algo inebriante e perfumado. — Você me faz sentir motivado. Você me deixa com fome e pegando fogo e querendo desacelerar o tempo, em vez de querer apressá-lo. É você que procuro quando entro pelas portas de manhã. Não ela. Você.

Ela suspirou profundamente e girou a cabeça, capturando minha boca. Nós nos beijamos, seus lábios derretendo nos meus, nossas línguas se encontrando, estimulando, provocando, mordendo e tomando. Eu gemi, meu pau ficando cada vez mais duro dentro da calça, dolorido.

— Você pode me tocar agora — sussurrou entre os beijos.

Ela não precisou dizer duas vezes.

Passei as mãos pela cintura delgada, apertando, sentindo as rendas e a pele, tentando controlar a adrenalina que fervia em meu sangue. Ela era tão suave.

Espalmei um seio, segurando-a contra o meu corpo e me deliciando com a sensação.

— Gostei do top. — Beijei e mordisquei seu pescoço. — Adorei...

— Eu vou pagar pelas roupas.

Tirei seu casaco, deixando-o cair no chão, antes de erguer sua camiseta e retirá-la.

— Sim, você vai.

Minha piada sugestiva não pareceu irritá-la, porque ela me beijou novamente, sua língua roçando a minha.

— Para começar, você pode se comportar — eu disse a ela, amassando seus seios na renda cinza novamente.

— Eu sou uma moleca de rua, Mori — ela provocou, depositando beijinhos no meu rosto e que estavam me enlouquecendo. — Eu jogo sujo.

— Não mais. É a sua vez agora.

— Minha vez de quê?

Eu a empurrei do meu colo e a girei, trazendo-a novamente para ficar entre as minhas pernas.

Olhando para sua silhueta na penumbra, segurei seus quadris enquanto suas mãos descansavam nos meus ombros.

— De confessar — respondi. — Hora de purificar a alma.

Ela não fez nenhum movimento e permaneceu calada, provavelmente pensando no que deveria fazer. O que deveria ou não me dizer.

— Vá em frente — eu a incitei.

— Eu... — Seus dedos deslizaram pela minha nuca, e ela riu, nervosa. — Humm... perdoe-me, padre, porque pequei. Faz um tempo...

Parou quando desabotoei seu jeans e os deslizei pelas pernas.

— Seis anos desde a minha última confissão.

Ela se desfez da calça em seus tornozelos e montou sentada no meu colo.

Fechei os olhos por um momento, alisando sua bunda macia. Era como se eu estivesse lá outra vez. No campanário, muito antes de tudo dar errado, e quando era feliz.

— Eu... — Pressionou a virilha à minha, inclinando-se. — Não sei por onde começar. Estou nervosa.

— São tantos pecados assim?

O som de sua risada me trouxe um sorriso.

— Tudo bem, deixe-me ajudá-la. — Apertei-a em minhas mãos. — Você pensou muito em mim nos últimos seis anos?

— Sim — sussurrou.

Afundei os dedos, sentindo sua pele macia e as rendas da calcinha.

— Alguns dos pensamentos foram bons? — questionei.

Ela se inclinou para frente, pressionando os seios ao meu peito, os lábios roçando os meus.

— Sim.

Uma onda de eletricidade aqueceu meu corpo e pude sentir a proximidade de cada pedacinho do dela. Meu pau estava pressionando o zíper da calça.

— Você tocou a si mesma, pensando em mim?

Ela assentiu e ofegou, rebolando devagar os quadris acima dos meus. Levantei uma mão e dei um tapa forte em sua bunda.

— Ei! — ela gritou, recuando e esfregando a área onde eu havia acertado, mas peguei sua mão e a posicionei outra vez em meu ombro.

— Que menina impertinente... — debochei. — Então, o que você usou... um vibrador, um travesseiro...?

Seu ritmo respiratório estava acelerado agora.

— Humm, minha... minha mão.

Bati em sua bunda outra vez e a beijei com força, interrompendo seus resmungos. Esfreguei o local, sentindo seu corpo relaxar lentamente.

— Você gostou da noite passada? — perguntei.

— Sim.

Outro golpe.

Seu corpo projetou para frente, arfante.

— Kai...

— Você gosta de mim?

Ela ofegou no meu ouvido e apertou meus ombros com força.

— Sim.

Plaft.

— Você gosta muito de mim?

— Sim! — gemeu.

Plaft. Grunhindo, ela passou as mãos pelo meu corpo e os lábios no meu queixo.

— Você está ficando com fome, pequena?

— Sim.

Plaft.

Daquela vez, gemeu e começou a transar a seco com o meu pau.

— Você já mentiu para mim? — perguntei, rouco.

Ela fez uma pausa e ganhou mais dois tapas, sabendo que essa era definitivamente a minha resposta.

— Ah! — Pressionou-se contra mim.

— Eu também sei jogar sujo. — Fiz com que se levantasse do meu colo e a virei, puxando sua calcinha para baixo. Sacudi meus ombros para me livrar da jaqueta e desafivelei o cinto, puxando meu pau para fora agora aliviado de sua restrição.

Então a puxei de volta para mim.

— Essa posição se chama *cowgirl* invertida, pequena — rosnei em seu ouvido. — Segure-se firme.

Empurrei seu corpo um pouco para frente, vendo-a se agarrar à treliça do painel; apoiei uma mão na curva entre a coxa e o quadril e usei a outra para posicionar meu pau em sua entrada. Ela já se encontrava molhada, então bastou que eu empurrasse os quadris para cima e a puxasse de volta para deslizar dentro dela de um golpe só.

Ela respirou fundo e minha cabeça pendeu para trás enquanto eu gemia.

Tão quente e apertada.

Gemendo, apertou os músculos ao meu redor, segurando-me em seu calor úmido.

— Ai, meu Deus — ofegou baixinho.

Agarrei um punhado de seu cabelo e puxei sua cabeça para trás, arremetendo para cima, profundamente.

— Mais... mais rápido — ela gemeu.

Então comecei a fodê-la. Mais rápido e mais forte, estocando enquanto ela se agarrava à tela e a usava como alavanca, chocando-se de volta contra mim.

Era isso que eu queria. O que sempre quis, desde a primeira vez que a vi. Alguém que me conhecia e queria mergulhar comigo.

Todos aqueles anos me sentindo impotente, alguém me dizendo quando comer, dormir, andar e falar... Quando saí daquele lugar, eu me sentia menos que humano. Sentia-me menos que um cachorro. Fui despojado, sentindo medo das consequências caso perdesse o controle me tornando violento ou cruel, então contive todos os meus sentimentos, porque não queria voltar nunca mais para lá. Nunca mais seria aquele homem, pois matei uma parte dentro de mim e dos meus pais quando fui embora.

E mesmo depois que deixei a prisão, ainda me sentia em uma, vivendo como um robô, evitando cometer qualquer erro, mas tudo o que eu queria era sentir alguma coisa. Queria pressionar, incitar, lutar, foder e possuir todo esse maldito mundo novamente.

Eu queria dominar.

Fechei os olhos com força, deleitando-me com a sensação deliciosa de seu corpo. Soltei seu cabelo e acariciei sua bunda com as minhas mãos, desejando que houvesse apenas uma fresta de luz para conferir se ainda estava vermelha dos meus tapas.

Agarrei seus quadris e apenas segurei quando ela assumiu, empurrando-se contra mim, subindo e descendo sobre o meu pau.

— Ei, Kai! — alguém gritou. — Ei, onde você está?

Will.

Caralho.

Banks ofegou e eu cobri sua boca com minha mão, ficando de pé com ela ainda empalada no meu pau.

— Shhh... — sussurrei em seu ouvido. Prendendo-a contra a parede, abri mais suas pernas, tirei a camisa e a segurei firme, arremetendo com mais força.

Até que a voz de Alex também chegou a nós.

— Banks!

Que porra? Apertei a mão com mais força quando Banks começou a gemer.

— Ele está aqui? Ela o encontrou? — ouvi Alex perguntar.

— Não sei. O carro dele ainda está na frente — acrescentou Will. — Kai!

Banks afastou o rosto para poder sussurrar:

— Eles me deixaram aqui. Provavelmente estão verificando para ter certeza de que te encontrei. Deveríamos parar.

— Não. — Beijei seu pescoço, sentindo meu orgasmo próximo enquanto afagava seu seio.

— Aaaah — gemeu. — Mais forte. Por favor.

Beijei seus lábios e bochecha, orelha e pescoço, todos os lugares que era capaz de alcançar enquanto a segurava com força contra mim.

— Sim, sim... ai, minha nossa...

Coloquei a mão sobre sua boca novamente, mas nosso clímax estava tão perto que já não dava a mínima se Will e Alex nos ouvissem. Só que Banks ficaria envergonhada quando voltasse a si.

— Você não foi feita para eles — sussurrei em seu ouvido quando estendi a mão e esfreguei seu clitóris. — Não para Damon, Gabriel ou qualquer outra pessoa. Você foi feita para mim e quero você na minha cama hoje à noite.

— Não vou dormir naquela espelunca.

Bati em sua bunda e vi quando perdeu o fôlego antes que se aproximasse, agarrasse minha nuca e me desse um beijo entre suas risadas.

Não dava para saber se Alex e Will já haviam saído dali, mas como não ouvi mais nada, deduzi que escutaram os barulhos no confessionário e decidiram sair na surdina.

Eu a esfreguei cada vez mais rápido, empurrando o mais fundo que pude.

— Vem cá, pequena. Goza pra mim...

— Kai — ela choramingou.

Seu corpo ficou retesado, congelado no lugar, apenas me segurando enquanto eu estocava e trazia sua bunda de volta para mim cada vez mais forte.

Ela gritou, respirando com dificuldade quando ficou mole, deixando-a ranger através de seu corpo.

Deus, eu gostaria de saber o que estava em sua cabeça naquele momento.

Alguns segundos depois, alcancei o clímax, impulsionando-me para me derramar dentro dela, cravando os dedos na pele encharcada de suor de seus quadris.

Ela segurou firme o pequeno balcão, desesperada por ar no confessionário agora abafado, enquanto pequenos gemidos lhe escapavam.

O prazer varreu todo o meu corpo, e eu me senti tonto quando descansei minha testa em suas costas.

Ela foi incrível.

Mas, merda, minha mãe me mataria se soubesse o que acabei de fazer e onde. Eu realmente não me importei. Fui eu, e é isso que fazemos.

Um zumbido veio de algum lugar, e eu parei, perguntando-me se era o meu telefone ou o dela e se deveríamos ignorá-lo. No entanto, lentamente, ela se afastou e se abaixou para recuperar o jeans. Pegou o telefone e vi uma luz verde piscar, sabendo que era o dela que estava zumbindo.

Ela passou a tela e bateu algumas vezes, depois leu.

— O que é isso? — perguntei, vendo-a apenas parada lá congelada.

Ela deixou cair a mão para o lado, sem olhar para mim.

— Vanessa chegou cedo — disse ela calmamente. — Ela está aqui em Thunder Bay.

CAPÍTULO 20

BANKS

Dias atuais...

O TOQUE SUAVE DA CAMPAINHA REVERBEROU ATÉ O QUARTO DE DAMON. Fechei a tampa do viveiro de Kore e fui até a janela, vendo que a limusine que meu pai enviou para buscar Kai estava bem em frente.

Meu estômago deu um nó. Era hora de conhecer Vanessa, e a última coisa que eu queria era ela na mesma casa que Kai. Eu não a queria em lugar nenhum perto dele. Por que ele veio até aqui?

Abri a porta do quarto e desci as escadas, sentindo o coração martelar no peito. Eu poderia admitir que queria ficar com ele e tudo isso acabaria. Poderia confessar que o queria e ele me levaria dali, então nós dois poderíamos ir embora.

Mas não poderia garantir a ele minha lealdade. Eu sabia que não seria capaz disso.

Fechando a porta no fim da escada, contornei o corrimão e desci o lance seguinte, já ouvindo Hanson cumprimentar os convidados.

— Boa noite, Sr. Mori — disse ele. — Sr. Grayson. Srta. Fane. Por favor…

Will e Rika também? Precisava confessar que estava até um pouco agradecida. Eles não queriam que Kai fizesse algo estúpido, então se eles interviessem, eu não precisaria. E não teria que escolher.

Kai apareceu e desacelerei meus passos, fixando meu olhar ao dele. Tive que fazer um baita esforço para conter um sorriso. Eu amava a forma como ele fixava o olhar e me encarava. Amava o fato de seu olho direito se estreitar mais que o esquerdo. E amava que somente em vê-lo, já sentia o frio na barriga.

Seu olhar deslizou pelo meu corpo, suavizando quando percebeu minhas roupas novas. Nada muito chique, mas os jeans novos se encaixavam com perfeição, e eu realmente gostava da camiseta branca com um decote em V e da bonita jaqueta camuflada. Até usei um pouquinho do rímel que Alex me obrigou a escolher ontem à noite na McGivern & Bourne.

— Kai, como você está? — Gabriel se aproximou, estendendo a mão.

Mas seu tom era falso, e o corpo de Kai estava tenso. Eles não estavam de graça um com o outro.

Quando cheguei ao saguão, parei ao lado de meu pai, sem ter certeza se era o que deveria fazer. Se estivesse fazendo algo errado, teria que me confessar mais tarde.

Meu traseiro ainda estava um pouco dolorido da noite passada.

Gabriel me olhou de relance e depois de volta para Kai.

— Você conseguiu livrá-la daqueles trapos — disse ele. — Muito bem. Nós meio que sentimos falta dela por aqui, na verdade.

Meu pai segurou meu queixo entre os dedos e o olhar de Kai se estreitou na mesma hora.

— Will — Gabriel cumprimentou, apertando a mão dele. — Bom te ver de novo.

Ele assentiu, provavelmente era o que melhor conhecia meu pai dentre os três, já que ele e Damon tinham sido bem próximos.

— E Erika Fane. — Gabriel deu um passo à frente, invadindo seu espaço pessoal e estendendo a mão. — Gabriel Torrance. Acho que você conhece meu filho.

Ela desviou o olhar, desconfortável, mas aceitou o cumprimento e soltou a mão rapidamente. Não dava para acreditar que Michael havia deixado que ela viesse sem a companhia dele ao lado. Ele era meio cego, mas eu não o considerava burro.

— Crist é um homem sortudo — comentou. E então se afastou, gesticulando para que entrassem. — Vamos para o escritório.

Gabriel se virou, liderando o caminho pelo corredor e eu o segui, ao seu lado. No entanto, senti um agarre no meu casaco, e quase perdi o fôlego quando Kai me puxou para trás.

Para ficar ao lado dele.

Continuamos andando, mas ele não olhou ou falou mais comigo.

— Onde ela está? — Kai perguntou a Gabriel. — Vanessa.

O frio no meu estômago por conta da sua proximidade, de repente, se transformou em um nó com a menção do nome dela. Cerrei os punhos, irritada.

— Por aí — Gabriel debochou e entrou no escritório.

Ele foi até sua mesa e todos entraram, deixando Hanson fechar a porta. Will imediatamente desabou em um sofá de couro, enquanto Rika se postou ao lado da sala e Kai se sentou à frente da mesa.

Gabriel inclinou o queixo para mim.

— Vá ver se o jantar está pronto.

— Ela não trabalha mais para você — Kai interrompeu.

— Na verdade, ela trabalha. Tecnicamente falando, é claro.

Sem contrato. Sem acordo.

Mas Kai não caiu na armadilha, mantendo-se relaxado.

— Vou conhecer a noiva primeiro, obrigado.

Meu pai riu baixinho.

— Hanson. — Ele pegou o charuto do cinzeiro. — Chame minha sobrinha.

O homem assentiu, saindo silenciosamente da sala.

Olhei pelas portas do pátio, vendo um grupo de jovens sentadas às mesas mais distantes. Não dava para distinguir suas fisionomias, mas o cabelo platinado de Vanessa era reconhecível de longe.

E se ele se sentisse atraído por ela?

— Então, quando é o casamento? — Gabriel perguntou e eu pisquei, vendo-o relancear um olhar para Rika.

Por um instante, pensei que ele estivesse perguntando a Kai.

Rika respondeu:

— Não temos uma data definida ainda.

— E onde está o Michael?

Ela olhou rapidamente para Kai antes de responder:

— Em uma partida fora de casa.

Meu pai sorriu, mal conseguindo manter os pensamentos indecentes para si mesmo enquanto a olhava de cima a baixo.

Kai se levantou e foi até a estante de livros, posicionando-se à frente dela. Meu pai estava de olho nela e Kai sabia disso. Seu cenho estava franzido em preocupação, mas ele se manteve calado, sem nem ao menos olhar para mim. No que ele estava pensando?

Finalmente, uma batida à porta interrompeu o silêncio.

Todos se viraram ou ergueram as cabeças quando a porta se abriu e Vanessa Nikova entrou.

Não sei dizer o que estava esperando. Talvez que ela fosse desajeitada e olhasse para qualquer lugar, menos para ele; ou talvez que Kai ficasse surpreso e sentisse uma atração imediata, deixando a fachada de durão ao vê-la.

No entanto, eles conectaram o olhar e se encararam por apenas um minuto antes que ela fechasse a porta.

Isso foi pior ainda.

Olhei para ele, de esguelha, observando-o encará-la com atenção.

Ela entrou na sala, portando um vestido de festa prateado que a fazia parecer etérea, com aquele cabelo loiro e os grandes olhos azuis. Ela se parecia um pouco com Rika no tom de pele, mas enquanto esta última diferia por ser mais vivaz, Vanessa se parecia a uma boneca de porcelana guardada dentro de uma caixa. Como se nem mesmo tivesse uma impressão digital.

Ela não era tão intocada por dentro, no entanto.

Aproximando-se de Kai, vi quando ele endireitou o corpo. Estendendo a mão, ela sorriu, as sobrancelhas perfeitamente delineadas suavizando o franzido em seu semblante.

— Olá — disse ela, com doçura.

Quase revirei os olhos. *Cobra de duas cabeças.*

— Olá. — Ele segurou a mão dela, em um cumprimento rápido. Embora eu tenha achado que segurou por tempo demais.

— Vanessa, este é Kai Mori. — Gabriel fez as apresentações oficiais. — E seus amigos, William Grayson III e Erika Fane.

Ela se virou, os saltos clicando quando chegou perto de Will e o cumprimentou também. Voltando-se para Rika, no entanto, fez uma pausa, claramente avaliando-a enquanto a outra estendia a mão com um sorriso sutil.

— Rika está prestes a se casar com Michael Crist — explicou Gabriel. — Outro amigo de Kai. Infelizmente, ele não pôde estar aqui hoje.

Quando ouviu esta informação, seu semblante suavizou e a rachadura em sua fachada se fechou outra vez ao aceitar o cumprimento.

— Prazer em conhecê-la.

A sala ficou em silêncio quando todos nos mantivemos ali parados, e dava para ouvir o latido dos cães ao longe, provavelmente famintos. Gabriel alimentava alguns e deixava outros passando fome, e enquanto os mais experientes aprendiam que latir só piorava a situação, ele constantemente adquiria novos cachorros e dava início à tortura outra vez.

— Bem — Vanessa falou, por fim, tentando aliviar o clima. — Não teremos problema algum em nos unir desta forma.

Gabriel riu, Kai retribuiu com um sorriso e eu fiz uma careta.

Por que ele estava sorrindo? Por que ainda estava aqui? Qual era o jogo dele agora? Ele não se casaria com ela, pelo amor de Deus, então por que tentar se relacionar?

— Preciso de um pouco de ar fresco — disse ela a Kai. — E quanto a você?

Ele virou a cabeça como se estivesse prestes a olhar para mim, mas se conteve, assentindo em seguida.

— É uma ótima ideia.

Ela sorriu mais ainda, mostrando os dentes, e liderou o caminho até as portas do pátio.

— Não precisa nos seguir — ela brincou com Hanson, que havia se posicionado para acompanhá-los. — Queremos um pouco de privacidade.

Encarei a parte de trás de sua cabeça quando eles desapareceram do lado de fora. Os jardins eram extensos. Eles poderiam ficar ali fora por horas. Tempo suficiente para seduzi-lo da maneira que quisesse.

— Vá checar o jantar.

Deparei com o olhar astuto de Gabriel. E agora eu serviria o jantar para o homem com quem estava dormindo e sua *noiva*. Ma-ra-vi-lho-so.

Ao sair da sala, fechei a porta com um baque, tendo a certeza de que meu pai sabia que eu estava com raiva. Ele não dava a mínima. Ele sabia que eu cumpriria meu dever de qualquer maneira, não importando se estava resmungando.

Um cachorro ganiu do lado de fora, e fiquei sem saber se havia sido atacado por outro ou se estava sendo disciplinado por um treinador, mas então outro uivou em um tom de súplica. Por qual razão eu não fazia ideia, mas entrei na cozinha desejando me juntar a ele. Uivando, gritando e me debatendo até escapar ou encontrar alguém que me tirasse da minha miséria.

— Oi! — Marina exclamou, vendo-me entrar enquanto lavava as mãos na pia. Seu olhar radiante observou minhas roupas. — Você está ótima. Quando isto aconteceu?

Deduzi que se referia à minha "transformação", mas meu humor não estava dos melhores. Avistando os bifes para o jantar em cima da tábua, fui até eles e peguei uma grande faca ao lado, começando a cortar em tiras.

— Esses bifes são p...

Marina parou, observando-me fatiando a carne como se fosse manteiga e depois partindo em pedaços menores.

— Esses são os bifes para o jantar! — ela disse, correndo na minha direção. — Banks, o que você está fazendo?

Olhei para ela, sentindo meu coração disparar, e lancei um sorriso malicioso. Ela recuou, estreitando o olhar, provavelmente sem conseguir se lembrar da última vez em que me viu sorrindo.

Concluindo a tarefa, peguei uma tigela enorme do armário e um prato, joguei todos os pedaços de carne e saí pela porta dos fundos.

Isso não terminaria bem para mim, mas, meu Deus, eu não consegui me conter... e como estava me sentindo bem.

— Onde estão os bifes? — Gabriel perguntou, encarando a sobra do ensopado de milho que foi servida para os rapazes hoje, na hora do almoço, e os pratos de *Piroshki* assado – uma torta salgada com recheio de carne que Marina prepararia para o almoço de amanhã.

— Dei aos cães — respondi.

Will bufou uma risada e ouvi um som de escárnio, provavelmente de Vanessa, mas continuei encarando a parede à frente, pronta para sofrer quaisquer consequências.

Era nítido que Kai achou graça naquilo. Ele estava sentado do outro lado da mesa e eu tinha quase certeza de que também estava me encarando.

Gabriel suspirou audivelmente.

— Algumas semanas com você e ela voltou a ser descaradamente malcriada — disse ele a Kai. — Assim como quando era adolescente.

A mesa ficou em silêncio, exceto por Will, que começou a comer.

— Porém ela aprendeu direitinho a ser disciplinada — acrescentou.

— É mesmo? — Kai provocou.

Pisquei por um longo tempo. Aquilo não era da conta de ninguém. *Nem aqui, nem agora.*

Mas Gabriel continuou:

— Peça a ela para tirar as luvas.

Filho da puta.

Na mesma hora entrelacei as mãos às costas, longe da vista de todo mundo que me encarava.

Gabriel não podia me castigar agora, então ele fez o que estava acostumado a fazer para salvar seu orgulho. Ele me humilhou. Kai nunca me viu sem as luvas. Desde os meus dezessete anos, antes de ser "disciplinada".

— Outra hora, talvez — disse Gabriel, parecendo satisfeito consigo mesmo. — Ela logo será problema seu de qualquer maneira.

— Como assim? — Vanessa questionou.

— Parte do contrato — explicou ele, tomando uma colherada da sopa. — Kai fica com você, o hotel e Banks. Até o casamento, pelo menos.

Ela permaneceu em silêncio e, como estava de costas para mim, não pude ver sua expressão, mas hesitou o suficiente para me deixar saber o que devia estar passando em sua cabeça.

Ou o que suspeitava.

— Ela é uma boa funcionária — Kai entrou na conversa, cortando um pedaço da torta e cheirando discretamente.

— Ah, que bom. — Vanessa suspirou, bancando a idiota. — Por que você não vai desfazer as minhas malas, Banks? Deixe-nos comer sossegados.

— Reservei uma suíte em um hotel na cidade para você.

— Eu mudei de ideia. — Ela me dispensou. — Vou ficar por aqui.

Olhei para cima, deparando-me com Rika me encarando, nenhuma de nós parecendo satisfeita por estar aqui.

Ótimo. Tanto faz. Não que eu permanecesse aqui com tanta frequência de qualquer maneira, mas preferia que ela ficasse em um hotel onde não correria o risco de encontrá-la constantemente.

Dei a volta e fui em direção à porta.

— E não dê minhas roupas para os cachorros — ela gritou.

Eu nem sonharia em fazer isso.

Fechei a porta assim que saí e subi as escadas em direção a um dos quartos de hóspedes. Sinceramente, eu não me importava em fazer o que ela pediu desde que pudesse sair daquela sala.

Encontrei as malas *Louis Vuitton* ao lado da cama em um dos quartos próximos ao do meu pai, e desfiz suas coisas em um ritmo bem devagar, esperando que Kai, Rika e Will já tivessem ido embora quando eu terminasse. Infelizmente, ela não trouxe tantas roupas quanto imaginei.

É claro que ela iria à cidade fazer compras, então só precisou fazer algumas malas. Pendurei a maior parte de suas roupas, guardei blusas, roupas de ginástica e peças íntimas nas gavetas e organizei todos os seus produtos – hidratantes, produtos de limpeza, maquiagem – ordenadamente na penteadeira, em consideração apenas à equipe que arrumaria o quarto, e não por ela.

Enfiei as malas embaixo da cama, endireitei o edredom e dei uma olhada ao redor, certificando-me de que as gavetas e os armários estivessem fechados antes de sair dali.

Passei mais de uma hora fazendo aquilo. Talvez eles já tivessem ido embora.

No entanto, quando cheguei à janela no andar de cima, notei que a porta do terceiro andar estava semiaberta.

E eu a havia fechado.

Ao abri-la, percebi que a porta no topo da escada também se encontrava aberta. Subi os degraus suavemente, em alerta. Ninguém subia ali, exceto Damon e eu.

— Claro que ele teria cobras, né? — Ouvi o comentário e os passos de Rika ao redor do quarto do meu irmão.

O que diabos ela estava fazendo ali?

— Qual é o seu problema? — Kai perguntou.

— Eu poderia fazer a mesma pergunta. — Ela parecia preocupada. — Você perdeu a noção?

Meu corpo ficou tenso por instinto. Por que eles se esgueiraram aqui juntos? Será que Will estava ali com eles? Parei no topo e espreitei pela fresta da porta.

— Isso é burrice — ela disse em um tom suplicante —, e o que mais respeito em você é exatamente o fato de não ser estúpido.

— Eu tenho uma ficha criminal que prova o contrário.

Ela deixou escapar uma risada de escárnio, e logo depois, ouvi mais passos.

— Há muito tempo você me disse algo importante — continuou ela. — "Sempre que quiser impressionar alguém, e pensar que já fez o suficiente, vá mais além. Sempre os deixe pensando que você é meio louco, e as pessoas nunca mais tentarão te sacanear",

— E daí?

— E daí que você já foi mais além.

Ouvi o som de um ofego, eu não sabia de quem, mas Rika parecia estar chateada. Preocupada como um amigo ficaria.

— Gosto de quem sou agora e, querendo ou não, você fez parte dessa mudança — disse ela. — Mas isso? Este erro pode destruir você. Esta não é a vida que a gente quer para você.

Ouvi o som de passos abafados e deduzi que por eles não estarem visíveis através da fresta da porta, deviam estar do outro lado, bem perto dos viveiros.

— Tenho algo planejado — ele disse, em um tom mais suave. — Vocês têm que confiar em mim.

O silêncio tomou conta, mas tudo o que eu queria era ouvir um pouco mais. Ela estava preocupada por ele e parecia tão confusa quanto eu. Que plano era este? Eu queria que ela o pressionasse para que ele revelasse mais. Ele poderia contar a ela coisas que não estava dizendo a mim.

Mas a conversa havia encerrado.

Abri a porta de uma vez, vendo o momento em que os dois levantaram a cabeça ao perceber minha presença.

O olhar de Kai aterrissou diretamente nas minhas luvas, e automaticamente cruzei os braços para escondê-las.

— Ninguém é autorizado a entrar aqui.

Kai se aproximou.

— Mas você é, pelo jeito — alegou ele, jogando na minha direção um dos meus gorros que ele deve ter encontrado por ali.

Eu o peguei, mas permaneci em silêncio.

— E por que você tem permissão? Quando veio morar com essa família? Você não transava com Damon, porque era virgem quando ficamos juntos, então o que exatamente ele fazia com você, hein? Quem é você?

Dei um meio sorriso.

— Sua inimiga favorita — respondi.

Naquele momento, ele avançou e segurou minhas mãos. Cerrei os dentes quando retirou uma luva e depois a outra, jogando-as no chão.

Droga.

Ele segurou com força, encarando o dorso das minhas mãos. Apenas uma tinha a queimadura de um charuto, só que eu usava o par para fingir que era meu estilo.

Dava para ver, pela respiração entrecortada, a irritação que irradiava dele, porém, não fez mais perguntas. Kai era inteligente o bastante para concluir como Gabriel havia me disciplinado.

Felizmente, bastou só uma vez para que eu aprendesse minha lição.

Rika moveu um pouco a cabeça, tentando ver discretamente a marca circular e rosada do tamanho de uma moeda. Não era uma ferida antiga, mas com o tempo havia enfraquecido. Dei uma olhada na pequena cicatriz que ela tinha em seu pescoço, sabendo que havia conseguido aquilo no mesmo acidente que matou seu pai anos atrás.

— Você não sabe o que está fazendo comigo — Kai arfou, com seriedade.

Desviei o olhar, ainda em silêncio.

Rika fez menção em sair para nos dar privacidade, mas eu a detive.

— Não, fique — avisei. — Ele precisará de seus amigos.

Ele me encarou, me enfrentando.

— Você quer que eu me case com ela? — perguntou. — E nós ficaríamos assim? Você, minha pequena amante, a quem procuro quando quero foder no meio da noite. Hã? Você gostaria disso?

— Você acha que eu toleraria isso? — respondi.

Minha expressão estava começando a desmoronar; meu queixo tremia de tal forma que precisei me controlar para impedir que as lágrimas se formassem.

— Olhe para mim — ele sussurrou. Rika permanecia próximo, mas sem nos encarar. — Olhe para mim.

Não atendi ao seu pedido.

— Eu gosto de você — admitiu. — Quero você na minha casa. Quero te ver na minha cama. Não quero ficar sem te ver todos os dias. Fique comigo esta noite.

Mas eu não podia. Tudo o que nós poderíamos compartilhar eram momentos roubados.

Por uma simples razão.

— Você odeia Damon? — perguntei.

Ele endireitou a postura e percebi que erguia uma muralha.

— Ele não vem ao caso. Damon não tem lugar na minha vida.

— Pois é, só que ele tem na minha — afirmei. — Eu o amo.

Antes que ele pudesse dizer mais alguma coisa, virei-me e saí correndo rapidamente pelas escadas.

Chega, caramba. *Apenas vá embora.* Estava tudo ferrado por causa dele, e eu queria voltar para quando as coisas eram simples. Quando estava decidida a ser leal a somente uma pessoa, tendo apenas isso como meu propósito de vida.

Quando eu não queria dizer 'sim'.

Quando não estava me apaixonando.

Cheguei ao pé da escada e me lancei pela porta, dando de frente com David.

— Ei — ele disse. — Estava mesmo te procurando.

Pisquei rápido para afastar as lágrimas e desviei o olhar.

— O que foi?

Mas então os passos e rangidos às minhas costas indicaram que Kai e Rika também vieram em meu encalço.

Gemi, angustiada.

David recuou, olhando interrogativamente para nós, mas prosseguiu:

— Okay, ótimo — disse ele, assentindo. — Todos em um só lugar. Perfeito. — E então olhou para mim. — Gabriel precisa de você por uns minutos. Traga-os para a casa de hóspedes.

E se virou para sair.

A casa de hóspedes – agarrei seu braço, estreitando o olhar. Não. Era ali que Gabriel lidava com os problemas longe dos olhares indiscretos.

No entanto, David apenas riu baixinho e se inclinou para sussurrar:

— Está tudo bem. Todo mundo vai sair inteiro. Prometo.

Percorrendo o terraço e contemplando as luzes tremeluzentes da festa de boas-vindas de Vanessa, conduzi Kai, Will e Rika pela piscina até os cômodos da casa de hóspedes. Era uma casa pequena, porém muito maior do que qualquer apartamento onde eu e minha mãe já tivéssemos morado. Kai e Will já haviam estado lá antes. Era onde Damon sempre levava seus amigos nas raras ocasiões em que convidava alguém.

Dessa forma, ninguém corria o risco de encontrar a mãe dele. Ou me ver. O lugar era todo mobiliado e decorado, com três quartos, dois banheiros, uma cozinha completa e uma grande sala. O que Gabriel queria tratar aqui que não pôde ser tratado em seu escritório?

Belas vidraças cercavam a frente da casa, por onde avistei alguns homens ali dentro. Meu pulso acelerou. O que estava acontecendo?

Tive que conter a vontade imensa de tirá-los daqui. Isso não parecia certo. No entanto, David garantiu que eles estariam seguros. Ele não mentiria para mim.

Antes que pudesse me decidir, as portas de vidro se abriram.

— Kai! — meu pai saudou enquanto Ilia mantinha a porta aberta para nós. — Entre!

Kai passou por mim, já que eu parecia estar plantada no lugar. Rika e

Will o seguiram, e eu finalmente me movi, enfiando as mãos nos bolsos, os dedos rodeando os punhos das lâminas escondidas ali dentro.

— Gostou da decoração? — Gabriel gesticulou para a sala enorme. — Recém-reformado. Pensei em deixar disponível para quando você e Vanessa decidirem nos visitar. Vai ser bom ter uma família por perto novamente.

Ilia fechou a porta enquanto todos seguiam sala adentro. Três homens pairavam às costas do meu pai, posicionados casualmente; no entanto, moviam-se devagar para não atrair a atenção.

Porém eles tinham a minha. Estavam se posicionando ao nosso redor. Ilia ficou ao meu lado, enquanto Lev e David se ausentavam, provavelmente executando uma tarefa em algum outro lugar.

— O que você quer? — Kai parou atrás de uma cadeira de estofado, olhando para Gabriel. — Já estamos de saída.

Meu pai se postou atrás da mesa e pegou uma caneta-tinteiro preta, estendendo-a para Kai.

— Quero apenas resolver a questão da assinatura.

Suspirei, aliviada. Ele não estava em perigo, afinal. Tratava-se apenas do contrato estúpido que Kai nunca assinaria. Acho que ele não entregou aquele onde forjei a assinatura ontem de manhã com raiva.

— Envie para o *dojo* — disse ele ao meu pai. — Se não houver mais alterações a serem feitas, assinarei.

— Você vai assinar agora. Vanessa está aqui e o casamento está sendo planejado. — Ele olhou para Kai, já sem nenhuma paciência ou cortesia. — Agora.

Kai deu um passo.

— Como posso ter certeza se você não enfiou uma cláusula sem que eu tenha visto? Vou levar o tempo que for preciso para ler outra vez antes de concordar com qualquer coisa.

Meu pai abaixou a mão e relanceou um olhar para Ilia, acenando.

O quê...

— Desculpe, garota — Ilia murmurou.

Hã?

E então me agarrou.

— Ei! — gritei.

Mas ele me arrastou para o outro lado da sala, e eu virei a cabeça, tentando ver o que estava acontecendo. Tudo aconteceu muito rápido. Cada um dos homens do meu pai agarrou um de nossos convidados, porém Kai interrompeu o ataque do que foi em sua direção com um golpe da base de sua mão no rosto do oponente, colocando o outro de joelhos.

Ele imediatamente olhou para mim quando fui forçada por trás da mesa com meu pai, até que alguém o acertou com uma barra de aço nas costas, enviando-o ao chão, enquanto grunhia. Ele tropeçou, trêmulo, tentando ver Will e Rika, cada um deles sendo contido pelos braços.

— O que diabos está acontecendo? — berrou.

Contorci-me nos braços de Ilia.

— Sem contrato, sem acordo — Gabriel resmungou. — Nada de hotel, muito menos Banks, que é nossa.

— Eu não dou a mínima para o hotel! — Kai gritou quando foi puxado de joelhos por quem o atingiu. Ele empurrou o homem e se virou, encarando meu pai. — E ela não precisa ficar em qualquer lugar onde não queira. Ela não é propriedade sua!

Seus olhos ardiam em fúria.

Gabriel se virou para mim.

— Você quer ir com ele? Vá.

Não. Não faça isso. Implorei com o olhar.

— Vá — ele me disse outra vez, o desafio explícito em sua voz. — Veja quanto tempo ele vai te querer. E veja o que vai acontecer quando tentar voltar aqui, porque você sabe muito bem como recompenso a deslealdade. Vá.

Fechei os olhos por um momento, sentindo todos os olhares da sala em mim. Isso era insuportável. Se eu fosse embora com ele, sairia sem nada. Completamente dependente de Kai.

Eu o queria, mas meu pai estava certo. Eu teria coragem de trocar o certo pelo duvidoso? Ainda não era capaz de confiar no que poderia haver entre mim e Kai. Ele poderia ser algo fugaz, enquanto minha família era para sempre.

— Você o quer? — Gabriel insistiu. — Vá.

Ele pressionou, e senti meu corpo inteiro tremer, enquanto tentava conter as lágrimas. *Por favor*. Kai estava me esperando, e isso era uma tortura.

Dava para ver o quanto estava nervoso quando estendeu a mão.

— Vamos, querida — ele implorou. — É só pegar minha mão.

Meus dedos formigavam, desejando seu toque. Querendo fazer o que ele me pedia. Mas cerrei os punhos e encontrei seu olhar, balançando a cabeça lentamente.

Kai apenas me encarou, a expressão gélida, um suspiro decepcionado. O calor da vergonha se espalhou pelo meu rosto. Eu odiava magoá-lo.

Porém nós dois sabíamos que isso havia acabado antes mesmo de começar.

— Não fique tão surpreso — Gabriel debochou, satisfeito. — Ela ama Damon. E sempre vai escolhê-lo.

A mágoa no olhar de Kai, de repente, foi superada pela frieza enquanto ele aprumava a postura e passava a mão pela camisa e terno ao me encarar.

Meu pai se virou para mim, divertido.

— Acho que ele não te quer mais.

Engoli o nó na garganta.

— Se você não vier, haverá uma guerra — Kai me ameaçou, o tom letal. — E farei com que isso seja bem doloroso. Apenas me desafie.

Ouvi a risada de meu pai, mas sabia que Kai não estava blefando. E isso poderia não ter mais nada a ver com Damon. Ele estava com raiva de mim agora.

E então, de repente, aconteceu. Kai se lançou para frente, pegou a caneta e rabiscou sua assinatura na linha pontilhada.

— Kai, não! — Rika gritou.

— Não — ofeguei baixinho. Perdi o fôlego enquanto olhava horrorizada o contrato assinado.

Oh, meu Deus.

Ele largou a caneta e empurrou o contrato para Gabriel, em desafio. Então estendeu a mão sobre a mesa, me agarrou pela gola com as duas mãos e me arrastou por cima; minhas pernas e pés enviaram papéis para todo lugar, uma pasta de arquivos e uma luminária caíram no chão.

— Kai — arfei, segurando suas mãos enquanto lágrimas brotavam nos meus olhos. O que ele fez?

Ele me levantou à frente de seu corpo, nós dois encarando Gabriel quando enlaçou meu pescoço.

— Agora você é minha — ameaçou no meu ouvido. — Pelo menos até o casamento.

— É isso aí, garoto. — Gabriel sorriu quando pegou o contrato e conferiu todas as páginas.

— Kai, o que você fez? — Rika correu até ele.

Mas ele não disse nada.

— Vou informar as boas novas à sua noiva — Gabriel comentou.

Kai agarrou minha gola com uma mão, empurrando-me para o lado enquanto recuava.

— Entraremos em contato — assegurou meu pai.

Apertando minha mão, arrastou-me para fora da casa enquanto Rika e Will corriam para alcançá-lo.

— Kai, me escute! — Rika tentou chamar sua atenção.

Entretanto, ele continuou andando, guiando-nos para a garagem. Tropecei, esforçando-me ao máximo para acompanhar seus passos. Só paramos quando chegamos à frente dos carros.

— Kai! — Rika rosnou. — Você não pode fazer isso!

— Você não está pensando direito, cara — Will concordou. — Precisamos recuperar o contrato.

— Esse contrato é a menor das minhas preocupações — Kai disse, ríspido. — Eu precisava de um trunfo e agora tenho.

— Não, que se dane! — Rika gritou. — Você não pode...

— Damon tem algo contra mim! — Kai revelou, de repente.

O quê?

Ele se virou, olhando para todos nós.

— Algo muito ruim, entenderam?

Todo mundo congelou, apenas o encarando.

O quê? Ele tem algo que o incrimine? Por que nunca soube disso?

— E o que seria isso? — Rika aproximou-se dele.

— E importa?

— O que ele tem contra você? — ela gritou novamente.

O olhar de Kai ardia em fúria, mas ainda hesitante. O que ele não queria dizer?

— A mãe dele — respondeu, por fim. — Ela está morta por minha causa.

Minha boca se abriu um pouco quando o encarei em choque. Rika e Will estavam calados. Ela estava morta? Quer dizer, eu suspeitava que estivesse a esse momento. Ninguém a tinha visto ou ouvido falar dela desde aquela noite seis anos atrás, mas achei que poderia ter sido Damon ou Gabriel quem deram um fim a ela.

Não que eu realmente me importasse. Desde que essa cadela continuasse desaparecida, eu estava feliz.

A mandíbula de Kai flexionou.

— Noite do Diabo, seis anos atrás, no *The Pope* — explicou. — Ela estava... *machucando* Damon. E estava tentando machucar Banks. Eu perdi o controle e a ataquei. Ela se feriu na queda.

Aquela noite voltou à tona. O terror, as palavras repugnantes e vis que ela falou, o sofrimento de Damon e... todo o sangue quando Kai perdeu a paciência e a atingiu. Ele nos protegeu, e se ela estivesse morta, bom, eu só poderia desejar uma boa-viagem ao inferno.

— Você está nos dizendo isso só agora? — Rika deixou escapar. — Depois de todo esse tempo?

— Eu não sabia que a havia matado. Não até o ano passado no iate — revelou. — Você, Michael e Will estavam na água, e Damon e eu estávamos envolvidos em uma luta. Ele me provocou a respeito do assunto, porra. Um segredinho que guardou só por precaução. — Respirou fundo. — Pelo que entendi, depois que saí do hotel naquela noite, ela não resistiu. Ele se livrou do corpo para me proteger. Agora está usando isso para me ameaçar. É por isso que preciso encontrá-lo. Não quero correr o risco de voltar para a prisão.

— E se ele estiver mentindo? — Will argumentou. — Como você sabe que ele está dizendo a verdade?

— Você se arriscaria? — Kai rebateu. — Porque ela não foi vista desde então. Ou ele aparece com a mãe bem viva... ou com o corpo dela, daí talvez eu possa seguir em frente com a porra da minha vida e não ter isso pairando sobre minha cabeça. E se não conseguir nenhuma das alternativas, então tenho que dar um jeito de calá-lo para sempre.

— Então, é por isso que você está tão preocupado em encontrá-lo? — Rika perguntou.

E então Will acrescentou:

— Você deveria ter contado isso pra gente antes, cara. Tipo... no ano passado.

No entanto, Kai ignorou seus protestos, empurrando-me na direção do amigo.

— Apenas leve-a — ordenou, tirando o terno e limpando o nariz com o polegar. Sangue manchou a ponta de seu dedo. Nem mesmo havia percebido que ele fora atingido. — Deixe Banks na Darcy Street e depois vá embora — instruiu. — Eu preciso me acalmar antes de lidar com ela.

Em momento algum ele me deu um segundo olhar, entrando no carro e saindo em disparada dali. Rika e Will se postaram ao meu lado na calçada, observando-o acelerar.

— Acho que agora você está nessa.

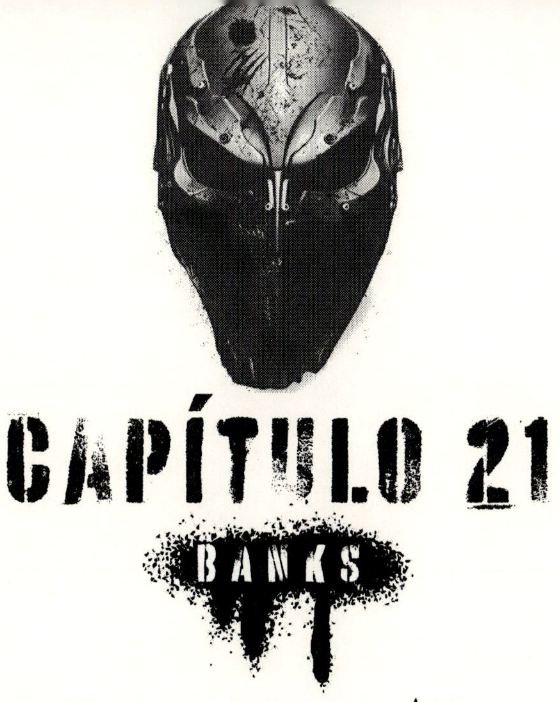

CAPÍTULO 21

BANKS

Dias atuais...

— Kai! — Rika rosnou em seu telefone. — Atenda essa merda! — E então encerrou a ligação, exasperada. — Droga.

Essa era a terceira vez que ela tentava falar com ele desde que saímos de Thunder Bay.

Will dirigia com Rika ao lado, no banco do carona, enquanto eu me mantinha em silêncio atrás, agarrada às lâminas ocultas dentro do meu bolso.

Trunfo. Ele disse que eu era um trunfo. Será que ela estava mesmo morta? Ele não sabia ao certo, mas acho que era isso que estava tentando descobrir. Nada como ter um possível assassinato pairando sobre sua cabeça...

Damon realmente o jogaria para os lobos?

— Precisamos conversar com ele — disse Rika a Will, que acendia um cigarro.

No entanto, eu o vi gesticular uma negativa.

— Precisamos deixá-lo em paz. Kai sabe o que está fazendo.

— Ele não planejou essa reviravolta, idiota! É tudo por causa dela. — Ela me indicou com a cabeça. — E ele está enfiado nessa merda agora. Eu preciso falar com Michael.

Ela checou o telefone novamente e eu me concentrei na paisagem do lado de fora, vendo as luzes da cidade brilharem sobre as águas escuras do rio quando cruzamos a ponte.

Eu não estava vinculada a esse contrato. Trabalho escravo já estava em desuso há muito tempo. Eu poderia fugir, e era isso o que faria. Fui muito útil para o meu pai, já que ele conseguiu o que queria, então, eu seria aceita de volta.

Além disso, com certeza, meu irmão não esperava que eu honrasse o acordo.

— Você precisa falar com ele.

Ouvi as palavras de Rika, mas foi só quando a flagrei me encarando, em minha visão periférica, que percebi que estava falando comigo.

— Como é?

— Você precisa falar com ele — repetiu. — Você corroborou com essa merda. Assuma alguma responsabilidade.

Eu ri baixinho, olhando para longe novamente. *Jesus*. Nada disso era minha culpa, e eu não seria usada como bode expiatório. Homens eram idiotas, e eu estava cansada de sempre sofrer os danos colaterais.

— Você ouviu o que ele disse — retruquei. — Eu sou um trunfo. É tudo o que ele quer comigo.

— Você realmente acredita nisso? — Ela me olhou. — Kai poderia ter te levado embora dali, se fosse isso o que ele quisesse. Ele assinou esse contrato porque estava com raiva. De você — ela apontou. — Ele vai te dar ouvidos. Eu o conheço há muito tempo e, quando ele se acalmar...

— Eu o conheci muito antes de você aparecer — rosnei. — Não preciso que me diga como ele é.

Ela calou a boca na mesma hora.

— E eu o conheço há muito mais tempo do que vocês duas — Will interferiu. —Kai está agindo de um jeito incomum, mas ele funciona melhor quando é deixado em paz, tá bom? Se ele for conversar com alguém, será com Michael. — Então acenou para Rika. — Tente ligar outra vez.

Ela suspirou e pegou o telefone, discando para o noivo novamente.

— E você — Will chamou minha atenção.

Olhei para cima, encontrando seu olhar pelo espelho retrovisor.

— Merda vai bater no ventilador, independente do contrato. Você sabe disso, não é?

Sim. Sim, eu sabia disso. Mesmo que Kai controlasse seu ódio e Natalya estivesse viva e bem, Damon ainda apareceria.

E havia uma chance muito boa de ele não ganhar.

Will soprou uma baforada de fumaça, sacudindo as cinzas pela janela quando entramos na Darcy Street.

— Se você pedir que ele não machuque Damon — ele disse —, então ele não o fará. Tudo o que você precisa fazer é pedir.

Segurei a maçaneta da porta, pronta para sair assim que as portas destravassem.

No entanto, relaxei o agarre, devagar, refletindo a respeito de suas palavras.

Talvez Will tivesse razão. Kai podia ser intimidador e assustador e tão mesquinho quanto eu, às vezes, mas não era cruel. Ele poderia ser razoável.

Afastei minha mão da porta quando o carro diminuiu a velocidade no aclive.

— Aqui estamos — disse Will, parando.

Olhei pela janela novamente, vendo a casa de tijolos pretos de Kai com as persianas quebradas pairando sobre as janelas. A luz que incidia na varanda dava ao lugar uma aura como a dos filmes de terror, do tipo que a personagem "entra, mas nunca sai". Com que objetivo ele usava essa casa? Ele não morava aqui.

Onde ele dormia? Onde cozinhava suas refeições, tomava banho e transava com outras mulheres além de mim?

— Ele está esperando lá dentro.

Deparei-me com o olhar de Will através do retrovisor novamente.

— Como você sabe?

— Acabou de mandar uma mensagem — informou, segurando o telefone. — Aqui está sua chance.

Nós o deixamos há menos de uma hora. Não dava tempo para ter se acalmado ainda.

— Apenas fale com ele — disse Rika, virando-se para mim. — Por favor.

A última coisa que eu queria fazer era algo a pedido dela. A tensão rastejou em minha pele, mas abri a porta e saí dali, de repente, querendo ficar o mais longe possível.

Tudo bem. Eu conversaria com ele. Não porque eles querem, mas porque talvez possa funcionar. Damon poderia voltar para casa e eu o manteria afastado, e todos seguiriam com suas vidas aqui na cidade, enquanto meu irmão e eu continuávamos com as nossas.

Quando subi os degraus da varanda, olhei para o alto da colina e avistei uma casa isolada; uma única luz acesa no segundo andar. Aquilo fez com que eu parasse por um momento.

A imagem era como um relâmpago pairando sobre um lago escuro à noite. Não havia nada aqui em cima. Era um breu total, e não havia nenhuma outra fonte de iluminação, seja de outra casa, comércio ou da cidade que conseguia alcançar por entre a pequena floresta. Ele sabia quem morava lá?

Calafrios se espalharam pelos meus braços. Era uma construção bonita, em um estilo gótico da virada do século, com cumeeiras pontiagudas e um portão preto.

— Você está bem? — Will gritou, atraindo minha atenção. Olhei para o carro e o vi debruçado pela janela.

Virei as costas e lhe mostrei o dedo médio por cima do ombro, decidida a fazer o que me propus. Ao girar a maçaneta da porta, percebi que se encontrava destrancada.

A sala estava imersa em penumbra, sendo iluminada apenas pela luz da lua que se infiltrava pelas janelas. Antes de fechar a porta, olhei ao redor do vestíbulo e ouvi o som do carro de Will se afastando.

Um clique alto soou, e todos os pelos do meu corpo se arrepiaram quando olhei de um lado ao outro. Onde diabos ele estava?

O lugar parecia o mesmo da última vez. Quase não havia móveis, e o que estava por ali se achava coberto por lençóis brancos. Testei um interruptor, mas quando nada aconteceu, olhei para cima e percebi que o lustre antigo estava sem lâmpadas.

Poeira se acumulava no piso, mas quando adentrei na casa, notei que algumas partículas flutuavam no ar. Como se alguém *tivesse* passado por aqui.

Olhei à minha volta, em alerta.

— Kai?

O vento lá fora aumentou, e ouvi alguns rangidos no alto. Como se um galho estivesse raspando contra os vidros de uma janela.

— Kai! — gritei novamente, dessa vez mais alto. — Onde você está?

Senti a vibração no bolso da calça e peguei o celular, conferindo a mensagem na tela.

Perto.

Olhei para todos os lugares, tentando descobrir onde ele poderia estar. Entrei na sala de estar e depois na de jantar, examinando os cantos e por trás das portas.

— Que diabos? — rosnei.

Era impossível ver e ouvir qualquer coisa. Nem mesmo a sombra, silhueta ou o som de algo. A casa estava completamente silenciosa.

— Não vou participar desses seus joguinhos! — gritei para o alto das escadas.

Meu telefone vibrou novamente.

Você já está em um deles...

Balancei a cabeça, exasperada. O que ele achava que estava fazendo? Alguma espécie de piada doentia?

É claro que eu me lembrava do estilo de diversão de Kai. Noite do Diabo de seis anos atrás. O hotel, a perseguição, o salão de festas, as cortinas... o medo.

Naquela noite, não me importei com a excitação que tudo aquilo me trouxe, mas nesse exato momento, não estava achando a menor graça. Meu humor não era dos melhores.

— Estou indo embora — gritei para o vazio.

Dei a volta e fui até a porta, girando a maçaneta. Que não se moveu nem um centímetro. O quê? Tentei sacudir e puxar, mas nada acontecia a não ser o ruído da porta se chocando nos batentes laterais.

Uma luz verde piscou à esquerda e quando me virei para conferir, avistei um teclado. Senti o frio no estômago na mesma hora. Ele tinha um sistema de alarme e travas automáticas.

Puxei a porta novamente, sem sucesso algum.

Então me virei.

— Eu quero sair! — esbravejei. — Ou vou arrebentar uma dessas janelas!

Outra mensagem chegou ao meu celular:

Você disse que eu não era assustador.
Já está com medo?

Encarei o segundo andar.

— Estou irritada.

Mentirosa.

Idiota.

Ouvi um rangido acima de mim e ergui o olhar outra vez. O vento estava uivando entre as árvores lá fora, ampliando a sensação de que eu estava completamente sozinha agora.

Com ele... em algum lugar nesta casa.

Se você pedir que ele não machuque Damon, ele não o fará.

Umedeci os lábios ressecados e forcei-me a dizer:

— Eu preciso falar com você.

Encontre-me.

— Onde você está? — gritei, ficando enraizada no lugar.

Esperei alguns segundos, mas sem nenhuma resposta. Nem o som de sua voz ou mensagens de texto. Kai estava aqui? Quer dizer, não dava para ter certeza se era realmente ele quem estava enviando as mensagens, não é mesmo? Alguém poderia ter enfiado seu corpo em uma fornalha, roubado seu telefone e agora estava fazendo aquela merda assustadora de *Jogos Mortais*, onde te perguntam se deseja participar de um jogo, mas, na verdade, você não tem escolha, então aceita participar antes de ser fatiado por um cortador de carne em um matadouro.

Minha imaginação foi longe...

Segurei o celular com mais força.

— Onde você está? — gritei, novamente.

No andar de cima.

A mensagem finalmente chegou.

Babaca.

Tudo bem. Foda-se, então. Subi as escadas.

— Quando eu te encontrar, vou te dar uma surra — eu disse.

A tela se iluminou outra vez.

Ficando mais quente agora.

Olhei da esquerda para a direita, mantendo-me alerta enquanto subia lentamente os degraus.

— Por que você está fazendo isso?

Mas apenas duas palavras brilharam no visor quando dei mais um passo:

Mais quente.

Uma camada de suor recobriu minha testa. As tábuas do piso rangeram quando cheguei ao topo da escada, olhando de um lado para o outro e avistando a porta do quarto aberta. Dava para ver um pedaço da cama e as cortinas brancas balançando com o vento que soprava pela janela aberta. Não conseguia me lembrar se da última vez em que estive aqui, cheguei a vê-la aberta.

Ao invés de ir até lá, entrei no quarto à direita.

Frio.

Parei, respirando fundo. Então, ele estava no quarto principal. Eu mal conseguia engolir direito.

Recomponha-se. Ele está te sacaneando.

Dei a volta e fui para o outro quarto, sentindo a vibração do celular na mesma hora.

Posso te dizer outra coisa?

— O quê? — grunhi baixinho.

E a próxima mensagem chegou.

Você nunca vai sair desta casa.

Minha boca se abriu, e perdi o fôlego, sem conseguir articular um pensamento coerente. Kai...

Quando me virei para fugir dali, deparei com ele. Kai saiu do banheiro, usando um jeans, moletom de capuz preto e a máscara prateada.

Estaquei em meus passos, recuando enquanto ofegava.

— Que p...

Tudo era preto. Havia apenas a sua silhueta. As roupas escuras, o manto da noite, o preto de seus olhos... apenas o branco era visível, deixando-me saber que havia um homem por trás da máscara.

— Kai... — Estendi as mãos. Porra, por que eu não conseguia pensar?!

Um formigamento suave me atingiu, me fazendo pressionar uma coxa à outra, como se, de repente, estivesse precisando ir ao banheiro urgentemente.

Ele caminhou lentamente até mim, passo após passo, e eu tropecei, as mãos trêmulas pegando meu punhal do bolso.

— Afaste-se! — Arfei, segurando a lâmina à frente.

No entanto, ele continuou andando, as passadas sincronizadas, até que me vi contra a parede do lado de fora do quarto principal.

Ele não parou, e eu disse com rispidez, quase em um rosnado:

— Eu não tenho medo de você.

Kai inclinou a cabeça, a máscara parecendo dizer: *"Ah, sim, você tem"*.

O espaço entre nós ficou cada vez menor, e eu ataquei, tentando assustá-lo. Ele segurou minha mão, me arrancando um grito quando tirou a lâmina dos meus dedos, jogando-a por cima do corrimão. Ouvi o som metálico se chocando em algum lugar no piso inferior.

Aprisionou meus pulsos na lateral e imprensou seu corpo ao meu contra a parede.

Inspirei, tentando respirar por conta da pressão de seu peito ao meu. Mas ele apenas ficou lá.

A cabeça inclinada para mim.

Somente me observando.

O único som que indicava que ele estava vivo era o de sua respiração, o movimento que seu tórax forte fazia contra o meu peito.

— O que você quer comigo? — ofeguei, sentindo os soluços presos à garganta.

Por que ele não dizia nada?

A casa gemia ao redor de nós enquanto o vento uivava e zumbia por entre as frestas e rachaduras nas paredes.

E eu estava lá. Sozinha, com ninguém por perto, e uma máscara pairando sobre mim e me fazendo sentir como se eu estivesse com uma faca no pescoço.

Porra, eu estava com medo. Ai, meu Deus, ai, meu Deus...

O suor escorreu em minhas costas e um calor intenso se espalhou pelas minhas pernas, onde seu corpo tocava o meu. Nossas coxas se abriram, e ele enfiou uma das suas musculosas entre as minhas, meus seios se tornando sensíveis pelo contato com seu peito cálido. Sua virilha encontrava-se pressionada contra a minha, aumentando a tensão entre nós, ainda que estivéssemos imóveis.

Caralho...

E, mesmo assim, eu não conseguia respirar. Não conseguia respirar, porque sentia meu corpo latejar e pulsar por toda parte. Tudo se aquecia, e eu queria gritar, morder e...

Me render.

Por que eu não queria fugir?

Minha cabeça pendeu para frente, recostando em seu peito, exausta e ávida, querendo enfiar minhas garras em alguma coisa.

— Estou com medo — sussurrei. — Estou com medo de você, mesmo sem a sua máscara.

Por tudo o que você me faz sentir.

Ele não se mexeu. Apenas me segurou lá, seu aperto nos meus pulsos afrouxando um pouco.

Olhei para cima, quase em um sussurro enquanto meus lábios roçavam sua máscara.

— Eu... — Não sabia o que dizer.

Sou apenas um trunfo neste jogo de gato e rato entre você e Damon? Apenas um instrumento?

Quer dizer, Rika estava certa, não é? Ele poderia ter me levado se fosse apenas isso. Ele queria que eu o escolhesse naquela casa de hóspedes.

Ele *me* queria.

E eu queria que ele soubesse que tive que fazer uma escolha impossível. Mas na minha mente, lá no fundo onde escondia os meus segredos, sempre seria ele. Dez anos... vinte anos depois, eu sempre o observaria à distância e o veria construir sua vida. Então eu seria feliz, desde que ele fosse também.

Queria que ele soubesse que amava nossas preliminares.

Queria que soubesse que o amava.

— Gostaria de poder ficar com você — confessei. — Só que, pessoas como eu não conseguem o que querem. Elas ganham o que precisam para sobreviver, e mesmo que não houvesse tantos segredos entre nós, eu nunca me encaixaria no seu mundo, Kai.

— Meu mundo? — ele disse, olhando para mim. — Quer ver o meu mundo?

Então se afastou de mim, entrando no quarto principal.

O quê? O que significava isso?

Respirei fundo, sentindo que poderia desabar no chão sem ele ali para me segurar, mas me endireitei à força e o segui.

De repente, ouvi o som de um rangido culminante com um trovão, e quando ergui a cabeça e entrei no quarto, vi Kai abrindo um painel inteiriço na parede.

Que porra...?

A lareira – ou lareira falsa, pelo visto – estava presa a uma área do piso que se desviava para fora e se abria do chão ao teto.

Havia uma passagem secreta.

Sem olhar para mim, ele desapareceu pela abertura e deixou a passagem aberta.

Para onde ele estava indo?

Esta casa estava começando a fazer um pouco mais de sentido. Eu sabia que tinha que haver uma razão para ele ter comprado.

Com cautela, espiei por dentro e avistei uma escadaria ao fundo. Havia lâmpadas em toda a parede, mas quando apurei os ouvidos, não consegui escutar nem mesmo o som de seus passos.

— Kai? — chamei. — Onde você está?

Porém minhas palavras soaram no vazio. Qual era a profundidade daquilo?

Coloquei uma mecha atrás da orelha e fechei mais a jaqueta contra a corrente de ar frio que circulava. Desci devagar, deixando a entrada atrás de mim ainda aberta, só por precaução.

Os degraus eram de arenito e as paredes estavam revestidas de fios interligados às fontes de iluminação instalada em pequenos intervalos. Continuei descendo a escada em espiral, agarrada à parede em busca de apoio e sentindo o ar se tornar cada vez mais frio à medida que avançava. Círculo após círculo após círculo, precisei me concentrar várias vezes para não ficar tonta.

Para que servia tudo isso?

Depois do que pareceu uma eternidade, finalmente cheguei ao final, vendo um túnel à frente. A luz tênue da lua incidia do alto, e por mais que soubesse que não precisava ter medo, ainda assim, sentia um pouco. Se Kai estava mantendo isso em segredo, o que mais ele poderia estar escondendo? *Apenas vá, Banks.* Quanto menos souber, maior é o medo, então vá em frente e descubra mais.

Fui andando e mantendo olhos e ouvidos atentos. Pisei em uma grade de aço e quando olhei para baixo, vi o fluxo de água. Acima havia outra grade por onde era possível ver o céu escuro e estrelado. Era um esgoto para o escoamento da chuva. As paredes de pedra e o túnel haviam sido construídos há várias décadas, provavelmente. Vários arcos se abriam à minha direita, e era bem possível que fossem desvios para outras áreas da cidade, mas agora as passagens se encontravam obstruídas. Só havia um sentido a percorrer. Em frente.

— Kai? — gritei novamente, olhando adiante. — Kai, você está aí embaixo?

Claro, ele não respondeu. Talvez ele não pudesse mais me ouvir.

Acelerei meus passos e desci o túnel, chegando em outra escada. Olhei para cima, incapaz de ver o topo. Parecia não acabar nunca.

Engoli, sentindo a garganta seca. Eu já estava sem comer ou beber alguma coisa há horas.

Bem, pelo menos estava subindo. E isso devia ser bom, não é? O topo devia estar no nível do solo.

Subi às pressas, olhando por cima do ombro diversas vezes para garantir que não havia nada assustador na minha cola. Os músculos das minhas pernas começaram a gritar em protesto, e diminuí a velocidade um pouco, não acostumada a uma inclinação tão íngreme. Onde será que isso dava?

Chegando ao topo, vi uma porta se abrindo em uma sala, exatamente como a que atravessei.

Estendi a mão e empurrei a parede um pouco mais para conferir, vendo a divisória se afastar facilmente. Que diabos era isso?

Entrei em uma sala enorme com tetos abobadados e móveis. O piso de madeira brilhava à luz que provinha da lareira acesa, e um longo tapete persa se encontrava sob os sofás de couro preto e as elegantes mesas de madeira. As paredes estavam adornadas com todo tipo de arte, uma luminária prateada ficava sobre uma mesa cheia de papéis. Música vinha de algum lugar fora do escritório.

Meu pulso disparou.

Segui o som pela sala e entrei em um grande vestíbulo, o tempo inteiro olhando para os lados a fim de conferir o espaço vazio acima de mim. Girei em um pequeno círculo, assombrada.

— Meu Deus... — sussurrei, trêmula.

Outra sala, uma de estar, possivelmente, ficava do outro lado do corredor; havia uma grande escadaria atrás de mim, que se abria em dois corredores de cada lado, levando ao fundo da...

Casa.

Isto era uma casa.

A casa dele.

Tudo o que imaginei que o lugar onde Kai moraria poderia ser. Muito mais até.

Eu podia sentir o cheiro da tinta fresca enquanto observava as molduras ornamentadas que adornavam as fotografias nas paredes, e as belas mesas, cadeiras e sofás espalhados por todo o escritório e sala de estar. Um lustre de cristal pendia logo acima, tilintando com a leve brisa que entrava no túnel.

Era uma casa projetada por um homem que se preocupava com detalhes, refletindo suas heranças japonesas e italianas. Elegante, equilibrado e organizado, mas também decorado, rico em detalhes e exuberante como uma mansão europeia.

Subi a escadaria escura, seguindo a música enquanto meu corpo se enchia de adrenalina. Os amigos dele conheciam esse lugar?

Era grande e espaçoso, mas também secreto e aconchegante. Como uma câmara escondida e cercada pelo mundo exterior.

Como se ele tivesse criado seu próprio confessionário aqui.

Ou... seus próprios Campanário, sepultura, *The Pope*...

Continuei andando pelo corredor do andar de cima, seguindo o som da melodia que identifiquei como uma versão do *Paint It, Black*, até passar por um quarto com a porta aberta e parada.

A cama de dossel preta estava perfeitamente arrumada, lençóis brancos, edredom e travesseiros, e, quando entrei, avistei uma imagem imensa emoldurada na parede. Uma noite chuvosa e escura com um sol vermelho, tsurus voando...

E aquele símbolo japonês bem ao centro. O mesmo que figurava a placa do *Sensou*.

Guerra. Era o que aquilo significava. Assim como o nome do lugar.

Ouvi o chuveiro sendo desligado, e andei em direção à porta, virando e deparando-me com a suíte.

Kai estava parado no grande espelho redondo, com uma toalha enrolada no quadril enquanto passava as mãos pelo cabelo. Gotas de água brilhavam em suas costas e vapor enchia a sala.

— Kai.

Ele fez uma pausa, fixando o olhar em mim através do espelho.

— O que é isso? — perguntei, entrando devagar.

— A casa na colina.

— E esta é a sua casa? — deduzi. — Sua casa de verdade?

Eu já sabia a resposta – seu cheiro estava em toda parte –, mas não tinha mais certeza de nada e precisava ouvi-lo admitir.

Ele assentiu, sorrindo.

— Você não achou, de verdade, que eu morasse naquele lixão, não é?

Bufei uma risada, mas estava prestes a cair no choro também. Eu estava tão cansada.

— Kai, Jesus...

Comecei a protestar, louca para questionar a razão de tudo aquilo, o porquê mantinha aquele lugar em segredo, mas ele se virou, balançando a cabeça.

— Apenas me dê dez minutos, okay? — pediu, parecendo tão cansado quanto eu. — Apenas me dê dez minutos com você, e então podemos conversar a sério.

Kai andou até onde eu estava e retirou meu casaco, colocando-o sobre um banco próximo à imensa banheira branca. A água já a enchia enquanto as bolhas de sabão subiam à superfície. Por instinto, estava prestes a discutir com ele, mas fui interrompida com suas palavras:

— Eu vou explicar tudo em dez minutos.

Senti as pálpebras pesarem e deduzi que já devia ser bem tarde. Deixei que me despisse, livrando-me de todas as peças, e em nenhum momento ele tentou me beijar ou me acariciar, embora não tivesse me importado com isso se meu cansaço não fosse tão grande.

— Entre na banheira — instruiu.

Fiz o que me pediu e senti, de imediato, os arrepios deliciosos que se espalharam pelas pernas enquanto a água quente aquecia minha pele. Sentei-me devagar e ergui os joelhos, abraçando-os contra o peito. Pensei que Kai se juntaria a mim, mas ele pegou uma calça e começou a vesti-la.

Mordi meu lábio inferior quando algo sob minha pele se agitou ao contemplar sua nudez. Ele ergueu a cabeça e desviei o olhar, mas detectei o sorriso idiota quando me encarou.

Colocando minhas roupas sobre o balcão, sentou-se na banqueta ao lado e pegou uma esponja de banho, mergulhando-a na água. Em seguida, afastou meu cabelo por cima do ombro e passou a ensaboar minhas costas.

Virei a cabeça e tentei retirar a esponja de sua mão.

— Eu posso fazer isso.

No entanto, ele a tirou do meu alcance e disse com gentileza:

— Sei disso.

Eu não gostava que ninguém fizesse as coisas por mim. Sentia-me desconfortável quando tentavam cuidar do meu bem-estar. Não estava acostumada àquilo.

Mergulhando a esponja novamente, ele espremeu a água nas minhas costas, deixando-a cair em minha pele, e fechei os olhos, rendendo-me.

— Aahh... — suspirei.

Minha cabeça pendeu para o lado quando ele começou a esfregar meu ombro e pescoço, a sensação como a de um cobertor quentinho. Nós não conversamos, e ele não precisou me dar ordens, simplesmente inclinando minha cabeça para trás e derramando água sobre meu cabelo antes de lavá-lo. O tempo todo, meus olhos se mantiveram fechados. Seus dedos no meu couro cabeludo, a água quente, o cheiro dele e de seu sabonete de banho me deixaram zonza e chapada. Nunca havia me sentido tão bem em toda a minha vida.

Quase me senti feliz.

Depois de lavar o meu cabelo, ele lavou meu corpo, deslizando a esponja entre as minhas pernas. Abri os olhos, em alerta.

— Use suas mãos — eu disse a ele. — A sensação é mais gostosa.

Seus lábios se curvaram em um sorriso quando ele soltou o material e passou a ensaboar as mãos. Ele as deslizou, em seguida, por entre minhas pernas, pairando ao redor enquanto me dava banho.

Estava prestes a fechar os olhos outra vez quando ouvi o som de um telefone.

Kai virou a cabeça, tentando enxergar a tela do celular em cima da pia. Então suspirou e afastou as mãos, secando-as.

— O que houve? — Sentei-me, abraçando os joelhos.

Ele olhou para o telefone com o cenho franzido, lendo a mensagem, e se pôs de pé.

— Michael — informou, inclinando-se e beijando minha testa. — Ele está no portão. Preciso lidar com ele. Tenho roupas no quarto, então encontre algo que queira usar para dormir e vou trazer alguma coisa de comer quando estiver de volta, tudo bem?

Assenti, relutante, observando enquanto ele se afastava e desaparecia pelo corredor.

Então, obviamente, seus amigos sabiam onde ele morava. Embora me perguntasse se eles já haviam estado aqui na colina. Quando o investiguei, não encontrei nenhuma indicação da existência desse refúgio. Nunca vi Kai ou seus amigos se dirigindo a essa casa.

E eu precisava admitir que era um lugar lindo. E, claro, estive certa o tempo todo, já que não havia como ele morar naquele casebre.

Terminei meu banho e puxei a tampa do ralo, levantando-me. Peguei uma toalha na prateleira mais próxima e sequei-me, tirando toda a espuma. Em seguida, enrolei-me no tecido macio e felpudo.

Depois de pentear o cabelo – e sentir o cheiro da embalagem de seu perfume –, voltei ao quarto para escolher uma camiseta dentro de uma gaveta. Eu sempre usava as coisas do meu irmão, porque era isso que ele me dava para vestir, mas acabei sorrindo quando vesti a camiseta de Kai. Queria sentir suas roupas e seu cheiro envolvendo corpo.

Encarei a porta do quarto e, rapidamente, levei a toalha para o banheiro, joguei-a no cesto e dobrei minhas roupas para deixá-las sobre a pia.

— Não! — Ouvi um grito e parei, virando a cabeça.

— Como você teve coragem de levá-la para perto daquele filho da puta? — outra voz berrou.

Michael. Fiquei surpresa por ouvi-lo até aqui.

Larguei as roupas e andei devagar pelo quarto e corredor, chegando ao topo da escada. Olhando por cima, avistei o vestíbulo vazio, mas lembrei que estava usando apenas uma camiseta, logo, não poderia descer até lá. No entanto, fui até o último degrau e parei, ouvindo os ruídos que vinham do escritório.

— Eu não preciso te pedir permissão para fazer coisa alguma. Ela faz suas escolhas! — Kai retrucou, irritado.

Ela? Será que ele se referia a mim?

— Rika é minha! — A voz de Michael baixou, mas a fúria ainda era palpável. — *Minha* companheira, se você tem algum conceito do que diabos isso significa. Tomamos decisões juntos!

— Vocês por acaso repararam que estou aqui?! — Ouvi Rika gritar. — Falem comigo!

Ah, era sobre ela que estavam discutindo. Então era provável que Michael tenha ficado sabendo do jantar hoje à noite. Deduzi que Kai não deveria ter deixado Rika ir à casa de Gabriel, pelo jeito.

Avistei Will recostado contra a parede, com os braços cruzados enquanto apenas observava.

Kai continuou:

— Foi você mesmo quem disse que Rika é uma de nós. Ela pode aguentar o tranco. Ela é igual, então...

— Ela não é igual! — Michael gritou.

E todo mundo ficou em silêncio.

Droga, eu gostaria de poder ver seus rostos.

— Ela nunca será igual! — ele continuou. — Ela sempre significará mais do que vocês.

Meu coração disparou, e eu só conseguia imaginar o rosto de Kai quando essas palavras pairaram no ar. Teria ele ficado magoado por conta do que Michael disse?

Mas, se fosse comigo, eu também não esperaria significar mais do que tudo, incluindo os amigos, para o homem com quem me casaria?

A julgar pelo silêncio da sala, todos deviam estar percebendo que a dinâmica do grupo agora era diferente do que era antes.

— Eu amo vocês — disse Michael —, mas vocês são burros, porra? Vocês são meus amigos, enquanto *ela* é *tudo* para mim. Talvez um dia entendam o que diabos estou tentando dizer.

Quando dei por mim, ele entrou no vestíbulo e seguiu em direção à porta, levando Rika pela mão. Ela lançou um olhar triste para os caras. Na mesma hora recuei para as sombras, fora da vista.

Era nítido que ela estava triste por eles terem discutido aos gritos, mas o que se poderia esperar? Michael deve ter ficado aterrorizado por ela.

E ele, com certeza, não era o único homem que não queria sua mulher perto do meu pai.

Depois que se foram, Kai e Will entraram no vestíbulo, parecendo abatidos.

— O que isto significa? — Will perguntou, olhando para o amigo.

Porém Kai apenas encarou a porta por onde Michael havia saído.

— Isso significa que precisamos de novos cavaleiros.

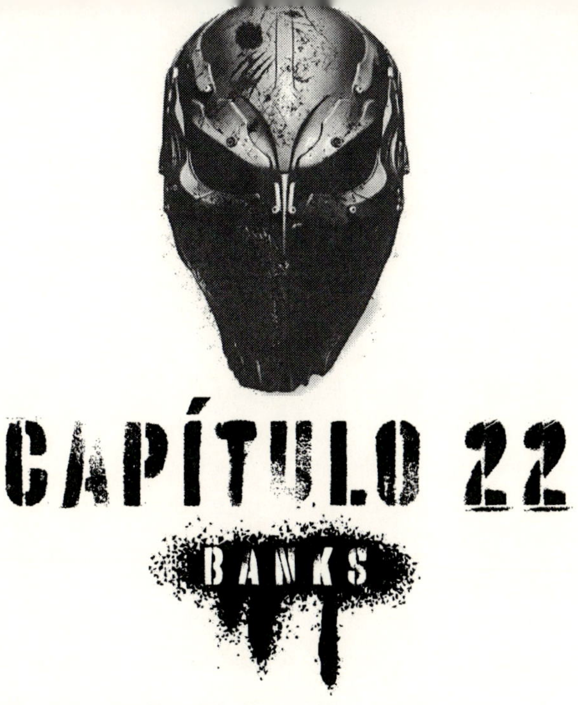

CAPÍTULO 22

BANKS

Dias atuais...

— Olá? — uma voz alegre perfurou meu sono.

Fechei os olhos com força, finalmente percebendo a luz brilhante mesmo por trás das pálpebras. Que merda...? Estava me sentindo um bagaço.

Bocejei, rolando e esticando os braços para cima quando ouvi uma porta se fechando e o farfalhar de sacolas.

— Eu acordei você?

— Dãã... — resmunguei, reconhecendo a voz de Alex.

Sério, qual era a dessa garota? Cada vez que me virara, dava de cara com ela violando meu espaço seguro. Eu queria que ela não gostasse tanto de mim.

Pisquei para abrir os olhos, bocejando novamente.

— Que horas são?

Sem esperar por uma resposta, virei de um lado ao outro em busca de um relógio sobre as mesinhas de cabeceira do quarto de Kai. Devo ter adormecido antes que ele subisse as escadas ontem à noite. Ele e Will ficaram conversando depois da saída de Michael, então me deitei, enrolada em sua camiseta, disposta a esperar.

— Não há relógios aqui — pensei em voz alta, sentando-me.

— Isso aí. — Ela se aproximou e jogou-me ao meu lado, onde os lençóis estavam emaranhados onde Kai havia dormido.

Fiz uma careta, meio desapontada por ter desmaiado de sono quando havíamos compartilhado a mesma cama pela primeira vez.

— Esta casa é como outra dimensão onde o tempo não existe, aparentemente. — Ela gesticulou os dedos à frente, com um som fantasmagórico. — São duas e meia — informou, depois de verificar a tela do celular.

— Da tarde?

Assentiu, colocando um braço embaixo da cabeça.

— Você devia estar bem cansada.

— E Kai simplesmente me largou aqui? — Afastei as cobertas.

— Claro que não. Ele trabalhou de casa hoje — esclareceu —, então ficou aqui o tempo todo, mas agora está ocupado com o serviço de *buffet*, e como acabei de chegar, ele me pediu para vir te acordar.

Olhei para ela.

— Serviço de *buffet*?

— Para a festa? — ela apontou, tentando reavivar minha memória. — A festa do pijama que Will queria fazer na Noite do Diabo?

Ah, é mesmo. Lembrei-me de ter ouvido algo sobre aquilo por alto. Não sabia que Kai seria o anfitrião.

Eu me levantei da cama, sentindo o cheiro de café e pão, notando uma bandeja perto da porta.

— Mas a Noite do Diabo não é só daqui a alguns dias? — Minha pergunta foi retórica.

— Sim, mas eles são homens agora. Nada de festas nos dias em que trabalham à noite.

Ela sorriu com candura enquanto eu procurava minhas roupas. Ah, claro. Eu as havia deixado no banheiro.

— Eu tenho um monte de coisa para fazer. — Enfiei-me no banheiro da suíte em busca das roupas sobre a pia, mas não as vi em lugar nenhum. *Merda!*

Se Kai assinou o contrato, talvez Damon já tivesse ficado sabendo e poderia chegar em casa a qualquer momento. Eu precisava falar com ele. Será que ele disse a verdade sobre Natalya?

— Você não tem nada para fazer — ela disse, a voz agora mais perto —, nada com que se preocupar e pensar. Kai está lidando com seu chefe, ainda não há nenhuma novidade sobre o retorno de Damon, e você não tem absolutamente nada para fazer hoje. Então, coma.

Voltei para o quarto enquanto ela colocava a bandeja de comida na cama.

— Eu não consigo comer — retruquei. — Não posso ficar aqui. Eu...

Parei de falar, seguindo até a cômoda. Abri algumas gavetas e procurei por alguma peça de roupa que pudesse usar. Por fim, achei uma calça de moletom na terceira gaveta.

— Você pode fazer o que quiser — ela ralhou, em um tom sério. — E eu diria que todos nós devemos nos divertir, não é?

Sorri, mesmo sem querer. *Do que você está falando? Diversão? Nunca ouvi falar disso.*

— Se você for embora — alertou —, Kai vai atrás de você. E então todos nós o seguiremos. E é bem capaz que vai acabar dando merda. Vamos lá, uma noite não fará diferença.

Parei o que estava fazendo. Sim, Kai *iria* atrás de mim. Não duvidava nem por um minuto disso. Se, por algum milagre encontrasse Damon, eu precisava estar sozinha.

— Agora... — Ela sorriu enquanto caminhava até as sacolas de lojas que estavam sobre uma cadeira, o brilho no olhar indicando que saíra vitoriosa na discussão. — Sabendo que você é tímida, tomei a liberdade de escolher pijaminhas especiais para você para a festa de hoje à noite.

Horas depois – e algumas bebidas que Alex me coagiu a beber –, criei coragem para descer à festa já rolando. Kai saiu de casa depois que comi o almoço tardio que Alex havia levado para mim, então não o tinha visto desde a noite passada.

Fiquei me perguntando se talvez ele estivesse preocupado. Ou de mau humor por conta da discussão com Michael no dia anterior. Ou se estava com raiva de mim. Talvez ele achasse que eu fosse culpada por tudo aquilo, por ter se sentido obrigado a assinar o contrato, e, mesmo que eu soubesse que não tinha culpa nenhuma, também sabia que estávamos nos envolvendo cada vez mais. E isso era definitivamente, em parte, minha culpa.

Se ele soubesse que Damon era meu irmão, poderia entender por que meus sentimentos eram tão fortes e não teria que esperar que fizesse escolhas que sabia que eu não poderia fazer.

Eu deveria contar a ele. Um segredo a menos, certo? Mas não havia garantia de que ele desistiria da vingança e, além do mais, mesmo sem ter me usado como um trunfo ainda, poderia acabar fazendo isso. Eu não queria que ele soubesse *exatamente* o que tinha em mãos.

No entanto, definitivamente, eu precisava conversar com Kai. O que ele ia fazer com o contrato? E se Vanessa aparecesse por aqui?

E por que ele manteve essa casa às escondidas? Por que a entrada secreta?

Argh. Talvez eu devesse usar aqueles "pijamas" que Alex comprou para mim, afinal. Talvez a mente dele se abrisse em um estalo e ele se tornasse mais acessível?

Humm... não. De jeito nenhum eu usaria uma regata preta combinando com uma calcinha da mesma cor e que podiam ser visíveis por baixo de uma saia longa e transparente. Ela até tentou me fazer usar saltos, pelo amor de Deus.

Arranquei o pijama e vasculhei as gavetas de Kai até encontrar um par de boxers. Depois peguei uma de suas camisas sociais brancas no armário. Deixei que ela passasse um pouco de delineador, rímel e batom, mas meu cabelo ficou bagunçado. Brinquei dizendo que queria conservar o visual fofo e amarrotado da cama, quando, na verdade, eu não queria era uma baita produção. Não que não gostasse de me arrumar e ajeitar o cabelo, mas, uma coisa de cada vez. Eu precisava me sentir ainda do jeito que sempre fui. Muita coisa estava acontecendo rápido demais.

Mas pelo menos eu estava mais vestida do que ela em um minúsculo short de seda vermelha com detalhes rendados e um espartilho listrado. Talvez até pudesse me arriscar em usar algo assim, só que, definitivamente, em privado.

— Vamos. — Segurou minha mão.

Adentramos o corredor imerso em penumbra. Olhei de um lado ao outro, avistando as luzes apagadas dando lugar às velas que brilhavam em seus castiçais nas mesinhas alinhadas ao longo da parede. Música soava no andar inferior, e o som distinto da campainha se fez ouvir em meio a risos e conversas, saltos altos e copos tilintando.

Quando cheguei ao topo da escada e vi a quantidade de pessoas que estavam ali, travei. Algumas eu reconhecia de Thunder Bay – antigos colegas de turma de Damon –, e outras, como jogadores do Storm, time de Michael.

— Não gosto... — Soltei-me de seu agarre. — Não sei se pertenço a este lugar. Não gosto disso. Acho que…

Eu não sabia o que dizer. Meu corpo estava coberto, e, no *The Pope*, anos atrás, corri pelos corredores em nada mais do que as boxers por baixo do agasalho, mas agora...

Olhei para todas essas mulheres vestidas em suas *lingeries*. Sensuais. Bronzeadas. Bonitas. Eu não queria me vestir daquele jeito, mas também não achava que me encaixava ali. A única pessoa para quem eu queria usar essas coisas era Kai, e nem mesmo pude fazer isso. Essa era a praia dele, não a minha.

Recuei um passo. Seria mais divertido ficar aqui em cima e explorar o resto da casa de qualquer maneira. Havia dezenas de quartos, e, certamente, um sótão. Sem mencionar que, já que havia uma passagem secreta no escritório, era capaz de que houvesse mais espalhadas. Qualquer coisa seria mais divertida do que isso.

No entanto, mãos agarraram meus quadris por trás, e o sussurro de Kai, de repente, ressoou em meu ouvido:

— Onde acha que vai?

Cruzei os braços sobre o peito.

— Não gosto de me exibir para o público masculino.

Seu peito tremia com uma risada.

— Bom, fico feliz em ouvir isso, porque sou o único homem cuja atenção você deveria estar tentando chamar e, querida, você conseguiu isso anos atrás, mesmo enquanto usava as roupas de outro cara. — Ele beijou minha têmpora, o hálito quente enviando calafrios na minha espinha. — Então, você pode imaginar como está linda agora usando as minhas.

Meu coração acelerou, e, de repente, enchi-me de coragem.

Sem outra palavra, ele passou por mim, descendo as escadas, a fim de cumprimentar seus convidados. Observei os músculos de suas costas, visíveis por estar usando apenas a calça do pijama como muitos outros ali. Na mesma hora, senti meu corpo aquecer. Porém, já não estava tão nervosa, então desci as escadas ao lado de Alex.

A festa não estava tão cheia quanto pensei. O andar inferior poderia comportar facilmente mais de cem pessoas, mas parecia haver apenas entre setenta e oitenta dos amigos íntimos da turma deles. Jogadores de basquete, colegas de trabalho, velhos amigos do ensino médio...

E o local estava montado como uma festa do pijama, de acordo com o tema das roupas escolhidas por Will.

Mesas enchiam a sala de jantar, recheadas de uma variedade sem fim de lanches, enquanto *Heavy In Your Arms* tocava pelo alto-falante da casa.

Garçons circulavam com mais aperitivos, incluindo taças de vinho cheias de leite, cobertas com um enorme biscoito de M&M com lascas de chocolate. Dei um sorriso, adorando aquela sensação da infância. Não que qualquer uma das *minhas* lembranças remetessem àquilo, mas eu achava que era assim que uma criança devia crescer. Almofadas enormes estavam espalhadas ao redor; jovens mulheres vestidas em camisolas sensuais e com pijamas mais bem-comportados como o meu, achavam-se deitadas enquanto lanchavam e batiam papo.

Havia até mesmo uma bela tenda no canto da sala, feita de lençóis e amarrada com luzes brancas de Natal brilhando no interior.

— Isso não parece nem um pouco o estilo de Kai. — Olhei em volta, percebendo como a atmosfera havia deixado as pessoas meio divertidas. Um cara, com mais de um metro e oitenta, se enfiava dentro da tenda logo atrás de sua namorada eufórica.

— E não é mesmo. — Ela engoliu uma dose de *Patrón* e chupou uma fatia de limão. — Eu planejei isso.

— Por quê?

Alex deu de ombros.

— Will precisava se divertir com seus amigos. Kai achou que era uma boa ideia, então ofereceu a casa dele. Até que enfim.

Ela me estendeu uma dose, mas neguei com a cabeça. Eu ainda estava nervosa e queria manter a lucidez.

— Se Kai tivesse mais habilidade — disse uma voz masculina —, ele teria dado um jeito de ter você, sem precisar assinar um contrato.

Eu me virei, vendo Michael se aproximar de mim. E ele não parecia estar brincando.

No entanto, Kai o seguiu, balançando a cabeça.

— Cale a boca — ele resmungou.

Michael estava sem camisa e usava uma calça de pijama preta, os olhos me examinando de cima a baixo.

— Você fica ótima quando está arrumada. — Ele sorriu, baixando a voz para um sussurro: — Ainda melhor do que na última vez em que te vi de pijama.

Parei de respirar, temendo o pior, mas ele se virou para observar a festa junto com Kai. A última vez que ele me viu de pijama foi há seis anos, e embora Kai pensasse que ele devia estar se referindo àquela noite, no *The Pope*, o sussurro silencioso de Michael insinuava a maneira como ele havia se esgueirado na cama de Damon e em cima de mim bem antes. No dia em que descobriu que eu era irmã de seu amigo.

Então, ele sabia quem eu era. E daí? Ele também sabia que isso não mudava nada, e o que percebi é que Michael só interferia em algo quando era necessário. Damon sempre gostou disso nele. Enquanto Will era intrometido e Kai tentava comandar, Michael raramente interferia na forma como meu irmão gostava de se divertir.

Kai descobriria em breve, mas eu esperava que não o fizesse ainda.

— Vocês dois estavam prestes a pular um no outro ontem à noite — indiquei, mudando de assunto. — O que aconteceu?

Por que, subitamente, Michael estava ali participando de uma festa como se nada tivesse acontecido antes?

Ele bebeu sua cerveja e abaixou o copo.

— Nada. A gente discutiu e seguiu em frente. Não somos como garotas.

Idiota.

— Que diabos ela está vestindo? — Kai perguntou, olhando para o vestíbulo.

Segui seu olhar, vendo Rika entrar e entregar o casaco para a atendente. Ela usava shorts de dormir com abacates por toda parte e uma camiseta combinando que dizia: *Eu AbacaTe Amo.*

Michael começou a rir baixinho, balançando a cabeça.

— Não acredito que ela ainda tem esse pijama. Minha mãe deu de presente quando ela tinha uns quinze anos, e eu me senti mal pra caralho por ela. Mas ela usava isso de qualquer maneira. Acho que foi por isso que voltou em casa hoje.

Ele andou até onde ela estava, e vi quando Rika tentou disfarçar o riso envergonhado quando Michael a pegou no colo, gargalhando.

— Então, era permitido usar pijamas normais? — Encarei Alex, que evitou o meu olhar.

— Como eu disse, você pode fazer o que quiser.

Sim.

Eu precisava pegar o jeito disso.

Segunda porta depois da escada.

As velas estavam quase derretidas, então Kai me pediu para pegar mais um punhado no armário do corredor. Eu sabia que algumas das portas davam para o porão ou eram usadas como armários, então encontrei a designada e girei a maçaneta, vendo que era um imenso *closet*. Entrei, vendo que as prateleiras alinhavam-se ao redor, meu dedo firmemente preso à alça do castiçal quando ergui o braço para puxar a corrente que servia como interruptor.

A corrente estalou, mas a luz não acendeu. Olhei à volta, ainda conseguindo ter uma boa visão.

Tudo bem. Velas, velas, velas… Onde estavam?

Inclinando-me, coloquei o castiçal no chão e vasculhei por entre as prateleiras, movendo as coisas para fora do caminho, e meio que me perguntando por que raios estava procurando por aquilo quando havia lanternas e baterias extra bem aqui, na minha frente. Mas as pessoas ricas gostavam de fazer festas à luz de velas, então…

Finalmente avistei as malditas velas do outro lado. Porém, de repente, a porta se fechou e o armário se transformou em penumbra, iluminado apenas pela pequena chama no castiçal. Dei a volta, endireitando o corpo.

— Então, soube que você chutou a bunda da Rika — comentou Michael, bloqueando a porta e se movendo na minha direção. Ele era alto e imponente, e de jeito nenhum eu conseguiria contorná-lo.

Meu coração bateu mais forte, mas afastei o temor.

Era apenas Michael.

— Eu não saí ilesa — admiti, virando para o armário.

— Ouvi dizer que você fez um comentário sobre ela "aguentar dos dois lados".

Eu ri baixinho, encarando-o novamente.

— E você está aqui para lutar por sua honra?

— Rika pode lutar suas próprias batalhas.

Com toda a certeza.

E era óbvio que ela não tinha nenhuma escolha a não ser fazer exatamente isso, porque Michael não era do tipo de agir por ciúmes, raiva ou possessividade. Ele não era de se incomodar com gestos grandiosos, não é mesmo?

Balancei a cabeça.

— Meu Deus, você tem algum orgulho?

Ele me empurrou de volta contra as prateleiras, derrubando as velas da minha mão. Pairando acima de mim, eu mal conseguiria enxergar um palmo à frente, exceto o peito largo. Tentei me acalmar.

— O que acha disso? — ele perguntou, fervendo. — Rika sempre fez parte da minha vida e sempre a amei. Ela é o meu nascer do sol. Sempre foi. E tudo o que fazemos, fazemos juntos. Tudo. — Entrecerrou os dentes. — Ninguém tem o direito de nos julgar, e vamos passar por cima de qualquer um que tentar fazer isso. Você entendeu? Olhe no maldito espelho da próxima vez que quiser caluniar algo sobre ela. Tudo o que você verá é seu próprio ódio e ciúme. Você não sabe muita coisa sobre nós dois.

Eu o encarei de volta, ambos impassíveis, mas meu pulso estava acelerando a uma velocidade alarmante agora. Eu teria me importado se tivesse sido Will naquele trio na sauna?

Não. Até poderia não compartilhar essa mente aberta, mas não teria me importado. Ele estava certo. Eu estava mordida de ciúme.

E esse era um problema meu. Não dela.

A luz incidiu sobre o armário, e quando olhei por cima do ombro de Michael, deparei com Kai à porta. Ele deve ter vindo me procurar.

Michael se virou, mas não saiu da minha frente. Aproveitei a deixa para me abaixar e pegar as velas, reparando no olhar entrecerrado de Kai ante a cena. No mínimo estava pensando o pior.

— O que está acontecendo? — Ouvi uma voz feminina e ergui a cabeça, avistando Rika ao lado dele.

Ai, que maravilha. A festa toda estava aqui.

— Estava prestes a perguntar isso — informou Kai, ainda encarando o amigo.

Até que Michael finalmente se afastou.

— Apenas dando um conselho.

Kai entrou, sendo seguido por Rika, que fechou a porta.

— Você está bem? — ele perguntou, aproximando-se de mim.

— Ela está bem — Michael se intrometeu.

— Estou perguntando a ela.

Kai o encarou, mas Rika deu um passo à frente, colocando-se entre eles.

— Você não precisava dizer nada — ela disse para o noivo. — Se a situação fosse inversa, eu também me sentiria estranha quanto ao que aconteceu.

— Eu não me sinto estranha — interrompi. — Como está o nariz, a propósito?

Ela balançou a cabeça, dando um meio-sorriso. Vindo até mim, disse:

— Eu não sou uma ameaça para você, okay? Eu amo Kai, mas não sou uma ameaça para você.

— Não estou nem aí. — Tentei passar por todos eles. — Deixe-me sair.

— Eu acho que você está, sim. — Michael entrou no meu caminho, mas não me tocou. — E acho que se importa pra caralho, de fato. E meio que te entendo. Quer ficar quite?

Fiz uma pausa, olhando para ele, confusa.

— O quê?

Ficar quite? Tipo...?

— Do que você está falando? — Rika perguntou a ele.

Ele se virou para ela, lançando um rápido olhar para o amigo.

— Kai já transou com você. Por que eu não deveria transar com ela uma vez?

— Você está louco? — Kai interferiu, avançando no espaço pessoal de Michael. — Eu não compartilho.

— Desde quando? — Seu amigo se endireitou, os dois se encarando em desafio. — Por que não a deixa decidir? Veja o que ela diz.

Kai parecia meio desorientado. Como se não tivesse certeza se deveria rir ou partir para cima do amigo.

Eu permaneci lá, boquiaberta, tentando decidir se aquilo era uma piada ou não. Rika não parecia nem um pouco confusa, no entanto. Ela olhou para Michael, como se estivesse preocupada.

— Você é muito bonita — disse Michael, voltando-se para mim, o olhar suavizando. — Rika transou com Kai. Você quer transar comigo? Dessa forma, ficamos todos quites.

Eu estava pasma. Ele não podia estar falando sério.

— Michael. — Rika se aproximou. — Não gosto desse jogo.

— Estou jogando? — perguntou a ela.

O corpo dela tensionou na mesma hora.

Dei de cara com o olhar fixo de Kai em mim. Talvez ele estivesse esperando o que teria a dizer sobre o assunto, mas se escolhesse errado, ele interviria.

De forma alguma ele aceitaria compartilhar. Contive um sorriso, embora também quisesse que ele não o fizesse.

Observei Rika encarar Michael, assim como percebi que ele vacilou ao vê-la chateada. Ele estava me sacaneando. Ambos se pertenciam e sabiam exatamente quem eram e o que queriam.

No entanto, não gostei de ser alvo da zoação de Michael, e decidi que poderia lhe dar o troco. Eu também sabia jogar.

Eu o afastei de mim.

— Transar com você me coloca em pé de igualdade com ela? — questionei. — Meu objetivo não é tão baixo. Eu quero estar em pé de igualdade com Kai.

Suas sobrancelhas franziram em confusão. Encontrei o olhar de Rika, e ela abriu um sorriso.

— Ela é esperta, não é?

— O que está acontecendo? — Michael perguntou, olhando de uma à outra. — O que isso quer dizer?

Estendendo a mão, Rika pegou a minha e gentilmente me puxou para ela.

— Isso significa que, se Kai pôde transar comigo, ela também pode. — E então olhou para Michael. — O quê? Sejamos justos, não é?

Ele franziu a testa, virando-se para Kai, que ficou ali, completamente chocado.

Meu coração disparou, e eu já não tinha certeza se estava blefando quando disse aquilo, ou se iria tão longe quanto dei a entender antes de pensar – como sempre –, mas tinha apenas uma certeza: adorei a sensação dos olhos de Kai às minhas costas agora. Eu amava quando ele me observava e sabia que tudo aquilo era para ele.

Ela segurou meus quadris e abri a boca para protestar:

— Eu não...

— O que você mais gosta que ele faça? — ela sussurrou, aproximando-se.

— Humm... q-quando u-usa os d-dentes? — gaguejei. — Ele morde meus lábios.

Ela ofegou, sua boca pairando sobre a minha.

— Sim, eu gosto quando Michael faz isso também. — E foi exatamente o que ela fez, puxando meu lábio inferior entre seus dentes.

Gemi baixinho, sentindo-me estremecer com o desejo crescente.

— Só que... o Michael — seu hálito soprou no meu ouvido — me morde aqui.

Pegou minha mão e fez com que eu mesma me tocasse. Dei um sorriso, excitada.

— Merda.

Ela me beijou e foi a minha vez de colocar as mãos em seus quadris, retribuindo. Que porra eu estava fazendo?

Rika fechou os olhos, mordendo meu lábio inferior novamente e passando a língua pelo de cima; seu hálito quente e suave me aqueceu em todo lugar. Eu gemia, sentindo o latejar intenso entre as pernas.

— Você precisava ver a cara deles — ela sussurrou, mordiscando meu ouvido. — Eles estão quase loucos.

Meu corpo sacudiu com uma risada e inclinei a cabeça para trás, deixando seus lábios devorarem meu pescoço. Eu amava vê-lo me observando. Amava que estivesse me vendo sentir prazer.

Abaixando a cabeça novamente, deixei o cabelo cobrir meus olhos quando me inclinei perto dela, pressionando nossos corpos juntos, assumindo o comando. Empurrei seu corpo contra as prateleiras, segurando seu rosto enquanto a beijava novamente, surpresa quando ela gemeu e se esfregou em mim.

— Toque-me — ela ofegou contra os meus lábios.

— Puta merda — Michael arfou.

Um sorriso lento se espalhou em minha boca, que devorava a dela, e devagar comecei a deslizar as mãos por baixo de sua blusa. Na mesma hora, ela a retirou por cima da cabeça, expondo os seios nus. Mordi meu lábio e encontrei seu olhar quando segurei um deles com a mão.

Ela soltou um gemido.

— Banks... — Ouvi o gemido de Kai, mas não olhei para ele.

Rika começou a desabotoar minha camisa, e era como se todos os nervos sob minha pele desejassem seu toque. Não consegui arrancar a blusa rápido o bastante. Eu podia *sentir* a língua de Kai na minha coluna, mesmo que ele não estivesse me tocando. Sentia seus dentes e suas mãos nos meus seios.

A camisa caiu no chão e nós nos pressionamos uma à outra, roçando nossos mamilos. Devorei seus lábios novamente, louca para contemplar a expressão de Kai. No entanto, não sabia se deveria me virar, pois não queria quebrar o feitiço ainda. E se ele estivesse com raiva?

Nós nos beijamos, lambemos, ofegamos e mordemos, e cada centímetro da minha pele se resfriou com uma fina camada de suor quando ela apertou um dos meus seios e correu a língua pela minha garganta. Friccionamos nossos quadris, nos esfregando. Minha nossa, eu estava encharcada.

— Tire a boxer dela, Rika — disse Kai, de repente, com a voz rouca. Como se estivesse sem fôlego.

Ela sorriu, encorajada e enfiou os dedos pelo elástico da cintura, puxando a peça para baixo. Livrei-me da roupa, sorrindo. Fiz o mesmo com ela, empurrando seu short do pijama, quase todas as nossas roupas empilhadas no chão enquanto continuávamos a nos esfregar uma contra a outra.

Até que finalmente virei a cabeça, enquanto ela mordiscava minha orelha. Michael estava atrás de nós, mas Kai havia se movido para o canto da porta para ter uma melhor vista. Ele nos assistiu, seu corpo dolorosamente tenso, seu pau grosso e duro projetando contra a calça.

Nós duas encaramos os caras enquanto nos abraçávamos, face a face; Rika depositava beijos suaves nos cantos da minha boca.

— Queremos ser fodidas — disse ela a Michael.

Assenti com a cabeça, um sorriso dançando nos meus lábios enquanto observava os olhos escuros de Kai e deslizava as mãos pela parte de trás da calcinha dela, provocando-o.

Ele se aproximou, enfiou os dedos no meu cabelo e inclinou meu pescoço, me beijando com aspereza e força suficientes para me tirar o fôlego.

Antes que eu me desse conta, Rika foi afastada de mim e ouvi o som de um tecido se rasgando, seguido do sussurro rouco de Michael:

— Porra, monstrinha, eu te amo.

Kai me inclinou e eu apoiei as mãos nas prateleiras em frente quando seu pau tocou minha entrada. Respirei rapidamente, sentindo sua estocada firme quando se enfiou em mim em um só movimento. Gritei, sentindo-o profundamente, a dor suave se infiltrando por dentro. Olhei para o lado, vendo de relance quando Michael pressionou os seios de Rika nas prateleiras e segurou seu joelho para cima, a abrindo enquanto arremetia contra seu corpo. A cabeça dele estava enterrada no pescoço dela, e ela esticou o braço, segurando a nuca dele enquanto ele a atacava com força e rapidez.

Kai rosnou, agarrando meu cabelo e puxando minha cabeça para trás.

— Acho que você gostou muito disso — sussurrou no meu ouvido. — Não é mesmo?

Gemi, mal conseguindo pensar quando fechei os olhos.

— Bem, não vou mais tentar quebrar o nariz dela, se é isso que você quer saber.

Ele soltou uma risadinha.

— Que bom.

Então me puxou mais, e eu virei a cabeça, provando sua boca quando o armário se encheu de gemidos e ofegos. Afastei-me um pouco, encarando-o enquanto ele me fodia.

Eu não o impediria. Nunca seria capaz de impedi-lo. O que estava feito, estava feito, e eu roubaria e cobiçaria todos os momentos que ainda nos restavam. Fechei os olhos, saboreando e memorizando a sensação de seu corpo contra o meu.

Ele agarrou meus quadris e respirou no meu ouvido.

— Eu gosto de você, pequena.

Eu sorri, detestando o apelido estúpido, da mesma forma quando ele me chamava de *garota*.

— Eu também gosto de você.

Eu te amo.

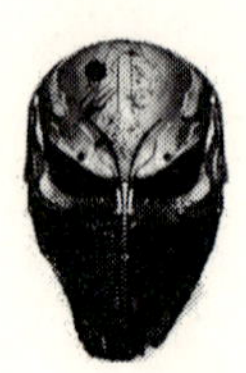

Quando acordei na manhã seguinte, percebi que Kai não estava na cama ao meu lado de novo. A que horas ele acordou? Ele se deitou comigo, mas será que chegou a dormir um pouco? Ele sempre parecia estar fazendo alguma coisa, sempre em movimento, pensando ou correndo. Pisquei para acordar e bocejei, conferindo o relógio. Passava um pouco das oito. Mais tarde do que normalmente me levantava, mas, em compensação, só fomos para a cama às seis.

Levantei-me e fui até a cômoda, abrindo as gavetas a fim de encontrar outro par de cuecas boxer. Depois de vesti-la, segui para o armário, ficando chocada quando abri a porta e me vi dentro do espaço enorme. Quando peguei uma de suas camisas, ontem, não cheguei a reparar na grandiosidade da coisa.

Era tão imenso que dava para caminhar ali dentro. Na mesma hora seu cheiro inundou minha cabeça, quase me deixando tonta.

O *closet* era exatamente Kai, e ao pensar naquilo, balancei a cabeça, sentindo-me estúpida. Eu deveria ter caçoado dele por causa disso. Sabia exatamente que tipo de casa ele teria. Eu não disse a ele? Bela decoração, móveis caros, todas as camisas passadas e alinhadas em cabides de madeira, com a quantidade ideal de espaço entre cada peça de roupa, à perfeição. Um homem que se orgulhava de todos os aspectos minuciosos de sua vida.

Passei as mãos pela fileira de camisas brancas, sentindo o tecido macio e suave entre os dedos. Meu Deus, fiquei surpresa por ele ter me deixado tocá-lo com meus germes. Eu ri baixinho. Ele era uma mistura de Christian Grey com Howard Hughes e Patrick Bateman[5]. Eu daria o fora dali se encontrasse uma serra elétrica ou um machado – *dentro de casa*.

Empurrei todos os cabides até o fim, amassando as camisas e *destruindo* seu mundinho perfeito, enquanto ria para mim mesma ao puxar uma camisa azul de manga longa de um cabide. Eu a vesti e abotoei, saindo do armário assobiando e com as mãos entrelaçadas às costas.

Eu teria que voltar para casa para trocar de roupa em algum momento. Já estava usando as de Kai há dois dias.

Saí do quarto e desci, contornando o corrimão rumo à sala de jantar. O pessoal do *buffet* deixou tudo limpo e organizado logo depois que a maioria dos convidados foi embora, mas a tenda de lençóis e as imensas almofadas ainda se encontravam pela sala.

— Ele não está no *The Pope*. Nós procuramos no décimo segundo andar. — Ouvi Kai dizendo a alguém.

Desacelerei os passos, parando um pouco antes de onde estavam.

— Você tem certeza de que ele não está em outro andar? — Michael perguntou.

— Sim. Ele não está lá, porra.

Damon.

Espiei pelo canto e vi Kai e os amigos – incluindo Rika – descansando em volta da mesa enquanto tomavam o café da manhã, ainda de pijama.

Rika ergueu um grande envelope amarelo, a outra mão chacoalhando uma pilha de caixinhas de... fósforos?

— Nós não sabemos se foi ele quem enviou isso — disse ela a Kai.

— Quem mais teria sido?

— Olhe para o selo postal! — ela exclamou, parecendo zangada quando lançou o envelope para ele por cima da mesa. — É da Cidade do México. Ele não está aqui.

— Olhe para as caixas de fósforos! — ele retrucou, irritado. — Ele poderia mandar alguém enviar isso de qualquer lugar que quisesse. E endereçou a você. Esta é uma mensagem. Ele não está mais me ameaçando.

Ele pegou o envelope e jogou de volta para ela.

---

5 Howard Hughes foi um milionário excêntrico americano, retratado no filme O Aviador, estrelado por Leonardo Di Capprio; Patrick Bateman é o personagem fictício e psicopata, vivido por Christian Bale em American Psycho.

Caixas de Fósforos. Analisei as pequenas caixinhas e os panfletos que deviam estar dentro do envelope, e avistei uma caixa prateada que reconheci imediatamente como sendo do *Realm*, uma boate que os caras frequentavam aqui em Meridian. Tudo aquilo era dessa região? Era por isso que Kai estava preocupado?

Michael passou as mãos pelo cabelo e esfregou o rosto.

— Então, o que você vai fazer? — ela desafiou Kai. — Vai enlouquecer e andar em círculos enquanto ele ri de nós? Damon está brincando. Ele não fará nada.

— Como você sabe?

— Porque ele teve uma dúzia de oportunidades de fazer isso comigo no ano passado, mas parou! Todas as malditas vezes! — Ela se levantou da cadeira e a empurrou para baixo da mesa. — Ele gosta de nos sacanear. Só isso. Apenas deixe-o em paz.

— Por que você sempre diz isso?

Rika hesitou, olhando para ele.

— O quê?

Kai abaixou o tom de voz e se aproximou, desafiando-a:

— Toda vez que queremos lidar com ele, você diz para deixá-lo em paz — comentou. — Ele tem algo contra mim; tentou matar Will. Que diabos há com você? Por que você está protegendo *ele*?

Sua boca se abriu e meu coração acelerou. Ela pareceu ofendida com a acusação.

Os olhos dela dispararam para Michael e depois para Will, que a encaravam da mesma forma que Kai. Protegendo Damon? Por que eles achavam isso?

Ninguém disse nada, até que ela piscou e bufou enquanto pegava o prato e se afastava, vindo na minha direção.

Saí de trás da parede, fora do caminho, e ela passou por mim sem olhar.

Kai percebeu minha presença e sua expressão se suavizou.

— Está com fome? — ele perguntou. — Temos café da manhã.

Observei a mesa farta e assenti.

— Sim. Volto em um minuto.

Eu me virei e passei pelas escadas em direção ao escritório, vendo Rika desaparecer no jardim.

Depois da noite passada, não achava que fôssemos amigas, mas fiquei curiosa. Se meu irmão lhe enviou uma encomenda como forma de ameaça, por que ela não estava mais preocupada? Não era apenas Kai captando seus sinais. A forma como Michael e Will a encararam também...

Segui em seu encalço, agradecida pelas nuvens que bloqueavam o brilhante sol da manhã. Ela se sentou no chão, recostada em uma árvore. Reclinou a cabeça contra o tronco e deixou o prato no chão.

Fui até ela.

— Ei — cumprimentei, quando me deitei ao seu lado.

Ela assentiu, o semblante tenso em preocupação.

— Damon enviou caixas de fósforos? — perguntei, sem hesitar. — Por quê?

Ela encolheu os ombros.

— Tenho mania de colecioná-las — ela respondeu. — Meu pai costumava trazer algumas para mim quando voltava de suas viagens e comecei a guardá-las. Michael continuou essa tradição, e sempre me traz as caixinhas que encontra quando está fora da cidade e eu não vou junto.

Então, Damon sabia que ela gostava disso.

— E ele enviou uma pra você, daqui de Meridian — deduzi. Ele queria que ela soubesse que ele esteve aqui. Ou que estava aqui agora.

Ela ficou quieta por um tempo, e eu queria perguntar mais – saber por que não estava com raiva –, mas não éramos amigas e eu sabia que ela não confiava em mim. Depois do que aconteceu ontem à noite, pelo menos pensei que pudéssemos conversar numa boa.

— Você cresceu com Damon? — perguntou.

— Por um tempo.

Ela abriu a boca para dizer algo, mas parou, hesitando.

— Você já... chegou a ver alguma coisa? — questionou, batucando os polegares no colo. — Coisas que podem ter acontecido com ele?

O quê? Ela sabia?

— Damon te contou uma coisa? — eu quis saber.

— Não, claro que não. — Ela negou com a cabeça. — O irmão de Michael, Trevor, deu essa informação, uma vez. Eu não tinha motivos para confiar nele, mas não consigo imaginar por que ele inventaria uma história assim. Fazia sentido, dada a maneira como Damon é.

Ela finalmente olhou para cima e eu tinha medo do que estava prestes a dizer. Damon não queria que ninguém soubesse de nada que aconteceu em casa. Eu não conseguia falar sobre isso.

— Ele disse que a mãe de Damon... — ela começou, parecendo sentir dificuldade em encontrar as palavras — começou a machucá-lo quando ele tinha doze anos. — E então fechou os olhos, abaixando a voz. — Que ela o estuprou.

Então ela sabia. Será que ela havia contado a Michael?

— Deus, isso me deixa doente só de pensar. — Ela respirou fundo, olhando para longe.

Mas então deu de ombros, acenando para mim.

— Deixa pra lá. Ainda assim, não justifica. Eu só acho que se ele quisesse agir, teria feito há muito tempo, e deveríamos deixá-lo em paz. Talvez ele tenha sofrido e, embora nunca vá perdoá-lo, devíamos esquecê-lo... Ele está doente e não adianta cutucar um urso adormecido.

Concordei com suas palavras. Nada justificava o que ele havia feito. Muitas pessoas tiveram dificuldades na vida e, ainda assim, se comportavam bem.

Em tese, claro.

No entanto, quando você está sendo abusado, ou vive atormentado com as coisas que aconteceram, todos os dias, é um pouco diferente. Ninguém lida bem com algo assim. Eles apenas fingem melhor. De que outra forma você poderia suportar a merda pela qual passou?

— Ele nunca chorou — eu disse, minha voz calma. — Nunca o vi chorar.

Ela ficou quieta e olhei para o céu.

— Quando ela entrava, ele me escondia — continuei, sentindo a pulsação ecoando em meus ouvidos — no armário com os fones de ouvido. E depois que tudo acabava, ele me deixava sair e ia tomar banho. Ele ficava lá por uma hora, ou três, quatro...

Fechei os olhos quando as lágrimas surgiram.

Os rangidos da cama às vezes trespassavam a música nos meus ouvidos. Eu ainda podia ouvir.

— Ele ficava no chuveiro pelo tempo necessário para se recompor novamente — revelei. — Às vezes os cortes estavam nos braços ou no peito. Dependendo da época do ano e do que as roupas cobririam. — Lágrimas silenciosas correram pelas minhas têmporas. — Quando ele tinha quinze anos, começou a cortar a parte inferior dos pés, para sentir dor sempre que andava. Eu não conseguia entender como ele era capaz de correr na quadra de basquete com os ferimentos. Suas meias ficavam todas ensanguentadas. — Eu a encarei, o azul de seus olhos brilhando como uma piscina. — E havia mais coisas que ele fazia. Maneiras de me fazer machucá-lo... — Fiz uma pausa e continuei: — Até que chegou o dia em que ele se vingou dela.

Damon havia espancado sua mãe uma noite e pensamos que aquela seria a última vez em que a veríamos. Foi nessa noite que ele parou de se automutilar, porque aprendeu como era bom machucar os outros. Ele não precisava mais sofrer.

— Damon devora a dor — eu disse a ela. — Ele dará um jeito de sentir, distorcer e fazer descer goela abaixo, só para poder engolir o sofrimento. Ele é feito disso. Vocês todos podem até suportar esse tipo de coisa, superar... mas Damon? Ele quer estar no inferno.

É onde ele brilha.

Voltei a olhar para o céu, posicionando um braço debaixo da cabeça.

— Mas ainda assim... ele nunca chorou.

CAPÍTULO 23

KAI

Dias atuais...

Um toque suave acariciou meu rosto, agitando meu sono. Minha cabeça pesava uma tonelada e eu mal conseguia levantá-la do travesseiro.

Piscando, vi a luz se infiltrar no quarto e Banks deitada ao meu lado. Aquilo me trouxe um sorriso ao rosto. Sempre odiei dormir acompanhado – dormir de verdade, na mesma cama.

Ela era tão quieta, no entanto. E gostei de vê-la no instante em que acordei.

Estendendo a mão, passei um braço em volta de sua cintura e a puxei para perto, mas ela ficou tensa, como se algo estivesse errado. Meus dedos se curvaram ao redor dela, percebendo que estava vestida.

Abri os olhos por completo e vi que seu rosto estava virado para mim, enquanto me observava.

Seus olhos pareciam tristes.

— O que foi, querida? — Eu me apoiei sobre um cotovelo e me virei para ela, mantendo o braço em volta de seu corpo. — O que está acontecendo? Por que você está vestida?

Ela estava usando a mesma roupa de alguns dias atrás.

Seu sussurro foi quase inaudível quando roçou as costas da mão na minha bochecha:

— Não se esqueça dessa sensação...

Franzi o cenho, confuso.

— O quê?

Levantei e me sentei sobre os calcanhares, avistando o celular em sua mão. Um sentimento perturbador me atingiu. O que ela quis dizer com aquilo?

Peguei seu celular, lendo a mensagem na tela enquanto ela me observava em silêncio.

Olhe pela janela.

Não reconheci o número que também não estava salvo na agenda. Sem nome. Uma única mensagem.

Olhei para ela, em busca de uma explicação, mas ela parecia paralisada.

Desci da cama e fui até a janela do quarto que dava vista para a cidade. Senti o frio no estômago na mesma hora.

Uma nuvem de fumaça escura sobressaía no céu, vinda deste lado do rio. Do bairro de Whitehall. Dava para ouvir as sirenes dos caminhões dos bombeiros ao longe, e até mesmo um helicóptero sobrevoava a área.

— O que é isso? — perguntei, voltando a encará-la. — O que está acontecendo?

Ela engoliu em seco, sentando-se com a cabeça inclinada, sem nem ao menos olhar para mim.

— O que é isso?! — gritei, agarrando-a pelos braços para que se levantasse.

A respiração dela acelerou.

— *Sensou.*

Não. Eu a soltei e saí correndo do quarto, descendo as escadas. Mas a porta da frente se abriu e Michael, Will e Rika irromperam sala adentro antes mesmo de chegar até lá.

Will me segurou, tentando me impedir de sair de casa.

— É tarde demais. Acabou — ele disse, empurrando-me para trás e parecendo angustiado.

Agarrei meu cabelo, puxando com força enquanto olhava pela porta da frente e via toda a fumaça escurecer o céu.

Deus, não.

Rika chorava baixinho no vestíbulo e pensei em tudo o que havia construído lá. Todas as armas do meu pai que foram doadas por ele quando abri. Tudo acabado. Todos os documentos, registros, tudo estava lá! Todos os nossos negócios eram feitos dali.

E a clientela que construímos? Já era. Levaria meses para reconstruir.

Cerrei os dentes, a dor da perda quase insuportável.

— Haverá mais incêndios. — Ouvi Banks dizer.

Minha tristeza se transformou em ódio e virei-me, vendo-a descer lentamente as escadas.

Damon havia enviado uma mensagem para ela.

— E ele os trará para Thunder Bay também — alertou ela. — Gabriel não tem mais como controlá-lo.

Quanto tempo ela me deixou dormir? Apenas o tempo suficiente para que o fogo destruísse tudo?

Segurei o telefone, verificando o horário em que havia sido enviado.

Seis minutos atrás.

Pressionei o ícone que poderia direcionar a uma chamada e esperei pelo toque. Entretanto, ouvi apenas uma gravação de voz informando que aquela linha estava fora de serviço. Ele estava usando um celular descartável. Encerrei a chamada e arremessei o telefone por cima do portão, entre os arbustos.

Depois de um momento, Michael entrou na conversa:

— Os caminhões dos bombeiros já estão lá. Vista-se.

Mas fui em direção a Banks quando ela cautelosamente desceu o último degrau da escada.

— Eu não sabia — disse ela.

— Você o teria impedido se soubesse?

A mágoa cintilou em seus olhos, mas seu silêncio disse tudo.

Uma sombra recaiu sobre a sala, bloqueando a luz do sol e, quando me virei, vi os homens de Gabriel do lado de fora da porta, os mesmos que a pegaram na festa de Michael naquela noite.

O de cabeça raspada – David, acho – olhou para mim e inclinou o queixo para ela.

— Vamos embora.

— Ela não vai a lugar nenhum. — Coloquei-me entre ela e o grupo.

— Vanessa se foi — disse David, entrando na casa. — Alguém a pegou e deu um susto do caralho. Ela não quer fazer parte disso.

— Eu não dou a mínima — rosnei de volta, gesticulando para Banks. — *Ela* não vai a lugar nenhum.

— O casamento acabou. Não tem mais acordo — ele repetiu e, quando fiz menção de avançar, abriu a jaqueta, colocando a mão nos quadris.

Um gesto casual, mas que garantia que eu visse a arma presa ao coldre por baixo do braço. De toda forma, fui em sua direção, porém Michael me deteve.

— Eles estão armados. Nós não temos nada. Seja paciente.

Cada maldito músculo do meu corpo retesou, e cerrei os punhos com tanta força ao ponto de sentir dor.

— Não se preocupe. — David sorriu. — Nós não a obrigaremos a ir se ela não quiser.

Eu me virei, encontrando seu olhar, e quando ela vacilou, soube qual seria sua decisão. Meu sangue ferveu.

Foda-se.

Talvez ela realmente os estivesse escolhendo ou talvez pensasse que poderia manter Damon longe de nós se fosse embora, mas eu estava cansado de tentar ser o homem que deveria ser. O homem que eu era quando estava no ensino médio.

Não implore. Se o que ela gostava era de homens que a levassem à força, eu também poderia fazer isso.

Ela passou por mim e eu me virei, vendo-a sair com eles. Antes de desaparecer, porém, se virou, andando de costas enquanto dizia com os olhos marejados:

— Era algo tão simples — disse ela, com calma. — Tudo o que você precisava fazer era perguntar o meu nome.

Hesitei. Do que ela estava falando? Eu sabia o nome dela.

Eles saíram e nós quatro encaramos o SUV preto que acelerou para fora da garagem.

A fumaça do incêndio subia pelas colinas, e dava para sentir o cheiro de madeira e piche do telhado. Haveria mais incêndios e isso era apenas o começo. A Noite do Diabo nem mesmo havia começado antes de chegar à meia-noite.

Virei-me para Rika, vendo seus olhos secos, mas vermelhos.

— Agora você conseguiu entender? — perguntei. Ela tinha que parar de esperar o melhor dele. Aquele lugar nos pertencia. Era nossa empresa. Meu sustento.

— Então, a Noite do Diabo está chegando, não importa o que façamos — Will atestou.

Eu assenti.

— E temos um trunfo — informei, olhando para Michael. — Queremos usá-lo?

No entanto, ele sorriu de um jeito estranho.

— Na verdade — começou —, você tem outra carta na manga.

Tenho?

Ele se inclinou, cruzando os braços sobre o peito.

— O nome dela... é Nikova — ele disse. — Pense direitinho e você chegará à conclusão.

Nik.

Talvez fosse Nikki? Nicole?

Não.

Nikova.

A variante russa feminina de Nikov. Gabriel Torrance tinha esse sobrenome, mas sua família decidiu adotar um nome mais americanizado nos negócios quando imigraram.

Gabriel ainda usava Nikov, no entanto. De tempos em tempos.

E ao que parecia, não permitiu que sua filha ilegítima levasse o nome de família, mas a mãe dela, para irritá-lo, o usou como nome de batismo.

Inteligente, de fato. Com certeza deve tê-lo irritado, mas nem isso foi o suficiente para impedi-la.

— O que você está fazendo aqui, garoto?

Entrei no escritório de Gabriel com Will e Michael ao meu lado.

Dois dos caras de Gabriel ficaram atrás, guardando a porta pela qual havíamos acabado de passar, porém meu olhar pousou em Banks, ladeando o pai e vestindo as roupas velhas de Damon outra vez.

Muita coisa passou a fazer sentido. Embora não tornasse nada melhor.

— Eu vim pela minha noiva — eu disse, encarando-o em sua cadeira. — Vamos acabar com isso.

No entanto, ele apenas ficou ali. Não esbravejou ou gritou como imaginei que faria. Em vez disso, ele só balançou a cabeça, parecendo cansado e perdido em pensamentos.

— Damon... — ele parou, respirando profundamente. — Achei que seu lado impulsivo fosse diminuir e que ele entenderia que gastar energia com peixes pequenos como vocês era uma perda de tempo. — Deu uma tragada no charuto. — Ele tem muito mais paciência do que pensei e é bem peculiar no que se refere às suas vontades em relação a seus amigos.

— Não somos amigos dele.

— Ele não vai parar — assegurou, realmente parecendo arrependido por isso. — E deu um jeito de aterrorizar Vanessa, então o contrato foi anulado. Você deveria estar feliz.

Inclinei-me e apoiei as mãos em sua mesa, sentindo Michael e Will se postarem mais próximos. Eu o encarei, esperando que olhasse bem no fundo dos meus olhos.

Banks estava me observando e eu nem mesmo precisava conferir para saber disso.

Ele finalmente se endireitou e olhou para cima.

— Não estou apreciando nem um pouco me safar dos laços matrimoniais — repliquei calmamente, ríspido. — Também sou peculiar e não sou de fugir. Um acordo é um acordo, e você está preso comigo.

— Bem, não tenho mais sobrinhas para lhe dar.

Olhei para Banks e depois de volta para ele.

— Você tem uma filha — apontei.

Ele pestanejou e ouvi o suspiro assombrado de Banks, e, puta merda, aquilo quase me fez sorrir.

— E não me importo se ela for até o altar usando esses jeans imundos que está vestindo agora — informei. — Faça com que esteja na igreja hoje à noite, e lhe dou minha palavra de que não machucarei o seu filho. Porém, se ela não aparecer...

Peguei um celular de dentro do bolso e o mostrei.

Seu olhar se estreitou.

— O que é isso?

— É aquele...? — Banks encarou o objeto antes de olhar para mim. — Você não o destruiu?

Endireitei-me, guardando-o outra vez. O celular era como o nosso anuário no ensino médio. Continha fotos e vídeos de todos os nossos feitos, bons ou ruins, incluindo os vídeos dos crimes que nos levaram à prisão.

Depois que Damon escapou no ano passado, pretendíamos destruí-lo, mas decidimos que ter aquele pequeno trunfo não seria uma má ideia. Depois de apagar os vídeos que nos incriminavam em outros delitos, fizemos o upload de alguns deles em diversos pendrives. Tudo estava salvo.

O telefone era apenas uma jogada de mestre.

Claro, eu poderia usar os vídeos para ameaçá-lo da mesma forma como ele estava fazendo comigo, mas ainda precisava saber onde estava Natalya Torrance. E teria que cuidar disso depois.

Eu me virei e fui até a porta, sendo seguido por Michael e Will.

— Ela é uma bastarda! — ele gritou. — Uma de muitos que tenho por aí. O que faz você pensar que casar com ela te dá algum poder sobre mim? Você sabe que não dou a mínima para ela.

Paramos e virei a cabeça por cima do ombro, meu olhar se fixando em Banks na mesma hora.

Ela estava imóvel, encarando a mesa à frente. Meu instinto me dizia para tirá-la daqui agora. Para levá-la para casa e garantir que nunca mais ouvisse palavras como essas.

Mas ela fez suas escolhas.

— Você pode não dar a mínima — respondi —, mas Damon dá. Ele se importa muito com ela, não é? Talvez você esteja morto em uns cinco anos, mas terei seu único herdeiro no lugar onde o quero. — Encontrei o olhar de Banks. — Se eu a tiver.

Ele tomou algo que eu amava hoje. Agora eu pegaria o que ele mais ama.

CAPÍTULO 24

BANKS

Dias atuais...

QUANDO KAI SAIU DO ESCRITÓRIO, COM OS AMIGOS EM SEU ENCALÇO, O silêncio prevaleceu até que ouvimos o baque surdo da porta da frente sendo fechada.

Então meu pai se levantou da cadeira, virou-se e agarrou minha mandíbula, apertando com força.

Arfei ao sentir os dedos cravando na minha pele.

— Eu gostaria de poder te matar — disse, ríspido. — Quebraria a porra desse seu pescoço em um segundo se não soubesse que esse filho da puta perderia a paciência e faria algo estúpido.

Ele me empurrou para longe e tropecei em David, que me segurou antes que eu caísse no chão.

— Certifique-se de que ele a receba bem usada — disse ele a David.

Perdi o fôlego.

— O quê?

No entanto, não obtive nenhuma resposta. Ele deu a volta na mesa e saiu apressado, deixando-me sozinha com os caras.

Afastei-me de David e esgueirei-me para o lado, ficando de frente para todos eles. O que diabos ele quis dizer com aquilo?

Um dos mais jovens, McCandless, se aproximou de mim, devagar, com um sorriso malicioso no olhar.

Mas Ilia se afastou do outro lado, colocando a mão em seu peito, impedindo-o.

Um instante de alívio me atingiu. Eu poderia derrubar um, mas não todos. David, Lev e Ilia não me machucariam.

Porém os olhos azuis gélidos se voltaram para mim e ele se moveu, tirando o casaco.

— Quero isso há muito tempo — disse, jogando a peça de roupa em cima da mesa.

Meu estômago deu um nó e minha boca se abriu, em choque. Deus, eu ia vomitar.

Passando os dedos pelo cabelo loiro, estendeu a mão e agarrou-me, puxando-me contra o seu corpo.

Grunhi e afastei-me depois de empurrá-lo para correr até a porta. O problema era que havia mais dois guardas lá, e mal dei um passo quando Ilia agarrou a parte de trás do meu casaco e puxou-me com força, lançando-me no chão.

— Ah! — gritei, a dor reverberando pelas minhas costas, mas rapidamente me virei e me afastei.

Eu poderia dar um jeito de alcançar as portas do pátio. Embora ainda fosse o fim da tarde, em breve estaria escuro. Daria para despistá-los na floresta.

Meu tornozelo foi agarrado, impedindo minha fuga. Cravei as unhas no piso de madeira, tentando me colocar de joelhos para me levantar, mas meu corpo grudou ao chão com o peso de Ilia. Perdi o fôlego, totalmente sem ar.

Meu casaco fechado apenas com os botões foi arrancado por trás e o gorro se soltou, fazendo meu cabelo cobrir meu rosto.

Procurei David e Lev, incapaz de levantar a cabeça bem o suficiente, mas não os vi em lugar nenhum. Onde eles estavam? Eu não podia acreditar que eles permitiram que isso estivesse acontecendo. Fechei os olhos, tremendo com um soluço silencioso que me recusei a deixar escapar.

Ouvi um barulho atrás de mim, mais grunhidos e um baque surdo, como se uma mesa tivesse tombado, no entanto, não conseguia ver nada.

E então a mão no meu jeans. Ilia começou a puxar a calça pelos meus quadris quando tudo dentro de mim entrou em ação. Eu me debati, chutando e tentando me virar enquanto rosnava, com os dentes à mostra. Assim que conseguisse ficar de frente a ele, o morderia com toda a minha força. Faria exatamente o que disse para Rika fazer.

Ele agarrou meu cabelo com brutalidade e empurrou minha cabeça no chão enquanto tentava arrastar a roupa. Cerrei a mandíbula, desesperando-me por um instante.

Não.

Não!

— Você não vai gritar? — provocou no meu ouvido. — Chorar?

Não.

Eu o senti abrindo seu próprio jeans às minhas costas, e então se inclinou novamente, deslizando a mão entre as minhas pernas.

— Você pode ser a minha — ele sussurrou — putinha preferida.

Dei um jeito de me contorcer em seu aperto e estiquei o pescoço para morder sua bochecha.

— Argh!!! — ele rosnou e se virou, afrouxando o aperto por tempo suficiente para que eu conseguisse me soltar enquanto tentava pegar qualquer coisa por perto.

Agarrei-me à perna de uma pequena mesa redonda e puxei, pegando uma tigela de cristal que caiu no chão. Com ela em mãos, virei-me e espatifei-a na lateral de sua cabeça, vendo os cacos de vidro voando para todo lado.

Usei os pedaços que restaram para enfiar em seu rosto, rasgando a pele, e nem sequer me dei conta da dor aguda quando alguns perfuraram minha palma por baixo da luva.

Ele gritou, tombando para o lado. Rapidamente me livrei das botas e dos jeans que estavam enrolados ao redor dos meus joelhos e me afastei dele. Tateei a mesa de Gabriel para me apoiar e, quando fiquei de pé, avistei o abridor de cartas dourado que ele sempre deixava por ali.

— Venha aqui, sua vagabunda.

Agarrando o objeto pontiagudo e segurando-o com força, eu me virei, sem saber o quão perto ele estava. O abridor acertou um lado de seu rosto, fazendo um corte carmesim desde a orelha à boca.

Ele agarrou sua bochecha, caindo de joelhos novamente. Cerrei meu punho, ignorando a dor por conta dos cortes, e o soquei o mais forte que pude, de novo e de novo, até que já não tinha mais fôlego.

Ele caiu de costas, exausto, e quando olhei para ele, ainda com a lâmina afiada em punho, duelei comigo mesma se deveria ou não enfiá-la em seu peito.

Eu queria que todos – todos – soubessem que não poderiam me machucar. Eu nunca permitiria.

Levantei o olhar e avistei David mantendo um dos guardas imobilizado com um mata-leão, enquanto Lev continha o outro contra a parede. Eles também estiveram em um confronto. E estavam me protegendo, afinal.

Larguei o abridor de cartas no chão e peguei o guardanapo em cima da louça do jantar de Gabriel em sua mesa. O sangue escorria do meu nariz, ao redor dos meus lábios, pingava do meu queixo; eu me limpei, ainda sentindo o gosto metálico se infiltrando pelos meus dentes.

Enrolei o guardanapo ao redor da minha mão para cobrir os cortes e caminhei em direção ao homem que agora estava caído aos pés de David. Sem pensar duas vezes, agarrei um punhado de seu cabelo, dizendo em um tom baixo:

— Dê o fora daqui com ele. — Indiquei Ilia esparramado no chão.

Eu estaria morta em menos de 24 horas se chamasse a polícia. No entanto, me certificaria de que a justiça fosse feita.

Lev soltou o guarda e os dois saíram do escritório, levando Ilia com eles.

Funguei, saboreando mais sangue que escorria pela garganta enquanto caminhava em direção aos caras. Ainda estava apenas de calcinha e camiseta, e alguns fios se grudavam ao sangue em meu rosto. Aquilo foi tudo o que Lev e David viram enquanto me observavam com cautela, como se não me conhecessem mais.

Merda, até eu me desconhecia.

Mas estranhamente, não me importei. Era quem eu deveria ser.

— Encontre a Marina pra mim — disse a David, passando por ele e saindo do escritório. — Preciso de um vestido.

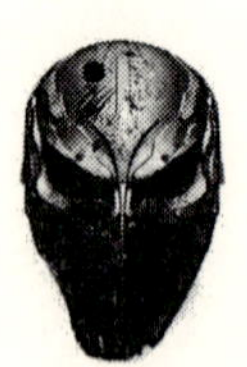

Estava do lado de fora da entrada da catedral, com os braços estendidos para facilitar o trabalho de Marina. Meu corpo foi posicionado em uma dúzia de direções diferentes enquanto ela prendia, costurava e apertava o vestido que me dera quando eu tinha dezesseis anos, mas nunca usei. Foi o único vestido que encontramos às pressas.

Encarei as portas fechadas à frente. *Eu o odeio*. Mas por que não estava mais nervosa? Por que não estava assustada?

Tudo o que eu sentia era raiva e determinação. Já não ligava para o que aconteceria comigo. Kai podia vir com tudo.

— Posso passar rímel em você? — Alex perguntou.

— Por que não? — murmurei.

Esfreguei os lábios, sentindo o batom vermelho que ela havia aplicado. Eu queria parecer bonita, mas não para ele. Algo dentro de mim estava diferente. Já não pensava mais em todas as coisas que queria ser.

Só precisava expressá-las.

Ela delineou meus olhos e retirou a chapinha da tomada depois de ondular algumas mechas do meu cabelo.

— Tenho flores para você — Marina colocou um buquê em minhas mãos.

Apenas arqueei uma sobrancelha e encarei as rosas brancas. No entanto, descartei-as e deixei em um banco de veludo. Foi até legal da parte dela pensar naquilo, mas ela devia me conhecer melhor do que ninguém.

Não dava para ouvir nada do que acontecia dentro da igreja, exceto o eco dos genuflexórios sendo empurrados para cima nos bancos. Alex rapidamente aplicou um pouco mais de pó no meu nariz, provavelmente ainda vermelho do ataque sofrido momentos antes.

Meu corpo ainda estava dolorido. Eu não tinha visto meu pai, Ilia ou os dois guardas, desde que vesti minhas roupas e saí correndo de casa antes que ele descobrisse o que aconteceu. Minha preocupação não era nem tanto comigo, e sim com David e Lev, que foram contra as ordens e me protegeram. Todos nós entramos em um carro e fugimos dali, até que Marina veio ao nosso encontro pouco tempo depois de pegar o vestido.

Fiquei realmente agradecida. Tanto pelo vestido quanto por Alex fazendo a maquiagem para disfarçar os hematomas no meu rosto. Senti como se estivesse colocando uma armadura. Eu queria ser ousada, não invisível. Não queria me parecer como de costume, como se estivesse me desculpando pelo simples fato de existir. Eu estava aqui e foda-se.

Acenei para Alex e ergui a barra do vestido enquanto ia em direção às portas.

— Que porra é essa que você está usando? — Alex explodiu.

Eu me virei para vê-la encarando meus pés.

Olhei para baixo para conferir qual era o problema.

Meus coturnos um pouco arranhados estavam com os cadarços desamarrados, como sempre.

— Eles combinam — respondi e virei-me.

Ignorei o suspiro exasperado atrás de mim.

Soltando o vestido, abri as portas, sem esperar mais. Odiava formalidades, e se Kai queria tanto assim se amarrar, por que não ir apenas ao cartório?

As pessoas permaneciam na frente da igreja quase vazia, alguns paroquianos aleatórios sentados nos bancos na parte de trás. Todos, um por um, pararam para me encarar.

Eu esperava que meu vestido preto fosse uma mensagem óbvia. O corpete apertado era da cor do carvão, deixando meus ombros e braços desnudos enquanto a camada de tule branco se sobressaía ao redor do fundo completamente escuro.

Kai estava no altar, de frente a Michael, mas seu rosto estava virado para mim. O vestido era bonito e encantador, e eu esperava fazer jus a ele.

Sem aguardar que a marcha nupcial tivesse início, andei até ele, com os olhos fixos à frente. O silêncio reinava, enquanto eu absorvia o olhar caloroso de uma dúzia de pessoas.

Meu pai estava sentado à frente, mas só fiquei sabendo de sua presença quando Hanson me encontrou um tempo atrás para assinar a certidão de casamento.

Michael se postou ao lado de Kai, enquanto Will e Rika estavam à minha esquerda.

Havia outras pessoas aqui também, provavelmente convidados do meu pai. Depois que ele se acalmou e parou de se culpar por não ter se livrado de mim muito antes, deve ter percebido que, por mais que eu entrasse sem nada neste casamento, acabaria saindo com a metade de Kai por conta da comunhão de bens.

Ou com tudo, se ele fosse atropelado por um ônibus prematuramente.

Um padre de cabelo branco e óculos saiu de trás de um púlpito quando me viu e desceu rapidamente os pequenos degraus da escada para se posicionar ao centro. Lançou um olhar tenso para Kai, provavelmente achando a "cerimônia" um pouco anormal.

Kai descruzou os braços e me varreu com o olhar de cima a baixo, sem conseguir acreditar. Andando até mim, ele assentiu, e nós dois andamos até o padre.

— Você, usando um vestido — disse, baixinho. — A cor me surpreendeu.

Bundão.

Mas dei um sorriso doce ao homem alto que se postava à nossa frente, contemplando a elegante túnica branca com bordados dourados.

— Nunca usei um — respondi calmamente. — Um vestido, quero dizer. E já que vou me casar apenas uma vez...

— Own, você terá muitas oportunidades de usar vestidos enquanto estiver casada comigo — assegurou. — Planejo tornar este casamento uma tortura para você.

Contudo, apenas retruquei com o queixo erguido:

— Aproveite enquanto pode. Serei uma viúva em breve, tenho certeza.

Ouvi sua risada baixinha ao meu lado, mas ele parou de brincar quando o padre encarou a plateia patética atrás de nós.

— Ouça nossas orações, ó, Senhor — ele disse, abrindo os braços amplamente. — E, em sua bondade, derrame sua graça sobre estes servos, Kai e Nikova, que se reúnem diante do seu altar para confirmar sua união em amor um com o ou...

— Vá logo para os votos — Kai resmungou.

O padre interrompeu a oração, confuso. Quase bufei uma risada. Pobre homem. Foi estranho ouvir o meu nome verdadeiro. Ninguém o usava, exceto minha mãe e Damon, que me chamavam apenas de Nik. No entanto, meu pai não gostava de Nikova, então me acostumei a ser chamada de Banks. Era quem eu era agora.

O padre pigarreou, respirando fundo.

— Kai e Nikova, eu vos pergunto: se unem em matrimônio de livre e espontânea vontade e de todo o vosso coração?

— Sim — respondeu Kai.

Hesitei, mas finalmente assenti, sentindo o peso da presença do meu pai por perto.

— Sim.

— E vocês estão preparados, ao seguir o caminho do casamento, para amar e honrar um ao outro enquanto viverem?

— Sim — Kai disse entredentes, como se estivesse com pressa. — Estou.

Meu coração deu um pulo. Meu Deus, isso realmente estava acontecendo?

— Sim — respondi.

Eu mal podia sentir a presença de Will às minhas costas, e Michael estava tão imóvel quanto uma pedra, mas a inquietação de Rika era nítida à esquerda.

— Estão dispostos a receber com amor os filhos que Deus vos confiar, educando-os no amor de Cristo e da Igreja?

O quê? Disparei o olhar para Kai que simplesmente encarava o padre com uma sobrancelha arqueada.

De jeito nenhum. Podíamos estar aqui sob um falso pretexto, mas isso era baboseira. Eu nem fingiria concordar com aquilo.

— Continue — disse Kai, e percebi que ele também não concordava.

Suspirei aliviada.

O padre olhou para o livro, parecendo nervoso antes de gaguejar:

— D-desde... que vossa intenção é abraçar esta aliança do Sagrado Matrimônio — ele disse, encontrando a voz novamente: — juntem suas mãos e declarem seu consentimento perante o Senhor Deus e esta Igreja.

Kai virou-se para mim e tudo o que eu pude fazer foi cerrar a mandíbula, para que nenhum palavrão me escapasse. De frente a ele, coloquei as mãos nas suas, mas me recusei a segurá-las, apesar do formigamento que corria pelos meus braços.

— Kai Genato Mori — começou o padre —, você aceita Nikova como sua legítima esposa, para honrar e respeitar, a partir de hoje, na saúde e na doença, na riqueza e na pobreza, nos bons e maus momentos, até que a morte os separe?

Até a morte...

Ele olhou para mim, o olhar hesitante, e tive um vislumbre do homem que se sentou à mesa do pai, e me contou aquela história sobre os bifes.

E então sorriu.

— Até a morte — ele especificou. — Aceito.

Perdi o fôlego por um instante e apertei suas mãos apenas porque precisava que as minhas parassem de tremer.

— Nikova Sarah Banks. — O homem mais velho virou-se para mim. — Você aceita Kai como seu legítimo esposo, para honrar e respeitar, a partir de hoje, na saúde e na doença, na riqueza e na pobreza, nos bons e maus momentos, até que a morte os separe?

Eu não podia acreditar que isso estava acontecendo.

Ele acariciou o dorso das minhas mãos, sinalizando que era minha vez de responder, mas me soltei de seu agarre, encarando-o.

— Até que a morte nos separe — murmurei. — O que não deve demorar muito agora, então, sim, aceito.

Kai deu uma risadinha.

Foda-se, isso não era uma piada.

— Que o Senhor, em sua extrema bondade, fortaleça essa união...

O padre continuou com suas bênçãos e o resto passou como um borrão quando trocamos as alianças e o celebrante ofereceu palavras gentis aos presentes.

Soltei o fôlego que estava segurando e baixei o olhar. *Merda.*

Nós estávamos casados.

Olhei de relance para Kai, nós dois de frente para o padre outra vez, e senti a raiva ferver sob a minha pele. *Serei a pior esposa do mundo que você terá.*

— O beijo é uma promessa de um para com o outro — disse o clérigo a Kai. — Vá em paz para glorificar sua união, e agora pode beijar a noiva.

Kai se virou para mim e meu coração quase saltou pela boca, mas...

Mas ele continuou se virando.

E deu meia-volta, saindo dali em direção à porta por onde entrei, deixando-me de pé como uma idiota. Pisquei diversas vezes, sentindo o embaraço aquecer minhas bochechas. *Otário.*

Um por um, seus amigos foram em seu encalço, enquanto as testemunhas tomavam o corredor para sair da igreja. Ele não olhou uma única vez para trás, mas eu sabia que todos naquele lugar estavam olhando para mim. O padre nem mesmo sabia o que fazer. Ficou exatamente como eu. Parado.

Então, pelo jeito, Kai também seria o pior marido. Uma salva de palmas para ele. Sua atitude cruel me deixou realmente impressionada.

CAPÍTULO 25

KAI

Dias atuais...

ALCANCEI A IMENSA TIGELA DE MACARRÃO TIPO SOBA E ENCHI MEU PRATO outra vez.

— Caralho — resmunguei entredentes, pensando na confusão onde havia me enfiado. Como diabos tudo saiu fora de controle? O que eu faria depois? Qual era o objetivo final?

Eu queria encontrar Damon. Era isso. Precisava descobrir se ainda havia perigo para Rika, Michael ou Will, e descobrir o que ele fez com o corpo, para que eu pudesse lidar com isso e me entregar à polícia ou fazer com que a cadela psicótica tivesse o fim merecido. E se assim fosse, certificar-me de que ela permanecesse bem escondida. Ou lidar com isso se não estivesse.

Eu nem mesmo sabia o que deveria fazer em uma situação como essa. A ideia de voltar a tudo aquilo, de sequer tocar naquele assunto...

Fechei os olhos. Eu não era do tipo que precisava me livrar de corpos. Jesus.

Tudo por causa de um instante. Minha vida havia se tornado uma série de grandes erros cometidos em momentos onde eu perdia o controle.

Exceto por hoje. Quando olhei para ela e disse aquelas mentiras – votos que não pretendia cumprir.

No entanto, naquele momento, eram reais. Meu mundo poderia ser perfeito se eu tivesse engolido o meu orgulho e confessado que a amava, segurando-a em meus braços. Seja lá o que acontecesse, tudo ficaria bem se a tivesse visto sorrir no dia de seu casamento.

Levei os *hashis* à boca, enfiando um pouco de macarrão e legumes na boca e mastigando enquanto via diversas mensagens iluminando a tela do meu celular. Will esperou que Banks saísse da igreja para que pudesse trazê-la aqui. Ela chegou a discutir e reclamar, mas a ameaça do celular veio à tona, fazendo-a concordar por fim.

Já fazia mais de uma hora. Se ela não estivesse aqui em breve, eu *iria* buscá-la.

Naquele instante, ouvi um clique e olhei por cima da mesa de jantar, vendo a porta se abrir. Banks entrou lentamente pela sua nova casa.

Olhou em volta e só quando fechou a porta e endireitou a postura é que relaxei contra a cadeira. Eu sorri para mim mesmo. O que faria com ela?

Ela virou a cabeça até que, finalmente, nossos olhares se conectaram. Engoli a comida e disse:

— Entre. — Afastei a tigela para longe.

Hesitante, deu um passo em minha direção, entrando na sala de jantar.

— Em qual quarto vou dormir?

— No meu.

Sua postura arredia cedeu um pouco.

— Estou cansada, Kai.

— Você também é minha esposa. — Peguei meu copo, tomando um gole de água. — Seu precioso irmão mais velho deve estar subindo pelas paredes agora.

Ela balançou a cabeça, parecendo enojada.

— Eu não sou um peão, então confie em mim quando digo que casar comigo não me tornará menos difícil.

Espero que não.

Observei o vestido que usou hoje. Apenas ele e nada mais. Ela veio até aqui de mãos vazias, a menos que tivesse suas pequenas facas escondidas por entre alguma cinta-liga sob a roupa. Ela achava que não ficaria tempo o suficiente para trazer suas roupas?

Eu teria que buscá-las então. Ou ela poderia usar as minhas.

— Não estou preocupado — eu disse. — Você vai acabar cedendo.

Ela deu uma risada debochada enquanto eu pegava uma tigela limpa e um garfo e lhe servia uma porção de macarrão.

— Sente-se e coma. — Coloquei a comida e o talher em cima da mesa, acenando com a cabeça para a cadeira à minha frente.

Ela apenas me encarou.

— Coma e vou lhe mostrar o seu quarto... — negociei.

No entanto, ela não se sentou. Ao invés disso, foi até o balcão e pegou mais duas tigelas. Voltando para a mesa, pegou o talher e serviu o macarrão, quase esvaziando tudo.

Normalmente, eu cozinhava o suficiente para que durasse três dias.

— O que você está fazendo? — indaguei.

— Meus homens estão lá fora. Eles nos seguiram até aqui. — Ela enfiou dois garfos nas tigelas e as pegou. — Eles precisam comer também.

O quê? De quem ela estava falando?

— *Seus* homens? — caçoei. — Os idiotas que trabalham para Gabriel? Diga para irem embora.

Levantei-me e fui em direção à janela, puxando um pedaço da cortina. E, era óbvio... lá estava o mesmo SUV preto de sempre na minha entrada. Eu podia ver o careca no banco do motorista.

— Você mesmo diga a eles — respondeu. — Eles se colocaram em risco por mim esta noite, e é assim que você recompensa a lealdade?

— Se colocaram em risco? O que você quer dizer com isso? O que aconteceu?

Ela desviou o olhar, tentando disfarçar.

— Nada. Apenas... — Fez uma pausa, procurando por palavras. Então olhou diretamente para mim. — Eles não vão embora. Eles trabalham para mim e não podem voltar pra lá. É isso aí.

Ela se virou e foi até a porta da frente, empilhando uma tigela em cima da outra para abri-la.

— Eles trabalham para você? — Levantei o tom de voz. — Como você planeja pagá-los?

— Simples — retrucou, seu olhar percorreu toda a extensão da sala e tudo ao redor. — Metade do que é seu agora é meu.

Virou e saiu pela porta, fechando-a com um baque.

E eu fiquei ali, por um instante, totalmente sem fôlego. Filha da mãe... Que porra é essa?

Droga, aquela garota era uma merdinha! Por que diabos eu desejaria dois caras andando pela minha casa o tempo todo? Eles ficariam no meu caminho, além do fato de eu não gostar de gente bagunçando minhas coisas. Eu mal havia me acostumado a tê-la por perto, caramba!

Quase dei um chute na mesa, mas pensei melhor. Era uma dessas peças de antiguidade caras, então...

Puxando a cortina novamente, mantive o olhar atento para me certificar de que ela não fugiria com eles ou algo assim. A janela do lado do passageiro se abaixou e avistei o cara mais novo, do moicano. Ela entregou as tigelas e o garoto cheirou, parecendo satisfeito. Depois de alguns minutos em que a vi conversando com eles e relanceando olhares para mim, soltei a cortina e me afastei.

Eu não gostava da forma como olhavam para ela. Como se tivessem mais direito à atenção dela.

Mas quem não gostaria de ser o alvo de sua atenção? Nikova Banks era uma mulher bonita. Ao vê-la naquele vestido, na igreja, quase cheguei ao ponto de perder o controle. Duelei comigo mesmo durante toda a cerimônia. Ela se escondia bastante por baixo das roupas, mas aquele vestido, com certeza, mostrou uma boa parte. A pele macia e curvas incríveis... O cabelo, a maquiagem. Não sabia por que razão ela havia se arrumado toda, mas nem por um instante pensei que aquilo tudo fosse para mim.

A porta da frente se abriu e ela entrou na sala de jantar, parecendo um pouco mais calma. Nossos olhares se conectaram e uma pontada de desejo vibrou pelo meu corpo. Eu queria uma chance de refazer meus passos neste dia louco e tratá-la adequadamente.

No entanto, eu não a merecia. Não importava o que ela tenha feito ou como suas escolhas me magoaram, tomei sua mão hoje com tanta brutalidade quanto arranquei sua inocência naquele quarto no *The Pope*. Eu precisava deixá-la em paz.

Gesticulei para que se sentasse à mesa para comer alguma coisa. Quando ela o fez, pegando sua tigela e garfo, reparou nos *hashis* acima do meu prato.

Sem hesitar, pegou um par sobre a mesa e largou o garfo. Talvez nem mesmo tivesse a intenção em usá-los, mas por ser teimosa, fez questão de provar que faria o que quisesse, não o que eu decidisse. Mesmo que tenha achado que estava ajudando ao oferecer uma alternativa.

Meio sem jeito, tentou encaixar os pauzinhos entre os dedos, sem sucesso.

Fui até o seu lado direito e estendi a mão.

— Desse jeito.

Segurei entre meus dedos, ignorando sua careta enquanto encaixava o indicador e o dedo médio, usando o último para firmar e o primeiro para controlar o movimento. Agitei o indicador para cima e para baixo, mostrando a ela como controlar a abertura ao pegar um pedaço de repolho.

— Eu posso fazer isso — afirmou, pegando-os de volta.

E realmente conseguiu. Depois de mais algumas tentativas, acertou o movimento e foi capaz de levar a comida à boca, embora com a mão trêmula. A aliança simples de platina brilhou contra a luz suave do candelabro, e uma pontada de culpa me atingiu. Agora, mais calmo, arrependi-me de não ter colocado um diamante em seu dedo.

— Eles são chamados de *hashi* — comentei, indicando os pauzinhos. — Em japonês.

Levantei-me e alcancei uma peça pequena de porcelana, colocando à sua frente.

— E isso se chama *hashioki*. Quando você não está comendo, descanse as pontas dos pauzinhos aqui. Ou — apontei minha tigela — você pode colocá-los sobre o seu prato. Mas nunca sobre a comida e nem mesmo cruzados.

— Por quê?

— Porque é... rude — aleguei. Havia outra razão que tinha a ver com pessoas falecidas, oferendas e tradições, mas eu tinha um pressentimento de que apenas incitaria seu lado rebelde.

Eu me sentei, deixando-a comer. Minha cabeça estava rodando. Eu teria sorte se dormisse hoje à noite. Ainda tinha que organizar os quartos de hóspedes para os caras do lado de fora, bem como contratá-los. Para fazer o quê, eu não fazia ideia.

Também precisava voltar ao *Sensou* e me encontrar com o corretor de seguros para descobrir qual seria nosso próximo passo. Será que o reabriríamos?

Além de tudo, ainda precisava ver meus pais. Estava surpreso por não ter recebido nenhuma ligação até aquele momento, na verdade. Se não tivessem ouvido a respeito do casamento, ouviriam em breve. Curiosamente, eu não estava nem um pouco arrependido. Só não gostava de ter que me explicar, provavelmente, porque não poderia fazer isso.

E amanhã seria Noite do Diabo. Ainda não havíamos encontrado o esconderijo de Damon, então ele poderia chegar até nós antes que tivéssemos a chance de chegarmos a ele. Ou talvez nada aconteça. Talvez Rika estivesse certa e ele estivesse apenas nos sacaneando.

Porém, eu teria que lidar com ele. Não dava para continuar levando a vida com aquilo pairando sobre a minha cabeça. Talvez o melhor a fazer fosse trazer todo mundo para passar a noite aqui e isolar completamente o local.

Ela terminou de comer e conferiu se ainda restava alguma coisa na vasilha sobre a mesa. Não consegui conter o sorriso, adorando o fato de ela gostar da minha comida. Bifes e tudo mais. Sem cerimônia, Banks colocou o que havia em seu prato e pescou o macarrão.

Eu ri, baixinho, pois, sem saber, ela simplesmente quebrou três regras de etiqueta que deixaria meu pai chocado. No entanto, apenas observei seu rosto e perdi o rumo de meus pensamentos ao contemplar os lábios vermelhos, vendo o quão incrível ela era.

— É um vestido bonito — comentei. — Onde o conseguiu?

Ela terminou de mastigar em silêncio, sem olhar para mim.

— Marina — ela disse —, cozinheira de Gabriel, costurou para mim quando eu tinha dezesseis anos.

A lembrança de que ela era filha de Gabriel me atingiu outra vez, me fazendo perceber que eu ainda tinha muitas perguntas sem respostas.

— Meu pai estava dando uma festa — explicou —, daí Marina pensou que ele poderia me deixar ir se... se eu fosse bonita o suficiente.

Bonita o suficiente?

— E você foi à festa?

Ela sacudiu a cabeça.

— Eu me vesti bem. Arrumei o cabelo, passei um pouco de batom. Mas Damon não permitiu. Ele me fez ficar lá em cima.

Ela riu um pouco, como se estivesse tentando desmerecer sua possessividade, mas...

Ser territorial era bom entre quatro paredes, no quarto. Não quando isso impedia alguém a quem você amava de aproveitar a vida.

Todas as peças começaram a se encaixar. Noite do Diabo há seis anos. A forma como ele agiu e não deixou que ela falasse comigo. Como fez aqueles caras levarem-na embora. O jeito como ela sempre parecia estar à espreita, como um ratinho – no confessionário, no cemitério – com medo de o gato sair para arrebatá-la.

Como se abraçaram um ao outro no *Pope*. Ela havia sido a única mulher a quem já vi Damon se agarrar como se fosse um colete salva-vidas.

Levando em consideração os pais deles, não era de admirar que os dois contassem apenas um com o outro como família. O único lugar em que se sentiam seguros e amados.

— Venha aqui — pedi, em um sussurro.

Ela estreitou o olhar.

Banks tinha todos os motivos para me odiar depois do que fiz hoje. Depois que Gabriel e eu a tratamos como se fosse um objeto.

Será que ela já havia visitado algum outro lugar além de Meridian ou Thunder Bay? Será que ao menos concluiu o ensino médio? Ela tinha alguma amiga que não fosse um dos homens da equipe de Gabriel?

Inclinei-me, de repente querendo tudo. Eu queria mostrar o mundo para ela.

— Damon e seu pai que se fodam — eu disse, suavemente. — E, porra, eu também, pelas merdas que saíram da minha boca.

Seu cenho franziu mais ainda, em confusão. Enlacei sua cintura, puxando-a para o meu colo, mesmo em sua tentativa débil de me afastar.

— Eu queria isso — confessei, olhando bem dentro de seus olhos.

Ela fez uma pausa.

— Por nenhuma outra razão a não ser o fato de te querer. — Rocei os dedos pelos seus, acariciando a aliança. Eu daria a ela um anel de noivado na próxima semana. Mesmo que nunca tenhamos ficados noivos. Na verdade, ela poderia escolher o que quisesse. — Damon sempre soube que você era um tesouro, e ele te ama. Mas ele não vai me afastar de você. — Ergui seu queixo para que me encarasse. — Isso não tem mais nada a ver com ele, o hotel ou seu pai. Eu quero você.

— E se eu não te quiser?

Meu olhar vacilou, mas decidi ser direto.

— Você não quer? — Eu não tinha interpretado mal os sinais. Ela gostava de mim. — Eu não vou machucá-lo — aleguei, sabendo quais eram suas preocupações. — Mas preciso me proteger, então preciso vê-lo. Você entende?

— Você promete?

Ela parecia tão vulnerável. Eu não poderia pedir que escolhesse um lado. Assenti.

— Prometo. — Eu a acariciei, uma mão na cintura e a outra na coxa. — Vou dar um jeito nisso, mas não posso dizer por ele. Se Damon me pressionar, serei obrigado a tomar uma atitude. Você sabe disso.

Eu a vi engolir enquanto encarava o próprio colo.

— Eu quero você — confessei novamente. — E não me importo com o seu nome, ou com seus pais, e se você tem ou não dinheiro. Eu só te quero lá em cima, usando nada mais do que os meus lençóis.

Um lindo sorriso sutil curvou o canto de seus lábios.

— Eu não serei Banks hoje à noite?

Balancei a cabeça.

— E eu não serei Kai.

— Só por hoje à noite?

Assenti, adorando nossa brincadeira.

— Só por hoje à noite.

Ela se levantou e lentamente puxou todo o cabelo por cima do ombro.

— O vestido é um espartilho. — Ela virou as costas para mim. — Você vai me ajudar a desamarrar antes?

Meu coração bateu mais forte.

Deslizei a mão pela corda que mantinha tudo amarrado no lugar e puxei a ponta com suavidade. Depois fui desatando os laços até passar os dedos pela linha de sua coluna. Passei a mão pelo laço cruzado e puxei a corda enfiada no vestido. Meu corpo foi assolado pelo prazer indescritível de despi-la.

O vestido lentamente começou a cair, as costas esbeltas ficando cada vez mais à vista; enfiei a mão por dentro, sentindo sua pele nua.

Não havia nada. Sem sutiã, sem calcinha, sem cinta-liga, nada além de sua pele pura, linda e inocente por baixo do vestido.

Quando o tecido caiu no chão, senti meu pau latejar e inchar dentro da calça. Contemplei sua bunda, os ombros, pernas – toda aquela extensão dourada brilhando contra a penumbra.

Ela se virou e seu olhar aterrissou na protuberância cada vez mais evidente na minha calça. Sua respiração acelerou, o olhar incendiando.

— Fodam-se os lençóis — ela sussurrou.

Então abriu as pernas e sentou-se em meu colo. Com um gemido, abri o zíper e puxei meu pau para fora do jeans, esfregando a ponta para cima e para baixo contra sua entrada já encharcada.

Ela se abaixou e deslizou pela minha espessura, abraçando-me e gemendo enquanto eu a enchia.

Caralho... Agarrei seus seios, cobrindo os mamilos com a boca, um por um, enquanto ela se apoiava ao encosto da cadeira e começava a subir e descer, rebolando os quadris cada vez mais rápido. Ela me montou, os gemidos e ofegos se tornando cada vez mais altos, e eu me inclinei para trás, segurando sua bunda em minhas mãos, apenas observando-a.

Deus, eu era muito sortudo.

— Então, você ainda gosta de mim? — perguntou, brincando.

Dei uma risada rápida. *Eu mais do que gosto de você.*

— Acho que vou ficar com você — retruquei. — E ninguém vai me manter longe de você. Entendeu?

Fiz uma trilha de beijos ao longo de sua mandíbula.

— Nem seu pai, seu irmão, nem seus homens. — Apertei sua bunda novamente, puxando-a mais para mim. — Eu quero essa sua língua afiada. — Beijei seus lábios. — Quero todas as memórias que você vai fazer a partir de agora. — Beijei sua testa. — E eu quero isso. — Agarrei-a, puxando-a para mim enquanto mordia seu pescoço. — No carro, nesta mesa no café da manhã, em todo lugar...

Seu corpo ficou tenso e ela enlaçou os braços ao meu redor, subindo cada vez mais rápido.

— Então, você *realmente* gosta de mim, não é?

Eu sorri. Merda.

— Sim — admiti. — Eu gosto muito de você.

Muito.

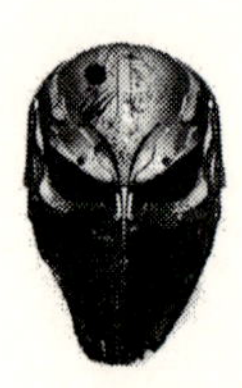

Peguei uma camisa do cabide e a vesti em seguida. Passava um pouco das seis da manhã e o cheiro da chuva era palpável, desde o instante em que acordei. Enquanto ia até a mesa de cabeceira, fechei cada um dos botões e parei quando avistei as luvas de couro que Banks sempre usava, ao lado do abajur.

Observei suas mãos, uma repousando sobre o travesseiro e a outra sobre a barriga. Na mesma hora, um sorriso tomou forma em meu rosto ao perceber que ela havia se livrado delas.

A cicatriz se assemelhava a um carimbo no dorso de sua mão, e a visão foi o suficiente para me fazer espremer o celular, tomado de raiva. Gabriel pagaria caro por aquilo. E por muito mais.

Seus lábios estavam levemente abertos, e notei uma mecha do cabelo castanho sobre eles. Inclinando-me, suavemente o afastei antes de lhe dar um beijo, demorando apenas o suficiente para que seu perfume lançasse uma trilha de calor do meu coração à virilha.

Gemi, relutantemente me afastando. *Agora não*. Ela precisava dormir e eu queria que quando acordasse para o café da manhã, encontrasse o que gostava de comer. Ela disse que amava ovos.

Não.

Ela apenas informou que havia *comido* muitos ovos. Talvez não gostasse tanto assim. Porém, por serem baratos, darem sustância e sem muita gordura, eram perfeitos para quem não tinha muita renda.

Olhei para minha aliança, finalmente sentindo que ela agora era minha. Até que fugisse novamente, pelo menos.

No entanto, se dependesse de mim, ela teria muita coisa para desfrutar em sua vida a partir de agora. Nada de ovos. Eu ia gostar de mimá-la.

Enquanto saía silenciosamente do quarto, fechando a porta, verifiquei como estaria a previsão do tempo para hoje. Eu não deveria ter ido dormir ontem à noite. Embora não soubesse o que o dia reservava, já deveria ter me preparado desde cedo. A necessidade do corpo humano em desperdiçar um terço de sua vida útil, inconsciente, era um erro da evolução. Havia muita coisa que poderia ser feita nesse meio-tempo.

O dia todo nublado, temperatura média de 20°C. Tempestades à noite. Ótimo. Eu precisava arranjar alguns suprimentos e comida para nos isolar em casa. Já havia recebido uma série de telefonemas de amigos de Thunder Bay, perguntando se voltaríamos até lá hoje à noite, além de funcionários averiguando se precisariam procurar por novos empregos. Não e sim.

Aquele idiota do caralho. Prometi que não iria machucá-lo, mas depois do que fez, talvez não conseguisse me conter.

Quando comecei a descer as escadas, o celular tocou na minha mão, e ao conferir o visor, não reconheci o número. Desacelerei meus passos, encarando o aparelho.

Damon. Desde o dia em que me ligou quando eu estava em frente ao *The Pope*, na rua, não havia recebido notícias dele. Mais uma vez, ele devia estar usando um telefone descartável para suas chamadas.

Sorri para mim mesmo, acariciando minha aliança de casamento com o polegar. Ele não devia estar de bom humor.

Atendi o celular sem mais delongas.

— Onde ela está? — ele perguntou, sem nem ao menos esperar por uma saudação decente.

— Dormindo.

— Eu vou recuperá-la — ele informou.

Respirei fundo e fui até a porta da frente, olhando pela pequena janela ao lado. Os *homens* de Banks ainda estavam lá fora.

Impressionante.

— Então, venha, oras — provoquei. — Venha para a casa e leve-a de volta.

Sua risada ecoou em meu ouvido.

— Ah, eu vou — disse ele —, mas sou mais esperto que você. Vou pegar meu trunfo primeiro.

Que trunfo?

Eu não o queria aqui. Não o queria perto dela. Mas estava pronto para silenciá-lo. Ele não a pegaria de volta

— Eu sou o único que já cuidou dela — argumentou. — O único que a amou. Você não pode pedir que ela desista de mim. Você sabe por quê? Porque é uma escolha impossível e você não quer admitir que ela nunca vai te escolher.

Balancei a cabeça, abrindo a porta da frente. Eu não exigiria que ela fizesse escolha nenhuma. Eu continuaria lutando, porque a am...

De repente, senti como se o vento tivesse me derrubado no chão.

Porque eu a amava.

— Você me vê nela, não é? — ele provocou, abaixando o tom de voz. — Você realmente quer se deparar com ela todos os dias? Poderia realmente amá-la, sabendo quem ela é e que eu sempre terei um lugar especial na vida dela?

Cerrei os dentes e entrei na garagem, batendo duas vezes no capô do SUV. Os caras lá dentro se sobressaltaram, tirando os pés do painel. Entrei de novo em casa, sabendo que eles viriam em meu encalço.

— Onde você está? — perguntei a Damon.

— Bem que eu queria te contar. — Seu tom era de deboche. — Sério, porque é bom demais. Se você tivesse pesquisado um pouquinho melhor, cara...

— Damon...

— É realmente um milagre que você não tenha percebido ainda.

— Damon!

— Não posso falar — disse ele —, mas te vejo em breve.

— Esta noite?

E ouvi um clique.

— Damon! — gritei para o telefone. O que ele quis dizer com "em breve"?

— Sim? — Ouvi uma voz atrás de mim.

Eu me virei, olhando para a ligação encerrada na tela. Eu poderia até ligar de volta, mas, com certeza, não daria em nada. Além do mais, era perda total de tempo.

David entrou no vestíbulo ao lado do cara mais novo, Lev, bocejando. Fui até o aparador ao lado do corredor e peguei um jogo de chaves de cima de uma caixa pequena. Em seguida, lancei em sua direção.

— O terceiro andar é de vocês — informei. — Banks vai organizar as tarefas aqui em casa e fora, e vou definir um salário para ambos. Ela está dormindo nesse momento. — Aproximei-me de David, enfatizando as instruções para que me levasse a sério. — Não a deixe sozinha em momento algum, e muito menos a deixe sair, e quando ela acordar, diga que fui resolver um assunto e estarei de volta em breve.

— Você — olhei para Lev —, vá até o Delcour. Traga Will e Rika para cá e mantenha-os aqui. Diga para fazerem uma mala para passar a noite.

— Eles não virão comigo — argumentou.

— Enviarei uma mensagem de texto agora para que saibam que você está a caminho. Vá.

Ele suspirou e pegou as chaves do carro de David e, assim que saiu pela porta da frente, peguei o celular e enviei uma mensagem para que Michael me encontrasse no *The Pope*. Em seguida, enviei outras duas mensagens para Rika e Will.

— Verifique todas as janelas e portas — instruí, pegando as chaves do meu carro e saindo. — Quando todos chegarem, tranque tudo. Entendeu?

Ele assentiu.

— Entendi.

CAPÍTULO 26

KAI

Dias atuais...

Perambulei pelo salão de festas, distraidamente, repassando tudo na minha mente sobre aquela Noite do Diabo, anos atrás. Banks e eu. A mulher dançando.

Quanto tempo Natalya Torrance esteve lá? Com que frequência os Torrance usavam o andar secreto? Ela havia deixado Damon três anos antes. Será que permaneceu ali por todo aquele tempo?

Parecia estar faltando alguma informação ali.

A luz da manhã se infiltrou pelas janelas, revelando as partículas de poeira flutuando no ar. Olhei ao redor, reparando no chão repleto de panfletos. Ainda havia suportes para partituras no palco e algumas mesas redondas espalhadas pela pista de dança.

Respirei fundo, esfregando os olhos. Ela queria estar perto dele.

Mas então isso levantou outra questão. O *Pope* não era muito antigo. Então, onde a família se hospedava quando estavam na cidade, *antes* da construção? Aquele detalhe martelou no fundo da minha mente, fazendo-me questionar a razão de não ter prestado atenção muito antes. Não parecia ser algo tão importante, mas era bem estranho.

E, normalmente, quando algo parece estar 'fora de lugar', é porque está errado.

— Ei o que está acontecendo? — Michael indagou.

Virei a cabeça, vendo-o entrar no salão. Eu o arranquei da cama para que viesse ao meu encontro aqui. Deveria ter contado a Will, mas preferia que alguém ficasse ao lado de Rika quando Lev fosse buscá-los.

Agitei a cabeça.

— Sei dar ouvidos aos meus instintos, mas os ignorei.

— Por quê? O que houve?

Fiquei frente a frente com ele.

— Este lugar foi construído no início dos anos 90 — comentei —, mas era um hotel de família, e circulou o boato de que eles possuíam um andar secreto em todos os hotéis de sua rede.

— E daí? — Suspirou, parecendo cansado.

— Daí que a família de Damon é uma das mais antigas de Thunder Bay — apontei. — Os Nikov estão nesta área desde os anos 30. Não faria sentido dar início aos seus negócios por perto, do mesmo jeito que fizemos com o nosso, de forma que ficasse mais fácil monitorar antes de tentar expandir para o exterior?

Eles construíram hotéis muito antes dos anos 90. Por que esperar para construir um perto de casa até então?

— Você está certo. — Desviou o olhar para longe, como se estivesse perdido em pensamentos. — Por que não teriam um hotel em Meridian primeiro?

Sem mencionar o fato de que não houve nenhum movimento para construir outro ou reabrir este. Ele não queria um lugar local onde pudesse marcar suas reuniões de negócios, hospedar clientes, festas...? Não fazia sentido.

Provavelmente não era nada. E daí se ele não abriu um hotel perto de casa? Era estranho, mas nada diferente da família Torrance.

Encarei Michael, acenando a cabeça, exausto. Meu cérebro estava tostado.

No entanto, Michael parecia congelado no lugar. Ele encarava em frente, como se estivesse concentrado; as rodas em sua cabeça pareciam estar girando com força total.

E então arfou, dizendo:

— Merda... — Pegou o celular dentro do bolso. — Não, não, não...

Fui em sua direção. Que diabos...?

Ele respirou fundo, discando um número e colocando o telefone no ouvido.

— Rika...

— O que aconteceu? — esbravejei.

Mas ele apenas apontou para mim, já seguindo para a porta.

— Entre no carro!

— O quê?

E saiu dali em disparada, obrigando-me a correr para alcançá-lo. Demos a volta até os fundos, e nem ao menos argumentei ou tentei detê-lo.

Michael nunca perdia a compostura, então devia estar havendo uma razão para aquilo. Ele entrou às pressas em seu Rover e eu deixei o meu estacionado ao lado, entrando no dele.

Antes que fechasse a porta, porém, Michael deu marcha ré no carro e pisou fundo no acelerador, jogando meu corpo para frente. Tive que estender a mão e me segurar no painel.

Ele saiu do beco em disparada e fez uma curva acentuada, pegando a rua em direção à estrada que levava à ponte.

— Robson! — gritou com a pessoa do outro lado da linha. — Quem possuía o Delcour antes de nós?

Delcour? O quê...

Ele ouviu o outro homem falar, e a preocupação acentuou a expressão de seu rosto.

— Eu sei que a administração mudou de dono! — gritou. — Mas foi construído nos anos 30. Quem o construiu?

Não, não, não... Ele não podia estar pensando...

Delcour, o prédio da família Crist, era uma joia na cidade sombria. Havia sido artisticamente projetado, exibindo as melhores vistas e a arquitetura misteriosa e atraente.

E poderia muito bem ter sido um hotel naquela época. Contava até mesmo com um salão de festas.

Bom Deus.

Michael correu, desviando de veículos enquanto tentava discar mais alguns botões no telefone.

— Amor, vamos lá, vamos lá — implorou, colocando o celular no ouvido novamente. — Vamos. Atenda o telefone.

— Delcour? — indaguei, virando-me para ele. — Você está de sacanagem.

Como era possível?

— Esse tempo todo... — ofegou, apertando o volante com tanta força que os nódulos de seus dedos ficaram brancos. — Torrance vendeu o Delcour nos anos 80 e construiu o novo hotel em Whitehall para lucrar com o estádio.

— Delcour é o *The Pope* original?

Ele afastou o telefone, rediscando.

— Mas que porra, Rika!

Atravessamos a ponte e aceleramos pelo distrito industrial, virando na Parker Avenue.

— Você sabia? — inquiri. — Você sabia que eles eram os antigos donos do prédio? Que já havia sido o hotel deles em algum momento?

— Não, eu não sabia! — rosnou em resposta. — Ainda nem tínhamos nascido, pelo amor de Deus! Só sabia que havia sido construído nos anos 30 e que nem sempre fomos os donos.

No entanto, o advogado do pai de Michael acabou de confirmar. Os Torrance eram os proprietários originais. E se havia um andar escondido no *The Pope*, então...

— Rika, atenda a porra do telefone!

Ele arremessou o celular contra o para-brisa, que acabou caindo sobre o painel e em seguida no chão.

— Só chegue logo lá — eu disse, entredentes.

Calcinha de renda branca. Só podia ser brincadeira. Ele até poderia estar no prédio, mas não poderia ter entrado no apartamento deles, não é? Será que ele realmente esteve o tempo todo ali, mas conseguiu se conter e evitar fazer contato com Will e Alex, por exemplo?

Michael pisou no acelerador, buzinas soando por todo lado quando freou em frente ao Delcour, cantando os pneus. Descemos às pressas do carro e entramos no prédio, o porteiro lutando para manter a porta aberta.

— Você viu Rika? — Michael gritou para o homem da recepção enquanto corríamos para o elevador.

Seus olhos se arregalaram enquanto tentava encontrar as palavras.

— Uh, não, senhor.

Assim que as portas se fecharam, Michael apertou os botões freneticamente.

— Você sabe se o prédio tem um andar ou apartamento oculto ou algo assim? — questionei.

Ele balançou a cabeça, suor cobrindo a testa.

— Eu não sei de nada. Nunca prestei atenção em nada do que minha família faz. Você sabe disso.

O que incluía comprar esse prédio ou tomar ciência de qualquer outra coisa, além do fato de como chegar à cobertura sem grandes problemas. Ele era egocêntrico àquele ponto. Havia se incomodado em aprender ou ouvir qualquer coisa que alguém dissesse? Sentir curiosidade, sei lá? Se fosse eu com total acesso e domínio àquele lugar, teria feito questão de explorar todos os cantos do edifício.

Porém Michael não era assim.

Basquete, Rika, comida, sexo e sono eram as únicas coisas que chamavam sua atenção.

O elevador passou pelos vinte e um andares e diminuiu a velocidade até atingir a cobertura. Quando as portas se abriram, eu e ele corremos para dentro de seu apartamento.

Lev e Will estavam no meio da sala.

— Ela está com vocês? Onde? — dirigiu-se diretamente a eles.

— E aí, o que houve?

Levantei a cabeça ante a voz de Rika, no andar superior, e a vi descer as escadas com uma mochila marrom.

Michael subiu os degraus de dois em dois e a agarrou, abraçando-a apertado.

Exalei, totalmente aliviado, baixando a cabeça. Damon não a pegou. Talvez nem mesmo estivesse aqui, afinal.

— Amor — Michael ofegou. — Por que diabos você não atendeu ao telefone?

Ela retribuiu seu abraço, parecendo confusa.

— Eu... está na minha bolsa, acho — gaguejou. — Eu estava lá em cima fazendo a mala. O que aconteceu?

No entanto, ele apenas balançou a cabeça. Não era hora de explicar.

— Senhor. — Olhei para trás e vi Patterson, um dos gerentes do prédio entrando na cobertura. — Tem alguma coisa errada? Jackson, da recepção, informou que poderia estar acontecendo algum um problema.

— Não tenho certeza — respondeu Michael. — Você viu alguém suspeito entrar ou sair do prédio?

— Não, senhor. — Ele se aproximou, o semblante preocupado. — Eu teria tomado medidas cabíveis se tivesse acontecido, garanto.

— Sim, eu sei.

— Quando os Torrance venderam este lugar? — perguntei diretamente a Michael.

Ele segurou a mão de Rika e pegou sua mochila, descendo as escadas.

— Pelo que Robson disse, em 1988.

Eu assenti.

— Então os controles computadorizados dos elevadores não existiam até o final do século passado — pensei alto. — Já que pretendia vender o prédio, Gabriel não atualizaria o sistema para incluir códigos para um andar oculto. O que significa que eles deviam ter uma maneira mais simples para acessar o décimo segundo andar, diferente do novo hotel do outro lado do rio.

Sem teclado. Definitivamente não havia nem cartões-chave ou acesso por impressão digital.

Eles tinham que ter um elevador separado, mas... Os elevadores do Delcour foram reformados. Todos foram trocados, os eixos renovados, dessa forma, o andar secreto teria sido encontrado. A menos que...

— Existem outros elevadores? — perguntei a Patterson. — De qualquer tipo? Não os de uso comum. Algum que esteja fora de serviço? Ou talvez outra escada?

Ele negou em um aceno, provando ser um beco sem saída, mas depois parou, parecendo pensar em alguma coisa.

— Bem, há uma escada no primeiro andar que leva à entrada, mas foi vedada com uma parede. Não vai mais a lugar nenhum.

Meus ombros cederam em desânimo.

— E há um elevador de serviço no porão — acrescentou.

Aquilo atraiu minha atenção.

— Mas está coberto de tábuas — emendou. — Não acredito que tenha sido usado há pelo menos... trinta anos?

Bem, isso seria certo.

Dei um passo em sua direção.

— Mostre onde fica.

Ele liderou o caminho para o elevador novamente. Passamos pelo nível do saguão, garagem e subsolo.

Michael manteve Rika firme em seus braços, mas me lançou um olhar apreensivo. Acho que ele nunca esteve aqui embaixo, e somente a ideia de que Damon poderia estar no edifício, especialmente nas noites em que esteve fora de casa ou da cidade por conta dos jogos, deixou-o paralisado.

Quando chegamos ao porão, dois níveis abaixo, Patterson nos conduziu por um corredor e viramos mais à frente. A água corria pelas tubulações acima de nós, e era possível ouvir o barulho suave da fornalha vindo de algum lugar.

Chegamos a uma pequena área aberta, e lá estava. O antigo elevador de serviço.

Patterson parou de repente, parecendo confuso.

— As tábuas foram retiradas — comentou.

Segui seu olhar e vi as marcas da madeira e dos grampos enferrujados projetando-se para fora. Qual teria sido a última vez que ele esteve aqui embaixo para conferir isso?

O elevador antigo não era grande e estava coberto de sujeira e teias de aranha, mas havia um painel antiquado bem acima das portas. Não indicava os números, mas uma luz fraca brilhava por trás do vidro fosco, indicando que passava energia por ali.

— Você só pode estar de sacanagem — Michael murmurou, atordoado.

Apertando o botão, as portas do elevador se abriram imediatamente e todos ficamos imóveis por um momento.

No entanto, dei o primeiro passo. O piso sacudiu um pouco por causa dos cabos, mas se manteve estável o suficiente. Segurei a porta aberta, gesticulando para que entrassem.

O interior era pequeno. O tapete cobria o chão e as paredes eram de cerejeira escura no fundo e espelhadas no topo. Havia apenas um botão do lado de dentro. Sem esperar mais, disse a Lev para voltar para minha casa e avisar Banks que eu estaria de volta em breve, enquanto Michael instruiu Patterson para que enviasse a equipe de segurança aqui. Então fechei as portas e apertei o botão para subir.

Os cabos rangeram na mesma hora, dando para sentir as vibrações de seus movimentos sob meus pés.

— Um ano — Michael comentou. — Ele tem entrado e saído, nos observando de perto, há um ano, porra. Daqui mesmo.

— Na verdade, não era assim tão difícil de descobrir — acrescentou Will, falando pela primeira vez.

Eu o encarei. Não tínhamos conversado muito, ultimamente, e comecei a me perguntar como estava sendo para ele lidar com tudo aquilo. Ele estava bem com tudo isso? Ele também tinha se metido em um monte de problemas por causa de Damon.

Eu falaria com ele mais tarde.

O elevador subiu devagar, parando por conta própria no que deduzi ser o andar secreto. Não dava para saber, porém, se era o equivalente ao décimo segundo neste edifício, como previsto no *The Pope*.

As portas se abriram e todos nós olhamos para a imensa sala à nossa frente. Ampla e larga, era como uma grande sala de estar com portas laterais e aos fundos, provavelmente levando a quartos e uma cozinha. *Jesus*. Era enorme.

Havia sido projetada como uma suíte de luxo com uma área comum, mas a extensão ainda não era completamente visível. Uma lareira se encontrava à direita, enquanto as janelas cobriam a parede leste com cortinas de veludo, filtrando a luz do céu nublado.

— Inacreditável — exclamou Rika à medida que nos espalhávamos pelo ambiente, contemplando a grande sala. — Isso estava aqui o tempo todo e não fazíamos ideia.

Sim. E ele esteve aqui. O cheiro característico de seu cigarro era pungente.

As paredes estavam cobertas por retratos e diversas poltronas estofadas se espalhavam ao redor de mesinhas. Fui até uma delas quando vi uma garrafa de uísque pela metade e um copo vazio. Sem hesitar, peguei o copo e o cheirei.

Michael perambulou pelos quartos, enquanto Rika ficou ao meu lado e Will olhava pelo terraço. Mas Damon já não estava aqui. Talvez tenha percebido nossa chegada de alguma forma e tenha ido se esconder no *The Pope*.

— Por que ele simplesmente não deixou o país e ficou por lá? — Rika enfiou as mãos nos bolsos do casaco, o cabelo loiro se espalhando pelos ombros.

Foi Will quem respondeu:

— Porque tudo o que ele quer está em Meridian.

— Mas, todas as vezes que saí de casa — Michael disse, aproximando-se —, deixei-a vulnerável. Ele poderia ter feito qualquer coisa.

— Mas não fez, então apenas se acalme — respondeu Rika.

— Ele nos observou esse tempo todo, porra! — Michael fez uma careta para ela. — Espreitando como um doente do caralho bem debaixo do nosso nariz!

Rika desviou o olhar, enquanto Will passou a mão pelo cabelo. Michael estava certo. Aquilo era, definitivamente, assustador pra cacete, mas...

— Rika está certa — acrescentei. — Por que ele não fez nada? Eu trabalhei até tarde, sozinho, no *dojo* inúmeras noites, enquanto ele provavelmente estava do outro lado da rua no *The Pope*. Will estava bem aqui. Rika estava sozinha aqui. Por que ele não agiu?

Todo mundo ficou em silêncio enquanto o pensamento pairava no ar. O que ele estava esperando? Por que apenas ficou sentado aqui, sem fazer nada? Ele teve um ano e várias oportunidades.

— Exatamente por isso — Will disse, por fim. — Michael, Rika e eu estamos aqui no Delcour. Você e Banks estão em Whitehall. — Ele fez uma pausa, baixando os olhos. — Não há nenhum outro lugar no mundo que tenha o que Damon quer. Ele queria estar aqui. Perto. — Seu olhar aterrissou em mim. — De nós.

Balancei a cabeça. *Besteira.*

No entanto, fazia sentido. Por que ele ficou? Por que esperou até agora?

— Noite do Diabo. Todos nós. Amigos dele. É a época favorita dele — murmurei.

— Como faremos para encontrá-lo? — Michael perguntou.

Acenei, pensando. Até que uma mensagem chegou e peguei meu telefone, passando a tela.

> Os jogos são melhores com mais jogadores, você não acha?

Outro número desconhecido. Por que ele continuava com isso? *Vamos lá. Vamos fazer isso.*

Outro texto apareceu:

> The Pope. Nove da noite. Não venha sozinho. Porque eu não estarei.

— Não há necessidade. Ele não está se escondendo — respondi, caminhando para o elevador. — Vistam-se de forma confortável e me encontrem na minha casa dentro de uma hora.

Eu tinha que chegar lá o quanto antes. Ele precisava de seu trunfo e iria atrás dela. Entrei no elevador e lembrei-me de uma última coisa, gritando:

— E não esqueçam suas máscaras.

— Por quê? — Will disparou.

— Porque é Noite do Diabo. — Apertei o botão e as portas começando a fechar. — E não vou ser pego desta vez.

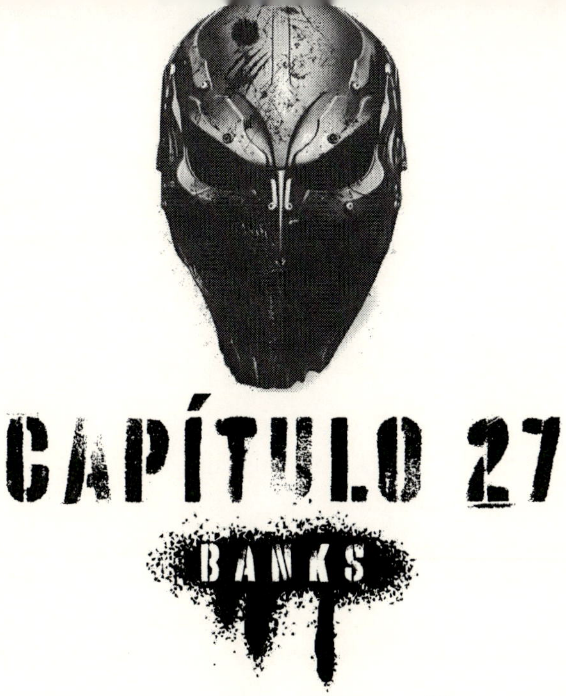

CAPÍTULO 27

BANKS

Dias atuais...

Desci as escadas correndo e entrei na cozinha. Olhei o ambiente escuro e vazio ao redor, sem saber o que fazer a seguir. Se estivesse em casa, comeria qualquer coisa preparada por Marina, sobre a mesa, e se estivesse no meu apartamento, estaria cozinhando um ovo e arranjando um pedaço de torrada às pressas, de forma que pudesse obedecer às ordens de Gabriel.

Agora, eu não tinha para onde ir. Não tinha mais emprego.

Estava apenas à mercê do meu irmão, e as coisas se mantinham calmas até agora. Exceto pelo fato de não ter ideia de onde diabos Kai havia se enfiado. David bateu à minha porta mais cedo para me verificar, entregar as sacolas de roupas novas que pegou no meu apartamento e me avisar que Kai havia saído e que voltaria em breve.

Na verdade, fiquei muito grata pelas roupas. Tudo o que eu tinha aqui era o meu vestido de noiva e, embora ficasse satisfeita ao usar alguma coisa do Kai, realmente gostava mais dos meus jeans justos e da regata preta que peguei nas sacolas. Era bom variar o meu estilo.

Acendi a luz e dei a volta na ilha central, contemplando as árvores pela janela à direita. O vento forte sacudia as folhas com violência, enquanto as trovoadas me lembravam de que outra tempestade vinha em nossa direção hoje.

Outra rodada de calafrios se espalhou pelos meus braços.

Abrindo a porta da geladeira, vasculhei por entre uma variedade de alimentos que mal reconheci e muitas outras coisas que nunca havia experimentado. Tofu e carne embrulhados, sucos verde e de laranja e um prato interessante de cogumelos com molho que realmente cheirava muito bem. Havia também ovos e leite, além de duas prateleiras de frutas e legumes. Nada de queijo, biscoitos ou refrigerante. Era óbvio que Kai só ingeria comida saudável.

Peguei os ovos e me virei para colocar a caixa sobre a bancada, alcançando uma frigideira no armário.

— Você está sorrindo.

Olhei para cima, vendo David entrar na cozinha.

Estava? Desfiz a curvatura em meus lábios.

— Bem, não era minha intenção.

Ele riu. Tirando o paletó, pendurou-o na cadeira do outro lado da ilha quando Lev o seguiu, bocejando. O cabelo preto cobriu um dos olhos quando jogou as chaves no balcão, e minha mente viajou por um segundo. A semelhança com Damon, quando chegava da rua com o ar cansado e lânguido, por estar bêbado e, teoricamente, em paz, foi assombrosa.

— Kai estará de volta em breve — ele comentou comigo.

— Está tudo bem?

Deu de ombros antes de responder:

— Acho que vamos descobrir.

Tuuuudo bem...

Comecei a servir três sucos e depois olhei para eles.

— Vocês estão com fome?

— Você vai cozinhar? — David recuou, parecendo chocado.

— Eu sei como fazer ovos, mas... — Impressionada, abri a geladeira. — Ele tem comida suficiente aqui para montar um *buffet* de casamento...

Os olhos de ambos se iluminaram quando deram a volta na ilha central.

— Bom, aconteceu um casamento — David disse, curvando-se sobre as prateleiras —, então, foda-se... Vamos fazer um banquete.

— Isso vai deixar a cozinha bagunçada — apontei. — Kai odeia bagunça.

Ele bufou, pegando uma carne embrulhada em papel pardo.

— A *esposa* dele pode fazer o que quiser em *sua* casa, certo?

Eu sorri.

— Acho que vamos descobrir.

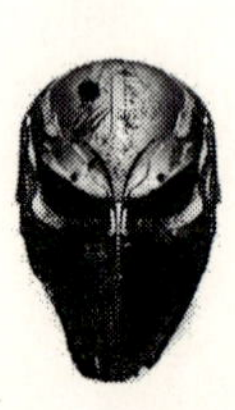

Mordi a rosquinha açucarada, afundando os dentes na massa macia.

— Isso é realmente muito gostoso — comentei com Lev, lambendo um pouco do açúcar grudado nos meus lábios.

Ele esfregou a cabeça, assentindo.

— Minha avó me criou. Ela costumava assar esses bolinhos o tempo todo. Não é a comida da Marina, mas posso viver disso se for preciso.

Eu ri comigo mesma, parando logo depois.

— Marina... — pensei alto.

Aquele babaca de patrão que ela tinha, além de todos os outros machos empregados de Gabriel, entrando e saindo de casa o tempo todo. Eu não deveria tê-la deixado lá.

Lev foi até o fogão, o rosto manchado de farinha de trigo, enquanto David terminava de comer o bife que havia cozinhado e se servia de mais ovos.

— Banks.

Virei a cabeça em direção à entrada, deparando com Kai logo ali. Ele sequer lançou um olhar aos caras.

— Venha aqui — disse e se virou para sair da cozinha.

Limpei as mãos no pano de prato e esfreguei a blusa para me livrar da mancha de farinha. Fui em seu encalço, brincando, nervosa, com a aliança em meu dedo, mas me detive a tempo, parando em frente a ele no vestíbulo.

— Nós vamos limpar a cozinha — assegurei.

— Não estou preocupado com isso. — Balançou a cabeça, o olhar se tornando mais suave. — Estou feliz que esteja se divertindo.

A porta da frente se abriu e Will entrou, carregando uma mala e sendo seguido por Michael e Rika.

Kai voltou-se para mim.

— Mande seus caras terminarem de comer, e então preciso deles lá fora.

— O que está acontecendo?

Ele parou por um momento, preocupado, o olhar fixo ao meu. Segurando meu braço, me recostou à parede.

— Você sabia que o Delcour já pertenceu ao seu pai há muitos anos? — perguntou em voz baixa.

Delcour?

— O quê? — Eu não sabia o que dizer. — Sério? Não, eu não sabia. Eu não cuidava de nada de suas empresas. Pelo menos, não as legítimas, de qualquer forma. Mas acho que teria ficado sabendo de algo assim...

— Ele foi o dono antes de você nascer — informou. — Costumava ser um hotel. Na verdade, construído pela família dele.

Um hotel. Logo...

— Então, o andar secreto...

— Existe também. — Assentiu, entendendo o que eu estava perguntando. — Parece que Damon estava dividindo seu tempo entre as duas propriedades.

Você tem que estar de sacanagem... Isso significava que, quando estive lá para deixar o contrato de Gabriel na festa de Michael, naquela noite, meu irmão poderia estar no prédio. Eu não tinha dúvida de que ele estava na cidade, mas, meu Deus...

Por que ele nunca me falou sobre o Delcour?

— Estou pronto para acabar logo com isso — disse Michael, jogando uma mochila aos pés da escada. — Ele nos fez correr em círculos como idiotas.

— Exatamente. — Will saiu da cozinha com uma cerveja. — Nós nem deveríamos ir ao *The Pope*. Vamos deixar que ele venha até nós, com a porta aberta. Por que não?

Os músculos da mandíbula de Kai se flexionaram, e eu sabia que ele estava frustrado.

— Por favor, não chame a polícia. — Abaixei o tom de voz, inclinando-me para ele. — Gabriel não vai...

— Não vai o quê?

Eu não queria dizer qual seria o próximo passo do meu pai. Isso poderia dar ideias a eles.

— Ele não vai deixar Damon envergonhá-lo com outra prisão novamente — afirmei, evasiva. — Eu posso controlá-lo. Se puder falar com ele...

— Ele não vai se aproximar de você.

— Ele é meu irmão...

— Isso não vai acontecer! — Kai esbravejou. — Eu vou lidar com ele.

— Will está certo. — Rika deu um passo à frente. — Vamos surpreendê-lo e atraí-lo até nós. Ele esteve aqui este tempo todo, e ainda é uma ameaça real de qualquer maneira...

No entanto, Kai apenas riu, parecendo mais condescendente do que divertido.

— Os tubarões circulam ao redor daquilo que ainda estão decidindo se é comestível ou não. — Ele olhou para ela. — Às vezes, eles se afastam. Às vezes, abocanham. Ele pode até querer ter uma conversinha com a gente — apontou para Michael e Will —, mas adoraria colocar as mãos em vocês duas. — Olhou para mim e Rika. — Não vou arriscar que esta seja a noite em que ele vai decidir fazer isso.

— Exatamente — respondeu Michael.

— Vamos encontrá-lo mais tarde. — Kai me encarou com um olhar de advertência. — Você, Rika e Alex vão ficar aqui com Lev e David.

— Não! — Rika berrou.

— De jeito nenhum! — gritei em conjunto. — Eu também tenho direito de vê-lo. Se alguém pode acalmá-lo, sou eu. Não vamos ficar aqui e fazer *cupcakes* enquanto os homens caçam! Se você acha...

Kai me agarrou, enlaçando meu corpo e erguendo-me até ficar nariz a nariz.

— Eu te amo — sussurrou contra os meus lábios enquanto nos afastava dos outros. — E ele pode me mandar para a prisão outra vez, por muito tempo. Não vou deixar isso acontecer agora que te encontrei. Por favor.

Seus olhos escuros, nublados de medo, estavam concentrados apenas em mim. Ninguém era capaz de vê-los.

Ele me amava...?

Eu o encarei, tentando entender o que se passava em sua cabeça. Por que eu? Nós não nos encaixávamos. Esta era realmente a minha casa agora? Minha cama lá em cima? As minhas roupas? Meu marido? Eu teria nossos filhos e saberia alguma coisa sobre ser mãe?

Deus, o futuro parecia tão diferente agora. Essas eram coisas que pensei que nunca fariam parte da minha vida. Ao invés da linha reta à minha frente – um túnel –, meu futuro parecia girar em círculos para encontrar uma estrada, deparando-se com prados e colinas verdejantes. Muita coisa a ser explorada, sem um caminho definido. Eu poderia dar voltas e nunca pisar no mesmo lugar duas vezes.

Mas, por alguma razão, isso não me deixou apavorada. Eu queria sonhar novamente.

— Por favor, não o machuque — supliquei.

— Vou fazer de tudo para não chegar a esse ponto.

Ele me colocou no chão e beijou minha testa antes de se virar, mas o puxei de volta, sussurrando:

— Eu também te amo.

Um sorriso brilhou em seus lábios. Segurando minha nuca, ele me puxou outra vez e me beijou com vontade, depositando mais dois beijos suaves e lentos. Com o olhar focado ao meu, deu um passo para trás e se virou para falar com os amigos:

— Vamos trancar e proteger este lugar como uma tumba.

Dias atuais...

— Para ser honesto, isso é incrível.

Michael perambulava pela sala do décimo segundo andar, observando as pequenas pistas que Damon havia largado por ali – roupas, bitucas de cigarro, alguns celulares descartáveis – e a quantidade de espaço tão habilmente oculto no prédio. Era realmente inacreditável como aquilo poderia passar despercebido. Provavelmente porque não enxergamos aquilo que não estamos à procura.

— É uma cidade enorme — prosseguiu, vasculhando os papéis em uma mesa. — Damon sempre teve hábitos noturnos, como uma coruja. Quieto durante o dia, mas capaz de escapulir de seus esconderijos para circular pela cidade enquanto dormíamos.

— Mas não é da natureza dele ficar sozinho — acrescentou Will, ainda recostado ao batente da porta.

Ele não entrou no quarto, e nem ao menos perguntei a razão.

— Bela vista do caralho. — Michael suspirou, olhando pela janela.

Observei a cama, os lençóis ainda emaranhados e os travesseiros no mesmo lugar onde eu e Banks havíamos deixado. Ele não deve ter vindo aqui depois de nós.

— Beleza, então vamos lá. — Enfiei as mãos nos bolsos do meu moletom e fui em direção à porta. — Ele não está aqui. Vamos esperar por ele no saguão.

Hesitante, Michael me seguiu à medida que íamos de volta ao elevador. Passava das nove e Damon não havia informado onde deveríamos encontrá-lo no *The Pope*, mas verificamos o andar secreto de qualquer maneira, apenas por precaução. Além disso, os caras queriam ver.

Girei em um círculo assim que passamos pelo *lobby*, examinando o espaço. A chuva estava começando a cair e relâmpagos atravessavam as janelas, seguidos por um trovão.

Algo parecia errado.

Nós não o víamos há um ano. Ele, certamente, estava preparado para fazer uma grande entrada. Não chegaria no hotel apenas dizendo um "oi".

Meu telefone tocou naquele instante, e suspirei sem nem me dar ao trabalho de conferir o visor.

— Onde você está? — perguntei.

— Exatamente onde preciso estar.

— Como assim?

Ele não disse nada por um momento. Então perguntou:

— Você acha que ela te ama? Mais do que a mim?

— Onde diabos você está? — Apertei o telefone na minha mão, sentindo os caras se aproximarem quando me ouviram. — Estamos te esperando aqui.

— Ela faz parte de mim — continuou ele. — E eu faço parte dela.

— Vocês só compartilham o mesmo sangue. — Fui até as portas da frente, olhando pelo vidro. — Isso não faz uma família.

— E é aí que você se engana — disse ele em um tom mordaz. — Sangue é o laço que liga. O nó na sua alma que diz que não importa para onde vá ou o que faz, sempre haverá alguém conectado a você nesta porcaria de mundo esquecido por Deus.

— Onde você es...

— Pode ser uma maldição — continuou ele. — Um fardo. Mas também pode ser o seu batimento cardíaco. Seu centro, seu propósito, seu senso de pertencimento... — Ele soltou um suspiro, suavizando o tom. — Eu estraguei tudo, menti, quase desmoronei na frente dela, mas ela entende que família é isso. É o que a vida lhe dá para ajudá-lo a suportar. O lugar deles é ao seu lado, não importa o quanto doa, eles são as pessoas que estão *sempre* com você. É um dever.

Não quando era algo abusivo. Ela era minha família agora, e ele nunca a machucaria novamente.

— E, infelizmente, Kai... — Damon parecia quase divertido. — Nada poderia me afastar do lado dela também.

— Onde você está? — exigi saber.

Mas ele apenas respondeu:

— Ela é minha. — Então ouvi o clique encerrando a ligação.

— Damon! — Apenas o vazio do outro lado. — Damon!

— O que diabos está acontecendo? — Michael olhou para mim.

Porém eu não fazia ideia. Por que ele ligou? Por que não disse toda aquela merda pessoalmente?

Por que nos pressionar outra vez?

E então cheguei à conclusão.

Trunfo.

— Ele não vem — informei.

— O quê? — Michael se aproximou.

Encarei meus amigos, com seriedade.

— As meninas. Ele sabia que as deixaríamos em casa.

CAPÍTULO 29

BANKS

Dias atuais...

— ARGH! — ALEX ROSNOU, RETIRANDO A MÃO SUJA DE DENTRO DA ABÓBORA e jogando o conteúdo na folha de jornal em frente.

— Você disse que queria assar sementes de abóbora — ressaltou Rika.

— Sim, bem, eu não sabia que elas vinham daqui.

Dei um sorriso forçado, tentando, sem sucesso, afastar meus pensamentos de Kai e meu irmão. Enfiei uma vela dentro do meu Jack O'Lantern[6], peguei o isqueiro e acendi o pavio.

Esculpir abóboras era uma maneira patética de me manter ocupada quando tudo o que eu mais queria era entrar em um carro e procurar Kai e Damon, mas se eu saísse de casa, Rika daria um jeito de me seguir, e depois, Alex, e eu não queria me tornar responsável por alguma coisa que pudesse acontecer a elas. Decidi, então, esperar pela ligação de Kai. Se ele não voltasse dentro de mais uma hora, eu iria atrás dele, independente de quem entrasse no carro comigo. Eu amava os dois, e um queria machucar ao outro. Como diabos conseguiria resolver aquilo?

Lev e David entraram na cozinha, beliscando os salgadinhos em cima da bancada enquanto nos observavam. Levei minha abóbora até o parapeito da janela e a coloquei de frente para o jardim.

As árvores coloridas se agitavam contra o vento, enquanto as gotas de chuva soavam como agulhadas contra o vidro da janela. Um relâmpago

---

6 Jack O'Lantern é a abóbora característica do Halloween. Olhos e boca em uma careta, com uma fonte de iluminação por dentro.

estalou do lado de fora, dando-me um susto repentino. Em seguida, veio o retumbar do trovão que reverberou pela casa.

Ergui a cabeça, encarando os caras.

— A tempestade está chegando. Há velas, lanternas e pilhas no armário do corredor. Peguem tudo lá, por favor.

— Beleza. — David se levantou de onde estava encostado no balcão. Tanto ele quanto Lev estavam cheios de sorrisos para Alex.

Ela lançou um olhar sedutor em retorno.

— Esses homens têm uma aparência tão saudável... — brincou, seguindo-os com o olhar enquanto saíam da cozinha. — Eles são um time?

Levantei a cabeça e Rika apenas balançou a dela, sorrindo enquanto esculpia sua abóbora.

— Quando estou entediada, penso em sexo.

— E quando ela pensa em sexo — Rika emendou —, alguém acaba transando.

Alex inseriu a tampa em sua abóbora agora acesa.

— É gostoso, não é? Devemos ter vergonha de fazer as coisas que gostamos? Não.

Eu a observei piscar para mim e depois sair da cozinha. Eu só esperava que não estivesse indo atrás dos dois.

Rika continuou recortando o formato dos olhos, enquanto eu embrulhava minhas sementes no jornal. Se Alex quisesse assar aquela porcaria, beleza. Eu já tinha esgotado minha cota de serviços domésticos por hoje.

— Gostei do seu vestido — comentou Rika, sem olhar para mim. — Estava perfeito.

Meu vestido?

Ah, o casamento. O vestido ainda estava largado no chão da sala de jantar.

— Você acha que será feliz? — Ela se inclinou, cortando cuidadosamente com sua pequena faca serrilhada para formar um olho.

— Eu não estou infeliz — atestei. — Disso tenho certeza.

Ela assentiu, ainda concentrada em seu trabalho.

— Kai é um bom homem. Ele é da família.

Eu sei. E estava entendendo onde ela queria chegar. Era melhor fazê-lo feliz também. As coisas podiam ser complicadas, e talvez levasse um tempo até que abaixassem um pouco a guarda até que me encaixassem em seu círculo fechado de amizade, mas eu admirava sua lealdade.

Dei a volta na bancada e empurrei em sua direção a vela e o isqueiro para que pudesse enfiar em sua obra de arte quando acabasse.

— Então, como estão seus planos de casamento?

Um sorriso largo se espalhou pelo seu rosto.

— Estou cheia de ideias — ela respondeu timidamente. — Quer me ajudar a fazer compras?

— Fazer compras? — Não deu para disfarçar o desgosto. — Tipo... vestidos?

Ela olhou para mim, inclinando-se.

— Tipo... um trem.

— Um trem? Como em…

— Todos a boooooordo! — ela cantarolou.

Hein?

Mas antes que tivesse a chance de questionar mais, a luz da cozinha apagou e a sala se viu mergulhada na penumbra.

— Eita. — Rika se endireitou no banquinho.

Fui até os interruptores, testando rapidamente e vendo que a energia havia acabado geral.

— Lanternas e velas! — gritei pelo corredor. — Rápido!

— Não dá para acreditar que as luzes acabaram desse jeito. — Rika esfregou os braços como se estivesse com um calafrio. — A tempestade nem está tão ruim assim.

— Tudo bem, aqui estão. — David e Lev voltaram correndo, colocando os suprimentos sobre o balcão.

Entreguei a Rika um isqueiro.

— Acenda as velas nos castiçais da sala de jantar, pode ser?

Ela o pegou e saiu apressada. Entreguei a Alex algumas velas.

— Você pode espalhar algumas destas pelos corredores lá de cima? Lev, vá com ela.

David me entregou uma lanterna e eu peguei algumas velas e um isqueiro para colocar na sala, enquanto ele corria escada acima.

Entrei no escritório primeiro e retirei os clipes de papel de um suporte metálico de Kai, apoiando uma das velas. Depois de acender, lancei um olhar para conferir se a entrada secreta do túnel estava fechada.

Quando entrei na sala de estar, meu corpo se cobriu de arrepios ao sentir uma corrente súbita de ar. Olhei para cima e avistei as cortinas esvoaçando e permitindo que a chuva entrasse pela janela aberta.

— Que porra...? — Deixei tudo o que estava na minha mão sobre o sofá e corri para tentar puxar o vidro imenso para baixo. — Quem deixou essa janela aberta?

A chuva salpicava o peitoril, as gotas encharcando minha camiseta enquanto me esforçava para fechá-la, usando todo o peso do meu corpo.

— Por que isso está aberto? — Rika parou ao meu lado, ajudando-me. Depois de certo esforço, conseguimos deslizar o vidro no lugar.

— Não faço ideia. — Respirei fundo e sequei as mãos. — De todo jeito, obrigada. Está ficando ruim lá fora.

— É mesmo. — Ela espiou pela janela, o longo cabelo loiro pendendo sobre os ombros. — Eu meio que queria estar em casa. A Noite do Diabo é melhor ainda na chuva.

Esfreguei os braços, tremendo. *Eu não tinha como saber disso.* Mas podia adivinhar a razão para que todos estivessem voltando para casa hoje à noite. No entanto, eu não tinha o mesmo brilho melancólico que agora via nos olhos de Rika.

Era nítido que ela havia crescido de forma bem diferente da minha. Em segurança, conforto e protegida. Eu, em contrapartida, cresci ao lado de Damon, e havia presenciado comportamentos destrutivos o suficiente para que a Noite do Diabo parecesse fichinha. Não via nada de especial nela. Seja para liberar energia acumulada ou me divertir. Enquanto ela queria se afastar da vida resguardada que levava e se meter em encrencas, tudo o que eu queria era a calma e o silêncio.

Algo atingiu o chão no piso acima, e nós duas imediatamente olhamos para o teto. As tábuas rangeram como se alguém estivesse caminhando pelo segundo andar, atraindo nossa atenção.

— Alex — disse Rika.

Assenti com a cabeça, embora achasse que ela não tinha razão para estar lá, já que pela posição era o quarto de Kai – e agora o meu.

Peguei a lanterna no sofá e comecei a sair da sala.

— Vamos.

Subimos as escadas às pressas, arrepios correndo pelos meus braços. Não tínhamos deixado a janela aberta. Olhei ao redor, jogando o facho da lanterna de um lado ao outro, em alerta máximo.

— Alex? — gritei, seguindo pelo corredor para o nosso quarto. — Alex, você está bem?

Abri a porta com cuidado, detendo-me no batente enquanto iluminava o interior. Não havia nenhuma vela por aqui, nem nos cantos ou próximo à cama.

O quarto estava do mesmo jeito que o deixei.

Estava prestes a enfiar a cabeça pela porta da suíte quando ouvi um rangido atrás de nós. Rika e eu viramos a cabeça na mesma hora.

— Alex? — chamei.

Andando até lá, abri a porta e iluminei o quarto de hóspedes.

— Que porra é essa?! — Lev exclamou, descendo da cama e ajeitando o jeans. Alex se levantou de onde estava ajoelhada e deu de ombros para mim com um sorriso tímido.

Balancei a cabeça, dando uma bronca em Lev:

— Fique com David e vá atrás dos disjuntores no porão.

Ele pigarreou, tentando disfarçar o sorriso quando passou por mim. Eu me virei para Alex e disse:

— Eles são todos seus quando a noite acabar. Tenha calma.

Ela abriu a boca para responder, mas algo se chocou no piso acima, fazendo com que todas nós olhássemos para o teto. Perdi o fôlego no mesmo instante. Aquilo não foi causado por nenhum de nós.

— O que foi isso? — Rika perguntou.

Agarrei seu braço, puxando-a para o corredor e depois gesticulando para Alex.

— Vamos!

Elas me seguiram às pressas pelo corredor e pelas escadas.

— Lev! — gritei. — David!

Contornei o corrimão e corri em direção à cozinha, abrindo a porta do porão.

— Lev! — Segurei a lanterna com mais força, iluminando a escuridão da escada abaixo. — David!

Jesus, onde eles estavam?

O teto rangeu de novo e de novo, em pequenos intervalos, como se alguém estivesse andando acima de nós.

— Banks — Rika sussurrou.

Eu sei. Eu sei. Algo estava errado.

Comecei a me afastar da porta do porão, olhando de um lado ao outro.

— Seu celular... onde está?

— Na sala de estar.

Seguimos naquela direção enquanto eu mantinha a lanterna circulando para todo lugar à medida que atravessávamos o *hall* de entrada. Verifiquei as fechaduras da porta da frente para ter certeza de que ainda estavam trancadas.

Entrando na sala de estar, Rika foi direto para o sofá e enfiou a mão na bolsa, retirando o celular. Então algo caiu no chão acima de nós, um *baque* ecoando pela casa.

— Que diabos? — Alex parou perto da janela, sua vela cintilando ao redor.

Rika se virou para mim, pronta para discar, mas então seu olhar caiu em algo às minhas costas.

— Banks.

Segui seu olhar, girando ao redor. Kai estava parado na porta usando sua máscara. Na mesma hora, exalei um suspiro.

— Kai. — Corri até ele, envolvendo-o com meus braços e o abraçando apertado. — Que merda? Você nos assustou.

Ele estava bem. O nó em meu estômago começou a se desfazer.

— Você entrou pela passagem secreta? — perguntei, sentindo-o retribuir meu abraço com força. — Onde estão Michael e Will?

— Banks — Rika chamou.

Eu me afastei um pouco, olhando para ela por cima do ombro.

— O quê?

Ela olhou para telefone vibrando em sua mão e para mim.

— Kai está me ligando.

O quê?

Seu olhar recaiu sobre o homem na minha frente. Com um ofego, começou a sacudir a cabeça, recuando.

— Esse aí não é o Kai.

Desenlacei os braços ao redor da cintura do homem, um nó na garganta quando olhei para a máscara.

Olhos negros encontraram os meus – uma frieza familiar me encarando de volta.

Damon? Eu me afastei, seu olhar ainda pousado em mim.

— Ai, meu Deus.

— Desligue o telefone — disse ele a Rika. — Agora.

No entanto, eu sabia que ela não o obedeceria. Olhei para ela, balançando a cabeça, suplicando com meu olhar. Isso apenas o provocaria. Eu poderia lidar com ele, desde que pudesse mantê-lo calmo.

Seu punho se apertou ao redor do telefone, e era nítido que estava se debatendo sobre o que fazer. Até que, por fim, enfiou o celular no bolso de trás da calça e pegou uma garrafa de Johnny Walker de cima do armário de bebidas, já se preparando.

— Então, como estão minhas cobras? — Damon perguntou, retirando a máscara que era uma réplica da de Kai e passando a mão pelo cabelo.

Olhei para o rosto do meu irmão pela primeira vez em um ano. Seu cabelo preto estava mais comprido e o rosto parecia um pouco mais fino, mas a mandíbula angular ainda era firme, os músculos flexionando de vez em quando. Era o único sinal que revelava que estava tentando não deixar a raiva transparecer.

Dei um passo devagar para trás, por precaução.

— Você está com medo de mim? — Ele jogou a máscara sobre a cadeira.

— Onde estão David e Lev? — perguntei.

— Amarrados no porão.

Balancei a cabeça.

— Você não conseguirá lidar com todas nós — avisei, vendo Alex se esgueirar pelo canto do meu olho esquerdo.

Ele apenas riu baixinho.

— Não se preocupe. Há um de mim para cada uma de vocês.

Então ergueu o queixo, dando um assobio agudo. Parei de respirar quando mais dois homens, vestidos como ele e com máscaras iguais às de Kai entraram na sala. Agora tínhamos três homens à nossa frente, e todos os músculos do meu corpo tensionaram em pavor.

— Quem...

Mas Damon me interrompeu:

— Agora — ele ordenou.

Então os caras avançaram.

— Damon, não! — gritei, preparando-me para golpear quem chegasse até mim.

No entanto, eles passaram direto e foram em direção a Alex. Um a agarrou por trás, segurando seu cabelo com força e torcendo o pescoço, enquanto o outro se postou à frente, prendendo as mãos atrás das costas enquanto ela rosnava e tentava se debater.

Rika fez um movimento em direção a eles.

— Eu poderia quebrar o pescoço dela em um segundo — o que estava às costas de Alex ameaçou, segurando a cabeça dela com as duas mãos enquanto encarava Rika.

Não consegui reconhecer suas vozes.

Ela parou, uma das mãos em punhos enquanto a outra ainda mantinha um firme agarre na garrafa de uísque. Os olhos dela se voltaram para Damon.

— Você é um maldito covarde!

— Não, eu sou esperto. — Ele sorriu. — Eles não durariam cinco segundos se tivessem tentado te derrubar.

— Ei, vá à merda! — disse o que estava à frente de Alex.

Eu me virei para Damon.

— O que você quer?

— Você — ele respondeu.

— Besteira! — rosnei. — Você sempre me teve! Por que esperar até agora para aparecer?

Antes que ele pudesse responder, Rika interrompeu:

— Você tentou nos matar — ela acusou. — Will... Você amarrou um bloco de concreto ao redor do tornozelo dele, amarrou suas mãos às costas e o jogou no oceano. — A voz dela falhou. — Você sabe o que fez com ele? Você é horrível.

— Eu sei.

Olhei para ele outra vez, atraída por sua resposta quase sincera.

— Tem muita coisa errada comigo — admitiu em um tom sério. Seu olhar percorreu a sala, evitando o nosso. — Adorei ir à escola. Fazia questão de ir todos os dias, mesmo se estivesse doente. Lembra-se, Banks?

Estreitei o olhar. Era claro que eu me lembrava. Damon era a última pessoa no mundo que alguém poderia esperar uma frequência tão acirrada. As únicas vezes em que ele faltava aula eram quando os amigos também faltavam.

— A escola era o único lugar onde eu sabia que estaria seguro — continuou. — E depois, quando fiquei mais velho, havia música, bebida e garotas... Era como uma festa todos os dias. Às vezes era o suficiente para me afastar dos meus próprios pensamentos, daí, eu quase não percebia o que estava acontecendo... — Abaixou o tom de voz, forçando as últimas palavras: — Acontecendo comigo.

Meus olhos arderam com as lágrimas.

— Eu tinha meus amigos, meu time e você — disse ele, olhando para mim. —Tudo para mim. A única garota em quem confiei. Ninguém tiraria você de mim. Eu não gosto de mudanças. — Então ele olhou para Rika. — Você estava fazendo isso.

Ele começou a andar em sua direção.

— Damon, não! — gritei.

Ele parou e olhou para mim.

— Então venha comigo.

— Para onde?

— Para casa, é claro — informou e depois olhou para Rika. — Quero que Rika me mostre as reformas de St. Killian. Talvez dê um passeio nas catacumbas.

Ele a encarou, seus olhos ameaçadores insinuando mais do que estava dizendo. Ela balançou a cabeça nervosamente.

— Eu não vou a lugar nenhum com você — ofegou.

— Mas é Noite do Diabo — provocou, avançando em sua direção. — Vamos lá... Kai, Will e Michael nos seguirão, sem dúvida. Nós vamos nos divertir. Como nos velhos tempos.

Ela zombou, parecendo mais ousada:

— Foi por isso que você esperou um ano? Pela Noite do Diabo? — Ela o encarou. — Deus, você realmente precisa disso, não é? Os velhos tempos, a adrenalina, seus amigos que te odeiam agora...?

Ele correu e invadiu seu espaço pessoal, enjaulando-a com os braços plantados na parede ladeando sua cabeça.

— Damon! — gritei.

— Não se preocupe, querida — ele me respondeu. — Ela não tem medo de mim. Tem, Rika?

Ela agarrou o gargalo da garrafa mais apertado, encarando-o em desafio.

— Você me odeia por causa das coisas que faço, mas ama o Michael pelas mesmas razões.

— Michael não tentou matar seus amigos — disse ela.

— Oh, você sempre me odiou — ele respondeu. — Lembro-me de você, com uns catorze anos, correndo apavorada de uma sala quando me via na casa de Michael. As pessoas ditam regras com base na forma como querem ser tratadas, mas vou lhe dizer uma coisa: quando alguém se comporta mal, é preto no branco, não é? Julgamos e condenamos, mas quando o fazemos, é uma área cinzenta, de repente. Outras pessoas estão sujeitas às suas convicções, mas você não, certo? Michael não?

Sua mandíbula flexionou quando ela olhou para ele.

— As pessoas são hipócritas, Banks — ele me disse, ainda olhando para ela. — Eles fazem as mesmas coisas que detestam que outro cara faça. A única bússola moral em que mais confio é na minha.

Ele a agarrou pela mandíbula, segurando-a com firmeza.

— E cheguei à conclusão — alegou — que um homem merece tudo o que um homem pode aguentar.

Ela balançou a cabeça, o rosto franzido pela raiva.

— Eu te odeio.

Ele se aproximou, sussurrando:

— Eu amo que você me odeie.

Então se inclinou para sussurrar algo em seu ouvido fazendo-a recuar, porém como se estivesse ouvindo com atenção. Não dava para ver se sua boca se movia, mas pelo flexionar de sua mandíbula, deduzi que estava dizendo alguma coisa. E ela não estava tentando afastá-lo.

Observei seus olhos entrecerrados e penetrantes, em fúria, e então, de repente, pareceu perder o fôlego, petrificada. Ela abaixou o olhar e permaneceu imóvel.

Damon se endireitou e olhou para ela, liberando-a.

— Foda-se o mundo, Rika. De nada.

Ela o empurrou, respirando com dificuldade. No entanto, ele apenas riu.

— O que você disse a ela? — interpelei.

O brilho de faróis se infiltrou pela janela naquele momento.

— Ah, olha quem chegou em casa — Damon debochou.

Rika aproveitou aquela chance para acertar a cabeça de Damon com a garrafa. Ele se chocou contra a parede com um ruído abafado e ergueu a mão para se proteger. Sem hesitar, ela arremessou a garrafa em um dos caras que ainda mantinha Alex presa, obrigando-o a se abaixar tempo suficiente para eu me mover. O outro se virou e dei um soco na mandíbula, seguido por um chute na virilha. Ele tropeçou, caindo de joelhos, e Rika agarrou Alex.

— Corram! — Rika gritou.

— Por aqui! — Eu as conduzi através do vestíbulo e para dentro da sala. — Por aqui, depressa!

Empurrando a estante com força, lentamente consegui fazer com que ela cedesse e começasse a abrir a porta do túnel. Rika percebeu o que eu tentava fazer e veio em meu auxílio. Alex fez o mesmo. Assim que consegui uma abertura suficiente, empurrei-as pela passagem, ficando para trás. Segurei a borda da prateleira e a fechei na mesma hora.

— Banks, o que você está fazendo?! — Rika gritou. — Banks!

— Apenas vão! — gritei.

Eu precisava chegar ao meu irmão antes de Kai. Corri de volta pelo vestíbulo, ouvindo alguém bater à porta, as fechaduras destravando. O instinto me dizia para abrir a porta da frente para eles, mas avistei o chão ensanguentado, seguindo em direção à cozinha.

Eles o machucariam. Ou o matariam. Disparei pelo corredor, por trás das escadas, e entrei na cozinha escura. As portas de vidro estavam abertas do outro lado da ilha, a chuva açoitava contra o vento forte que soprava no jardim. As árvores se curvavam ao extremo e uma das portas bateu contra a parede.

Onde você está?

De repente, fui agarrada e puxada por trás, um braço envolvendo meus ombros.

Suspirei.

— Você não o ama, não é? — Damon perguntou, algo úmido tocando minha têmpora. — Porque estou prestes a te transformar em uma viúva.

Uma viúva? Abri a boca para falar, mas então minha mão roçou a outra pendurada ao meu lado, meus dedos tocando o barril do aço frio. Um grito ficou preso à minha garganta.

Virei a cabeça, vendo o sangue pingando de seu cabelo e escorrendo pelo lado esquerdo do rosto.

— Damon, o que você quer? — sussurrei.

Então ouvi a porta da frente se abrir, ecoando pela casa, e fechei os olhos.

— Por favor — implorei. — Por favor, não. Por favor, apenas vá embora. Fuja.

— Eu te criei melhor do que isso — ele disse, mordaz, girando-me e agarrando a gola da minha camiseta. — Era para sermos nós, Nik. Só nós.

— Se você me quisesse mesmo, teríamos ido embora quando saiu da prisão no ano passado — eu disse, ouvindo Kai e os caras invadirem a casa. — O que você realmente quer?

A raiva incendiou seus olhos. Ele me encarou, mas vislumbrei outra coisa por uma fração de segundo. Como se tivesse vergonha da resposta verdadeira.

Ele abaixou o tom de voz, respondendo:

— Só quero que seja como antes. — Baixou o olhar, mas os ergueu novamente, o brilho gélido de volta. — E se não puder ter isso, vou garantir que ninguém nunca se livre de mim.

Ele me empurrou para trás me fazendo tropeçar. Segurando meu ombro, obrigou-me a entrar no pátio pelas portas abertas.

Porra, o que eu deveria fazer? Meu instinto me dizia para lutar. Para tentar me livrar de seu agarre e fugir. Mas isso não impediria que ele ou Kai se machucassem.

O que diabos eu faria se isso acontecesse?

— Tire suas malditas mãos de cima dela! — ouvi Kai gritar.

Damon me virou, usando-me como um escudo à frente do seu corpo.

A chuva gelada encharcava nossas roupas, e eu pisquei, vendo Kai, Michael e Will correrem para o pátio.

O olhar de Kai aterrissou na mão de Damon, que segurava a arma.

— Você não vai machucá-la — ele alegou. — Sei que não vai.

— Eu já faço isso há onze anos. — Damon apertou o punho na parte de trás da minha camisa. — Não há muito mais que eu não seja capaz de fazer.

Kai permaneceu imóvel, a raiva vacilante. Ele não tinha certeza se meu irmão estava blefando ou não. Não o suficiente, pelo menos.

— Onde estão Lev e David? — Kai me perguntou.

— Ele os amarrou no porão.

— E Rika e Alex? — Michael explodiu.

— Enviei-as pela passagem secreta.

Kai se virou para Michael, dizendo:

— A casa descendo a colina. Vá!

Michael correu de volta pela casa e soltei um suspiro que nem sequer sabia estar contendo. Eu ainda não sabia onde estavam os outros dois ajudantes mascarados de Damon. Tomara que tenham fugido.

— E aí, cara. — O tom de Damon ficou mais suave. — Senti sua falta.

Deduzi que estivesse falando com Will, que, pela primeira vez na vida, não parecia feliz. Seus lábios estavam curvados em um sorriso de escárnio e o olhar furioso se mantinha fixo indicando que não havia esquecido ou perdoado o que fora feito com ele. Kai deu um passo à frente, gritando para ser ouvido por cima da chuva:

— Por que passar por tudo isso?

— Porque aqui é o meu lar — respondeu Damon. Então me puxou de volta para seu peito. — Assim como ela é.

— Ela não é seu bichinho de estimação — argumentou Kai. — Ou sua propriedade. Nunca foi.

— Eu dei tudo a ela.

— Você a tratou como um cachorro! — Kai berrou, o olhar preocupado se virando para mim. — Você a magoou.

Engoli o caroço enorme que se formou na garganta. Eu sabia que Damon me tratava mal, mesmo que odiasse encarar esse fato. Eu apenas tentava justificar. *Ele não está bem. Ele está sozinho. Ele precisa de alguém em quem possa confiar.*

Eu o amava. O que deveria fazer? Poderia fazer com que ele melhorasse. Certo? Mas se os sacrifícios vinham apenas de um lado, era hora de encarar a verdade. Ele estava me machucando.

— Ela fica tensa quando eu a toco — disse Kai. — É sutil, e é apenas por um momento, mas acontece quando ela abaixa a guarda, como se não estivesse acostumada a isso.

Eu fazia aquilo?

— Ela tem a mente brilhante, mas acho que é ainda melhor em cuidar dos negócios — continuou ele, mantendo o olhar conectado ao meu. — Ela vai ficar a cargo de todas as coisas algum dia, e por mais que eu ainda não saiba exatamente o quê, tenho certeza de que se sairá muito bem.

Lágrimas brotaram nos meus olhos.

— E eu até gosto de vê-la usando roupas masculinas — disse ele, suavizando o tom de voz. — Desde que sejam as minhas.

Então ergueu o olhar e disse a Damon:

— Apenas deixe-a ir, cara. Ela não vai te machucar. Ela te ama. E você a ama.

Eu podia sentir a respiração acelerada do meu irmão atrás de mim quando ele fez com que recuássemos um passo, ainda resistindo.

— Os únicos que podem machucá-lo são aqueles que você ama.

Fechei os olhos.

— Escolha — disse ele.

Abri os olhos e ele me virou, olhando entre mim e eles.

— Ele pode sobreviver sem você. Você sabe disso.

Ele queria implicar que Kai não precisava de mim. Damon, sim. Era nisso que queria que eu acreditasse, mas não era inteiramente verdade.

— Você também pode — respondi. — Só que detesta nos ver sobrevivendo sem você.

Seu olhar se estreitou, e soube que ele concluiu o mesmo que eu. Mas antes que ele pudesse dizer qualquer coisa, Damon foi empurrado no chão e eu fui afastada de seu agarre.

Observei quando Will pulou em cima dele, jogando a arma para longe e o acertando com os punhos, como se tivesse esperado mais de um ano por aquilo. O que não deixava de ser verdade.

— Seu filho da puta! — gritou, grunhindo enquanto dava um soco. — Você não é nada! Nada sem nós!

Quando dei por mim, Kai me agarrou e me puxou para trás. Avistei Michael, Rika e Alex correndo pela cozinha, vindo em nossa direção.

— Os amigos dele fugiram — Rika informou e depois se concentrou no que acontecia logo à frente.

Virei-me, vendo Will ainda fora de controle.

— Como você pôde ir tão longe? — explodiu. — Eu vou te matar, porra.

Ele agarrou a garganta do meu irmão com uma mão, segurando-o no lugar e batendo nele com a outra. Damon não revidou nenhum de seus golpes. Apenas fechou os olhos com força, sangue escorrendo pelo nariz e pelo rosto enquanto Will o agredia repetidas vezes.

— Quando você não tem nada... não tem nada a perder. — Sua voz tremia quando grunhiu. — Foda-se tudo!

Então, de repente, prendeu Will em uma chave de braço e o puxou para baixo, detendo seus golpes. Ele se virou, deixando Will por baixo ainda batendo nele, dando socos, se debatendo e rosnando. Damon ficou apenas lá, a testa curvada no peito de Will, respirando com dificuldade enquanto recebia soco atrás de soco.

— Faça com que eles parem — implorei a Kai. — Por favor.

Mas ele permaneceu imóvel, permitindo que Will se vingasse. O sangue emaranhava o cabelo de Damon, escorrendo pelo rosto molhado da chuva. Ele agarrou a camisa de Will e enterrou a cabeça, tentando se proteger, mas sem impedi-lo.

Ele sabia que merecia isso.

Will o afastou, ficou de pé e chutou a cabeça de Damon, agora no chão. Eu me virei. Sabia exatamente o que ele estava fazendo, apenas deixando Will golpeá-lo. Se ele estivesse com dor do lado de fora, não sentiria por dentro.

Inclinei a cabeça, olhando as gotas de chuva que atingiam as folhas da grama enquanto a luta prosseguia e os sons de grunhidos e murros enchiam o pátio.

Por um tempo longo demais.

E então não ouvi mais nada. Levantando lentamente os olhos, vi Will sentado no chão ao lado de Damon, as mãos apoiadas atrás de si, para sustentá-lo na posição enquanto respirava com dificuldade.

Damon permaneceu deitado de costas, os joelhos dobrados, imóvel. Lentamente, começou a se virar e, com os membros trêmulos, se ajoelhou e se sentou sobre os calcanhares, mal tendo forças para manter a cabeça erguida. A água caía em cascata em seu rosto, o cabelo preto cobrindo os olhos, e eu sabia que seria incapaz de deixar de amá-lo. Sangrando, despedaçado, perdido e sozinho, ele estava de volta, não estava? Ele sempre seria capaz de suportar o que qualquer pessoa fizesse com ele. *Damon mudaria, transformaria e engoliria tudo.*

Kai se aproximou e eu fiz o mesmo. Ele se ajoelhou, encarando meu irmão.

— Nós não escolhemos Rika em vez de você — ele disse, calmamente.
— Ou Banks. — Ele se inclinou, o tom firme. — Você nos deixou.

Will observou Damon pelo canto do olho, a raiva ainda incendiando seu olhar, e Kai se levantou.

— Onde está o corpo?

Rika e Michael se aproximaram.

— Se foi — disse ele, respirando fundo.

Kai se abaixou e o segurou pelo cabelo.

— Onde?

Damon ergueu o olhar, parecendo divertido.

— Você não a matou.

Fui na direção dele e Kai o soltou, endireitando-se.

— O quê? — perguntei.

— Ela estava bem quando você e Kai deixaram o hotel.

— Como vou saber se está me dizendo a verdade? — Kai exigiu.

— Porque ela estava respirando quando você saiu, não estava?

— Bem, onde ela está, então? — indaguei. Ela teria precisado de dinheiro em algum momento. Era muito tempo para ninguém ter visto ou ouvido falar dela.

— Eu preciso da prova de que ela está viva — disse Kai. — Fui eu quem a feriu naquele dia.

— Não, ela estava *nos* machucando. — Damon levantou-se, lutando para endireitar os ombros. — E você a impediu. Fim da história.

— Então, ela estava viva quando eu saí do hotel? — Kai o desafiou. — Ela estava quando *você* saiu?

Damon manteve o olhar focado ao dele, sem revelar nada enquanto o silêncio se estendia entre eles, e eu sabia... simplesmente sabia...

Ela estava morta.

Aquela noite não havia terminado quando Kai e eu deixamos o *The Pope*.

— Kai! — Alex gritou. — Ai, meu Deus, depressa!

Viramos a tempo de vê-la correr para dentro de casa, do outro lado da cozinha e olhando para o corredor. Seu olhar parecia preocupado.

— Onde está o extintor de incêndio?

Saímos correndo em disparada. Passamos pela cozinha, a mão de Kai firme à minha. Deixamos Damon do lado de fora e eu sabia que ele fugiria. Uma parte minha desejava que ele fizesse exatamente aquilo.

Alex estava no vestíbulo, encarando a sala de estar, e Michael, Rika, Kai e eu corremos até ela, vendo as chamas rastejando pela cortina negra. Uma pequena árvore havia caído e arrebentado a janela, vidro e chuva se espalhando pelo chão.

— As velas — Kai arfou. — Merda!

Olhei para o local e percebi que as cortinas pegaram fogo por conta das velas esparramadas por todo o piso.

Kai apontou para Will.

— No armário! — Todos corremos em direção ao *closet* do corredor em busca dos extintores de incêndio.

Corri para a sala de estar, vendo as chamas se espalharem mais ainda, notando, em seguida, as espadas *shanais* penduradas na parede ao lado da janela.

— Rika! — gritei e retirei uma delas da parede.

O calor das chamas fez com que meus olhos ardessem. Chuva encharcou meu braço quando estendi a mão para alcançar outra espada. Podia sentir as lágrimas me sufocando. Ele já havia perdido o *dojo*. Eu não poderia deixar isso acontecer novamente.

Rika me ajudou na tarefa de retirar uma a uma da parede, jogando-as no sofá.

— Não! — Ouvi Kai gritar. — Banks, afastem-se daí!

Ele correu até mim e me puxou para ficar por trás de seu corpo.

— Apague o resto das velas!

As chamas se espalharam pelo restante da estrutura da janela, e eu corri para fazer o que Kai havia orientado, temendo que o vento derrubasse mais velas ao redor.

Os amigos de Kai entraram correndo na sala, Michael horrorizado quando olhou em nossa direção.

— Rika! — ele gritou.

Então me virei a tempo de ver um pedaço de tecido sendo consumido pelas chamas, pendurado por um fio. Rika olhou para cima ao mesmo tempo em que Michael disparou em sua direção. De repente, a haste dourada da cortina se partiu, caindo da parede, como se estivesse em câmera lenta. Os tecidos pesados das cortinas desabaram. Todo mundo tentou chegar até ela, mas alguém conseguiu agarrá-la pela parte de trás da camiseta, arremessando-a para longe. Quando ela caiu de costas no chão, estremeceu de medo ou dor, provavelmente.

Ergui o olhar e encontrei Damon. Eu nem o tinha visto entrar.

Rika piscou algumas vezes, ainda sem fôlego quando Michael a alcançou e a puxou para os seus braços.

— Jesus Cristo — ele ofegou, segurando o rosto dela. — Você está bem?

Ela parecia atordoada, tentando respirar com mais calma. Quando olhou para cima, assim como eu, viu Damon ainda de pé ali, com a mandíbula cerrada.

Todo mundo ficou imóvel por um instante, tentando entender o que havia acabado de acontecer, até que Kai se moveu em direção às chamas e usou o extintor para extingui-las. Ele e Will pulverizaram a espuma branca para cima e para baixo, transformando as labaredas alaranjadas rapidamente em fumaça.

Respirei profundamente, tentando recuperar o fôlego; Will tossia bastante logo após a tarefa árdua.

Ambos colocaram os tanques agora vazios no chão, e ficamos ali parados, cansados, confusos, com raiva ou sei lá mais o quê. Alex respirava com dificuldade, com a mão sobre o peito, enquanto Michael se mantinha em frente à Rika, em completo silêncio.

Will desabou no sofá, descansando a cabeça entre as mãos, e Kai... se virou para Damon, dizendo, por fim:

— Você acha que não vamos chamar a polícia? — ele ameaçou. — Você deveria ter fugido.

— Não vou mais fugir — disse Damon, encarando a parede. — Pode chamá-los.

Engoli em seco, sentindo a dor súbita na garganta. Eu sabia que Kai estava olhando para mim. O que eu poderia dizer? *Por favor, não.*

Meu pai não vai deixar Damon voltar para a prisão. Ele o mandará para algum lugar onde não possa embaraçá-lo novamente, e o manterá lá, fora da vista, pelo tempo que for necessário para que Damon se acalme.

Se eu fosse Kai, garantiria que Damon recebesse o que merecia, para proteger os amigos e familiares. Mas eu não era Kai.

Fechei os olhos, sentindo o queixo tremer. Eu já estava no meu limite, e não suportava mais vê-lo sofrer.

— Rika? — Kai disse, vindo até mim e entrelaçando os dedos aos meus. —Michael? Will? Decidam o que querem fazer. Não posso lidar com isso agora.

Ele pressionou os lábios na minha testa. Eu não poderia pedir a nenhum deles que o deixassem ir embora, mas fiquei grata por Kai se manter ao meu lado.

Ninguém falou nada, e quando abri os olhos, vi Rika encarando Damon. Em seu olhar havia um misto de raiva e aflição.

E confusão. Ele havia acabado de salvar sua vida.

E mais... o que Damon sussurrou em seu ouvido antes de os caras chegarem?

— Não tenha dúvidas — Damon debochou. — Eu não sou um cara legal. Chame a polícia.

Michael se virou, parecendo pronto para bater nele, mas Rika o puxou de volta.

— Saia daqui — ela rosnou para Damon. E então se virou, arfando e bufando com a raiva transbordante.

Damon olhou para mim, e havia tanta coisa que eu queria dizer. Mas nós dois sabíamos que ele precisava sair dali antes que ela mudasse de ideia.

Quando ele saiu, ouvi a porta da frente se abrir e o som da chuva intensa. E se nunca mais o visse? Damon foi tudo para mim, por muito tempo. As coisas agora eram diferentes, novas... Minha casa, minha rotina, até mesmo minhas roupas... Exalei, a dor revirando meu estômago.

Corri para fora da sala e saí pela porta da frente.

— Damon!

Lágrimas escorriam pelo meu rosto, e eu mal podia vê-lo por trás dos meus olhos embaçados. No entanto, a figura sombria parou e virou-se, lentamente. Havia sangue já seco ao redor de seu olho, mas as gotas de chuva estavam lavando a maior parte.

— Você já me amou? — perguntei.

Ele se aproximou de mim, devagar, o olhar frio.

— Amor é sofrimento, Nik — respondeu. — Nunca algo bom.

— Nem mesmo meu amor?

Ele baixou o olhar, balançando a cabeça.

— Eu não quero te machucar. Não mais... — acrescentou. — Isso é tudo o que eu sei.

Então recuou devagar, finalmente se virando e se afastando pela estrada longa e deserta até desaparecer em meio à noite.

Eu apenas o observei se distanciando na vazia escuridão. *Nunca é tarde demais.*

CAPÍTULO 30

BANKS

Dias atuais...

O VENTO OUTONAL UIVOU DO LADO DE FORA, FAZENDO COM QUE A CASA silenciosa rangesse. Já devia ser cerca de três da manhã, mas nem ao menos me mexi para conferir o celular. Sentados contra a cabeceira da cama, aninhei-me entre as pernas de Kai, recostada em seu peito. Estava brincando com o movimento de entrelaçar os dedos aos dele. Hoje era Dia das Bruxas.

— Você sente isso? — perguntei, em um fio de voz.

— O quê?

Respirei fundo e fechei os olhos.

— É como se tudo estivesse começando.

Um peso enorme foi retirado dos meus ombros quando Damon foi embora horas atrás. Embora ainda estivesse me perguntando para onde ele poderia ter ido e se estava seguro, ou mais, preocupada se duvidava do meu amor incondicional.

No entanto, não havia percebido que o temia. Ou ao menos, uma parte minha.

Não percebi até que saiu da casa, sem dar indicação de que viria atrás de nós novamente, e a dor no meu estômago com a qual havia me acostumado ao longo dos anos, e que já nem percebia mais, começou a desaparecer. Ele sempre manteve um controle muito apertado sobre mim. Apertado demais.

Mas agora era como se eu pudesse finalmente respirar com mais facilidade. Eu não precisava mais fazer nada, e a melhor parte? Poderia fazer qualquer coisa que quisesse. Estudar, usar saltos altos, voltar para casa ao amanhecer, viajar, ser voluntária em alguma coisa, ir a um bar... Ter amigos.

— Se você quiser uma anulação, eu lhe darei uma — disse Kai, os lábios roçando os fios do meu cabelo. — Podemos começar de novo. Recomeçar. Talvez namorar. E, depois, ter um casamento adequado quando eu fizer um pedido e você aceitar. — Ele baixou a voz para um sussurro: — Daí vou te beijar como deveria.

Dei um meio sorriso. Era nítido que ele se sentia culpado pelo que fez em nosso casamento.

— Não. — Levantei a mão, olhando para a minha aliança. — Faz parte da nossa história e não quero mudar isso. Gosto da nossa história.

Seu braço deslizou com força ao redor da minha cintura, possessivamente.

— Então, o que vem a seguir? — perguntou. — O que quer fazer com sua vida agora?

— Tudo.

Ele soltou uma risada. Eu definitivamente me sentia insegura. E culpada. Ele já havia me comprado um monte de roupas, mas não deixaria que me bancasse desse jeito. Eu teria que descobrir algo em breve, ou não seria feliz se não pudesse contribuir com nossa vida de alguma forma.

E com esta casa.

Quer dizer, a *nossa* casa, acho.

O que me lembrava...

— Por que você manteve esta casa em segredo? — Virei a cabeça para olhar para ele.

Havia um sorriso que alcançava seus olhos.

— Pela mesma razão que eu gostava do confessionário.

Franzi o cenho, sem entender direito.

— Gosto da minha privacidade e do meu espaço — explicou — e este é o único lugar onde posso ficar em paz, ouvir meus pensamentos, sem distrações. Tenho foco aqui. — Pressionou os lábios na minha têmpora. — Sabia que não seria um segredo para sempre, mas queria aproveitar a reforma e morar nesse lugar antes que meus amigos começassem a frequentar.

— Bem, acho que você vai se distrair comigo aqui — apontei. — Não sou tão quietinha.

Seu peito tremeu com uma risada atrás de mim.

— Não me importo de ser distraído por você.

Eu esperava que não, já que Alex deixou a lingerie que havia comprado para mim daquela vez, e estava planejando fechar o portão, trancar as portas e me distrair muito em breve.

— Existem outras passagens secretas? — perguntei.

— Sim.

Senti meu corpo formigar.

— Elas levam a coisas divertidas?

— Sim.

Dei um sorriso, deixando a imaginação correr solta. Ainda estava nervosa com o futuro da minha vida, mas também, bastante animada.

Recostei a cabeça em seu ombro, olhando em seus olhos.

— Seus pais vão me odiar?

Ele balançou a cabeça.

— Não — respondeu. — Meu pai vai me odiar por cerca de quinze minutos e depois evoluirá para ficar desapontado novamente. — Beijou meu nariz. — Seja quem você já é. Leal, honesta, prática, sem rodeios e teimosa. Ele respeita o que vê por dentro.

— E sua mãe?

— Minha mãe só vai se importar se você me ama. — Ele sorriu para mim. — E que tenhamos sido casados por um padre, é claro.

Estreitei o olhar. *Verdade*. Pareceu-me estranho que ele tivesse arranjado uma igreja e um padre para um casamento que aparentemente não queria. Quando o investiguei, não tive a impressão de que ele fosse particularmente religioso, tendo aparecido em raros batizados de família ou coisas do tipo. Será que fez isso por causa de sua mãe?

— Foi por isso que...

Ele assentiu, seus olhos suavizando enquanto me encarava com atenção.

— O casamento foi para a vida toda, garota.

Para a vida toda. Não pude deixar de sorrir. Eu deveria saber. Kai não cometia erros.

Beijei-o, a boca quente enviando arrepios que se espalharam pelos meus lábios e pescoço. Nós apenas nos abraçamos, aproveitando o tempo juntos pela primeira vez, os beijos se tornando mais profundos e exigentes.

Afastando-se um pouco, Kai depositou um beijo em minha testa e na cabeça.

— O sol vai nascer em algumas horas. — Olhou para a janela ao lado da cama. — Temos tanta coisa a fazer em vez de dormir...

Saindo de trás de mim, desceu da cama e o observei caminhar até sua cômoda. Quando pegou uma calça da gaveta, virou-se para mim e perguntou:

— Toma banho comigo?

Eu me deitei, descansando a cabeça na minha mão. Cara, aquilo era bem tentador. Eu não queria sair do lado dele, mas algo ainda estava me incomodando.

— Vá na frente — disse, pegando meu telefone. — Preciso só conferir algumas mensagens.

Ele me lançou um olhar que dizia que não pretendia se demorar muito. Eu o observei entrar no banheiro e esperei até ouvir a água sendo ligada e a porta do boxe se fechar.

Sentei-me na cama e rapidamente pesquisei os contatos da minha agenda, encontrando exatamente quem estava procurando. Liguei e esperei enquanto a linha chamava. Estávamos no meio da madrugada, então era bem capaz que demorasse um pouco até que atendesse. Para minha surpresa, não levou tanto tempo e a voz grogue e sonolenta me cumprimentou com um resmungo:

— Jesus, o que você quer? — Will ladrou.

Desci correndo da cama e fui até a porta do quarto.

— Será que você pode se encontrar comigo? Preciso da sua ajuda.

Virando o jipe de Kai pelo acostamento, peguei a estrada de cascalho que ladeava uma pequena floresta à esquerda. Era a única coisa que havia entre mim e a casa de meu pai. As luzes de ré do SUV de Will estavam acesas enquanto ele se mantinha parado na estrada. Para chegar aqui, ele deve ter acelerado. Eu tinha certeza de que devia estar bravo comigo por tê-lo arrancado da cama antes do amanhecer.

Passei por ele e observei quando saiu do acostamento, vindo logo atrás de mim. Depois de um tempo, encontrei o caminho pelo qual Damon passava quando chegava muito tarde em casa e os portões já estavam trancados.

Virei à esquerda e desci o pequeno aclive, o carro sacudindo enquanto se enfiava pela mata que margeava a propriedade. Era a única maneira de chegar lá sem que ninguém percebesse.

Talvez.

Ainda havia sensores de movimento e câmeras e um guarda sempre passeava pelo perímetro, mas eu sabia, por experiência própria, que a esta hora, ele devia estar enfiado na cozinha, se empanturrando ou assistindo TV às escondidas.

Quando avistei as luzes à frente, localizei-me, sabendo que estava subindo pela parte de trás das garagens. Estacionei o carro e desliguei o motor. Da última vez que vi, havia nove cães. Tomara que eu conseguisse encaixar todos dentro do jipe.

Saí do carro, levando as chaves comigo.

— Você não tem um marido para infernizar? — Ouvi Will reclamar assim que bati a porta. — O que estou fazendo aqui?

Posicionei o indicador sobre meus lábios.

— Shhh... — silenciei-o. — Não consigo fazer isso sozinha. Apenas pare de choramingar.

— Existe alguma razão para você simplesmente não ter trazido o Kai?

— Sim! — sussurrei. — Ele nunca teria me deixado voltar aqui.

Eu poderia ter chamado David e Lev, mas eles seriam mortos a tiros se voltassem para cá. E não ousaria trazer Rika. Todos eles ficariam putos comigo se eu a colocasse em perigo. Michael não a deixaria em paz de qualquer maneira, não depois do que aconteceu ontem à noite.

Além disso, Will era... legal. Ele podia reclamar e resmungar, mas faria qualquer coisa para ajudar alguém, eu tinha certeza. Quer dizer, ele até escolheu uma calcinha para mim. Isso deve significar que nos unimos o suficiente para pedir favores um ao outro, certo?

Segui em direção à casa, pisoteando as folhas úmidas e fechando minha nova jaqueta de couro contra o vento frio. O Dia das Bruxas em Thunder Bay era tão importante quanto a Noite do Diabo, então nas próximas horas, a força policial seria intensificada nas ruas da cidade. Eu duvidava que meu pai os mandasse atrás, independente da quantidade de homens que estivesse de serviço até mais tarde hoje.

No entanto, ele, definitivamente, sabia que eu estava aqui.

Correndo pela primeira garagem, entrei no amplo espaço enquanto pegava minhas chaves do bolso. Gabriel sabia que eu não era burra, mas também não imaginou que pudesse ser de alguma ameaça. Ainda não, pelo menos. Eu duvidava que ele tivesse mudado as fechaduras desde a última vez que estive aqui, dois dias atrás.

Abri o tampo do teclado e digitei a senha, desativando o alarme. Inseri a chave prateada na porta e girei a fechadura.

— O que estamos fazendo? — Will perguntou, em um sussurro.

Porém não o respondi, entrando e puxando-o para me seguir. Ouvi imediatamente as correntes chacoalhando e arrastando nos canis espalhados ao redor. Olhei ao redor e percebi que não havia ninguém aqui; as luzes de emergência iluminando o suficiente o caminho. Peguei um monte de coleiras na parede e joguei três para Will.

— Precisamos ser rápidos.

— O qu...

Abri o primeiro canil.

— Eles vão latir pra caralho! — reclamou.

— Eles vão latir se você não fizer exatamente o que eu disser.

Se os cães enlouquecessem, o segurança noturno estaria aqui em segundos. Precisávamos ser furtivos.

Eu me aproximei do cachorro – um pit bull mais velho – que estava aqui desde filhote. Ele não latiu. Ele, pelo menos, me conhecia e já estava bem treinado, mas os outros podiam ficar nervosos, e era por isso que somente eu deveria retirá-los do canil enquanto Will os levaria até os carros.

Acariciei por trás de sua orelha e prendi a coleira, puxando-o gentilmente para fora da jaula.

— E se ele arranjar mais cachorros? — Will perguntou, quando entreguei Brutus a ele.

— Então acho que vamos ter que voltar...

Às pressas, abri todas as grades e entrei, prendendo os cães e os levando para fora. Os dois grandes pireneus saíram sem trabalho, mas um deles estava tão magro que dava para ver as costelas; o rottweiler, os dois pastores e os dois huskies se afastaram, resistindo. Peguei o saquinho no meu bolso e ofereci os pedaços de carne que havia trazido comigo.

Will já havia colocado o pit bull e voltou para pegar os dois pirineus.

— Coloque estes dois no banco de trás da sua caminhonete — instruí. — E rápido!

Fui até a última gaiola e vi o beagle deitado, apenas nos observando. Percebi que ele estava tremendo de medo. Senti o nó doloroso na garganta.

Não dava tempo de avaliar os danos, mas ele parecia machucado, então nem ao menos tentei atraí-lo para fora, simplesmente me abaixei e o peguei no colo. Depois de colocar a coleira, saí rapidamente do prédio.

Will e eu os carregamos e fiquei pensando se devia ou não amarrá--los na carroceria. Embora fossem treinados para serem agressivos, eu não queria correr o risco de que caíssem ou pulassem, podendo até mesmo se sufocar com as coleiras. Eu teria que lidar com uma briga eventual entre eles, caso acontecesse no caminho.

Will pulou em seu carro, gritando comigo pela porta aberta.

— Vamos embora!

Peguei as chaves, mas depois parei, encarando a casa. Eu não tinha buscado tudo.

Will ligou o motor e eu me virei, acenando com a mão.

— Pare, espere!

Dois latidos baixos saíram dos carros quando ele enfiou a cabeça pela janela.

— O que você está fazendo?

— Fique aqui — orientei.

— Banks! — ele sussurrou. — Que porra...?

Corri até a casa e girei a maçaneta da porta da cozinha, que cedeu devagar. Meu estômago revirou. O guarda a deixou destrancada para que pudesse entrar e sair, o que significava que estava por perto. Abrindo suavemente a porta, avistei a pequena TV ligada no balcão de granito no canto oposto. Havia também um prato cheio de farelos em frente. Ele provavelmente estava no banheiro.

Aproveitando a oportunidade, corri pela cozinha, passei pelo corredor e subi as escadas. Abri a porta do quarto da torre, entrei rapidamente e subi de dois em dois degraus.

Damon poderia estar aqui.

No entanto, ao abrir a porta, percebi que tudo estava escuro e vazio, sendo iluminado apenas pela luz da lua. Uma pontada de decepção me atingiu. Eu não estava procurando por ele, e este provavelmente não era o melhor lugar para ele estar, de qualquer maneira, mas se não estivesse aqui, onde mais estaria?

Fui até a cômoda e enfiei a mão dentro dos viveiros, pegando Volos e Kore II para colocá-las em seus recipientes separados. Se Damon não voltasse para casa, então ninguém cuidaria delas.

Meu Deus, Kai ia me matar.

Dando uma última olhada no quarto, saí e não me incomodei em trancar a porta no final da escada. Voltei correndo pelas escadas e quase esbarrei na figura sombria que subia os degraus. Um dos homens, Sergei, parou e olhou para mim abruptamente.

— Que diabos você está fazendo? — Olhou para mim.

Mas não respondi. Passei por ele às pressas e acelerei pelo corredor. Ele continuou subindo, correndo, provavelmente indo chamar meu pai.

Entrei na cozinha, vendo Marina parada perto da pia. Ela virou a cabeça, os olhos arregalados de surpresa.

— Ei.

Fui até a porta dos fundos, puxando a maçaneta enquanto ajeitava os viveiros em meus braços.

— Vamos — eu disse a ela. — Você vem comigo.

— O quê?

Olhei por cima do ombro.

— Não temos tempo para discutir. Não vou deixar você aqui.

Com meu pai ou esses homens.

Ela limpou as mãos no avental, a confusão estampada em seu rosto.

— Eu não posso sair.

— Você pode, sim — insisti. — Você pode vir comigo. Neste instante. Você quer?

Sua boca se abriu, mas nenhuma palavra saiu. Seus olhos dispararam para baixo, depois para cima, e nunca a vi tão aflita enquanto olhava ao redor, como se aquele ambiente pudesse lhe dar a resposta necessária.

Até que piscou e respirou fundo, arrancando o avental. Eu sorri.

Corremos para fora da casa, deixando a porta aberta, e olhei para ter certeza de que o SUV de Will ainda estava parado perto das árvores. Ele acendeu os faróis.

— O que diabos você pensa que está fazendo? — Um berro soou às minhas costas.

Parei na mesma hora, fechando os olhos com força. Cacete.

Ouvi uma porta de carro bater e vi Will vindo na minha direção. Olhei para Marina e disse:

— Entre no jipe.

Ela assentiu e seguiu em frente, sem olhar para trás.

Eu me virei para encarar meu pai que estava de calça preta e sem camisa, com cerca de quatro homens atrás dele. Embora estivesse tentando disfarçar, era nítida sua irritação.

— Arranje uma nova cozinheira — respondi, segurando os terrários. — E não compre mais cães. Sou extremamente difícil de lidar por conta desse assunto.

Ele riu com amargura. Então avançou em minha direção, seus homens ficando para trás.

— Você não vai levar as minhas coisas — ele rosnou baixo.

Levantei o queixo, em desafio.

— Considere isso como meu seguro-desemprego — eu disse. — E seja grato por eu não querer receber muito mais para manter a boca fechada a respeito de tudo o que acontece aqui.

Seu olhar se estreitou. Ele poderia facilmente acabar comigo, e tinha consciência de que eu sabia disso. Mas meu pai era um homem inteligente e agora entendia que eu já não estava sozinha. Valia a pena todo aquele esforço?

Um sorriso doentio curvou seus lábios.

— Fiquei sabendo do que aconteceu na casa de Kai na noite passada — disse ele, mordaz. — Diga ao seu irmão que quero vê-lo. E se você não conseguir controlar o comportamento dele daqui para frente, eu o levarei arrastado e vou mantê-lo amarrado em *Blackchurch*. Sem hesitação.

Cerrei os dentes. Damon havia deixado a prisão ainda mais abominável e distanciado da realidade do que nunca. As últimas facetas que eu mais amava nele estavam desaparecendo. *Blackchurch* o transformaria em um animal.

— Ele tem mais uma chance — meu pai ameaçou. E então inclinou a cabeça para mim. — Mas talvez seja exatamente disso que ele precisa. Um ano, ou cinco, para refletir sobre esse temperamento dele.

A raiva se espalhou pelo meu corpo quando encarei meu pai.

— E se isso acontecer... — Ele se aproximou, baixando a voz. — Será temporada de caça a você e sua nova equipe. Agora saia da minha propriedade.

Eu me afastei, sem hesitar e afastar o olhar de nenhum deles. Não era de seu feitio renunciar ao controle sobre mim ou me deixar levar a melhor, mas acho que ele tinha problemas suficientes, já que precisava se preocupar com Damon.

Correndo para Will, dei-lhe uma cotovelada e nós dois saímos dali em disparada.

Fiquei de olho no espelho retrovisor o caminho todo para casa.

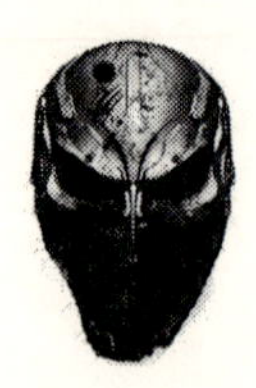

— Mas que merda?! — Ouvi Kai berrar e estremeci.

Assim que fechei a porta do carro, pude vê-lo, David e Lev descendo a varanda de casa e vindo até nós.

— Eu vou matar você. — Kai apontou para Will.

— Vamos lá, cara. Droga. — Will abriu a traseira do jipe. — Ela é a sua garota. Não a minha.

Quatro dos nove cães saltaram da traseira do jipe e tentei proteger os pequenos terrários atrás de mim, mas não adiantou. Kai estreitou o olhar para os cães e então olhou à direita, vendo Marina dando a volta na frente do carro.

— O que é isso? — soltou. Então seus olhos pousaram nas cobras, tornando-se mais alertas.

— Fomos até Gabriel — eu disse a ele. — E eu, hum... tenho alguns cachorros?

— Você voltou na casa dos Torrance? — Seu tom indicava que eu estava encrencada. — Você escapou depois da conversa que tivemos sobre lealdade e honestidade e...

— E eu precisava fazer isso sozinha — eu o interrompi. — Não é como se eu pudesse dizer: "Ei, aqui está o meu homem, e ele vai brigar com você se você me machucar, então afaste-se"! Eu precisava enfrentá-lo sozinha. Estou bem. Está vendo?

Ele cruzou os braços sobre o peito. Seu bíceps flexionou, esticando a camiseta preta e fazendo um nó se apertar em meu estômago.

Pigarreei antes de dizer:

— Não voltarei mais. Prometo. Eu só precisava lidar com isso.

A ruga profunda entre seus olhos se acentuou. Sabia que ele não estava bravo por eu ter enfrentado meu pai. Kai não me tratava como uma flor frágil. Acho que ele estava com raiva porque fui sem ele. Eu também ficaria com raiva.

Mas sabia, da mesma forma, que ele teria assumido a liderança e se colocado à minha frente se não gostasse do que Gabriel dissesse ou fizesse. Ou até mesmo da forma como olhasse para mim. Eu precisava fazer isso sozinha.

Ouvi um ruído atrás de mim e virei-me, vendo Will tendo dificuldade para conter os animais. Eles estavam levando a melhor sobre ele.

— Nove cachorros? — Kai disse, ríspido, encarando-me com um olhar. — Eles não vão ficar aqui.

— Claro que não — aleguei, fingindo inocência. — Vou ligar para o abrigo quando abrirem em uma hora.

— Ou *poderíamos* ficar com eles — sugeriu Will. — Quer dizer, olhe para essa coisinha. Ele está tremendo.

E se abaixou para pegar o beagle, o cachorrinho se sacudindo de pavor.

Kai pareceu confuso. E então me deu um olhar de advertência.

— Amor, eu gosto de paz e silêncio. Você sabe disso.

— Totalmente. — Balancei a cabeça, tentando conter o sorriso. — Quer dizer, eles ficaram enjaulados a vida toda. Eu poderia mantê-los na outra casa por alguns dias também? Só até que ganhem um pesinho? Antes que o abrigo os coloque em gaiolas de novo, né?

— Sim, eles poderiam ser mimados um pouquinho também — acrescentou Will. — Vamos apenas ficar com eles.

— Ai, meu Deus — resmungou Kai, balançando a cabeça enquanto andava até a casa. — Nove cães...

Mordi os lábios para disfarçar o sorriso.

Entregando rapidamente os terrários para Marina, fui atrás de Kai.

— Ah, e eu meio que trouxe a cozinheira de Gabriel — informei, tropeçando até ele. — Nós poderíamos ficar com ela, certo?

— Sim, tudo bem, foda-se, tanto faz. — Ele entrou e começou a subir as escadas. — Traga todos. As portas estão abertas. Por que não?

Bufei uma risada, seu sarcasmo não passando despercebido. Ele estava perdendo o controle, e eu adorei. Afinal, essa era a *nossa* vida e podíamos ainda estar aprendendo a lidar um com o outro, mas também odiávamos o fracasso. Nós daríamos um jeito de nos encaixar.

— Ah, e mais uma coisa... — Corri, alcançando-o e pulando os degraus para ficar acima dele.

Ele parou, deixando escapar outro suspiro.

— Acho que vou chorar.

Tentei não rir. O pobre rapaz já havia enfrentado o suficiente por uma manhã.

Olhei para seus lábios, ombros largos e cabelo perfeito e inclinei-me, desejando aquecer minha pele. Enlaçando seu pescoço, pressionei meu corpo ao dele, acariciando seus lábios com os meus e sentindo-o estremecer.

Então sussurrei:

— Eu ainda preciso daquele banho.

Segurei sua mão, satisfeita com o olhar ardente que me lançou e levei-o escada acima.

EPÍLOGO

A GRAMA COBERTA DE ERVA DANINHA COBRIA A TERRA ENQUANTO ELE PASSAVA silenciosamente pelas lápides. Um mar de túmulos se estendia mais além, acima da colina à esquerda e às suas costas, a perder de vista. Era realmente o lugar mais tranquilo onde já esteve.

As pessoas se mantinham em silêncio aqui. Expressões solenes e fechadas eram comuns, e falar consigo mesmo era perfeitamente aceitável em um cemitério. Embora ele pudesse gritar agora e ninguém notaria. Não havia mais ninguém por ali.

Olhou para a lua, vendo o brilho circular lançando sua fraca luz sobre a terra. A lápide de granito que procurava surgiu à frente, e ele se aproximou, um calor crescente correndo por suas veias enquanto cerrava os punhos para aquecer os dedos enregelados.

Parando, pousou o olhar sobre a sepultura, depois em seus sapatos e na terra em que pisava. E o que havia por baixo.

Fechou os olhos, deixando-se levar pelas sensações.

Todo mundo pensava que ele era desumano. Incapaz de sentir. Resistente à emoção. Um psicopata doente. Um robô.

Não.

Ele sentia tudo. Nunca evitava uma emoção. Nenhuma delas. Ele sabia que permitir-se extravasar era a única maneira de se livrar delas.

Vergonha.

Medo.

Raiva.

Amor.

Preocupação.

Tristeza.

Traição.

Culpa.

Ele possuía cada uma delas.

Elas se infiltraram pelas suas pálpebras cerradas, pelos pulmões agora cheios de oxigênio, as lágrimas marejando seus olhos.

Mas não se permitiu chorar.

As sensações zumbiram pelos seus braços, formigando as pontas dos dedos, até retorcer seu estômago em nós tão apertados que pareciam fazer parte dele.

E então tudo se suavizou, descendo pela virilha, pelas coxas longas e fortes e pelos pés, cimentando-o ao chão.

Estou aqui. Eu sou eu.

Este sou eu.

Abriu os olhos e encarou a lápide. E não sentiu mais nada.

Pegou a carteira de cigarro e retirou um, enfiando-o entre os lábios. Em seguida, acendeu o isqueiro e a ponta flamejou quando deu uma tragada e soprou a fumaça para longe enquanto guardava tudo em seu bolso outra vez.

Deu outra tragada e retirou o cigarro da boca.

— Você pode agradecer à minha irmãzinha por isso — disse ele à lápide. — Foi ideia dela.

Banks era tão esperta quanto ele. Se ao menos tivesse sido leal da mesma forma...

— Poderia ter sido por outros caminhos — disse ele ao túmulo. — Sem deixar vestígios.

Deu outra tragada, a mistura com o ar frio lhe dando um sabor agradável à língua.

— As universidades usam digestores industriais para se livrar de cadáveres — continuou em um tom divertido. — Parecem enormes panelas de pressão. Você mistura setenta litros de água com um pouco de soda cáustica e ferve até atingir a temperatura e consistência certas. Um corpo pode se dissolver em questão de horas. — Tragou mais uma vez, apertando a ponta entre os dedos. — E então você pode simplesmente... *despejar* o corpo pelo ralo. Como se fosse... Nada.

O vento se tornou mais forte, farfalhando contra as árvores.

— Mas isso não dissolve tudo, infelizmente. Alguns pedaços de ossos e dentes sobram, então precisam ser triturados — continuou ele. — Agora, o ácido sulfúrico, embora seja mais perigoso que a soda cáustica, pode dissolver completamente os restos humanos. A desvantagem é que leva mais tempo. Cerca de dois dias. — Ele assentiu, largando a bituca do cigarro na grama e pisoteando-o com o sapato. — E isso é inconveniente.

Ele mentiu para Kai. O corpo de sua mãe não havia desaparecido. Estava a menos de cinco quilômetros de suas casas. Bem aqui em Thunder Bay.

Talvez ele devesse ter se livrado disso.

— Mas eu simplesmente não consegui. — Seus olhos pousaram na lápide, a voz mais baixa à medida que tentava respirar. — Eu quero que você exista — sussurrou. — Quero sempre me lembrar de que o mundo é um lugar ruim, que você era de verdade, e que todos os dias está apodrecendo sob meus pés.

Ele flexionou a mandíbula e ergueu o queixo, tentando aprumar a postura. Lembrou-se do prazer de jogá-la nesta cova sem tomar qualquer cuidado de envolver seu corpo contra os elementos da natureza.

Abriu o zíper e agarrou a parte favorita de seu corpo, encarando a lápide enquanto mijava por todo o chão.

Ele não voltaria novamente. Havia terminado com ela.

No entanto, ainda havia outra mulher que merecia muito o que estava prestes a acontecer com ela, e com quem precisava lidar. Ela era a próxima.

Quando terminou, guardou seu pau de volta na calça e fechou o zíper, olhando pela última vez para o mármore agora úmido.

— Ei! — alguém gritou às suas costas. — O cemitério está fechado. O que você está fazendo aqui?

Um zelador.

Exalou um suspiro, sem se virar.

— Apenas prestando meus respeitos à minha mãe.

O brilho de uma lanterna atrás dele iluminou a lápide à sua frente.

— Sua mãe? Mas esse é o túmulo de Edward McClanahan.

— Ah, é? — ele disse, disfarçando o sorriso.

Ele ouviu os passos do homem se aproximarem.

— Se você voltar de manhã, posso ajudá-lo a encontrar a sepultura de sua mãe. Qual é o nome dela?

Mas ele apenas acenou com a cabeça.

— Não, está tudo bem. Ficarei muito ocupado depois desta noite. — E virou-se, encontrando os olhos castanhos do homem sob as sobrancelhas grisalhas. — Já estou de saída. Feliz Dia das Bruxas.

Então se afastou dali.

— Sim, para você também — o zelador retrucou.

Sem sombra de dúvida.

FIM

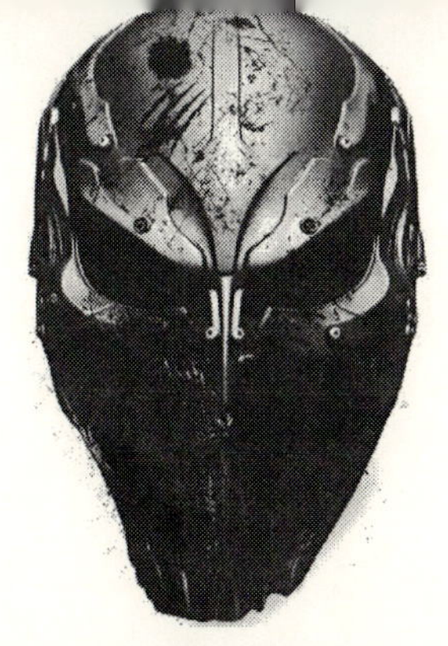

AGRADECIMENTOS

Primeiro, aos leitores – muitos de vocês estiveram lá, compartilhando sua empolgação e mostrando seu apoio, dia após dia, e sou muito grata pela eterna confiança. Obrigada. Sei que minhas aventuras nem sempre são fáceis, mas eu as amo e fico feliz por muita gente amar também.

À minha família – meu marido e filha se encaixam em minha agenda maluca, minhas embalagens de doces e meu distanciamento toda vez que penso em um diálogo, reviravolta na história ou cena que simplesmente saltou na minha cabeça durante o jantar. Vocês dois realmente aguentam muita coisa, então, obrigada pela sua paciência.

Para Jane Dystel, minha agente na Dystel, Goderich & Bourret LLC – não há absolutamente nenhuma maneira de eu desistir de você, então você está presa comigo.

Para as PenDragons – vocês são meu lugar feliz no Facebook. Obrigada por serem o suporte positivo sempre necessário. Especialmente as administradoras do grupo, que se esforçam tanto: Adrienne Ambrose, Tabitha Russell, Tiffany Rhyne, Katie Anderson e Lydia Cothran.

À Vibeke Courtney – minha revisora *indie* que repassa todo o meu texto com um pente-fino. Obrigada por me ensinar a escrever e alinhar tudo certinho.

À Kivrin Wilson – viva as meninas quietas! Temos as mentes mais barulhentas.

À Milasy Mugnolo – que lê e sempre me dá o voto de confiança que eu preciso, garantindo que eu tenha pelo menos uma pessoa com quem conversar durante um evento de autógrafos.

À Lisa Pantano Kane – você me desafia com perguntas difíceis.

À Jodi Bibliophile – nada de cowboys. Entendi. Sem pelos pubianos. Nunca. Sem camisinha. Hum, às vezes... *Olhos revirando*; bem, eu tentei. Obrigada pela leitura e apoio, e obrigada pelo humor espirituoso e por sempre me fazer sorrir.

À Lee Tenaglia – que faz artes lindas para os meus livros e cujos painéis no Pinterest são a minha cara! Obrigada. É sério, você precisa entrar no ramo. Nós deveríamos conversar.

A todos os blogueiros – são muitos para citar, mas sei quem vocês são. Vejo as postagens e as tags, e todo o trabalho duro que fazem. Vocês gastam seu tempo livre lendo, resenhando e promovendo, e tudo de graça. Vocês são o sangue vital no mundo literário. Sabe-se lá o que faríamos sem vocês. Obrigada por seus esforços incansáveis. Vocês fazem por paixão, o que torna tudo ainda mais incrível.

À Jay Crownover, que sempre vem até mim nos eventos e me faz conversar. Obrigada por ler meus livros e ser uma das minhas maiores apoiadoras.

À Tabatha Vargo e Komal Petersen, que foram os primeiros autores a me enviar uma mensagem após o meu primeiro lançamento para me dizer o quanto amaram o Bully. Nunca me esquecerei disso.

À T. Gephart, que toma um tempo para me verificar e ver se preciso de uma remessa do australiano e verdadeiro Tim Tams. (Sempre!)

E à BB Reid, por ler, compartilhar suas leitoras comigo e ser minha prancha de salto. Mal posso esperar para mergulhar em sua mente. ;)

É válido demais ser reconhecido pelos seus colegas. A positividade é contagiosa, então, obrigada aos meus colegas autores por espalhar o amor.

A todos os autores profissionais e aspirantes – obrigada pelas histórias que vocês compartilham, muitas das quais me tornaram uma leitora feliz em busca de uma fuga maravilhosa e uma escritora melhor, tentando seguir seus padrões. Escrever e criar, e não parar nunca. A voz de cada um é importante, e desde que venha do seu coração, é certa e boa.

CENAS DELETADAS

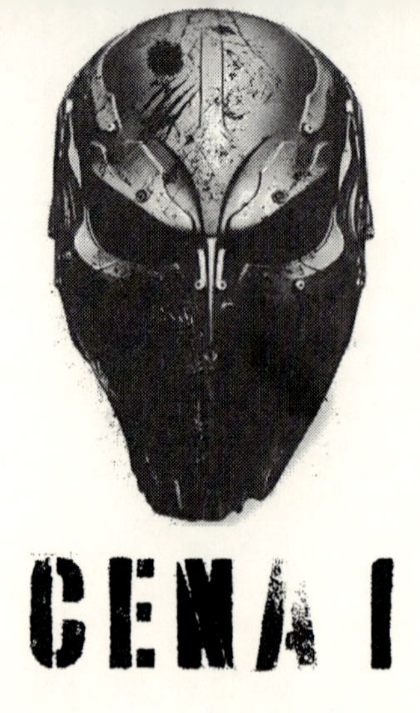

CENA I

Esta cena aconteceu, primeiramente, logo após Kai e Banks investigarem o hotel pela primeira vez com Michael e Will.

Ao andar pelo *Sensou* aquela noite, imediatamente parei e me recostei à parede próxima da porta, deixando o grupo de pessoas que estava saindo se espremerem pela calçada. Pessoas usando quimonos de karatê pretos – ou seja lá como eles chamavam –, e alguns apenas trajando roupas de academia normais, levando suas bolsas, rindo e batendo papo, nenhum deles se dignando a me lançar um olhar.

Quando saíram, fui em direção ao balcão da recepção.

— Hmm, oi — um homem de boné azul, com uma prancheta em mãos, disse à atendente, na minha frente. — Tenho uma entrega para Kai Mori.

A atendente jovem se ofereceu para pegar a prancheta do rapaz.

— Ele está dando uma aula particular. Posso assinar por ele?

— Hmmm… — murmurou, parecendo meio incerto. — É uma entrega grande. Ele normalmente gosta de checar a mercadoria antes de eu descarregar.

Mercadoria? Espiei ao redor do cara, tentando ser discreta, para ver sua prancheta, mas sua mão continuava se movendo, e eu não conseguia ver a ordem de serviço.

Pigarreei de leve.

— Eu tenho uma coisa pra ele também. — Agarrei com mais força a alça da maleta de aço que eu segurava com a mão esquerda e peguei a prancheta do cara com a direita. — Eu levo tudo isso pra ele.

— Ei, espera um minuto! — o entregador disparou, apontando para mim.

Mas saí acelerada pelo corredor, virando a cabeça e gesticulando para as cadeiras no saguão.

— Vá estacionar. Eu já volto.

Não esperei para ver se ele ou a atendente me seguiriam enquanto eu atravessava o corredor mal iluminado. As duas salas principais, destinadas às aulas mais lotadas, ficavam do outro lado do saguão e possuíam vários andares acima, como mezaninos, com vista para as salas maiores, assim como as menores situadas nas laterais do segundo, terceiro e quarto pisos. A maioria, de acordo com a minha pesquisa, era usada para armazenamento e espaço extra para escritórios.

Desacelerando os passos, avaliei o documento preso à prancheta.

Jogo de jantar *Marchella*	U$$ 29.900
Mesa de bufê *Villarosa*	U$$ 5.700
Cama King para o Santuário	U$$ 8.400

Mas que porra? Meu olhar percorreu o papel, detectando a listagem de outras pequenas peças de mobília – mesinhas laterais, cadeiras, cômodas, eletrodomésticos. O endereço no topo da folha era do *Sensou*. Por que ele estava solicitando que essas coisas fossem entregues aqui?

Com a ponta do polegar, virei a página. Outra ordem de serviço, datada de seis semanas atrás, para entrega de mais móveis. Outras duas camas, uma dúzia de cadeiras, uma mesa de cozinha, uma escrivaninha e algumas obras de arte. Tudo entregue aqui.

Mas, a menos que essas coisas estejam escondidas em alguma sala no andar acima, elas não estavam aqui. O que ele estava fazendo com todos esses móveis?

Baixei a prancheta e voltei a caminhar, sem saber por que tudo isso importava. Provavelmente, nada, mas, outra vez, qualquer informação que as pessoas faziam questão de esconder era valiosa.

Para quem eram esses móveis? Ele estava bancando uma amante? Talvez fosse por isso que ele não investia em tempo ou dinheiro na casa dele? Ele devia estar dormindo em algum outro lugar.

Balancei a cabeça, o estômago retorcendo em um nó. Eu não queria saber. Mas também queria.

Segui pelo corredor, passando pelo escritório, os vestiários masculinos e femininos, e por duas salas de aula menores sem portas. Ao chegar perto da terceira, ouvi o som de bastões se chocando um ao outro em um ritmo acelerado.

— O que você está fazendo? — Ouvi Kai perguntar, com brusquidão.

Parei e esperei um pouco, espiando pela porta e o avistando na mesma hora, seu corpo tensionado e em postura rígida conforme rodeava seu aluno. Seu olhar era bravo, e acabei me sentindo mais divertida do que deveria. Ele era sempre tão contido.

Claro, assim como eu.

E, então, o "aluno" entrou em cena, e a diversão desapareceu. Rika o rodeou em um círculo lento, acompanhando os passos predatórios, mas mantendo a distância segura entre eles.

Ele ficava mais na companhia dela do que o próprio noivo, porra.

— Oji waza — respondeu ela, mas eu não tinha a menor ideia do que se tratava. Ela estendeu os braços, a shanai em sua mão direita enquanto o desafiava. — O que eu fiz de errado agora?

— Contra-ataque e depois inicie — ele comandou, limpando o suor de sua testa com o antebraço. — Não pare. Vamos ver como se sai.

Ele posicionou a espada, e ela fez o mesmo, as pontas se tocando antes de ele bater o pé no chão e avançar com um grande rugido.

Ela ergueu rapidamente a espada, impedindo o ataque ao chicotear seu bastão de bambu com quase um metro de comprimento em direção a ele, com longas passadas conforme agarrava o cabo da arma com ambas as mãos.

Por que eles não estavam usando o equipamento? Kendô possuía roupas especiais, armaduras e capacetes de proteção para os lutadores.

Rápido demais, ela correu para o lado dele e acertou o bastão na nuca de Kai. Eu o observei se curvar para frente, absorvendo o golpe, dando a ela tempo suficiente para varrer as pernas dele e o derrubar de costas contra o tatame.

— Ah! — ele grunhiu, fechando os olhos com força depois da queda.

Rika ficou boquiaberta, e largou a espada no chão, erguendo os braços com um sorriso.

— Urgh… — Kai gemeu novamente, esfregando a parte de trás de sua cabeça.

— Ah, é isso aí! — ela se gabou, dançando ao redor com um sorriso vitorioso. — Hmm-hmm. Eu te disse que precisávamos usar o equipamento, mas, nãoooo… Você disse que eu aprenderia melhor se acabasse me machucando no processo. — Balançou a cabeça de um lado ao outro, com as mãos nos quadris. — E aí, você aprendeu?

Com um rosnado, Kai se levantou e se curvou, pegando o bastão do chão à medida que ela dançava ao redor em comemoração.

— Pare de rir — ele repreendeu. — Humildade, Rika, lembra?

O que a fez rir ainda mais, totalmente feliz com seus feitos.

Vi quando o semblante dele suavizou e ele revirou os olhos, um sorriso curvando os cantos de seus lábios de leve. Ele enganchou o pescoço dela com o braço e depositou um beijo na testa de Rika.

Não como um amante – mais como um irmão faria –, mas, ainda assim, o gesto me fez contrair a mandíbula e franzir o cenho diante da cena. Havia certa intimidade ali, uma espécie de conexão entre os dois.

Ele a amava?

Damon estava certo. Todos eles estavam enfeitiçados por ela. Eu sabia que Rika não havia sido responsável pela prisão deles, como todos pensávamos no último ano, mas quando meu irmão não conseguiu mais suportar a presença dela, eles a escolheram em vez dele. Eu enxergava o ponto de vista dele.

— Bom trabalho — Kai disse. — E não se esqueça de gritar. É importante para a intimidação.

— Urgh.

Os dois vieram em direção à porta e eu me endireitei, me recostando à parede do corredor.

Rika saiu primeiro, estacando em seus passos quando me viu. Ela hesitou por apenas um segundo antes de lançar um olhar para Kai e continuar caminhando pelo corredor, empurrando a porta do vestiário feminino mais à frente.

Kai se aproximou de mim, o olhar fixo. Entreguei a ele a maleta.

— As ferramentas que você pediu — eu disse. — E a corda está no seu porta-malas. Lev, Ilia e David estarão aqui pela manhã para o treinamento; você já escolheu um instrutor, certo?

Ele pegou a prancheta da minha mão, me lançando um olhar irritado que dizia que eu não deveria estar de posse daquilo.

Kai seguiu pelo corredor, conferindo a ordem de serviço enquanto falava comigo.

— E para você também.

— Não, obrigada — respondi, de forma monótona. — Sou autossuficiente.

Pude ouvir sua risada baixinha quando o segui.

Depois do hotel esta manhã, ele me manteve ocupada o dia todo, arranjando suprimentos para levar para o décimo segundo andar, revisando os contratos com Gabriel, e caçando ex-funcionários do *The Pope* com quem ele queria conversar. No entanto, eu nem tentei cumprir todas as ordens. Ele realmente achava que eu facilitaria as coisas assim? Ele poderia me enviar de volta para Thunder Bay. De toda a forma…

— Eu também marquei um horário com o paisagista amanhã — continuei —, e com alguns empreiteiros para irem até a sua pocilga para dar um orçamento ou estimativa do que será necessário para ajeitar aquele lugar para Vanessa. — Enfiei as mãos nos bolsos, lançando olhares furtivos para os músculos de suas costas nuas tensionando a cada passo. — Mas, sério, seria bem mais fácil se você se mudasse de lá.

O comentário foi sarcástico, mas era verdade. O tempo já era curto o suficiente com a mudança da mobília e o planejamento do casamento, ainda mais ter que lidar com as reformas.

— Cancele qualquer horário marcado — disse ele, sem olhar para trás.

— Tudo bem. — *Você que lide com ela quando a mulher chegar lá.*

Ou talvez ele não estivesse planejando que sua futura esposa morasse com ele. Que tal isso? *Hmmm…*

— Vou enviar por mensagem as medidas do quarto dela, e você pode decorar do jeito que quiser — instruiu. — Quando eu mandar, você pode começar a organizar o quarto. O resto da casa está fora dos limites pra você. Entendeu?

— O quarto dela? — perguntei, incapaz de esconder a surpresa no meu tom de voz. — Você não quer dizer o quarto de *vocês*?

Ele parou diante da mesa do escritório e colocou a maleta sobre o tampo, mas não deixei de notar sua sobrancelha arqueada quando ele me lançou um olhar antes de se virar para o entregador.

— Me avise quando precisar de mais alguma coisa, senhor — o rapaz disse, estendendo um molho de chaves.

Kai assinou a fatura e trocou as chaves pela prancheta.

Chaves. Então era isso o que estava acontecendo. Kai não estava solicitando a entrega de todos aqueles móveis aqui. Ele solicitou que o caminhão de mudanças fosse deixado aqui. Ele não queria nem mesmo que o motorista visse para onde estava indo.

Agora, sim, eu estava intrigada.

CENA 11
KAI

Esta cena aconteceu originalmente antes de Kai levar Banks para jantar em sua casa. Ele está em Thunder Bay, à procura de Will, mas foi Banks quem encontrou Will primeiro.

— Filho de uma mãe — murmurei, encarando todos os carros estacionados diante da velha igreja.

St. Killian estava adiante, cercada pela escuridão, já que era tarde da noite, mas as janelas recém-reformadas brilhavam intensamente com as luzes que provinham do interior. Dava até mesmo para vislumbrar algumas nuvens de fumaça se dissipando no céu logo acima da chaminé.

No que ele estava pensando? Michael iria matá-lo.

Pisando no acelerador, virei o volante de vez e parei na lateral da recentemente asfaltada entrada de carros, ciente de que Michael e Rika ainda não haviam colocado grama ou plantado flores que eu pudesse, porventura, estragar. Pelo menos, eles não fariam isso até que a casa deles em Thunder Bay estivesse com a reforma finalizada.

Desci do carro e fui até a entrada dos fundos, a parte da frente ainda cercada pelos andaimes usados pelos empreiteiros.

Quando éramos adolescentes, costumávamos vir muito aqui. A velha catedral tem estado abandonada desde os anos 30, e com as catacumbas abaixo, se tornou um lugar bacana e gigante para farrear com centena de outras pessoas. Os policiais nunca vinham para estas bandas mais distantes, e o bairro mais próximo ficava a quilômetros daqui.

Caminhei pelo terreno todo cheio de terra solta por conta das obras ocorridas ao longo do último ano, e olhei para cima, avistando a fresta de luz da porta de trás.

Banks estava ao fim do pequeno lance de escada, recostada ao corrimão e com as mãos enfiadas nos bolsos.

Ela endireitou a postura assim que me aproximei.

— Posso ir embora agora? — perguntou.

Encarei aqueles olhos castanho-esverdeados penetrantes sob as sobrancelhas escuras. Uma cor linda e calorosa que ela tinha a habilidade de fazer parecer gélida.

Eu meio que queria rir diante dessa atitude.

Assim como também meio que queria envolver seu pescoço com minhas mãos.

Talvez ela fosse nervosinha o tempo todo ou talvez fosse apenas comigo. Ela com certeza não hesitava em fazer qualquer coisa que eu pedia, isso era fato.

Agora já fazia dois dias que eu não conseguia fazer contato com Will, e quando não o rastreei na cidade, mandei que ela o procurasse por Thunder Bay, já que ela tinha algumas tarefas a fazer mais cedo naquela noite. Como a cidade era pequena, não levou muito tempo para que ela me enviasse uma mensagem de texto.

E se ele estava em St. Killian, na casa recém-reformada para onde Michael e Rika ainda nem haviam se mudado, então era melhor que eu viesse sozinho para dar sumiço nele antes que o casalzinho aparecesse. Perguntei – ou mandei – Banks ficar e me esperar, caso ele desse o fora antes de eu chegar.

— Vá — ordenei.

Ela se afastou do corrimão e passou por mim, e senti um arrepio na nuca assim que isso aconteceu.

Ergui o olhar, observando a luz que se infiltrava pela fresta da porta, e notando, por fim, as risadas e conversas que vinham de dentro. Balançando a cabeça, disparei com passos firmes pela escada.

Entrei na parte dos fundos da igreja velha e dei um passo no que agora era a cozinha, reparando em todas as pessoas ao redor. Algumas garotas, uns dois caras, todos parecendo jovens o suficiente para ainda estarem comemorando o feriado de primavera.

O balcão central estava repleto de comida – pizza, uísque, duas garrafas de dois litros, e copos de bebidas espalhadas e manchando os novos azulejos pretos de ardósia que Rika havia escolhido no mês passado.

Respirei fundo, sentindo o cheiro de fumaça se infiltrando em minhas narinas.

Porra.

Atravessei a cozinha e segui para a imensa sala, vendo pelo menos mais umas vinte pessoas, todas desconhecidas, esparramadas pelos móveis novos ou largadas nos tapetes. Meu olhar passou pela pequena multidão, em busca de Will, mas o eco surdo de uma bola de basquete ressoando pela catedral chegou aos meus ouvidos, e meu olhar se concentrou na direção do som. Olhei para cima e avistei o corrimão de pedra entalhada que levava ao segundo andar.

Subi as escadas.

Qual era o problema dele, porra? Entrar sem ser convidado em uma casa que não era dele e ainda agir como um babaca sobre o assunto? Esse lugar estava uma zona do caralho, e Rika ficaria arrasada. A casa já estava quase pronta para eles se mudarem, a cozinha e os banheiros praticamente terminados, e faltava uma demão ou outra de pintura, algumas luminárias a serem instaladas, e eletrodomésticos a serem entregues para finalizar tudo. Eles já até mesmo haviam começado a receber alguns móveis aqui, a busca por mobílias perfeitas rolando há vários meses.

Seria uma casa perfeita. E por mais que eu detestasse que ela tivesse perdido parte de seu mistério agora, e que as catacumbas no subsolo da igreja não seriam mais acessíveis a qualquer pessoa, o lugar teria sido vendido ou demolido em algum momento. Pelo menos, agora ficaria na "família", por assim dizer, e seria preservado.

Contornei o corredor e segui na direção da área aberta acima, onde eu sabia que Michael montaria, em algum momento, um reduto masculino, com mesa de sinuca, sofás, TVs e outras coisas. Ele já tinha até instalado uma cesta de basquete.

Will corria pelo piso liso, driblando, suas pernas parecendo pesar toneladas e a expressão meio fechada. Desacelerei os passos, observando-o arremessar para a cesta.

Estranhamente, ele estava sozinho. E isso quase nunca acontecia.

— Por que você não estava atendendo ao telefone? — gritei.

Ele manteve a cabeça baixa, recusando-se a olhar para mim.

— Por que você é tão babaca?

Hã?

— O que diabos isso significa? — disparei. — O que eu fiz?

Eu quase não havia conversado com ele em dias, e a última vez que o vi – no *The Pope* –, ele não parecia bravo comigo.

— Só... — Franziu os lábios, quicando a bola com força no piso e parecendo prestes a dizer algo mais. Até que, por fim, murmurou: — Só vá se foder.

Franzi o cenho, balançando a cabeça. Quer saber de uma coisa? Tudo bem. Eu estava cansado pra cacete, e não precisava disso esta noite. Ele estava vivo, em segurança, e podia buscar consolo em qualquer vício do caralho que o deixaria mais feliz.

Eu me virei para sair.

— Do que se tratava a reunião sua com o Michael hoje? — ele perguntou, às minhas costas.

Eu me virei de volta, vendo-o oscilar em seus pés levemente, a bola sob um braço e uma garrafa de Budweiser pendendo de entre os dedos da mão livre.

— No *The Cove*? — perguntou, indicando: — É uma cidade pequena, Kai.

Sim, tudo bem. E daí? Michael e eu nos encontramos.

— Desde quando você tem que estar presente em cada conversa que tenho com Michael?

A culpa me alfinetou por dentro. Eu sabia que Michael queria se encontrar comigo sozinho, mas também sabia que Will tinha todo o direito de se sentir preterido.

— Não sou burro, sabe? — disse ele, os olhos parecendo sérios, conforme quicava a bola no piso.

— Eu nunca disse que você era.

— E nem precisa. — Seus olhos entrecerraram, com raiva. — Eu sou o que sempre está por perto ou é chamado quando se precisa de um reforço adicional. Bom para os momentos de diversão, né? Não usem palavras muito complicadas perto de mim ou nem me envolvam nos negócios, ou me deixem participar das discussões mais sérias, porque não vou entender.

— Isso não é verdade. — Baixei o olhar, fervilhando por dentro. — Quer saber de uma coisa? — Ergui a cabeça e me aproximei dele. — É verdade. É tudo verdade. Dê um jeito de se recompor. Estou cansado de te ver anestesiado de tanta bebida ou qualquer porra que você esteja cheirando, tomando ou fumando, a ponto de quase nunca ficar com a gente.

Eu me afastei, andando de um lado ao outro. Passamos quase três anos pagando pelos nossos erros. Três anos! Fomos humilhados e desprezados na frente de toda a cidade. Perdemos nossos amigos, o respeito de nossos familiares, e vivemos em um buraco de 14 metros quadrados, enquanto todo mundo da nossa idade estava terminando a faculdade. Pelo menos consegui meu diploma na cadeia – eu tinha que fazer alguma coisa dia a dia –, mas nós cometemos crimes. E isso agora constava na nossa ficha policial para sempre. Eu só queria me redimir, enquanto Will pensava que poderia voltar para casa e que tudo estaria do mesmo jeito de quando saiu.

— Você acha que é o único que está sofrendo? — Baixei o tom de voz, mas a agressividade ainda estava ali. — Você acha que é o único tentando esquecer? Pensa que não preciso de você também? Michael não sabe o que passamos lá dentro. Ele não estava lá, então talvez eu também precise um pouquinho de você. Mas, não, estou ocupado demais em ser sua babá — rosnei. — Você acha que preciso dessa merda depois de tudo o que aconteceu? Se controle, porra. Comece a agir como um adulto, e talvez você seja tratado como um.

Ele encarou o chão, e pude ver seus lábios contraídos, tentando conter a raiva ou as lágrimas – eu não sabia qual dos dois. Meu estômago embrulhou.

Eu não era o Will. Todos nós lidávamos com nossos demônios de maneira diferente, e eu entedia isso, mas suas escolhas desde que foi solto não estavam tornando a vida dele melhor. Era um ciclo constante de entorpecimento indo e vindo. A busca eterna por ficar chapado. No entanto, em pouco tempo, as garotas, bebidas e drogas não seriam mais o bastante.

Cerrei os punhos, encarando-o.

— Michael quer comprar o *The Cove* — contei. Foi por isso que nos encontramos hoje no parque de diversões abandonado em Old Pointe Road, a tal reunião da qual Will ficou sabendo. — Ele quer arranjar mais alguns investidores, colocar aquela porra abaixo e construir um resort.

Will levantou a cabeça, os olhos subitamente preocupados ou talvez… assustados.

— É melhor colocar a sua cabeça no lugar — eu o adverti —, porque se não fizer isso por conta própria, vou deixar que Michael vá em frente.

O *The Cove* estava abandonado há anos. Era uma propriedade de alto valor no mercado, situada no litoral, e ao contrário do restante da região, havia um porto de águas profundas e um leito sólido de mar. Perfeito para a construção de uma marina. Michael queria que nós o comprássemos, com ajuda, claro, e transformássemos em um campo de golfe, hotel, restaurantes, trilhas para caminhada, bangalôs privativos e tudo mais que compõe um resort cinco estrelas. E ter uma marina seria um atrativo a mais para os iatistas frequentarem o lugar, atraindo uma tonelada de negócios lucrativos.

E detonando os hotéis de Gabriel em Meridian City, como se o destino assim quisesse.

Infelizmente, Michael sabia que Will nunca concordaria com isso. O *The Cove* era especial para Will por razões que eu não sabia por completo.

E Rika ficaria do lado de Will, simplesmente porque não concordaria com qualquer coisa que desnecessariamente nos magoaria. Michael queria atualizar os planos comigo hoje para ter ao menos uma pessoa ao lado dele antes de trazer o assunto à tona.

Mas eu ainda estava indeciso. Era um grande empreendimento e eu achava que não estávamos prontos.

O peito de Will arfava, respirando rápido, e ele se virou e foi para o sofá encostado na parede de pedras. Desabando no assento, apoiou os cotovelos nos joelhos e segurou a cabeça entre as mãos. Eu podia ouvi-lo ofegando daqui de onde estava, as mãos cerradas puxando os fios de seu cabelo castanho-claro.

Fui até ele, acidentalmente chutando uma garrafa vazia de Jack, que rodopiou pelo piso e parou quando acertou a perna de uma cadeira.

Parei diante de Will.

— Eu realmente sinto muito, sabe? — Ele balançou a cabeça, ainda entre as mãos. — Eu não queria ser assim, mas eu… eu não quero pensar em tudo. Não quero me lembrar de qualquer coisa. Vou fazer tudo melhor amanhã. — Olhou para cima, os olhos verdes marejados fazendo meu estômago retorcer. — As coisas serão melhores amanhã.

Meu Deus, ele parecia tão perdido. A agonia cintilou em seu rosto, a tristeza em seus olhos…

— Eu só me sinto — disse ele, em busca das palavras certas — tão sozinho.

Eu me abaixei e o agarrei por baixo dos braços, colocando-o de pé e rapidamente fazendo com que ele enlaçasse um braço ao redor do meu pescoço. Ele me deixou conduzi-lo até um dos quartos no final do corredor. Muitos ainda estavam vazios, mas eu sabia que já havia uma cama com colchão na suíte principal, porque…

Bem, por causa de Michael e sua Rika, por isso.

Cruzei o quarto com Will a reboque e notei a pintura novinha nas paredes, o lustre, e a cama king size, que, felizmente, já estava forrada com o lençol e cobertores. O banheiro da suíte ficava à direita.

— Até na época da escola, eu nunca fui seu igual — murmurou. — Você era mais inteligente, nunca fazia merda, era respeitado... assim como o Michael.

Larguei Will na cadeira e me virei para puxar os cobertores para o pé da cama.

— Mas eu não me sentia inferior, mesmo sabendo que era — continuou. — Damon estava por perto. Era um lance equilibrado. Dois polos positivos, dois negativos, saca?

Sim.

Eu *sacava.*

— Nós quatro éramos perfeitos pra caralho. — Eu podia ouvir o sorriso em sua voz diante das lembranças. — A liderança de Michael, o seu autocontrole, a total falta de controle de Damon, e a minha... busca pela diversão suprema. Nós proporcionamos uns aos outros algo que todos precisávamos. As coisas não são mais as mesmas. Não estão mais equilibradas.

Assenti em concordância, finalmente enxergando qual era o problema. Como eu tinha dito a Michael. Will se encontrava perdido sem Damon. Ele estava certo. Nós éramos perfeitos. Uma tempestade perfeita. A fusão ideal de quatro corações divergentes que não eram perigosos sozinhos, mas que quando se juntavam se tornavam um incêndio de grandes proporções.

Como raios nos encontramos nessa vida?

— Eu não me encaixo com vocês — Will disse, baixinho.

Franzi o cenho. Como ele poderia pensar que não era importante?

Mas antes que eu pudesse me virar para ele, Will me agarrou e envolveu minha cintura com os braços.

— Me abraça — choramingou como uma garota.

E então começou a rir.

— Qual é, cara — resmunguei, me soltando de seu agarre. Eu me virei e o vi todo curvado, morrendo de rir.

Idiota. Avancei e o empurrei de bunda no colchão, me assegurando de que ele havia se deitado por completo antes de cobri-lo. Ele estava vestindo só a calça jeans, de todo jeito, então podia dormir assim mesmo.

Saí do quarto e desci as escadas, expulsando todo mundo dali e pegando umas duas garrafas de água de um *cooler* antes de subir novamente. Eu duvidava que haveria aspirina no banheiro, então… azar o dele.

Coloquei as garrafas no travesseiro ao lado dele.

— Tem água aqui — informei, vendo seus olhos fechados. Ele gemeu uma vez, indicando que havia me ouvido.

Eu me inclinei e disse, com a voz séria:

— Se você acordar e quiser mijar, vá ao banheiro. Michael já vai te matar por ter dado uma festa aqui, e você não quer a Rika na tua cola por ter manchado de mijo os pisos novos dela. Você me ouviu?

Ele deu mais um grunhido sonolento, e eu endireitei a postura, desligando o abajur.

Eu não estava certo se ele conseguiria se corrigir por conta própria. A única coisa que era possível garantir sobre qualquer um de nós era que não queríamos parecer fracos, especialmente na frente uns dos outros. As merdas que ele estava fazendo a si mesmo eram sintomas de outro problema, mas eu ainda não havia determinado qual o tamanho ou dimensão desse problema. Ou o que poderia ser, para ser mais exato.

Eu me virei para sair do quarto, ouvindo sua voz às minhas costas:

— Kai?

Parei e virei apenas a cabeça, vendo-o ainda deitado na cama.

— Eu não deveria ter ateado fogo naquele gazebo — disse ele. — Por que você não me impediu, cara?

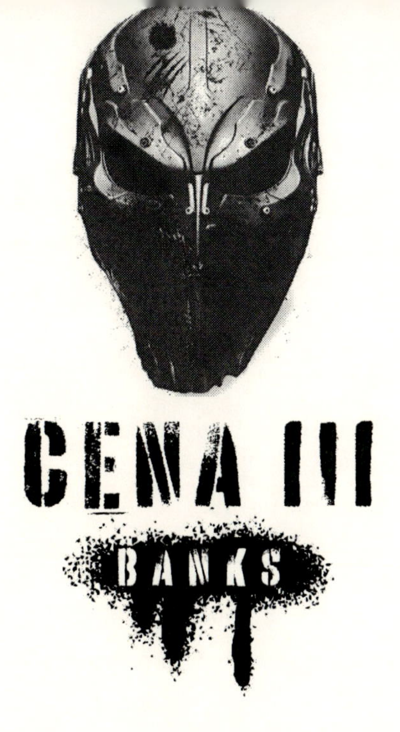

CENA III

BANKS

Essa cena aconteceu originalmente depois da cena de flashback onde Damon e Banks se encontram pela primeira vez. Ela está no quarto dele quando é chamada no piso inferior.

Dias depois que cheguei e me mudei para o cubículo na torre, passando horas sendo a sombra dele, passei a amá-lo. Nós éramos a família um do outro.

Nik e Damon.

Olhei para os terrários acima, vendo Volos e Kore II aninhados sob as lâmpadas de aquecimento. Ficando de pé, fui até a bancada e tirei a tampa, pegando Volos com cuidado e ajudando-o a se enrolar ao redor da minha mão. Ele deveria estar morto a essa altura. Kore morreu anos atrás, mas Volos ainda estava aguentando firme. Talvez esperando pelo seu mestre.

Ele estava pacificamente descansando, imóvel, e arrastei meus dedos por sua pele escamosa.

Depois do meu primeiro encontro com Damon, pesquisei sobre suas cobras na internet e na biblioteca, e descobri que Volos era uma cobra leiteira e que Kore era uma cobra do milho. Ambas completamente inofensivas.

Embora o que Damon disse fosse verdade. Qualquer animal podia morder se fosse provocado. Suas picadas, no entanto, não eram venenosas.

— Banks! — Uma batida intensa golpeou a porta escada abaixo, e eu reconheci a voz de Lev.

Coloquei Volos de volta no terrário, com todo cuidado e gentileza, e tampei a caixa novamente. Ele havia resistido até agora, e eu estava preocupada que não vivesse por mais tempo, especialmente com Damon prestes a voltar para casa.

Com sorte.

— Banks! — Lev gritou outra vez, e fui até a porta e desci as escadas correndo.

Abri a porta no pé da escada e avistei Lev parado ali, os olhos injetados de sangue e as bochechas vermelhas, provavelmente de tanto beber. Já era tarde, e os caras estavam à toa agora.

— O marido da Marina está de volta com as baboseiras dele. — Ergueu o queixo e gesticulou na direção da cozinha.

— E daí? — disparei. — Resolva o assunto.

— Qual é… — resmungou. — Um homem não pode dizer a outro o que fazer com sua própria mulher. Você que precisa resolver isso.

Arqueei uma sobrancelha e desci o último degrau, fechando a porta em seguida.

— Seu covarde inútil — ralhei, esbarrando em seu ombro a caminho do outro lance de escadas.

Bando de filhos da puta preguiçosos. Puta merda.

Desci os degraus, sentindo-o em meu encalço assim que virei o canto do corrimão e fui em direção à cozinha, onde quase sempre podíamos encontrar Marina. O maldito marido dela cuidava dos jardins aqui, e ambos viviam em outra casa na propriedade, mas de vez em quando ele gostava de dar as caras por aqui para lembrar a mulher sobre quem mandava nela de verdade.

Não Gabriel Torrance, não todos os homens da equipe a quem ela servia e com quem passava mais tempo do que com ele, e, certamente, não ela.

Ele era um homem sem um tostão furado e ficava ressentido por causa disso.

Entrei na cozinha, passando por David e Ilia no vestíbulo, parados ali por perto, mas não tão próximos, enquanto os soluços de Marina rompiam o silêncio.

Bill Rutledge estava diante dela, de costas para mim, segurando um cinto em uma das mãos e encarando a esposa.

Eu não fazia ideia do que o havia provocado dessa vez, e estava pouco me fodendo.

Olhei além dele e vi Marina, seu olhar se desviando para mim por um momento. Lágrimas escorriam pelas bochechas, metade do cabelo loiro preso, mas a maior parte solta, sua camisa e avental desalinhados. Seu rosto estava vermelho, mas não vi sangue algum.

Ela não costumava ficar por aqui até esse horário, tão tarde, mas eu podia ver uma panela no fogão cuja boca ainda estava acesa. Meu pai provavelmente mandou que ela fizesse alguma coisa de comer para ele.

— Oi — cumprimentei, rompendo o silêncio.

Bill virou a cabeça, me olhando com a cara feia.

— Dá o fora — ordenou. — Isso não é da sua conta.

E então seu olhar se desviou para além do meu ombro, indicando que os caras estavam atrás de mim agora.

Dei um passo adiante, sentindo seu cheiro de suor na mesma hora. Estendi a mão.

— Me dê o cinto.

Ele deu uma risada de escárnio e balançou a cabeça, tomando mais um gole da cerveja em sua mão.

Ele não ia se render assim tão fácil.

Quase fechei os olhos, antecipando o prazer com a situação. Eu podia sentir meu estômago agitar, o calor fluir pelos meus braços, o batimento acelerado no meu peito…

Eu amava essa parte. Inclinando um pouco a cabeça para o lado, dei mais um passo adiante.

— Ela já teve o suficiente. Me entregue a porra do cinto.

Ele se virou para me encarar, e meu olhar se fixou aos olhos azuis cercados por rugas nos cantos de tantos anos trabalhando sob o sol; seu cabelo loiro estava úmido com o esforço.

Bill entrecerrou os olhos e avançou, invadindo meu espaço pessoal. Ele bateu o cinto contra a lateral de sua coxa e quase grudou o nariz ao meu.

Não consegui reprimir o sorriso que se alastrou pelo meu rosto. Anos atrás, ninguém ousaria me tocar com um medo terrível de ter que enfrentar Damon.

Agora, todos os dias, eu lutava para garantir que ninguém me desafiasse por medo de se resolver comigo.

— Vá em frente — instiguei. — Pode me bater.

Eu me virei um pouco de lado e apoiei as palmas das mãos sobre a mesa, me curvando de leve.

— Vamos lá.

Marina parou de soluçar, e nenhum dos homens ali presente falou qualquer coisa.

Virei a cabeça e falei com ele, por cima do ombro:

— Você está atrasando o jantar do senhor Torrance. Eu posso tomar o lugar dela, então, vá em frente.

Eu o senti se movimentar atrás de mim, cada músculo das minhas pernas prestes a desabar. Respirei de leve, cravando as unhas na mesa de madeira quando ele se postou às minhas costas.

Vamos lá! Vamos lá. Você pode me machucar. Você vai me colocar no meu lugar, não é mesmo?

— Anda logo — sussurrei, respirando fundo, baixando a cabeça e fechando os olhos. — Vá em frente, anda logo... me faça gritar. Me faça chorar.

Minha pele formigou e todos os pelos se arrepiaram.

Todo animal morde quando é provocado. Vá em frente, seu filho da puta.

— Anda! Pode me aterrorizar. Vamos lá! Me faça gritar. Você consegue. Eu quero isso!

Bati a palma da mão na mesa e ouvi Marina ofegar.

Mas tudo permaneceu em silêncio. Era como se ninguém estivesse respirando.

Esperei pela primeira cintada – se o filho da mãe ousasse fazer isso –, mas nada aconteceu. Virei a cabeça para trás e olhei para ele, que ainda se postava atrás de mim, me encarando.

Ele recuou. Sabia que não conseguiria arrancar lágrimas ou gritos de mim.

Mas ele também não queria ficar por baixo diante dos homens, então fungou e deu de ombros, de repente, agindo como se aquilo não fosse nada demais.

— Está de boa — respondeu, rindo consigo mesmo. — Acho que exagerei um pouco.

Aprumando a postura, eu me virei e cheguei mais perto dele. Peguei a cerveja de sua mão, sem desviar o olhar, e joguei a porcaria no lixo.

Ele hesitou apenas por um segundo antes de pegar a dica e colocar o cinto de volta.

— Se você tem um problema com a cozinheira do senhor Torrance, fale comigo — eu disse. — Você a machuca e a deixa incapaz de trabalhar, então você terá que se resolver com ele. Se isso for confuso para entender, David poderá explicar a caminho da sua casa. — Olhei para os homens, incitando-os a levarem esse bosta daqui. — Meninos?

David me encarou, perdido por um segundo, mas então piscou e se pôs em movimento. Ele reuniu os caras e guiou o caminho pela porta dos fundos. Bill nem sequer olhou para sua esposa conforme os seguia com certa relutância.

Ouvi um pouco mais de fungados e vi Marina se aproximar pela minha visão periférica.

— Obrigada, querida — disse ela, com a voz trêmula.

Ela estendeu a mão e tocou meu rosto, mas eu me afastei.

Não fiz isso por ela. Não fiz mesmo, eu disse a mim mesma.

O que ela permitia que acontecesse em sua casa era problema dela. Quando seu marido bagunçava o funcionamento dessa casa, aí, sim, se tornava assunto meu. Nada mais.

— Gabriel está esperando pelo jantar — informei, saindo da cozinha. — Dê um jeito no seu rosto.

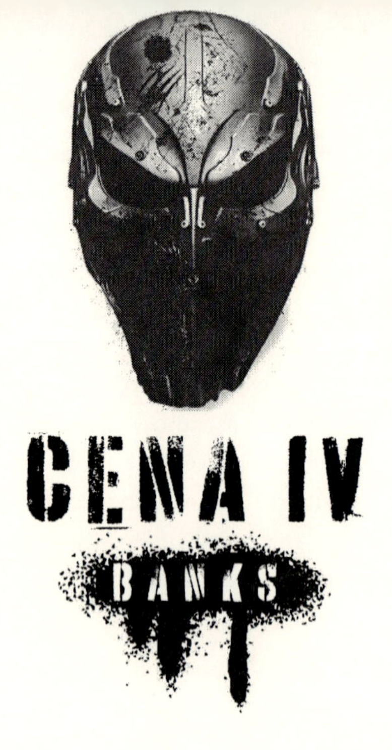

CENA IV

BANKS

Essa cena aconteceu originalmente após David, Lev e Ilia levarem Banks do cemitério até a casa Torrance, antes de ela subir para o quarto e ir se deitar.

— Aqueles caras, filhos da puta — David praguejou, do assento do motorista enquanto acendia um cigarro. — Merdinhas, todos eles.

— Merdinhas bem-relacionados — Ilia acrescentou.

Eu estava sentada atrás dele, no banco traseiro, encarando o lado de fora pela janela à medida que eles fofocavam sobre pessoas que nem mesmo conheciam. Era comum sentir certa animosidade por pessoas para quem se tinha que trabalhar. Eu senti o mesmo pelas meninas nas festas, apesar de não ser legal fazer suposições.

Mas era fácil ser meio amarga quando você sabia que nunca teria uma oportunidade de possuir os tipos de carros pelos quais era pago para lavar todos os dias. Ou odiar a galera que simplesmente havia tirado a sorte grande desde o nascimento, sorte o suficiente para ostentar dinheiro e nunca saber qual era a sensação de trabalhar para sobreviver.

No entanto, Kai era diferente. Ele era legal.

Uma parte minha queria explicar o que realmente tinha acontecido quando fui empurrada para dentro da cova, e, ei, eu poderia muito bem ter dado o fora dali e colocado a culpa neles, mas… não. Eu não estava a fim de me desculpar por algo que não foi minha culpa e algo pelo qual eu não me arrependia nem um pouco de ter acontecido.

Ganhei o meu primeiro beijo dentro de um túmulo vazio. Eu sempre me lembraria disso, não é mesmo?

— Ei. — Ouvi David dizer.

Virei a cabeça e olhei para cima, deparando com seu olhar pelo espelho retrovisor.

— Não pense que não vi aquele seu sorrisinho quando você achou que ele ia te dar um bom momento. — Ele balançou a cabeça uma vez. — Não vai rolar. Nunca. O mais provável é que ou Damon te prenda dentro do seu quarto pelo resto da sua vida, ou que você se case com um de nós. Isso é o melhor que você pode esperar, garotinha.

O sorriso que nem percebi que estava em meus lábios desapareceu, e voltei a me concentrar na janela de novo, agora melancólica conforme passávamos pelos portões de saída do cemitério.

De jeito nenhum eu ficaria aqui e viveria essa vida para sempre.

— Um monte de gente que veio do nada conseguiu fazer alguma coisa com suas vidas — respondi, mais para mim mesma.

Mas Lev riu ao meu lado, inclinando-se no banco traseiro.

— Sim, igual a mim. Olhe só para mim.

— E igual a mim também — Ilia debochou.

— É isso aí, todos nós viemos do nada e vencemos na vida — David caçoou de mim através do espelho retrovisor. — Eu tenho três empregos de merda, incluindo o de entregador de pizza de meio-período à noite só para conseguir grana suficiente para bancar meu curso de professor para poder mudar o mundo, certo? Eu faço as tarefas de casa da faculdade pública todo dia no ônibus. Esse sou eu.

Balancei a cabeça, desviando de seu olhar.

— *Oui*... — Lev adicionou, com um zombeteiro sotaque francês. — Eu frequento a escola de *culinárria* e faço os *melhorres* pratos *parra* as crianças famintas na África. — Beijou as pontas dos dedos. — Muaaaah!

— E eu vou arranjar um emprego na fábrica — Ilia entrou na brincadeira —, uma boa e honesta forma de sustentar minha esposa beata e meus filhos, Betty Sue, Tommy e Vlad.

— Vlad? — Lev perguntou, levantando a cabeça.

Ilia deu de ombros.

— Eu deveria pelo menos escolher um bom nome russo para as crias.

Todos eles gargalharam como se eu fosse ingênua. Como se a ideia de ter esperança fosse uma ridícula perda de tempo. Mas eles tinham que querer algo mais em algum momento, não é? Como eles se tornaram tão céticos?

— O lance é, querida — David disse, e encontrei seu olhar pelo retrovisor —, que quando você não tem dinheiro, a vida pode se tornar difícil pra cacete. Algumas pessoas conseguem dar um jeito. A maioria não.

Lev suspirou ao meu lado.

— A merda simplesmente fica muito difícil, e Gabriel paga nosso salário.

— E um mês vira dois anos muito rápido — Ilia acrescentou.

Franzi o cenho, encarando o céu noturno e as árvores passando como um borrão pela janela. O carro se tornou um ambiente sufocante, o ar ali dentro cada vez mais espesso.

Não era de admirar que eles bebessem o tempo todo.

Não era de admirar que eles se metessem em brigas e faziam tudo e qualquer coisa que pudessem para entorpecer a si mesmos. Na opinião deles, já estava tudo acabado. Nada nunca seria melhor do que já estava agora.

E não era de admirar que eu estivesse tão encantada com Kai Mori. Ele era diferente.

E ele foi o único, além de Marina, que fez com que eu sentisse que o mundo poderia ser um lugar muito maior.

David parou diante do nosso portão, que se abriu na mesma hora nos permitindo a passagem. Todo mundo permaneceu em silêncio durante o longo trajeto até a casa, e dei uma conferida no relógio digital do painel que indicava que passava das dez da noite.

Meu irmão não chegaria em casa até pelo menos o amanhecer. Será que o Kai ainda estava planejando ir ao *The Pope* hoje à noite? Ele deve ter arranjado aquela chave depois da nossa conversa de manhã, antes de saber que nos esbarraríamos de novo.

Eu não gostava de pensar nele indo lá sem mim.

David estacionou nos fundos da mansão e desligou os faróis e o motor. Ele olhou para mim por cima do ombro.

— Vá para o seu quarto e fique lá.

Tá, tá... abri a porta e todos saímos; David, Lev e Ilia seguiram até a oficina e suas camas, enquanto eu abria a porta de trás que levava à cozinha.

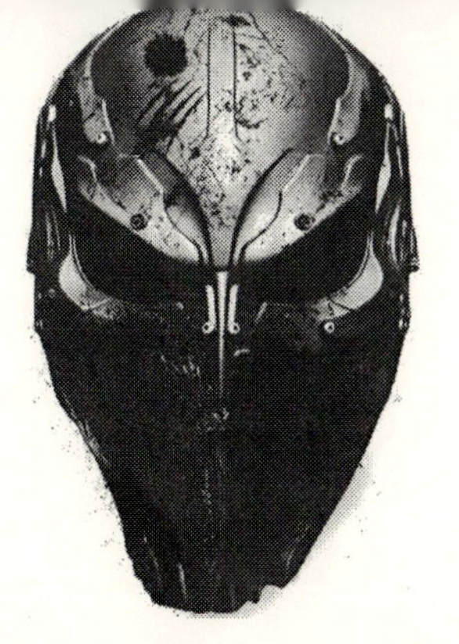

SOBRE A AUTORA

Penelope Douglas é autora de best-sellers do *New York Times*, *USA Today* e *Wall Street Journal*.

Seus livros incluem os da série *The Fall Away*, *Devil's Night* e os independentes, *Misconduct*, *Punk 57* e *Birthday Girl*.

Ela se veste para o período do outono o ano todo e adora qualquer coisa com sabor de limão, além de fazer compras na Target quase diariamente. Mora em Las Vegas com o marido e a filha.

A The Gift Box é uma editora brasileira, com publicações de autores nacionais e estrangeiros, que surgiu no mercado em janeiro de 2018. Nossos livros estão sempre entre os mais vendidos da Amazon e já receberam diversos destaques em blogs literários e na própria Amazon.

Somos uma empresa jovem, cheia de energia e paixão pela literatura de romance e queremos incentivar cada vez mais a leitura e o crescimento de nossos autores e parceiros.

Acompanhe a The Gift Box nas redes sociais para ficar por dentro de todas as novidades.

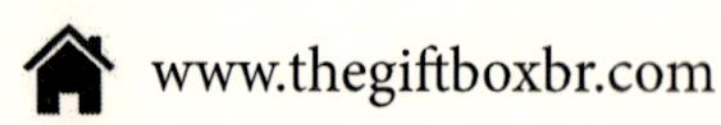

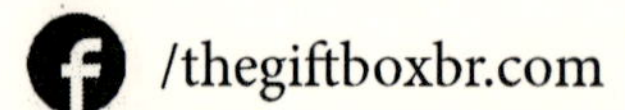

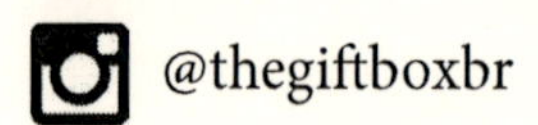

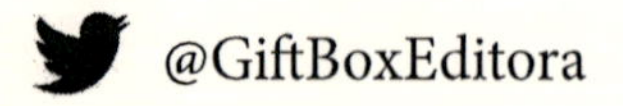